Le livre de l'amour

Du même auteur

Marie Madeleine, Le Livre de l'Élue, XO Éditions, 2007.

Kathleen McGowan

Le Livre de l'Amour

Marie Madeleine, livre 2

Traduit de l'anglais (États-Unis)
par Arlette Stroumza

Roman

XO
EDITIONS

Titre original : *The Book of Love*
Publié par Touchstone, a registered trademark of Simon & Schuster, Inc.
© 2009 by McGowan Media, Inc. Tous droits réservés

Pour la traduction française :
© XO Éditions, Paris, 2009
ISBN : 978-2-84563-307-0

Pour Easa

Jamais le monde ne fut meilleur
Qu'en le jour où fut offert aux humains
Le Cantique des cantiques.
Car, si toutes les écritures sont sacrees,
Le Cantique des cantiques
Est la plus sacrée d'entre toutes.

Rabbi Akiva, Ier siècle de l'ère chrétienne

Mer
du Nord

• Knock
Village où la population locale a été
témoin d'apparitions divines

IRLANDE

GRANDE-BRETAGNE

BELGIQUE

Océan
Atlantique

Ville de résidence de Matilda suite à
son mariage avec Geoffroi le Bossu   Stenay •

• Chartres
Abrite la cathédrale gothique
la plus importante au monde et de nombreux
secrets légendaires. Dernière demeure
de la martyre Modesta

Baie
de Biscaye

FRANCE

Château des Pommes Bleues,
demeure de Bérenger Sinclair

Montségur •   • Arques

PORTUGAL

Montserrat •
Le Livre de l'Amour y fut caché
pendant 300 ans

• Fátima
Trois jeunes enfants de berger
y eurent des visions en 1917

ESPAGNE

Mer Méditerranée

0   50 100 kilomètres

Mer
Baltique

ALLEMAGNE

N
O   E
S

Orval Abbaye construite par Matilda de Toscane
pour abriter et protéger les enseignements
secrets du Livre de l'Amour

• Spire Résidence principale de Henri IV

• Worms
Le pape Grégoire VII y fut désavoué
lors du concile de 1076 et Matilda
fut déclarée adultérine

Maison d'enfance de Matilda
• Mantoue

Canossa
Forteresse imprenable de la famille de Matilda,
où Henri IV fut forcé de faire repentance

Lucques • Florence
Lieu de naissance de Matilda et implan-
tation principale de l'ordre du
Saint-Sépulcre durant plus de 1 000 ans

Rome   ITALIE

• Salerne
Le pape Grégoire VII y mourut en exil

• Calabre
Première implantation de l'ordre
du Saint-Sépulcre, où saint Luc divulgua
son enseignement

Au commencement, Dieu créa le ciel et la terre.

Mais Dieu n'était pas un être unique, Il ne régnait pas seul sur l'univers. Il gouvernait avec sa compagne, qui était Sa bien-aimée.

C'est ainsi donc que dans le premier livre de Moïse, la Genèse, Dieu déclara : « Faisons l'homme à Notre image, et qu'il nous ressemble », parce qu'Il parle de son autre moitié, Sa femme. Car la création est un miracle qui survient dans toute sa perfection lors de l'union entre les principes masculin et féminin. Ainsi, le Seigneur notre Dieu dit-Il : « L'homme est désormais l'un d'entre nous. »

Et on lit, dans le livre de Moïse : « Ainsi Dieu créa l'homme à sa propre image, homme et femme Il les créa. »

Comment Dieu aurait-Il créé la femme à Sa propre image s'Il ne disposait pas d'une image féminine ? Cependant, Il le fit, et elle fut nommée Athiret, Celle qui marche sur la mer. Non seulement la mer de notre terre, mais aussi la mer des étoiles, ce chemin de lumière que nous appelons la Voie lactée.

Elle marche sur les étoiles, car tel est son domaine, car elle est la Reine des cieux.

On la connut sous de nombreux noms ; l'un de ces noms est Stella Maris, l'étoile de la mer, la fille de la mer, car mer signifie aussi amour. Ainsi souvent l'eau est-elle considérée comme le symbole de sa généreuse sagesse.

Un autre symbole la représente comme un cercle d'étoiles qui danse autour d'un soleil en son centre, l'essence féminine entourant l'homme de son amour. Là où l'on voit ce symbole, l'on reconnaît la présence de l'esprit de tout ce qui est divin dans la féminité.

Par la suite, les Hébreux donnèrent à Athiret de la mer et des étoiles le nom d'Asherah, notre mère divine, et ils donnèrent à Dieu le nom de El, notre père céleste.

El et Asherah conçurent le désir de donner à leur amour grand et sacré une expression plus physique et d'en partager les bénédictions avec les enfants qu'ils engendreraient. Chacune des âmes ainsi engendrées fut dotée d'un double, fait de la même essence. Dans le livre qu'on appelle la Genèse, cela est rapporté dans l'allégorie du double d'Adam, créé à partir de sa côte, c'est-à-dire de son essence même, puisque chair de sa chair, os de son os, esprit de son esprit.

Alors, Dieu déclara, comme le raconte Moïse : « Et leurs chairs s'uniront et ne feront plus qu'un. »

Ainsi naquit le hieros gamos, le mariage sacré de la foi et de la connaissance, qui unit les aimés afin qu'ils ne fassent plus qu'un. Et tel est le plus sacré des cadeaux que nous firent notre père et notre mère qui sont aux cieux. Car, lorsque nous nous unissons dans la chambre nuptiale, nous connaissons l'union divine qu'El et Asherah désiraient que ressentent, dans la lumière de la joie pure et dans l'essence de l'amour vrai, tous leurs enfants sur la terre.

El et Asherah, et les origines sacrées du *hieros gamos*,
tiré du Livre de l'Amour,
tel que rapporté dans le Libro Rosso.

Prologue

La Beauce, France

390 apr. J.-C.

D'épaisses bougies en cire d'abeille coulaient doucement le long de tous les murs de la grotte, et éclairaient
les fidèles qui se pressaient dans le lieu du rendez-vous.
La petite communauté priait avec ferveur, en suivant le
rythme de la femme à la beauté sublime qui se tenait
devant eux, sur l'autel de pierre. Elle acheva sa prière et
leva devant elle le trésor de son peuple, un manuscrit
usé par le temps, relié de cuir.

— Le Livre de l'Amour. Les seules paroles véridiques
de Notre-Seigneur.

La lueur vacillante des bougies étincela sur la chevelure rousse de dame Modesta tandis qu'elle se penchait
pour baiser le livre. Les fidèles répondirent à l'unisson :

— Pour ceux qui ont des oreilles pour entendre.

Un silence déférent s'installa, comme si aucune
conversation banale ne pouvait succéder aux paroles du
Livre. L'un des jeunes hommes, un disciple assidu et
dévoué du nom de Severin, rompit la sérénité qui régnait
sur la compagnie.

— Comment se porte notre frère Potentian ?

— Je l'ai vu aujourd'hui, répondit Modesta d'une voix
aussi calme et chantante que lorsqu'elle priait. Je lui ai

apporté du pain à la prison. Il va bien, et sa foi est inébranlable, comme doit être la nôtre.

En dépit de ses efforts pour surmonter la peur qui l'envahissait, Severin ne pouvait contrôler son agitation croissante.

— Tu dis qu'il va bien, mais pour combien de temps encore ? Chaque jour, Rome assassine de plus en plus des nôtres, en tant qu'hérétiques. Bientôt, on viendra tous nous chercher.

Un murmure d'approbation hésitant courut au sein de la petite communauté. Mais Modesta, sage et patiente à la fois, ne laissait jamais passer une occasion d'enseigner les vérités dont elle était dépositaire.

— Triste époque, en effet, lorsque les persécutés deviennent des persécuteurs. Les chrétiens ont souffert durant de bien longues années, et, de nos jours, c'est entre eux qu'ils exercent leur pire violence. Nous devons leur pardonner, car ils ne savent pas ce qu'ils font.

Un sifflement aigu, à l'orée de la grotte, ponctua les derniers mots de Modesta. Trop tard. Dame Modesta et les membres de sa congrégation comprirent qu'ils avaient été découverts par ceux dont ils devaient à tout prix se cacher.

En un instant, le calme de la réunion religieuse sombra dans le chaos alors qu'un groupe d'hommes armés se précipitait dans la grotte par son unique ouverture. Il n'y avait aucun moyen de s'échapper. Les soldats étaient tous vêtus à l'identique, robes sombres et capuchons opaques dissimulant entièrement les visages, à l'exception des yeux, révélés par d'étroites fentes. Leur chef avança et retira son capuchon ; il avait la tête rasée, un crucifix en bois sculpté était passé autour de son cou. Le regard rivé sur Modesta, il cracha son mépris pour un chef de sexe féminin, et cita les Épîtres de Paul :

— « Aucune femme ne sera autorisée à enseigner, mais seulement à se taire. » Modesta de la Beauce, tu es arrêtée et accusée d'hérésie.

Modesta le regarda calmement, et le reconnut.

— Frère Timothée, tu es venu me chercher, et je te suivrai. Mais laisse en paix ces pauvres gens innocents.

Confronté à l'affreuse perspective de perdre leur guide, le jeune Severin bondit en avant et s'interposa entre Modesta et frère Timothée.

— Je ne vous laisserai pas l'emmener ! s'écria-t-il.

Les sbires encapuchonnés s'avancèrent. Modesta profita de la diversion pour glisser le livre sacré derrière elle, hors de la vue de son accusateur. Elle n'avait pas encore pris conscience de la gravité du danger encouru par ses disciples. Une femme qui se consacrait à l'essence même de l'amour et de la compassion ne pouvait si rapidement comprendre la violence qui animait ces hommes.

Les miliciens cagoulés sortirent leurs armes et s'en servirent sans hésiter. Une lame à double tranchant s'enfonça dans le cœur de Severin, dont la vie s'échappa de sa blessure en un flot de sang qui baptisa tragiquement la congrégation.

Dans le petit espace en proie au chaos, les fidèles se bousculaient en une vaine tentative de fuite ; leurs sombres pressentiments s'étaient mués en une terrible réalité. La sortie était bloquée par une force ennemie qui ne montrerait aucune pitié pour les fidèles.

— Madeleine, appela Modesta en cherchant des yeux sa fille, qui déjà se précipitait vers sa mère, sur l'autel.

Âgée de huit ans, la fillette était de très petite taille, et paraissait beaucoup plus jeune. Modesta souhaita de toute son âme que cette apparence tournât à son avantage.

Elle devait sauver son enfant ; elle devait sauver le Livre.

Comme elle serrait contre elle la fillette, Modesta en profita pour dissimuler celui-ci sous les plis de sa tunique et l'enveloppa de sa cape pour plus de sécurité. Puis elle interpella Timothée de façon à couvrir le vacarme :

— Assez ! assez ! je vous suivrai. Ne faites plus couler de sang !

Mais les soldats cagoulés avaient déjà massacré tous les participants : le sang des innocents inondait le sol de la grotte. Frère Timothée siffla de dédain en enjambant un cadavre sanguinolent pour s'emparer de son ultime proie.

— Épargne cette fillette, supplia Modesta. Tu es un homme de Dieu. Tu ne dois pas faire retomber les péchés des pères sur les enfants.

— C'est ta fille ?

— Non, c'est une petite paysanne.

Frère Timothée s'approcha et saisit une des mèches de cheveux bruns de la fillette entre ses doigts.

— Elle n'a pas la couleur de cheveux maudite des tiens. Autrement, je l'aurais tuée de mes mains. Mais une fille de paysans ne mérite pas cette peine. Laissez-la partir.

Il renvoya l'enfant d'un geste et se retourna pour évaluer le carnage.

Modesta étreignit l'enfant qui, les bras serrés, tenait contre elle le livre sacré. C'était sans doute la dernière fois qu'elle voyait sa fille, songea-t-elle en lui murmurant à l'oreille :

— N'aie pas peur, Madeleine. Je t'aimerai encore. Le moment reviendra.

— Ma bien-aimée, je donnerais tout au monde pour que ce ne soit pas toi, ici, dans cette cellule.

Potentian s'agrippait aux barreaux qui le séparaient de son épouse. Le temps passé en prison l'avait réduit à l'état de squelette décharné. Son visage et ses cheveux étaient crasseux, mais, aux yeux de Modesta, il restait l'homme le plus beau du monde. Elle aurait tant voulu le toucher ! Mais ils étaient tous deux attachés dans la geôle sombre, et séparés par une trop grande distance.

— Pourtant, nous sommes ensemble, et cela est une bénédiction. Ne crains pas la mort, mon amour, nous savons, n'est-ce pas, que ce n'est pas la fin.

Potentian était désespéré.

— N'abandonne pas ! Tu es parente de l'évêque Martin de Tours. Nous pouvons solliciter son intervention. Il peut tout arrêter.

Modesta soupira avec résignation.

— Mon cher cousin n'a jamais réussi à sauver les hérétiques, malgré tous ses efforts. L'Église est déterminée à se débarrasser de nous, et vite. Frère Timothée nous aura fait mettre à mort avant le prochain coucher du soleil.

— Que va devenir notre Madeleine ?

— Elle a été épargnée. J'ai dû la renier, dire qu'elle n'était pas des nôtres. Dieu merci, elle a ta couleur de cheveux, sinon, notre deuil serait intolérable. Elle ira rejoindre mon frère. Il la protégera, tu le sais.

— Et le Livre ?

— Madeleine l'a caché sous sa cape. Elle a été si courageuse !

La faible lumière d'une bougie éclaira l'expression pleine d'admiration de Potentian.

— Elle tient de sa mère. En sauvant le Livre, elle deviendra notre Sauveur à tous. Et l'enseignement du Chemin se poursuivra.

Modesta acquiesça, puis dit pensivement :

— Une fois encore, la vérité est sauvée par une petite fille. Ainsi en a-t-il toujours été. Ainsi en sera-t-il à jamais.

Une foule sinistre se pressait sur le sommet de la colline où avaient lieu les exécutions. Un sombre billot de bois était posé sur l'échafaud. Deux haches y étaient appuyées, formant un X.

Les mains liées derrière le dos, côte à côte, Modesta et Potentian gravissaient la colline. Des hommes encapuchonnés, lourdement armés, les entouraient, et les pressaient d'avancer plus vite. La somptueuse chevelure de Modesta avait été grossièrement coupée, pour dégager le cou délicat que la lame du bourreau séparerait de son corps.

Potentian la regardait, le cœur empli d'amour et de tristesse.

— Nous mourrons comme nous avons vécu, comme nous avons enseigné : ensemble.

— Et nous reviendrons, pour enseigner ensemble à nouveau, répondit Modesta. Selon la volonté de Dieu.

Potentian ralentit le pas pour prolonger leurs derniers et précieux instants ensemble. Sa femme fit de même et s'approcha de lui autant que possible. Il murmura une ultime requête :

— Chanteras-tu pour moi ? une dernière fois ?

Modesta lui sourit avant de commencer à chanter doucement. C'était le cadeau terrestre suprême qu'elle pouvait offrir à son bien-aimé.

— Je t'ai aimé longtemps
Jamais je ne t'oublierai
Je t'ai aimé pour l'éternité
C'est l'un pour l'autre que Dieu nous a créés.

Un homme à la forte musculature, des reflets roux dans les cheveux fendit la foule dans leur direction. Il tenait Madeleine dans ses bras. En apercevant sa fille, Modesta se figea. Potentian suivit les yeux de sa femme et s'arrêta. Ils n'osèrent pas faire mine de reconnaître l'enfant, mais un profond sentiment d'amour et de perte anima en cet instant la petite famille.

Madeleine jeta sur sa mère un regard intense et empli de sagesse qui n'était pas celui d'une enfant de huit ans ; un fin sourire joua sur ses lèvres. Sa mère, fière et soulagée malgré cet instant terrible, réussit à lui sourire en retour avant qu'un garde cagoulé ne la poussât en avant, vers l'échafaud. Modesta se pencha vers son époux et murmura :

— Nos deux trésors sont en sécurité.

De chaque côté du billot, un garde approchait, pour disposer les prisonniers.

— Mes bons seigneurs, dit Modesta assez fort pour être entendue par la foule, nous permettrez-vous de prier un instant ensemble ?

Les gardes consultèrent frère Timothée du regard. Ce dernier, pourtant impatient de jouir du spectacle de l'exécution, était pris au piège : en tant qu'homme d'église, il ne pouvait refuser une telle requête.

— L'Église est miséricordieuse, et autorise une courte prière si les hérétiques souhaitent se repentir.

Modesta se rapprocha de son époux et le regarda une dernière fois. En cet instant, il n'y avait plus d'échafaud,

20

plus de haches, plus d'affreuse injustice. Il n'y avait que de l'amour, tandis qu'ils récitaient la prière la plus sacrée de leur peuple, à l'unisson.

— Je t'ai aimé dans le passé

Je t'aime aujourd'hui

T'aimerai encore dans l'avenir

Le temps revient.

Modesta posa doucement ses lèvres sur celles de son mari, en un dernier baiser.

— Assez !

La fureur de frère Timothée effaça la magie du moment. Les gardes séparèrent brutalement le couple et forcèrent Modesta et Potentian à s'agenouiller côte à côte.

Avec la profonde sérénité de ceux qui savent que Dieu seul les attend, Modesta et Potentian inclinèrent la tête sur le billot. Ils continuèrent à prier à voix basse. La première hache s'abattit dans un bruit sourd ; la seconde suivit bientôt.

La foule ne se dispersa pas. L'atmosphère était lourde d'un sentiment de deuil et de tragédie. Ce n'était pas la festive exécution d'hérétiques que frère Timothée avait espérée, mais il lança cependant son impérieux avertissement :

— Que cela serve de leçon à tous ! Le Saint Empire romain ne tolère pas l'hérésie.

Effrayés, le visage empreint d'une expression solennelle, les citoyens s'égaillèrent tandis que retentissait encore l'écho des paroles menaçantes. Frère Timothée ignora la foule, s'approcha de l'échafaud et s'adressa aux bourreaux :

— Ne laissez ici aucune relique dont pourraient s'emparer les hérétiques. Jetez les corps au fond d'un puits. Rien ne sera plus proche de l'enfer où j'aimerais les précipiter de mes mains.

Tandis que les bourreaux s'affairaient à leur sinistre tâche, Timothée jeta un long regard jubilatoire sur le corps mutilé de Modesta. Une exaltation obsessionnelle se dessina sur son visage tandis qu'il sortait subrepticement de sa poche une mèche des cheveux roux de la jeune femme.

La bergère était morte. Le troupeau serait facile à maîtriser.

Il enfonça son trophée dans sa poche et s'éloigna sans un regard en arrière, ses pieds pataugeant dans le sang répandu par Modesta.

Chapitre 1

New York

De nos jours

Nichée dans le luxe de la somptueuse suite de l'hôtel de Manhattan que son éditeur avait réservée pour elle, Maureen Pascal se débattait dans le lit gigantesque. Aussi nerveuse la nuit que le jour, la jeune femme n'avait pas bénéficié d'une seule nuit de sommeil complète en presque deux ans. Depuis la succession d'événements qui l'avait guidée jusqu'à la découverte de l'Évangile secret de Marie Madeleine, Maureen était une femme hantée, endormie comme éveillée.

Lorsqu'elle avait la chance de s'assoupir quelques heures, d'impitoyables rêves la poursuivaient, tantôt surnaturels et symboliques, tantôt réalistes, trop réalistes. Dans le plus troublant de ses rêves récurrents, elle rencontrait Jésus-Christ, qui l'incitait en des termes énigmatiques à tenir sa promesse : chercher le livre mystérieux qu'il avait écrit de sa propre main, et qu'il appelait le Livre de l'Amour. Lorsqu'elle était éveillée, le souvenir de ces rêves tourmentait Maureen : à ce jour, le Livre de l'Amour n'avait pas d'existence avérée. On n'en décelait aucune trace historique, à l'exception de quelques vagues légendes apparues en France au Moyen Âge et totalement oubliées depuis. Elle ne savait par où commencer pour tenir cette promesse, ni où découvrir ce mirage. En fait, elle ne savait même pas de quoi il s'agissait. Et, jusqu'alors, le Seigneur ne lui avait fourni aucun indice.

Chaque nuit, Maureen priait avec ferveur afin de ne pas faillir à la mission qui lui avait été confiée et d'être guidée jusqu'au point de départ de ce voyage singulier. Les événements miraculeux qui avaient émaillé sa vie lui prouvaient qu'elle était entourée d'un faisceau d'inspiration divine. Il lui suffirait d'être patiente, d'attendre, avec une foi inébranlable.

Cette nuit-là, ses prières seraient exaucées, et, de l'étrange et surnaturel monde de ses rêves surgirait un premier élément de piste.

Un brouillard crépusculaire, dense, gris, se répandait sur les ruines. Maureen les parcourait lentement, alourdie par les brumes et par le rêve. Ce monastère, ou du moins ce qu'il en subsistait après des siècles de dévastation, datait de la plus haute antiquité. Le mur effondré qui se trouvait à sa droite avait été, jadis, un chef-d'œuvre d'architecture; de nos jours, il ne restait que le cadre de ce qui avait été une fenêtre à vitraux de style gothique, avec une rosace à six pétales sculptée dans la pierre. Les derniers rayons de la lumière du jour s'insinuaient à travers les branches des arbres, tombaient par la fenêtre béante pour éclairer l'espace où se tenait Maureen. Elle poursuivit sa progression vers des arches gothiques désormais inutiles, car, des murs qu'elles avaient autrefois soutenus, il ne restait depuis longtemps que quelques pierres effondrées; ultimes vestiges d'une ancienne gloire évanouie, les arches qui avaient un jour mené jusqu'à une nef majestueuse étaient à l'abandon, solitaires, telles des ouvertures vers un lointain passé.

Les derniers rais de lumière semblèrent la suivre jusqu'à l'entrée d'un vieux jardin désolé où ils illuminèrent une statue de la Vierge à l'Enfant, nichée au sein d'un mur de pierre.

Maureen s'en approcha et caressa doucement le visage de pierre de la jolie petite madone, qui semblait n'avoir guère dépassé l'âge de l'enfance. Selon la tradition, la Vierge avait enfanté très jeune. Il n'était donc pas surprenant qu'elle fût représentée sous une apparence quasi enfantine. Mais cette madone au sourire énigmatique figurait plutôt une enfant tenant dans ses bras un nourrisson, lui-même sculpté de manière inhabituelle; il donnait l'impression de vouloir échapper aux bras de la petite fille et souriait malicieusement. On aurait plutôt dit la représentation d'une fillette s'efforçant de maîtriser son petit frère que celle d'une mère et de son enfant. Maureen l'examinait avec curiosité lorsque la statue lui parla, d'une voix de petite fille :

— Je ne suis pas celle que tu crois.

Dans le monde illogique et imaginaire des rêves, il n'est pas étonnant qu'une statue prenne la parole, ni même qu'elle se mette à rire, comme le faisait celle-ci.

— Qui es-tu, alors ? interrogea Maureen.

— Tu le sauras le moment venu, répondit la fillette dans un nouvel éclat de rire – à moins que ce ne fût celui du bébé.

C'était impossible de les distinguer, car les bruits se mêlaient désormais aux tintements d'une cloche qui sonnait quelque part dans l'abbaye.

— J'ai beaucoup de choses à t'apprendre.

Maureen observa attentivement la statue, le mur de pierre où elle était nichée, les arches ravagées, afin de n'oublier aucun détail.

— Où sommes-nous ? demanda-t-elle.

L'enfant ne répondit pas. Maureen poursuivit son exploration et enjamba prudemment la végétation drue qui poussait à travers les pierres écroulées. La lune se levait, pleine, claire dans le ciel qui s'obscurcissait. Elle étincela sur une petite étendue d'eau, devant laquelle Maureen approcha en franchissant un nouveau seuil de pierre. C'était un puits, ou une citerne, assez large pour que plusieurs hommes pussent s'y baigner ensemble. En se penchant au-dessus de l'eau jusqu'à apercevoir son reflet vacillant, Maureen eut la sensation d'une profondeur sans limites. Ce puits était sacré, et s'enfonçait loin dans les entrailles de la terre.

— En regardant ton image, reprit la fillette, tu trouveras ce que tu cherches.

Le reflet de Maureen se troubla, et, brièvement, elle vit une autre image, qu'elle essaya de toucher de la main. À cet instant, la bague de cuivre qu'elle portait à la main droite glissa et tomba dans le puits.

Maureen hurla.

Cette bague était son bien le plus précieux. Elle lui avait été donnée à Jérusalem, alors qu'elle mettait ses pas dans ceux de Marie Madeleine. De la taille et de la forme d'une petite pièce de monnaie, elle représentait neuf étoiles tournant autour d'un soleil central, un symbole des premiers chrétiens qui le portaient pour se rappeler qu'ils n'étaient jamais séparés de Dieu, « sur la terre comme au ciel », selon les paroles du Seigneur. La bague représentait la foi nouvelle de Maureen. Sa chute dans ces eaux noires et profondes lui brisait le cœur.

Elle s'agenouilla au bord du puits et scruta l'obscurité dans un effort désespéré pour en apercevoir une trace. C'était inutile. L'impression de profondeur sans limites qu'elle avait ressentie se révélait juste. Maureen se releva, résignée, lorsqu'elle aperçut un éclair argenté sur l'eau. Splash! Un poisson gigantesque ressemblant à une truite aux écailles étincelantes bondit à la surface de l'eau et replongea au fond. Le cœur battant, Maureen attendit le retour de l'extraordinaire poisson, qui émergea de nouveau, puis se mit à nager. Il tenait la bague de cuivre entre ses dents.

Maureen retint son souffle tandis que le poisson naviguait vers elle; il lâcha la bague et l'envoya dans sa direction. Elle n'eut qu'à ouvrir la main pour que l'anneau tombât délicatement dans sa paume. En serrant la bague contre son cœur, Maureen observa le magicien, qui s'en retournait dans les profondeurs infinies du puits. Les eaux se calmèrent; la magie avait cessé.

Elle passa la bague à son doigt et s'attarda à contempler l'eau, dans l'attente d'un autre miracle. Une ride minuscule apparut à la surface. Une vague de lumière nappa *d'or le puits et l'espace qui l'entourait. Alors, une image se forma lentement sur l'eau profonde : une vallée luxuriante où abondaient arbres et fleurs, arrosée par une pluie de gouttes d'or tombées du ciel, y dessinant des fleuves étincelants. Autour de Maureen, tout brillait sous l'éclat d'une lumière chaude.*

Puis, au loin, elle entendit la voix enfantine, celle de la petite madone de la statue :

— Vois-tu le Livre de l'Amour ? Alors, sois la bienvenue dans la vallée de Dieu. Tu trouveras ici ce que tu cherches.

Son rire doux éclata une fois encore et la vision s'évanouit, laissant Maureen à nouveau seule dans les sombres ruines de la mystérieuse abbaye, éclairées par la lune. Ce fut la dernière chose qu'elle entendit avant que la sonnerie de son réveil ne la ramenât au XXIe siècle, à l'aube d'un nouveau jour à New York.

Pour participer aux émissions télévisées du début de matinée, il faut avoir le cœur bien accroché. À quatre heures tapantes, la coiffeuse maquilleuse chargée de préparer Maureen pour son intervention dans le programme phare d'une chaîne nationale frappa à la porte de sa suite. Heureusement, elle avait prévu que Maureen manquerait de sommeil et avait commandé du café avant de monter dans la chambre.

Maureen Pascal était à New York pour défendre son roman, un best-seller international : *La Vérité contre le monde : l'Évangile secret de Marie Madeleine.* Fondé sur son expérience personnelle, le livre relatait les découvertes de Maureen pendant son enquête et faisait de stupéfiantes révélations sur la vie de Marie Madeleine, la plus aimée des disciples de Jésus. Maureen était une journaliste reconnue et un auteur de documents ayant remporté de vifs succès, mais elle avait choisi d'écrire cette histoire sous forme de fiction, ce qui, en soi, avait suscité la controverse. La presse se montrait sceptique, et même railleuse. Pourquoi, si les faits relatés étaient fondés sur la réalité, avait-elle choisi d'en faire un roman ?

À tous ceux qui lui posaient cette sempiternelle question, Maureen offrait une réponse franche, mais qui ne satisfaisait pas les journalistes. Au cours d'innombrables interviews dans le monde entier, elle avait expliqué aussi patiemment que ses nerfs surmenés le lui permettaient qu'elle avait le devoir de protéger ses sources, pour leur sécurité et pour la sienne. Lorsqu'elle racontait comment sa propre vie avait été mise en danger durant sa recherche du précieux et ancien trésor, on la ridiculisait, on l'accusait d'exagérer et même de mentir pour se faire de la publicité.

Dans l'ouragan journalistique qui avait suivi la publication de *La Vérité contre le monde*, tout semblant de sérénité et de protection de sa vie privée avait disparu de son existence. Maureen avait été exposée à la curiosité de l'opinion publique, une curiosité tantôt sympathique, tantôt néfaste et parfois même atroce. Elle eut droit à des félicitations pour son courage et à des menaces de mort pour blasphème, ainsi qu'à tout l'éventail des réactions entre ces deux extrêmes.

Mais *La Vérité contre le monde* avait captivé l'imagination populaire. Tandis que les critiques et la presse considéraient que le fait d'attaquer Maureen faisait vendre, un cercle toujours croissant de lecteurs à travers le monde se passionnait pour la vie terrestre si douloureuse de Jésus, telle que la racontait Marie Madeleine. Maureen clamait haut et fort que Jésus et Marie Madeleine avaient été légitimement mariés, qu'ils avaient eu des enfants, qu'ils avaient enseigné ensemble, et qu'aucun de ces faits ne diminuait en quelque façon la divinité de Jésus. Les valeurs d'amour, de foi, de pardon et de communauté étaient la pierre angulaire de l'enseignement de Jésus, mais les attaques contre son livre au nom de la religion négligeaient ou ignoraient son véritable message pour se focaliser sur la messagère controversée. Durant ses recherches, Maureen avait bien failli être assassinée par ceux qui désiraient que cet Évangile reste secret ; pour elle c'était la meilleure preuve de son authenticité.

Mais Maureen éprouvait un grand bonheur à constater que son livre plaisait à d'innombrables hommes et femmes dans le monde entier, qui comprenaient qu'ils avaient été abusés par des institutions religieuses traditionnelles, s'intéressant davantage au pouvoir, à la politique et à l'argent qu'à la pure spiritualité.

Elle était satisfaite de son travail, de la façon dont elle avait raconté l'histoire, et se trouvait constamment confortée par les flots de courrier qu'elle recevait du monde entier. Chaque lecteur qui soulignait par exemple que « Marie Madeleine l'avait rapproché de Jésus » la fortifiait dans ses convictions et dans sa foi. Il lui fallait cependant lutter tous les jours pour faire justice à Marie Madeleine et à sa véritable histoire, telle qu'elle l'avait découverte, ainsi que pour convaincre ceux qui demeuraient sceptiques. Voilà pourquoi elle apparaissait à la télévision ce matin-là.

Jusqu'alors, le brouhaha médiatique avait relevé du spectacle de cirque, mais Maureen comptait beaucoup sur l'entretien qui allait avoir lieu. Les producteurs l'avait interviewée longuement avant l'émission, avaient posé des questions intelligentes, et avaient même envoyé une équipe chez elle, à Los Angeles, pour connaître son environnement. Elle se sentait en droit d'espérer d'être, pour une fois, traitée correctement par des gens bien informés.

Elle ne fut pas déçue. L'entretien était conduit par une journaliste chevronnée, une personnalité connue pour son intelligence et sa pertinence. Elle pouvait se montrer dure, mais elle était honnête. Et elle avait bien préparé l'entretien, ce qui impressionna Maureen.

Le décor était constitué de photos de Maureen dans les divers lieux du monde où l'avaient conduite ses recherches au sujet de Marie Madeleine. On la voyait sur la via Dolorosa à Jérusalem, ou encore escalader le rocher de Montségur, dans le sud de la France. Ces images servirent de fil conducteur aux premières questions.

— Maureen, vous avez écrit sur un prétendu Évangile perdu de Marie Madeleine découvert dans le sud de la France, et sur les vieilles traditions françaises selon lesquelles Marie Madeleine s'y serait installée après la

Crucifixion. Cependant, de nombreux savants américains, spécialistes de la Bible, affirment qu'il n'en existe aucune preuve et que rien même ne permet de croire que Marie Madeleine se soit jamais rendue en France. Que répondez-vous à ces savants ?

Maureen apprécia la question. Les journaux et les revues donnaient toujours le dernier mot aux érudits. Pratiquement chaque article paru sur elle s'achevait par les mots d'un quelconque universitaire qui la discréditait avec l'habituel mépris hautain de la coterie, et affirmait qu'il n'y avait aucune preuve et que les légendes concernant Marie Madeleine ne valaient guère mieux que la plupart des contes de fées. Maureen décida de profiter pleinement de l'occasion pour répondre enfin à leurs critiques sur une chaîne de télévision nationale.

— Tant que les universitaires chercheront des preuves dans leur tour d'ivoire, et dans des livres écrits en anglais, accessibles dans leurs bibliothèques climatisées, ils n'en trouveront certainement pas. Moi, je cherche des preuves plus organiques, plus humaines et authentiques. Elles émanent des peuples et des cultures, de ceux qui vivent ces histoires, qui les intègrent dans leur vie quotidienne. Il est dangereux de dire que ces traditions n'existent pas ou ne comptent pas. Peut-être même est-ce xénophobe et raciste.

— Eh bien ! s'écria la journaliste, vous n'y allez pas de main morte ! Ces mots sont d'une grande violence, non ?

— Non, je les crois nécessaires. Dans le sud de la France et dans certaines régions d'Italie, des communautés ont été éradiquées parce qu'elles avaient foi en ce qui se trouve dans mon livre. Ces gens croyaient qu'ils descendaient de Jésus et de Marie et pratiquaient une forme pure et belle du christianisme, qu'ils disaient tenir de Jésus lui-même, et qui leur avait été transmise par Marie Madeleine après la Crucifixion.

— Vous parlez des cathares.

— Oui. Le mot cathare vient du mot grec qui signifie pureté, et ces gens étaient les plus purs des chrétiens vivant dans le monde occidental. Durant l'unique croisade dirigée contre d'autres chrétiens, au XIIIᵉ siècle,

30

l'église catholique a massacré le peuple cathare. L'Inquisition avait ses raisons de détruire les cathares. Il fallait les éliminer, car non seulement ils connaissaient la vérité, mais encore ils *étaient* la vérité. Ne vous y trompez pas, il s'agissait d'un nettoyage ethnique. D'un génocide. Mes paroles sont violentes ? Oui, elles le sont. Mais massacrer un peuple, n'est-ce pas violent ? Nous ne pouvons plus nous cacher derrière des mots pour essayer de justifier ces actes. Le mot croisade est connoté, il sert à admettre qu'il est en fait acceptable de tuer un peuple au nom de Dieu. Cessons d'employer ce mot et appelons désormais les choses par leur nom : un meurtre de masse. Un holocauste.

— Donc, lorsque vous entendez des savants contemporains dire que ces gens n'existent pas, ou que leur culture et leurs traditions ne comptent pas...

— Cela me fend le cœur de penser que les forces du mal ont le dernier mot. Évidemment, il reste fort peu de preuves matérielles de la présence de Marie Madeleine. On a tué plus de huit cent mille personnes pour s'assurer qu'il ne resterait pas de preuves. Les plus sanglants des massacres se sont déroulés un 22 juillet, en 1209, et un an plus tard, en 1210. C'est le jour de la fête de Marie Madeleine, et ce n'est pas une coïncidence. Selon des documents de l'époque de l'Inquisition, il s'agit d'un « juste châtiment pour ces peuples, qui croyaient que la putain était mariée à Jésus ».

— Voilà qui m'amène à la question que tout le monde se pose. Vous prétendez que l'histoire de ce mariage figure dans un Évangile perdu que vous auriez découvert récemment en France. Mais vous refusez de révéler vos sources et d'en dire plus sur ce mystérieux document. Que sommes-nous censés en penser ? Les critiques les plus virulents affirment que vous avez tout inventé. Pourquoi devrions-nous vous croire alors que vous n'avancez aucun élément prouvant la simple existence d'un tel texte ?

La question était épineuse, et Maureen devait y répondre avec la plus grande prudence, car elle ne pouvait révéler au grand jour le reste de l'histoire : son cousin, le père Peter Healy, avait emporté le document à Rome et une commission du Vatican travaillait à son authentification. Tant que l'Église n'aurait pas adopté une position officielle sur l'Évangile, ce qui, étant donné son contenu explosif et ses répercussions probables sur toute la chrétienté, pouvait prendre des années, Maureen avait accepté de ne pas divulguer les circonstances de sa découverte. Elle avait en échange été autorisée à publier sa version de l'histoire de Marie Madeleine sans crainte de représailles si elle l'écrivait sous forme de fiction. Elle avait été obligée d'accepter ce compromis, qui lui coûtait fort cher. Telle Cassandre, la prophétesse de la mythologie grecque pour qui elle ressentait une réelle empathie, elle était condamnée à connaître et à divulguer la vérité, sans être crue.

Maureen respira à fond et entreprit de répondre de son mieux.

— Je dois protéger ceux qui ont participé à cette découverte. De plus, il y a encore beaucoup de choses à révéler et je ne peux mettre mes sources en danger si je veux continuer d'y avoir accès. Comme je ne puis les citer, j'ai dû écrire un roman, en espérant que l'histoire parlerait d'elle-même. En tant que conteuse, je m'attache à éveiller chez le public l'idée qu'il ne connaît peut-être pas tout de l'une des histoires les plus importantes de l'humanité. Voilà pourquoi je l'appelle la plus grande histoire jamais contée. Personnellement, et du plus profond de mon cœur, je crois que c'est la vérité. Mais que les gens lisent, et jugent. C'est au lecteur de décider d'y croire ou non.

— Restons-en donc là, et laissons le lecteur décider, conclut l'élégante journaliste blonde en tenant le livre devant elle. *La Vérité contre le monde*, un titre approprié, en vérité. Merci de nous avoir répondu, Maureen Pascal. Le sujet est fascinant, mais le temps nous manque pour en parler plus longuement.

L'une des contradictions majeures de la télévision est de consacrer des heures à préparer un sujet qui durera trois ou quatre minutes à l'antenne. Néanmoins, Maureen était satisfaite d'avoir pu exprimer son point de vue avec conviction sur un plateau où on l'avait traitée avec intelligence et respect.

Il était sept heures cinq du matin. Maureen était sur son trente et un, habillée, coiffée, maquillée. Et n'avait qu'une envie : retourner au lit.

Marie de Nègre choisira
Le moment de la venue de l'Élue.
Celle qui naquit de l'agneau pascal
Quand la nuit et le jour sont égaux,
Celle qui est l'enfant de la résurrection.
Celle qui porte le Sangre-El recevra la clé
Elle verra le Jour sombre du crâne.
Et deviendra la nouvelle Bergère du Chemin.

Première prophétie de l'Élue,
dans les écrits de Sarah-Tamar,
telle que rapportée dans le Libro Rosso.

Château des Pommes Bleues
Arques, France

De nos jours

Bérenger Sinclair examinait une tenture déployée sur la majestueuse cheminée de sa bibliothèque, où, grâce à la douceur du printemps languedocien, ne brûlait aucun feu. Lord Sinclair était un collectionneur avisé et un homme assez riche et puissant pour obtenir presque tout ce qu'il convoitait. L'objet qu'il admirait avait une immense valeur à ses yeux non seulement en raison de sa rareté, mais encore parce qu'il représentait un symbole de ses profondes convictions religieuses.

Pour un œil non exercé, la tenture n'était qu'une bannière médiévale, déchirée et aux couleurs passées. Avec le temps, les taches de sang qui la maculaient avaient tourné au brun foncé. Cela faisait plus de cinq siècles que le valeureux soldat portant cet étendard avait été condamné à mort.

En regardant le tissu de plus près, on distinguait les traces d'une devise délicatement brodée au fil d'or sur un fond de fleurs de lys. C'était une simple mais significative apposition de deux noms : Jhesus Maria. L'audacieux et visionnaire soldat qui avait brandi cette bannière avait été exécuté pour hérésie. Il était mort sur le bûcher en la place de l'hôtel de ville, à Rouen, en 1431. Lors de son procès, de nombreuses accusations avaient été inventées par les chefs de l'église de France, alors que son véritable crime était inscrit sur son drapeau : croire que Jésus et Marie Madeleine étaient mariés, que leurs descendants étaient les légitimes héritiers du trône de France et que, par conséquent, de tels rois restaureraient les pratiques originelles et non dévoyées de la chrétienté. Voilà pourquoi les deux noms étaient accolés : c'étaient les noms du mari et de la femme, unis dans l'amour et dans la loi.

Ceux que Dieu a réunis, nul homme ne les séparera. Jhesus Maria.

Ce drapeau était celui que brandissait sainte Jeanne au siège d'Orléans, l'étendard de la pucelle d'Orléans, l'emblème du soldat inspiré que le monde entier connaît sous le nom de Jeanne d'Arc. À côté du cartouche en lettres d'or figurait l'une des plus célèbres phrases de la sainte. Pour une jeune fille de dix-neuf ans, elle avait été étonnamment éloquente. Et d'un courage inégalé.

Je n'ai pas peur. Je suis née pour accomplir ce que je fais. Je préfère mourir plutôt que de faire une chose que je sais aller contre la volonté de Dieu.

Bérenger Sinclair, absorbé dans la contemplation de l'œuvre d'art, passa la main dans son épaisse chevelure sombre. Lorsqu'il était fatigué, découragé, il entrait dans la bibliothèque pour rendre hommage à la téméraire adolescente à la foi si intense qu'elle ne craignait rien en ce monde, et y sacrifiait tout. Elle l'inspirait, elle lui donnait de la force.

Il se sentait étrangement proche d'elle, pour des raisons familiales et traditionnelles. L'Histoire disait que Jeanne était née un 6 janvier, mais les initiés savaient que c'était faux. Sa véritable date de naissance, le jour de l'équinoxe de printemps, avait été occultée afin de la protéger des suspicions de l'église médiévale, qui surveillait attentivement les filles nées dans certaines familles françaises le jour de l'équinoxe. La date du 6 janvier avait été considérée comme sûre ; c'était la fête de l'Épiphanie, le jour où la lumière revient sur le monde. Bérenger le savait mieux que quiconque, car c'était sa propre date de naissance.

Hélas, l'occultation de sa véritable date de naissance n'avait pas sauvé la jeune Lorraine. Le destin de certains est inéluctable. Jeanne, fille d'une puissante prophétie, avait assumé trop ouvertement son legs.

La prophétie, dite de l'Élue, prédisait la venue sur terre de plusieurs femmes qui lutteraient sans fard pour imposer la vérité, la vérité sur Jésus et Marie Madeleine et sur les Évangiles dont ils seraient successivement les auteurs. Selon la prophétie, ces femmes verraient le jour durant la période de l'équinoxe de printemps, appartiendraient à une certaine lignée et bénéficieraient de visions sacrées qui les guideraient sur le chemin de la vérité, et vers leur destin.

Élue de son époque, sainte Jeanne en avait payé le lourd tribut, comme bien d'autres avant et après elle.

C'était pour cette raison que Bérenger se tenait dans cette bibliothèque, devant la précieuse œuvre d'art. Il savait, du plus profond de son âme, qu'il était l'heure pour lui de jouer son propre rôle. Il avait ceci encore en commun avec la courageuse Jeanne : une prophétie qui le concernait en personne. Et il savait que si, grâce à Dieu, il disposait des ressources nécessaires, s'il avait bénéficié sa vie durant de fantastiques privilèges, c'était afin qu'il puisse un jour tenir sa promesse, ici et maintenant. Il s'y était employé en aidant Maureen, en participant à la découverte de l'histoire magnifique et inouïe de Marie Madeleine. Mais cet inestimable trésor était désormais entre les mains de l'Église, hors de sa portée. Et, apparemment, il en allait de même de Maureen. Il savait, lui, qu'il avait les moyens de l'aider dans sa quête du légendaire Livre de l'Amour, mais elle ne partageait pas encore cette certitude.

Et c'était sa propre faute, songeait Bérenger. Après que l'Église avait réquisitionné l'Évangile, il s'était comporté envers Maureen comme un crétin sans cœur, et il s'en repentait amèrement.

Incapable de définir précisément le rôle qu'il avait à jouer désormais, Bérenger se sentait partir à la dérive. Ce qu'on appelait le destin était un maître exigeant, et parfois indiscernable.

— Bérenger, puis-je te parler?

Il se tourna vers la porte et sourit au géant qui s'y encadrait, Roland Gélis, son meilleur ami, son confident. Roland avait toujours vécu au château où son père était le majordome d'Alistair Sinclair, le grand-père de Bérenger, le patriarche qui avait bâti une fortune colossale sur les pétroles de la mer du Nord. Les deux garçons avaient été élevés ensemble, selon la tradition des Pommes Bleues, le nom qu'avait pris le château en référence aux gros et ronds grains du raisin cultivé dans la région. Des raisins qui, depuis des siècles, symbolisaient la lignée de Jésus et de Marie Madeleine, en raison d'une citation extraite du chapitre 15 de l'Évangile de Jean : « Je suis la vigne et vous êtes les sarments. » Tous les descendants de Jésus et de Marie Madeleine, génétiques ou spirituels, étaient des sarments de la vigne. Le Languedoc était une terre hautement hérétique.

La famille Gélis travaillait pour les Sinclair depuis plusieurs générations, mais ses membres n'étaient pas pour autant des domestiques. Ils appartenaient de droit à la noblesse, comme tant de familles de cette région qui perpétuaient secrètement, dignement, les traditions de leur peuple, et subissaient en conséquence les pires des persécutions. Les Gélis étaient d'origine cathare, ils étaient purs.

— Bien sûr, Roland. Entre.

Roland sentit tout de suite que l'Écossais n'était pas lui-même.

— Qu'est-ce qui t'inquiète, frère ?

— Rien. Tout...

Bérenger secoua la tête et soupira, puis avoua avec une certaine gêne :

— Je me sens un peu perdu, comme un mouton sans sa bergère.

— Ah !

Roland avait compris. Depuis la dispute qui avait mis un terme à la relation entre Bérenger et Maureen avant même qu'elle eût pu se développer, Bérenger s'en voulait abominablement. Auparavant, ils étaient tous convenus que l'aventure qu'ils avaient partagée lors de la recherche de l'Évangile de Marie Madeleine les rendait à jamais inséparables : Bérenger Sinclair et Maureen Pascal, Roland Gélis et Tamara Wisdom, la meilleure amie de Maureen, désormais fiancée à Roland. Ils se considéraient comme les quatre mousquetaires, liés par l'honneur et une mission commune : défendre la vérité contre le monde. Ils avaient même inscrit la fameuse devise de d'Artagnan sur la porte de la bibliothèque :

TOUS POUR UN, UN POUR TOUS

Lorsque Maureen rentra en Californie pour écrire son livre, leur intimité s'éroda. La jeune femme était obsédée par la volonté d'écrire l'histoire de Marie Madeleine et de narrer leur aventure commune tant que les événements étaient tout frais dans sa mémoire. C'était la mission qui lui était dévolue, et Bérenger respectait son souhait. Ils la laissèrent tranquille, et attendirent son retour au château. Mais, depuis la sortie du livre, Maureen était plus occupée que jamais et consacrait tout son temps à la mission que lui avait confiée Marie Madeleine.

Et il y avait Peter.

Le père Peter Healy, cousin et confident de Maureen, était la cause de la rupture des relations naissantes entre

Maureen et Bérenger. Peter avait volé l'Évangile de Marie Madeleine et l'avait emporté au Vatican. Cette trahison les avait tous choqués, mais Maureen avait vite pardonné à Peter et l'avait défendu en affirmant qu'il avait agi de manière sincère pour ce qu'il croyait être au mieux des intérêts du message de Marie Madeleine. Mais Bérenger était persuadé que la loyauté du prêtre était acquise plutôt au Vatican qu'à Maureen et à la vérité qu'elle avait mise en lumière.

La suite des événements indigna Bérenger Sinclair. Les prêtres définirent de rigoureuses limites à ce que Maureen aurait le droit de révéler au sujet de sa découverte de ce qu'ils appelaient l'Évangile d'Arques. Bérenger reprocha à Peter d'avoir remis le manuscrit au Vatican, forçant ainsi Maureen à accepter un compromis. Par la suite, il enragea d'être séparé de Maureen, et de constater sa loyauté, à son sens aveugle, envers son cousin. Au cours de leur dispute la plus violente, Bérenger avait mis en doute la force spirituelle de Maureen, et l'avait accusée de laisser Peter et l'Église la piétiner et enterrer la vérité. Maureen en avait été bouleversée. La faille dans leur relation s'était élargie en un gouffre béant.

Lorsque Bérenger Sinclair avait rencontré Maureen, il avait cru avoir enfin trouvé ce qu'il cherchait sans vraiment l'espérer : une femme qui était son égale. Maureen était sa seule et unique âme sœur, celle qui non seulement partageait ses visions d'un monde meilleur, mais aussi avait le courage et la volonté d'œuvrer avec lui à son changement. Son petit corps renfermait une puissance extraordinaire et elle avait la force d'âme d'un guerrier celte, comme lui. Il comprit donc sans peine qu'être accusée de faiblesse l'avait profondément blessée. Il avait eu de nombreuses occasions de regretter les traits celtes de son propre caractère, surtout lorsque se manifestaient les tendances guerrières de ses ancêtres écossais. Son ADN était une épée à double tranchant, comme celui de Maureen. Leur ressemblance, génétique et spirituelle, était tout à la fois une bénédiction et une malédiction. S'ils pouvaient apprendre à vivre ensemble en harmonie et à mettre leur énergie au service de leurs passions communes, pour leur travail et l'un pour l'autre, rien n'arrêterait leur œuvre pour un monde meilleur. Mais cette énergie avait aussi un pouvoir destructeur.

Une seule chose avait arraché un faible sourire à Bérenger Sinclair depuis leur dispute : Maureen avait inclus son nom dans la liste de ceux à qui elle avait tendrement dédié son livre : Roland, Tamara et lui.

— Je prie pour que nous revoyions vite Maureen, dit doucement Roland Gélis. Et il s'est passé quelque chose qui m'incite à penser que cela arrivera plus tôt que nous le pensons.

— Quoi donc ? Qu'est-il arrivé ?

— Tamara vient de recevoir un colis étrange, qui t'est adressé. Ne bouge pas, je vais le chercher. En attendant, ajouta Roland en désignant le mur où figurait l'arbre généalogique des Sinclair – plus de mille ans d'histoire –, regarde bien la fresque de ta lignée.

Et c'est ainsi que la reine du Sud fut nommée reine de Saba, c'est-à-dire la très sage reine du peuple sabéen. Son prénom était Makeda, ce qui signifie dans sa langue « l'Ardente ». Elle était reine et prêtresse, consacrée à une déesse du Soleil réputée pour répandre beauté et abondance sur l'heureux peuple des Sabéens. On appelait la déesse « Celle qui envoie les forts rayons de sa bienveillance ». Son époux était le dieu lune, les étoiles étaient leurs enfants.

Le peuple de Saba comptait parmi les plus sages des peuples de l'univers, de célestes divinités lui avaient appris l'influence des étoiles et les nombres sacrés. On l'appelait « le peuple de l'architecture » et il maîtrisait si bien l'art de bâtir avec les pierres que ses constructions rivalisaient avec celles des Égyptiens. La reine avait fondé de grandes écoles pour enseigner l'art et l'architecture, et les sculpteurs à son service façonnaient des statues d'hommes et de dieux d'une exceptionnelle beauté. Son peuple était éduqué, il s'adonnait à la gloire de l'écriture. Sous son règne attentif, poésie et chant furent florissants.

Un peuple vertueux que les Sabéens. Son ardente reine régnait avec chaleur, lumière et amour ; ainsi son royaume jouissait-il de tous les fruits de l'abondance : joie, amour, fertilité, sagesse, or et bijoux à volonté. Comme il ne douta jamais de l'abondance, il ne connut jamais l'envie. Le plus heureux des royaumes, en vérité.

Le grand roi Salomon entendit parler de l'inégalable reine Makeda par un prophète qui lui prodigua ce conseil : « Une femme qui est ton égale règne dans un lointain pays du Sud. Tu apprendrais à la rencontrer. Elle apprendrait à te rencontrer. Ton destin est de la connaître. » Tout d'abord, Salomon ne crut pas à l'existence d'une telle femme, mais, par curiosité, il lui envoya un message pour l'inviter à visiter son propre royaume de Sion. En arrivant à Saba, les messagers découvrirent que la sagesse de leur roi Salomon était légendaire au pays des Sabéens, ainsi que la splendeur de sa cour, et que la reine de Saba connaissait son existence. Sa propre prophétesse lui avait prédit qu'elle ferait un jour un long voyage à la recherche du roi avec qui elle accomplirait le hieros gamos, le mariage sacré unissant le corps et l'esprit dans la divine union. Il serait son âme sœur, elle deviendrait sa sœur-épouse, deux moitiés d'un même tout, à qui seule l'union apporterait la complétude.

Mais la reine de Saba n'était pas une femme facile, elle ne s'offrirait à l'union sacrée qu'avec un homme qu'elle reconnaîtrait comme part de son âme. Ainsi lança-t-elle sa caravane de chameaux sur la piste de Sion et conçut-elle sur sa route une série de questions et d'épreuves pour le roi Salomon. Selon ses réponses, elle comprendrait s'il était son égal, son âme-sœur, destiné à elle depuis l'aube de l'humanité.

À toi qui as des oreilles pour entendre.

**La légende de Salomon et la reine de Saba,
première partie,
telle que rapportée dans le Libro Rosso.**

Château des Pommes Bleues
Arques, France

De nos jours

Bérenger, Roland et Tammy s'installèrent autour de la grande table en acajou de la bibliothèque. L'objet de leur attention ressemblait à un document ancien, un rouleau de parchemin gravement détérioré par le temps. Le rouleau était enchâssé entre deux panneaux de verre, destinés à préserver et à faire tenir ensemble les morceaux de ce qui ressemblait à un puzzle médiéval.

La boîte qui renfermait le fragile document avait été déposée au château le matin, de très bonne heure, par un porteur anonyme qui s'en était allé aussitôt. Elle était adressée à Bérenger Sinclair, aux bons soins de la Société des Pommes Bleues. Selon la gouvernante qui avait réceptionné le colis, le livreur pouvait être italien, étant donné ses vêtements, sa voiture et son accent. Mais elle n'en était pas sûre.

— C'est un arbre généalogique, dit Tammy en passant la main sur la vitre, à l'endroit du nom. Regardez, il y a une phrase en latin. Et puis ça commence par un certain Guidone, né à Mantoue, en Italie, en 1077.

Fils d'aristocrate, Bérenger avait reçu une éducation classique ; il cligna des yeux pour déchiffrer l'inscription latine à demi effacée et traduisit à haute voix :

— « Moi, Matilda, par la grâce du Dieu qui est. » Étrange formulation, non ? s'étonna-t-il avant de poursuivre sa lecture. « Je suis unie et inséparable du comte Guidone et de son fils Guido Guerra. Je leur offre la protection de la Toscane à jamais. » Et il est ensuite mentionné que Guido Guerra, le fils, serait né à Florence dans le monastère de la Sainte-Trinité. Pourquoi le fils d'un comte naîtrait-il dans un monastère ? C'est bizarre.

— Ce n'est pas la seule chose qui soit bizarre, intervint Roland. Regarde ces noms, Bérenger.

Sinclair se pencha et suivit le doigt de Roland sur la vitre. Il connaissait certains des noms de la branche du XIIIe siècle : un chevalier français, Luc Saint Clair, marié à une noble toscane. Ces mêmes noms apparaissaient sur son propre arbre généalogique, parmi ses ancêtres. Cependant, en dehors du cercle de ses intimes, personne n'était au courant. Pourtant, celui qui avait envoyé ce paquet devait savoir que cet arbre concernait Bérenger, et que les arbres généalogiques des deux familles se croisaient.

Une carte était jointe au document, également sous verre et attachée à un minuscule miroir doré. Un monogramme était gravé au centre de l'épais parchemin : un A majuscule lié à un E majuscule par des fils tressés. Le E était inversé, et semblait répondre au A, comme dans un miroir. En dessous du monogramme était inscrit une sorte de court poème :

L'art sauvera le monde.
ô toi qui as des yeux pour voir,
Dans ton reflet, tu trouveras ce que tu cherches...
Salut, Ichthys !

— L'art sauvera le monde..., répéta Tammy. Cela nous a été prouvé plusieurs fois.

Au cours de leur recherche de l'Évangile de Marie Madeleine, ils avaient eu à déchiffrer une série d'indices inscrits dans des œuvres de peintres européens du Moyen Âge, de la Renaissance et de la période baroque. C'était une carte dessinée sur une fresque de Sandro Botticelli qui avait guidé Maureen jusqu'à l'inestimable document écrit de la main de Marie Madeleine. Dans le monde complexe de l'ésotérisme européen, la quête de symboles dans les œuvres d'art était souvent le point de départ de grands voyages initiatiques. Lorsque, de peur des persécutions, on ne pouvait écrire en clair, les artistes encodaient les messages dans des tableaux allégoriques.

Bérenger prit le miroir et s'y regarda brièvement avant de relire la troisième phrase du poème :

— Dans ton reflet, tu trouveras ce que tu cherches...

Il n'eut guère le temps de s'appesantir, car Roland, pris d'une frénésie inhabituelle, l'interrompit :

— Regarde ! s'écria-t-il. Le dernier nom sur l'arbre, vous lisez la même chose que moi ?

Tammy l'enlaça en se penchant pour essayer de voir la cause de l'excitation du géant débonnaire. Mais ce fut Bérenger qui nomma à voix haute le dernier nom de la lignée, peut-être le plus grand nom de l'histoire de l'art.

— Michelangelo Buonarroti !

Chapitre 2

New York

De nos jours

— Maureen ! Madame Pascal !

À peine Maureen avait-elle franchi les portes du hall de son hôtel de la 47ᵉ Rue que Nate, le réceptionniste, l'interpella. Son éditeur lui adressait souvent des paquets, et *vice versa*. Nate et Maureen en étaient vite venus à s'appeler par leurs prénoms. Les pourboires de la jeune femme étaient généreux, et Nate ne tarissait pas d'éloges sur sa chevelure rousse.

— On a déposé un paquet pour vous ce soir.

Nate tenait à deux mains une boîte élégante d'un rouge profond, plate et mesurant bien soixante centimètres de long. Un énorme bouquet de roses et de lys blancs y était attaché par un ruban de satin écarlate.

Maureen examina la boîte avec attention avant de s'en saisir.

— Y avait-il une carte ?

— Non, rien. Désolé.

Impatiente de savoir ce que contenait le cadeau, Maureen sourit, remercia Nate et s'engouffra dans l'ascenseur.

Le temps d'arriver dans sa chambre, le parfum obsédant des lys lui était monté à la tête. Il n'y avait qu'une personne au monde qui savait que les lys et les roses étaient ses fleurs préférées, car ils étaient les symboles de Marie Madeleine. Et il n'y avait qu'un homme au monde pour concevoir un emballage si raffiné.

Bérenger Sinclair.

Maureen ne put éviter le frisson qui la parcourut des pieds à la tête, lui donnant la chair de poule. Que Dieu lui vienne en aide! Elle était toujours aussi entichée de lui, et même amoureuse. Qui le lui aurait reproché? Il avait la sombre séduction charismatique des Celtes, il était intelligent et fantastiquement riche et puissant. Mais son arrogance était phénoménale, et il avait une fâcheuse tendance à la mauvaise foi. Bérenger l'avait blessée au plus profond d'elle-même; elle ne pouvait se résoudre à risquer de l'être à nouveau.

Pourtant, après les épreuves qu'ils avaient traversées ensemble, il était l'homme au monde qui la connaissait le mieux.

Pendant sa recherche, Bérenger l'avait aidée et protégée, et initiée au folklore français et aux traditions locales concernant l'énigme de Marie Madeleine. Il avait, sans aucun doute, joué un rôle primordial dans sa vie, dont il avait changé le cours. Leurs destins étaient, clairement, liés de manière inextricable. Mais il avait quelque chose de potentiellement dangereux. Bérenger était un séducteur notoire et un célibataire convaincu. Âgé de cinquante ans, il ne s'était pas marié, on ne lui connaissait aucune liaison sérieuse. Il se justifiait en disant qu'il n'avait jamais voulu s'engager avec une femme qui n'aurait pas été spécifiquement faite pour lui. Sa rencontre avec Maureen avait tout changé. Elle était celle qu'il attendait, et la raison pour laquelle aucune autre femme n'avait jamais retenu son attention.

L'explication était astucieuse. Trop astucieuse, peut-être. Il émanait de Bérenger beaucoup de signaux avertisseurs, même avant leur dispute. Il l'avait priée de l'excuser, mais Maureen demeurait méfiante.

Ce qui ne l'empêchait pas d'être bouleversée à l'idée que ces fleurs viennent de lui.

Elle dénoua le ruban avec soin, ôta les fleurs et souleva le couvercle. À l'intérieur, il y avait une carte dans une enveloppe fermée, portant son nom : Mlle Pascal. Curieux. Bérenger ne s'adresserait pas ainsi à elle. Mais peut-être le fleuriste avait-il choisi la formule. Maureen écarta le papier de soie qui recouvrait le contenu de la boîte. Elle ne savait pas à quoi elle s'attendait, mais certainement pas à ce qu'elle avait sous les yeux : un document ancien, dont il était impossible à première vue de dire s'il était authentique ou si c'était une copie. On l'avait néanmoins protégé entre deux plaques de verre. Maureen le sortit doucement de son étui. Il mesurait environ soixante centimètres de long, ses bords étaient effrangés, il était jauni par le temps, ou excellemment reproduit.

Les trois quarts du document étaient recouverts d'inscriptions en latin classique. Maureen reconnut la graphie et la qualité de l'écriture, mais elle se savait incapable de déchiffrer le texte. Même si elle avait des notions de latin, traduire ces inscriptions exigeait une science qu'elle était loin de posséder.

La signature au bas du texte retint son attention. Raffinée, audacieuse, elle était tracée à la main, et à l'encre. Pourtant, avec la croix dessinée entre les lettres, elle évoquait un sceau.

Maureen sortit un carnet de notes et reproduisit les lettres de la signature médiévale l'une derrière l'autre.

MATILDA DEI GRA SI QUO EST

« Matilda, par la grâce du Dieu qui est. »
Deux symboles apparaissaient sous la signature : une version stylisée de la lettre H, aux lignes verticales ondu-

lées, et un autre, que Maureen reconnut dans l'instant. Elle toucha de la main le collier qu'elle portait, un cadeau de Bérenger pour son dernier anniversaire. Des cornes de bélier en diamants, délicatement serties, emblématiques du signe astrologique du Bélier. Maureen était née un 22 mars, durant le premier décan du premier signe du zodiaque après l'équinoxe de printemps, quand le soleil quitte les Poissons pour entrer en Bélier. Les cornes du bélier symbolisaient l'équinoxe de printemps depuis l'Antiquité. Quelle était leur signification sur ce document? Et, surtout, qui le lui envoyait et pourquoi?

Maureen ouvrit la carte. L'élégant papier était gravé d'un monogramme : un A majuscule lié à un E majuscule par des fils tressés. Le E était inversé, et semblait répondre au A, comme dans un miroir. Un message y était écrit à la main :

Tu voyageras dans le pays des fleurs
Tu trouveras la vallée de Dieu.
Cherches-tu le Livre de l'Amour?
Tu trouveras ici ce que tu cherches...
Salut, Ichthys!

Maureen soupira, tant de soulagement que d'inquiétude. C'était ainsi qu'avait commencé sa recherche de l'Évangile de Marie Madeleine : un cadeau étrange et une énigme à résoudre. Elle avait prié pour recevoir des indices. Elle était exaucée. Manifestement, l'expéditeur connaissait des éléments de sa vie privée, ce qui était déconcertant. Le message de la carte reprenait même les termes qu'avait employés la petite madone de son rêve... c'était troublant. Maureen frissonna. Elle avait beau croire que Dieu la guiderait dans sa quête, comme il l'avait toujours fait, il était plutôt inquiétant d'imaginer que son mystérieux correspondant la suivait dans ses rêves. Était-il envisageable que quelqu'un les lui envoie? Elle ne savait lequel des deux scénarios était le plus effrayant!

Elle fit la seule chose qui lui vint à l'esprit : s'agenouiller, et prier Dieu pour qu'il la protège et la guide au cours du voyage qui s'annonçait.

Qui consulter au sujet de ce mystérieux envoi ? Trois personnes, conclut rapidement Maureen, et qui se trouvaient toutes en Europe. Son cousin, Peter Healy, un savant père jésuite actuellement en fonction au Vatican. Peter saurait traduire le document et peut-être même l'identifier. Maureen était prête à parier que l'expéditeur de l'énigmatique colis savait qu'elle disposait de cette ressource. Il eût été absurde de lui laisser le soin de traduire un texte si sophistiqué. Elle appellerait donc Peter, en dépit de l'inquiétude qu'il ne manquerait certainement pas de manifester. Cependant, mieux valait se livrer à une petite enquête personnelle avant de lui mettre ce fardeau sur les épaules.

Il ne restait que Bérenger Sinclair et Tamara Wisdom, qui résidaient tous deux aux Pommes Bleues, en Languedoc. Bérenger s'affolerait, exigerait qu'elle vienne en France pendant les recherches. Ce n'était pas le genre de réaction dont elle avait besoin.

Tamara, donc. La meilleure amie de Maureen, sa confidente, sa complice en hérésie. Cinéaste indépendante, cette femme à l'esprit critique aiguisé et au jugement sûr avait perdu son cœur en France durant la réalisation d'un documentaire sur la légende de Marie Madeleine. Elle avait succombé tant à la beauté des paysages qu'au charme du bienveillant géant languedocien Roland Gélis, à qui elle était maintenant fiancée. Tamara, Bérenger et Roland vivaient tous au magnifique château des Pommes Bleues, la propriété française de la famille Sinclair et le siège de la société qui portait le même nom. En appeler un signifiait les alerter tous, mais Maureen pourrait peut-être joindre seulement Tammy, en l'appelant sur son téléphone portable.

Minuit à New York, six heures du matin en France. Il était tôt. Elle n'hésita cependant pas et composa le numéro de Tamara, qui, loin de paraître endormie, la salua d'un sonore :

— Salut, Ichthys !

— Vous en avez reçu un aussi ?

— Adressé à Bérenger, oui. Hier soir.

— Un document ancien, sur une certaine Matilda ?

— Oui. Sans doute la comtesse Matilda de Toscane.

— Tu en as entendu parler ?

— Oui, et toi aussi. Elle est mentionnée dans beaucoup de récits ésotériques en Europe. Une reine guerrière, qui gouverna une bonne moitié de l'Italie. Et, ce qui est le plus important pour nous, la fondatrice de l'abbaye d'Orval.

Maureen était stupéfaite. Tamara venait de lui faire deux révélations essentielles, dont une en référence directe à la carte qu'elle avait reçue.

— Orval. Or-val, la vallée de l'or, non ? Comme dans : « Tu trouveras la vallée de Dieu » ?

— Eh oui ! Tu comprends ? Tu as la moitié du puzzle, et nous l'autre. Il y a manifestement quelqu'un qui veut que nous travaillions ensemble. Ou, plutôt, il y a quelqu'un qui veut que Bérenger et toi travailliez ensemble, puisque les deux envois vous ont été adressés personnellement.

Maureen décida de laisser de côté pour l'instant cet aspect des choses. Il y avait plus urgent.

— Orval. Comme dans la prophétie d'Orval ?

— Évidemment ! ma petite Élue ! s'exclama Tammy en riant. On dirait bien que quelqu'un nous souffle d'aller en Belgique pour regarder de plus près ta propre prophétie. Combien de temps te faut-il pour t'y rendre ?

Maureen soupira. L'appel ne pouvait être ignoré. Et il n'y avait pas de retour en arrière possible. Elle téléphonerait donc à Peter à Rome, lui raconterait les événements des dernières vingt-quatre heures et lui enverrait le document par courrier express. Puis elle appellerait Air France pour réserver un vol pour Toulouse.

La France. Bérenger. Pas si simple...

Un nouveau rêve hanta cette nuit-là le sommeil agité de Maureen. Le thème en était récurrent, mais jamais il n'avait été si long, ni si complet.

Une ombre était penchée sur une vieille table, une plume crissait tandis que paroles et images coulaient de la plume de celui qui écrivait. En s'inclinant, Maureen eut l'impression qu'une aura bleue émanait des feuillets. Ce halo la captivait tant qu'elle ne vit pas immédiatement que celui qui écrivait avait bougé. Comme il s'avançait vers elle, dans la lumière, Maureen demeurait immobile.

Elle avait aperçu ce visage au cours de rêves précédents, en de brefs instants. Il ne la quittait pas des yeux. Figée dans son rêve, Maureen le regarda. C'était le plus bel homme qu'elle eût jamais vu.

Easa.

Ainsi Marie Madeleine appelait-elle Jésus dans son *Évangile*. Maureen avait adopté ce nom, car c'était en découvrant le Easa de Marie Madeleine qu'elle avait trouvé sa propre foi. Pour le reste du monde moderne, il était Jésus.

Il lui sourit, en une expression d'une telle divinité, d'une telle chaleur, que Maureen s'en sentit imprégnée, comme si le soleil irradiait de ses traits. Immobile, elle contemplait sa beauté et sa grâce.

— Tu es ma fille, dont je suis satisfait.

Sa voix était une pure mélodie d'amour et d'harmonie qui s'élevait dans les airs. Maureen se laissa bercer par cette musique pendant un moment d'éternité avant de s'écraser au sol en entendant la suite de ses paroles.

— Tu es ma fille, dont je suis satisfait. Mais tu n'as pas achevé ton travail.

Toujours en souriant, Jésus le Nazaréen, le fils de l'homme, se dirigea vers la table où était posé son manuscrit. La lumière qui émanait des pages devint plus brillante, les lettres étincelaient sous les rayons indigo, bleus et violets qui illuminaient l'épais papier filigrané comme une toile.

Maureen voulut lui parler, mais les mots ne franchirent pas sa gorge. Elle ne pouvait que contempler l'être divin qui désignait le livre et lui adressait son doux message.

— Tu es ma fille, dont je suis satisfait. Mais tu n'as pas achevé ton travail. Écoute. Ceci est le Livre de l'Amour. Suis le chemin qui a été tracé pour toi, et tu trouveras ce que tu cherches. Ensuite, tu le partageras avec le reste du monde pour accomplir ta promesse. Notre vérité est restée trop longtemps dans les ténèbres. Essaie de te rappeler que les mots destin et destination ont la même racine.

Il avait beau s'exprimer clairement, ses paroles étaient un mystère.

Easa soutint son regard pendant un long moment avant de traverser comme en glissant l'espace qui les séparait. Il s'arrêta juste devant Maureen, paralysée par l'intensité de ses yeux.

— Le temps revient. Souviens-toi de ces trois mots, même si tu oublies tout le reste en t'éveillant.

Maureen faisait des efforts surhumains pour garder en mémoire tout ce qu'il disait. Elle voulut répéter les trois mots et parvint cette fois à murmurer sa réponse :

— Le temps revient.

Easa la récompensa en déposant un baiser paternel sur son front.

— Réveille-toi, maintenant, mon enfant. Tu dois t'éveiller dans ce corps, car en ton corps chaque chose existe. Et n'éprouve aucune crainte, car je suis toujours avec toi. Va, maintenant, avance sans peur, et tout ce que tu fais, fais-le avec amour. Ainsi, sois donc parfaite.

Maureen s'éveilla en sursaut, le souffle coupé, et alluma sa lampe de chevet pour éclairer la chambre. Le cœur battant, elle saisit le carnet posé sur la table de nuit et retranscrivit le plus fidèlement possible ce qu'elle avait entendu, en commençant par ce qui concernait le Livre de l'Amour et en priant pour ne rien oublier. Elle souligna la phrase « les mots destin et destination ont la même racine ». Que cela signifiait-il ? Elle secoua la tête devant cette incongruité : Jésus lui donnant un cours d'étymologie.

Une fois encore, il y avait une allusion à une promesse. Une promesse qu'elle avait faite. Mais quand ? Dans cette vie ? dans une autre ? Elle était à peu près sûre de ne pas croire à la réincarnation, et plus sûre encore que ce concept était contraire à l'enseignement chrétien. De quoi donc pouvait-il s'agir ?

Maureen repensa à la lumière bleue qui irradiait des pages, comme si les paroles d'Easa avaient une vie propre, qui résidait en cette somptueuse clarté indigo. Un sentiment la frappa : cette couleur, cette lumière étaient importantes. Il fallait qu'elle les comprenne, mais leur sens lui restait mystérieux.

Elle écrivit : « Ainsi, sois donc parfaite. » On aurait dit des paroles des Écritures. Peter le saurait, mais la suite n'avait rien qui rappelle les Écritures. « Tu dois t'éveiller dans ce corps, car en ton corps chaque chose existe. »

Elle tourna une page et écrivit en majuscules :

LE TEMPS REVIENT

Puis elle s'aperçut qu'elle avait oublié une phrase. Les autres paroles d'Easa la troublaient, mais celles-là, qu'il avait déjà prononcées dans un autre rêve, étaient boule-versantes et l'engageaient :
« Mais tu n'as pas achevé ton travail. »
Apparemment, son travail commençait seulement.

Makeda, reine de Saba, parvint à Sion en grand équi-page : la caravane de chameaux la plus longue jamais vue, des épices, de l'or et des pierres précieuses, autant d'offrandes pour le grand roi Salomon. Elle venait à lui sans artifice, car elle était femme de pureté et de vérité, incapable de tromperie. Elle ignorait le mensonge et la dis-simulation. Ainsi donc, Makeda dit à Salomon ce qu'elle pensait, ce qu'elle ressentait, et lui demanda s'il acceptait de répondre aux questions qu'elle lui adressait. Ce n'étaient pas, comme certains l'ont prétendu, des énigmes destinées à tester sa sagesse, mais plutôt des questions de cœur et d'âme. Selon ses réponses, elle saurait s'ils étaient nés du même esprit et s'ils étaient destinés à célébrer ensemble le

hieros gamos. *Pourtant, elle n'avait plus besoin de poser ses questions, car, dès qu'elle s'était trouvée en sa compagnie, et qu'elle l'avait regardé dans les yeux, elle avait su qu'il était une part d'elle-même, pour l'éternité.*

La beauté et le charisme de Makeda impressionnèrent puissamment Salomon, et sa franchise le désarma. La sagesse qu'il lut dans ses yeux reflétait la sienne et il comprit immédiatement que les prophètes ne s'étaient pas trompés. Cette femme était son égale. Comment ne l'aurait-elle pas été, puisqu'elle était l'autre moitié de son âme ?

Lorsque la reine Makeda eut vu la grandeur de Salomon, tout ce qu'il avait créé dans son royaume et, surtout, le bonheur de ses sujets, elle s'adressa au roi en ces termes :

— Le récit que l'on m'a fait chez moi de tes actes et de ta sagesse était vrai, mais je n'y croyais pas avant d'être venue et d'avoir constaté de mes yeux. Et, vois-tu, ta sagesse et ta prospérité dépassent ce que l'on m'a rapporté. Heureux ton peuple ! Heureux tes sujets, qui jouissent en permanence de ta sagesse. Que soit béni le Seigneur ton Dieu qui t'a placé sur le trône d'Israël ! Il t'a fait roi, afin que tu exerces la justice et l'équité.

— Et que soit béni le Seigneur ton Dieu qui t'a créée pour moi et moi pour toi.

Ainsi la reine de Saba et le roi Salomon s'unirent-ils en le hieros gamos, *le mariage de l'homme et de la femme en une fusion spirituelle connue seulement au sein de la loi divine. La déesse de Makeda se fondit avec le dieu de Salomon en la plus sacrée des unions, celle du masculin et du féminin, pour ne faire plus qu'un. À travers Makeda et Salomon, El et Asherah s'unirent encore une fois dans leur chair.*

Ils restèrent dans la chambre nuptiale durant un cycle entier de lune, dans un monde de vérité et de conscience, sans que rien s'interposât entre eux, et il est dit que pendant ce temps leur furent révélés les secrets de l'univers. Ensemble, ils découvrirent les mystères que Dieu voulait partager avec le monde, pour ceux qui ont des oreilles pour entendre.

Pourtant, Salomon et Makeda ne s'assujettirent pas l'un à l'autre, car ils étaient égaux, chacun en son royaume et en son destin. Tous deux savaient que viendrait le moment où ils devraient se séparer et retourner aux devoirs de leurs fonctions en leurs terres, seuls l'un et l'autre, riches d'une nouvelle sagesse. Leur gloire résidait en ce qu'ils s'étaient apporté l'un à l'autre et qu'ils auraient à pratiquer dans l'accomplissement de leurs destinées individuelles.

Salomon écrivit un millier de chants inspirés par Makeda, mais aucun de plus beau que le Cantique des cantiques, qui célèbre les secrets du hieros gamos, et la découverte de Dieu en cette union. Il est dit que Salomon eut de nombreuses épouses, mais qu'une seule appartenait à son âme. Alors que Makeda ne fut jamais sa femme selon la loi des hommes, elle fut son unique épouse selon la loi de Dieu et de la nature, c'est-à-dire la loi de l'amour.

Lorsque Makeda quitta le royaume de Sion, et son bien-aimé, son cœur était lourd. Tel avait été le destin de beaucoup d'âmes sœurs en ce monde : être réunies de temps en temps et découvrir les mieux gardés des secrets de l'amour, mais être séparées ensuite par la destinée. Là réside peut-être le mystère le plus profond de l'amour : savoir qu'il n'y a pas de séparation entre deux véritables amants, quels que soient les circonstances, le temps ou la distance, la vie ou la mort.

Quand le hieros gamos est accompli entre deux âmes prédestinées, les esprits des amants ne se quittent plus jamais.

À toi, qui as des oreilles pour entendre.

**La légende de Salomon et la reine de Saba,
deuxième partie,
telle que rapportée dans le Libro Rosso.**

Cité du Vatican

De nos jours

— Merci, Maggie.

Margaret Cusack posa délicatement le plateau sur le bureau du père Healy. En bonne Irlandaise qu'elle était, elle s'affaira autour de lui, versa le thé, mesura le sucre, ajouta le lait. La mère de Peter aurait traité Maggie de vieille fille, une femme d'un certain âge sans attaches ni enfants. Elle avait choisi dès l'adolescence de mener une vie et une carrière de gouvernante de curé, dans son comté natal de Mayo. Lorsque le prêtre pour qui elle travaillait fut muté à Rome, elle le suivit et ne le quitta jamais. Cela faisait cinquante ans qu'elle était là.

Lors du décès du père Bernard, l'année précédente, Maggie avait su se rendre si indispensable qu'on prolongea son engagement jusqu'à ce qu'on lui trouve une nouvelle place. Sa dévotion à l'Église était infinie.

Elle avait écrit à sa famille pour lui dire qu'elle considérait l'arrivée du père Peter à Rome comme une bénédiction du ciel à son égard. C'était un homme jeune, charmant et, faveur suprême à ses yeux, irlandais. L'Irlande manquait affreusement à Maggie, qui fredonnait souvent de vieilles ballades de sa terre natale en faisant le ménage chez Peter.

En ce jour, elle chantonnait un air qui fit sursauter le père Healy. Il ne l'avait pas entendu depuis des années. C'était un psaume écrit en irlandais qu'il avait appris enfant, chez les frères. Il étonna Maggie en l'accompagnant.

Céad mile fáilte romhat, a Iosa, a Iosa…

« Mille bienvenues à toi, Jésus. » L'hymne parlait d'accueillir Jésus dans notre cœur et dans notre vie. Il était traditionnel, mais Peter croyait se rappeler que son origine remontait aux premiers chrétiens et à l'époque de saint Patrick. La prononciation irlandaise de son nom, Iosa, faisait penser à Easa.

— C'est un très beau chant, n'est-ce pas, mon père ?

— En effet, Maggie. Et je viens de me rendre compte qu'en irlandais on prononce le nom de Jésus « Easa ». Savez-vous qu'il est appelé ainsi dans de nombreuses langues ?

— Honnêtement non, mon père. Je ne connais que le nom irlandais, et uniquement grâce à la chanson. J'ai presque tout oublié du gaélique, maintenant. Mais il me reste des chansons, et des poèmes. Ils ne vous lâchent pas.

— C'est bien vrai.

Il ne poursuivit pas sur le sujet. Maggie n'était pas une femme avec qui discuter des variantes du catholicisme. Elle croyait fermement en l'orthodoxie, comme de nombreuses paysannes irlandaises de son âge et de son époque, comme aussi la majorité de l'entourage de Peter à Rome. Elle n'apprécierait certainement pas d'apprendre pourquoi Marie Madeleine, dans son Évangile, appelait Jésus « Easa », un diminutif de son nom grec, une familiarité qui était due au fait qu'elle était sa femme. Maggie s'infligerait même sans doute une pénitence d'un millier de *Je vous salue Marie* juste pour avoir entendu un tel blasphème sortir de sa bouche. Son précédent employeur, le père Bernard, était un traditionaliste de la vieille école, tout comme elle.

Ce qui rendait Maggie heureuse, c'était de materner Peter, de lui servir ses repas et son thé et de mettre de l'ordre dans son espace de vie, qui lui servait aussi de bureau. Tant qu'il se contenterait d'aborder des sujets de la vie quotidienne et des souvenirs de leur pays, elle serait la plus comblée des femmes.

Outre ses tâches de gouvernante au Vatican, Maggie était membre de la congrégation de la Sainte-Apparition, un groupe qui se consacrait à la compréhension et à la promotion des apparitions de la Vierge Marie dans le monde entier. Elle transportait avec elle de nombreux fascicules et des petits livres au format de poche pour étudier les divers récits de ces apparitions durant son temps libre. Tandis qu'elle lui versait son thé, Peter avisa un de ces documents dans sa poche.

— Que lisez-vous, en ce moment ?

— La vie de sainte Lucie, répondit Maggie en sortant l'ouvrage de son tablier pour le montrer à Peter. *Lucia dos Santos, sa vie, ses visions.*

— Ah ! Fátima, au Portugal. C'est pour préparer l'anniversaire qui sera célébré cette année ?

— Oui, mon père. Cela fera bientôt quatre-vingt-dix ans que la Sainte Vierge est apparue aux enfants de Fátima. Nous préparons une commémoration spéciale.

Le téléphone sonna dans l'entrée et Maggie se précipita pour répondre. Peter but une gorgée de thé. Il avait besoin de tranquillité, pour réfléchir au coup de fil qu'il avait reçu de Maureen. Il n'était pas seulement son plus proche parent, mais aussi, depuis toujours, son guide spirituel. Ils avaient traversé ensemble de durs moments, et leur foi à tous les deux avait été rudement mise à l'épreuve à l'époque où Maureen cherchait l'Évangile de Marie Madeleine. Il ne se passait pas un seul jour, une seule heure, sans que Peter se demande s'il avait réussi ou échoué à surmonter ces épreuves.

Après que Maureen avait risqué sa vie pour arracher ces documents à la grotte de France où ils étaient cachés, Peter avait pris sur lui de les emporter hors de France et de les remettre à l'Église. À cette fin, il avait été contraint de tromper la confiance de Maureen et de ses amis des Pommes Bleues, qui l'avaient aidée et protégée durant sa quête. En fait, il avait agi comme un voleur. Aujourd'hui, il se reprochait amèrement son geste, mais à l'époque, il avait eu de nombreuses raisons d'agir ainsi. En premier lieu, il s'était persuadé que, de cette façon, il protégeait Maureen. Malheureusement, ses amis et elle n'avaient pas partagé son point de vue. Il avait fallu presque deux ans pour rétablir leurs relations, grâce, surtout, à Marie Madeleine. Puisque son Évangile insistait sur la puissance et la force du pardon, Maureen avait décidé qu'elle serait la dernière des hypocrites si elle ne se conformait pas à ce principe avec Peter.

Mais Peter ne s'était pas pardonné à lui-même. À l'époque de la découverte, pendant qu'il traduisait le texte, il avait été frappé au cœur par les révélations que ce dernier renfermait. Il lui avait semblé intolérable qu'un élément si fondamental de l'histoire du christianisme ne se trouve pas entre les mains de l'Église, où les meilleurs spécialistes analyseraient et authentifieraient le document. Il avait donc agi selon sa conscience en remettant l'original aux autorités de Rome. En échange, il fut autorisé à participer aux investigations sur l'Évangile controversé.

Peter menait une existence pitoyable. Chaque jour, il devait affronter la hiérarchie vaticane qui le considérait comme un étranger et non comme le héros qui avait offert l'inestimable document. En vérité, c'était plutôt le contraire. Il était un éternel suspect, qui avait été mêlé à une hérésie potentielle. Ayant traduit le texte avant de le remettre au Vatican, il posait un problème. Il connaissait exactement le contenu de l'Évangile et, pire encore, il l'avait confié à sa cousine, qui en avait fait un best-seller. En son for intérieur, Peter était convaincu de l'authenticité de l'Évangile, sans l'avoir soumis à aucune expertise. Mais ici nombreux étaient ceux qui s'opposaient à cette éventualité et Peter était fréquemment réduit au silence. Par moments, il avait l'impression d'être un prisonnier aux arrêts, et non l'acteur d'un processus d'authentification en cours. Il ne pouvait compter que sur un seul allié à Rome, un allié heureusement très puissant. Des heures durant, chaque nuit, Peter priait pour que les autres membres du Concile du Vatican se laissent pénétrer par la lumière de la vérité. Il vivait dans l'espoir de pouvoir un jour dire à Maureen que Marie Madeleine était reconnue, et que justice lui serait rendue.

Mais désormais, il devait affronter une nouvelle complication. Maureen était à l'orée d'une nouvelle percée spirituelle, qu'elle le sache ou non. Peter avait déjà assisté au même enchaînement de circonstances : la fréquence accrue des rêves visionnaires, suivis d'une série d'événements inexplicables à moins d'une intervention divine. Ainsi Maureen avait-elle été guidée jusqu'à l'Évangile de Marie Madeleine deux ans plus tôt. Elle faisait à nouveau des rêves et Jésus lui citait les Écritures.

« Ainsi, sois donc parfaite. »

C'était une citation de Matthieu, chapitre cinq. Le commandement extrait du Sermon sur la montagne qui faisait suite aux instructions d'aimer ses ennemis et de bénir ceux qui nous maudissaient. Ce précepte était certes fondamental pour le christianisme, mais que signifiait-il dans le rêve de Maureen ?

La phrase « Tu dois t'éveiller dans ce corps, car en ton corps chaque chose existe » était plus étrange encore. Peter en avait tout de suite reconnu l'origine. C'était une citation des Évangiles gnostiques découverts en Égypte en 1945. Et plus précisément de l'Évangile de Philippe. Il était absolument certain de savoir la suite de la citation : « Ressuscite en cette vie. » Il avait participé à de nombreux et vifs débats sur le sens de ces phrases lorsqu'il vivait à Jérusalem, au début de ses études chez les jésuites. La cause principale de la controverse suscitée par les textes gnostiques était l'idée que la vie sur terre, en ce corps terrestre, était aussi importante que la vie après la mort. Peut-être même plus importante. Ce concept était rejeté par les tenants de l'orthodoxie catholique pour des raisons évidentes : certains, d'ailleurs, le jugeaient hérétique. Il était cependant la clé de voûte de la philosophie gnostique, qui passionnait Peter. Le jeune prêtre tenta de persuader ses aînés conservateurs de la pureté et de l'authenticité de textes qui n'avaient jamais été disséqués, imprimés ni altérés par d'innombrables traductions au cours des siècles. Les orthodoxes rétorquaient que ces écrits, dont certains étaient datés du IIIe siècle, avaient été rédigés trop longtemps après la vie de Jésus pour être validés.

Peter considérait comme un grand malheur, et même comme une tragédie, la position intransigeante adoptée par l'église catholique. Pourquoi fallait-il que tout soit noir ou blanc ? Pourquoi prétendre que les Évangiles gnostiques étaient contraires au canon ? Pourquoi ne pas les lire comme complémentaires et tirer profit des éclairages qu'ils apportaient sur Jésus et sur son enseignement ?

Maureen rêvait à nouveau de Jésus, et le Seigneur lui-même citait les Évangiles gnostiques, au même titre que les Évangiles canoniques. C'était extraordinaire ! Étant donné les circonstances passées de la vie de Maureen, cela paraissait même hautement significatif.

Et désormais, il avait deux manuscrits médiévaux à prendre en compte.

Peter devrait patienter un peu avant de les étudier. Maggie était revenue dans la pièce, agitée comme toujours lorsqu'un membre éminent du clergé prenait contact avec Peter.

— Père Girolamo a téléphoné. Il désire que vous le rejoigniez immédiatement dans son bureau au sujet d'une question concernant le cardinal DeCaro et un document ancien.

Congrégation de la Sainte-Apparition
Cité du Vatican

De nos jours

Le père Girolamo DiPazzi était fatigué. Il souffrait de l'extrême lassitude de ceux qui ont consacré leur vie à une cause qu'ils considèrent comme plus importante que leur confort personnel. Dans son cas, il s'agissait du Cœur immaculé de la Sainte Vierge Marie et de son dévouement sans limites à la congrégation de la Sainte-Apparition. Son travail officiel consistait à étudier les visions et les visionnaires sanctifiés et authentifiés par l'Église depuis plus de cinq cents ans.

Mais, en privé, il s'adonnait à une recherche sur un autre prophète, ou plutôt une autre prophétesse, et sur une lignée de femmes unies par les liens du sang et de la naissance qui avaient, de tout temps, connu des visions d'une clarté et d'une puissance incomparables. On leur avait donné différents noms : les Madeleine, les bergères, les vierges noires, les papesses, et les Élues. Le père Girolamo DiPazzi avait scrupuleusement étudié les détails de leurs biographies ; sur certaines, comme Sarah-Tamar ou Modesta, on ne connaissait presque rien. Trop de temps avait passé. Mais il existait une documentation très approfondie sur d'autres, comme Thérèse d'Ávila par exemple. Il s'abîmait dans le récit de leur vie, afin de trouver une réponse aux questions qui le consumaient.

Pourquoi ? Pourquoi ces femmes-là avaient-elles été élues par le Seigneur ?

Et quoi ? Que savaient-elles, qui était hors de la portée du plus saint des hommes ?

60

Il regarda le manuscrit ancien posé sur son bureau, celui qui le préoccupait jour et nuit. Jadis, il avait fait partie de la collection personnelle du pape Urbain VIII et renfermait une série de prophéties. Écrit sous la forme de quatrains, en vers italiens ou français, il avait été transcrit sur papier par les générations qui s'étaient succédé. À cause de la forme choisie, le quatrain, certains érudits l'attribuaient à Nostradamus, le célèbre devin français. C'est sous cette signature qu'il figurait au catalogue de la bibliothèque du Vatican, jusqu'à ce que le père Girolamo s'y intéresse. Il savait que le document était inestimable, et certainement pas de la plume d'un seul auteur. On aurait plutôt dit qu'il avait été rédigé sur plusieurs siècles. En dépit des multiples traductions qui en avaient été faites, il ne possédait toujours pas la clé de sa véritable signification. Les quatrains étaient écrits en une sorte de code, un langage prophétique que seuls étaient capables d'interpréter ceux qui étaient nés pour le comprendre.

Pourtant, il poursuivait ses efforts. Il étudiait un vers à la fois, pendant des heures d'affilée. Une des prophéties l'intriguait tout particulièrement, rédigée en français, qui commençait par ces mots : Le temps revient.

Penché sur le texte, le père Girolamo s'efforçait d'en comprendre le sens. Il prit en main un délicat coffret de cristal qui contenait une relique d'un visionnaire et pria pour que le reliquaire l'aide à trouver la solution de l'énigme. Ce jour-là encore, ses efforts furent vains.

Le vieux prêtre soupira et se redressa. Il avait passé la plus grande partie de sa vie à Rome, mais sa congrégation était d'origine toscane, et remontait au Moyen Âge. Il était si épuisé qu'il avait l'impression de l'avoir dirigée depuis ses débuts. Mais son travail n'était pas terminé. Il avait un autre document à examiner, et qui requérait son attention immédiate. Il rangea le livre des prophéties dans le tiroir secret où il le conservait précieusement.

Le père Healy n'allait plus tarder et le père Girolamo devait se préparer à discuter avec lui du dernier événement survenu.

*   *

Peter se tenait devant l'immense tapisserie qui recouvrait l'un des murs des bureaux privés de la congrégation. Comme la majorité des tapisseries à la licorne exposées dans les musées de New York et de Paris, elle avait été réalisée aux Pays-Bas à la fin du XVe siècle. Elle représentait une scène de chasse et s'intitulait *La Mise à mort de la licorne*. L'animal mythique était entouré de chasseurs armés de lances, dont plusieurs enfonçaient la lame de leur épée dans le corps ensanglanté de l'animal captif et blessé. Un peu à l'écart, un trompette annonçait en grande pompe la mort de la bête. Aux yeux des non-initiés, le sujet de ce chef-d'œuvre de l'art flamand pouvait paraître inconfortable.

— D'une très grande beauté, n'est-ce pas ? dit le père Girolamo de sa voix cassée par plus de cinquante ans de sermons en entrant dans la pièce.

— Incontestablement. J'ai toujours aimé les tapisseries à la licorne. Celle-ci est cruelle, mais magnifique.

— La mort de Notre-Seigneur fut cruelle, cette œuvre d'art est censée nous le rappeler. Il est mort pour nos péchés, d'une façon atroce.

Le vieux prêtre s'interrompit.

— Mais je n'ai pas à vous le dire, vous êtes sage et érudit. Venez dans mon bureau, Peter, j'ai quelque chose à vous montrer.

Peter le suivit en silence. Depuis son arrivée à Rome, le père Girolamo s'était toujours montré amical envers lui. Ils avaient fait connaissance grâce à Maggie Cusack, l'un des membres les plus dévoués de la congrégation. Peter et Girolamo s'étaient souvent vus, mais Peter n'était jamais entré dans le sanctuaire des bureaux de la congrégation. C'était un lieu privé et, tandis que le prêtre fermait la porte derrière eux, le père Healy comprit qu'un secret allait lui être révélé. Cela ne l'étonnait plus : avec le temps, il avait compris que le Vatican était construit sur des secrets, reposait sur des secrets, vivait de secrets, et par les secrets.

Le document qu'il avait reçu de Maureen trônait sur le bureau du prêtre, à la grande surprise de Peter, qui l'avait remis à son mentor, le cardinal Tomas DeCaro.

— Asseyez-vous, dit le père Girolamo.

Peter prit place sur un siège, face au bureau.

— Vous avez donné ce document à Tomas, et il me l'a confié. Il serait présent s'il n'avait dû se rendre à Sienne. Il me fait confiance. Vous pouvez suivre son exemple. Voilà pourquoi il me l'a transmis. Je suis toscan. J'ai consacré quatre-vingts ans à ma passion : l'histoire de la Toscane et ses relations avec l'Église. Au vu de ce document, notre ami commun a compris que j'en reconnaîtrais l'importance. Il avait raison. Il s'agit ici de la comtesse Matilda Toscana, Matilda de Toscane. Connaissez-vous son existence ?

— Non, répondit Peter.

— Eh bien, vous allez la connaître. Dites-moi, combien de fois êtes-vous entré dans la basilique Saint-Pierre ?

— Je ne sais pas ! Des centaines de fois !

— Alors, vous êtes passé des centaines de fois devant la comtesse Matilda. Elle repose en une place d'honneur, sous un mausolée sculpté par le grand maître du baroque le Bernin, distante d'à peine cinquante mètres du premier des apôtres.

— Elle est enterrée dans la basilique ? intervint Peter, stupéfait, qui ignorait qu'une femme reposait à Saint-Pierre, surtout à une telle place d'honneur. Pourquoi ?

— La réponse à cette question dépend de la personne à qui vous la posez, dit le vieux prêtre avec un sourire sans joie. Mais puisque c'est à moi que vous vous adressez, je vous dirai : parce que c'était une femme pieuse et généreuse, qui a légué tous ses biens au pape.

— Pourquoi aurait-on envoyé un document sur la comtesse Matilda à Maureen ?

— Les intentions de celui ou de ceux-là m'inquiètent profondément. Tant que nous n'en saurons pas davantage sur leur identité et sur leurs raisons d'agir, il est essentiel que nous restions très vigilants.

— Croyez-vous que cela puisse être dangereux ?

— Oui. Peter, vous êtes l'un de nos meilleurs linguistes. Vous n'avez pas transmis ce document sans le traduire, n'est-ce pas ?

— En effet. J'espérais pouvoir l'authentifier.

— Il est authentique, cela ne fait aucun doute. Et c'est bien ce qui m'inquiète. Écoutez-moi bien, mon fils. Un tel présent peut paraître bienveillant, mais, à mon avis, ce n'est pas le cas. Je crois que quelqu'un s'apprête à utiliser votre cousine. Tomas le pense aussi. C'est pour cela qu'il est venu à moi.

— L'utiliser ? Mais de quelle manière ?

— Réfléchissez, Peter. Notre ami Tomas a eu recours à moi parce qu'il sait qu'en plus d'être toscan je suis un spécialiste des visions. Et que toutes ces années de travail m'ont apporté au moins une certitude : on ne devient pas visionnaire, on naît visionnaire. On ne peut ni étudier ni prier pour le devenir. On l'est, ou on ne l'est pas. Il n'y a rien entre les deux. Un prophète ou une prophétesse authentiques sont choses rares, précieuses. Et votre cousine jouit ici d'une sorte de célébrité, comme vous le savez.

Peter sourit. Maureen était surtout célèbre dans l'enceinte du Vatican, où on la considérait comme une curiosité – hérétique, renégate, pire encore, femme – mais aussi comme une force que l'on ne pouvait balayer d'un simple geste de la main. N'avait-elle pas fait la plus remarquable découverte de l'époque grâce à ses rêves et à ses visions ?

— Ainsi, ce que les plus conservateurs des pères de notre Église pensent d'elle ne compte pas. Il est indéniable que ses visions l'ont guidée vers une réussite sans pareille. Je crois donc que quelqu'un se sert d'elle pour mettre la main sur le livre dont il est question dans ce document. Et, lorsqu'elle l'aura trouvé, je doute fort qu'on la laisse en parler. Elle doit se montrer extrêmement prudente, et vous aussi.

Le vieux prêtre s'abîma si longtemps dans ses réflexions, les yeux fermés, que Peter craignit qu'il ne soit endormi. Mais, lorsqu'il leva enfin les paupières, son regard étincelait.

— Peter, il faut que vous me teniez informé de tout ce qu'entreprendra votre cousine, et que vous me préveniez si elle a d'autres contacts avec .. sa source. Je vous promets que c'est pour son bien, et pour le vôtre.

Peter s'y engagea. Il ne prenait pas à la légère les avertissements du prêtre et avait hâte de partir pour appeler Maureen, qui arriverait sous peu en France.

— Allez à la garde de Dieu, mon fils. Et que sa sainte mère veille sur votre voyage.

Chapitre 3

Languedoc

De nos jours

À mesure qu'elle se rapprochait de sa destination, Maureen se sentait de plus en plus tendue. Depuis l'aéroport, le trajet prenait une bonne heure, ce qui lui laissa le temps d'évoquer avec Tammy les événements des derniers jours, leurs recherches, les indices dont elles disposaient et l'éventuelle origine de l'envoi.

— Bérenger est très inquiet, dit Tammy. Cela le passionne, bien entendu, mais il déteste ne pas contrôler la situation. Il est d'autant plus anxieux que nous sommes tous incapables d'avancer la moindre hypothèse sur l'identité de l'expéditeur.

— Qui que ce soit, il en sait long sur Bérenger et sur moi. C'est troublant en soi. Mais il y a pire : il connaît mes rêves, ce qui est inexplicable. Donc, soit c'est d'inspiration divine...

— Soit c'est carrément angoissant !

— Merci de me rassurer ! Comme si je n'étais pas assez nerveuse ! Même sans tenir compte des événements récents, revenir à Arques mettait Maureen sur les nerfs. C'était ici qu'elle avait découvert l'Évangile de Marie Madeleine, qu'elle avait vécu, avec joie et souffrance, une aventure qui était au-delà de la compréhension de la majorité des gens. Et surtout, c'était chez Bérenger Sinclair, ce qui n'était pas sans entraîner son lot de complications.

Tammy fit un détour pour déjeuner à Montségur, car elle savait que Maureen adorait ce village. C'était l'un des hauts lieux spirituels et le théâtre de l'ultime résistance des cathares face aux armées d'une Église bien décidée à les exterminer jusqu'au dernier. Maureen, qui avait passé des heures mémorables à se pencher sur la culture cathare héritée de Montségur, en connaissait parfaitement l'histoire.

Vers la fin de l'année 1243, les cathares subissaient les tortures de l'Inquisition depuis presque cinquante ans. Les habitants de nombreuses villes avaient été massacrés jusqu'à ce que leur sang innocent inonde littéralement les rues. Montségur, à une soixantaine de kilomètres d'Arques et des Pommes Bleues, était l'une des dernières forteresses cathares. Son siège avait duré six mois.

Selon une légende languedocienne, quatre membres de la communauté avaient réussi à s'échapper deux jours avant que la population entière de Montségur ne périsse sur le bûcher pour hérésie. On disait que l'un d'eux, une jeune fille appelée Pascalina, « le petit agneau pascal », avait dissimulé sur elle un objet précieux, le Livre de l'Amour. Son destin était de préserver le trésor le plus sacré de son peuple. Elle était aussi l'ancêtre de Maureen, et à l'origine de son nom de famille, Pascal.

En quittant les ruines de l'ancienne forteresse, Maureen murmura une prière de gratitude à sa courageuse ancêtre, et Tammy l'imita, au nom des deux cents braves qui étaient morts brûlés vifs le 16 mars 1244.

Elles prenaient la direction d'Arques lorsque la sonnerie du téléphone portable de Maureen interrompit leur conversation. C'était Peter, qui l'appelait de son bureau de Rome.

— J'ai des informations importantes à te transmettre. Es-tu seule ?

— Tammy est avec moi. On est presque arrivées au château.

Peter laissa échapper un léger grognement d'irritation, puis s'éclaircit la voix.

— Bon. Le document. Il est daté de 1071, et il est signé Matilda. Matilda de Toscane.

— De quoi parle-t-il ?

— C'est une violente revendication. L'impérieuse comtesse enrage et exige que lui soit immédiatement retourné son précieux « cahier rouge », faute de quoi elle se mettra à la tête d'une armée d'invasion : elle menace son propre mari, qu'elle méprise manifestement, de lancer contre lui une guerre sainte.

— Un précieux cahier rouge ? C'est le Livre de l'Amour, n'est-ce pas ?

— Je suppose. Ou tout au moins une copie. Elle demande que le cahier soit remis sans délai à un certain Patricio, abbé du monastère de... d'Orval. Maureen, c'est un document essentiel ! Il s'agit peut-être de la seule preuve que ce livre n'a jamais existé.

— Et il serait à Orval. Et c'est à Orval que nous allons demain.

Peter l'interrompit.

— Fais très attention ! Je pense que c'est dangereux. J'ai autre chose à te dire. Appelle-moi plus tard, quand tu seras seule.

— D'accord, conclut Maureen en s'efforçant de ne pas montrer son agacement devant le refus de Peter de lui confier la suite de ses informations à cause de la présence de Tammy.

Elle allait devoir trouver le moyen de jeter un pont entre eux tous, afin qu'ils puissent de nouveau travailler ensemble. Il fallait qu'ils se refassent confiance, qu'ils reforment une équipe soudée.

Après tout, n'étaient-ils pas en quête du Livre de l'Amour ? Le moment du pardon n'était-il pas venu ? Elle-même, saurait-elle pardonner ?

Tammy activa la télécommande de la grille du château et la voiture remonta l'allée sinueuse qui menait à la propriété. En l'apercevant, Maureen eut le souffle coupé. Elle avait oublié sa magnificence. Curieusement, alors qu'elle n'y avait passé que deux semaines, la jeune femme avait l'impression de rentrer chez elle. Son attachement à ce lieu, et aux gens qui y vivaient, était puissant.

La porte d'entrée s'ouvrit en grand et Roland bondit à leur rencontre, un sourire éclatant sur le visage, et l'air d'un grand enfant. Il souleva Tammy entre ses bras, la serra contre lui. La jeune femme riait, de ce rire de gorge qui plaisait tant au bon géant. Après un baiser sonore, il la reposa au sol, prit les mains de Maureen dans les siennes et lui posa un baiser sur chaque joue.

— Quel grand bonheur que votre retour parmi nous, madame.

Pour Roland, Maureen était plus qu'une amie ou une invitée. Elle était l'hôte d'honneur qui avait accompli une tâche immense. La femme, au-dessus du reste des mortels, qui avait découvert l'Évangile de Marie Madeleine. Il la traitait avec un respect qui frisait la révérence

C'en était trop pour Maureen, épuisée, surmenée. Quand elle ouvrit la bouche pour lui répondre, les mots refusèrent de franchir sa gorge, serrée par une émotion qu'elle retenait depuis deux ans.

Sans plus de formalités, elle se jeta au cou de Roland, son ami, un homme de bien qui la traitait tellement mieux qu'elle n'avait l'impression de le mériter, et elle éclata en d'irrépressibles sanglots contre sa poitrine.

Elle était de retour chez elle.

Bérenger Sinclair avait vu la voiture arriver. Il ne pouvait pas deviner que la peur et l'excitation qu'il ressentait – la peur d'être rejeté, l'angoisse des premiers instants de leurs retrouvailles – étaient les sentiments qui bouleversaient Maureen au même moment. Il ne descendit pas immédiatement, préférant attendre de voir comment elle réagirait face à Roland et devant le spectacle environnant et espérant ainsi s'armer contre son éventuelle froideur. L'intensité de ses émotions était une surprise pour lui. Comme elle l'était pour Maureen.

Roland et Tammy accompagnèrent la jeune femme dans sa chambre préférée, la chambre de Magdalène, pour qu'elle ait le temps de s'installer et de se préparer pour le dîner. La pièce somptueuse, digne d'une reine, était tendue de velours écarlate et tenait son nom du tableau de Ribera qui y était accroché : *Marie Madeleine au désert*. De merveilleux bouquets de lys blancs exhalaient leur entêtant parfum.

Lorsque l'on frappa doucement à sa porte, une heure plus tard, Maureen crut que c'était un domestique qui venait la chercher pour le dîner. Elle était prête, changée et remaquillée. Elle ouvrit la porte et se figea. Bérenger Sinclair était appuyé contre le chambranle, grand, beau, et lui souriait avec une telle chaleur qu'elle se demanda par quelle aberration mentale elle avait pu se montrer si stupidement rancunière.

Elle n'eut pas le temps de s'appesantir, car déjà elle était dans ses bras, et le monde disparut autour d'eux.

Ils faillirent être en retard pour le dîner, mais Maureen reprit ses esprits et mit fin à leur étreinte passionnée.

Bérenger était le plus chevaleresque des hommes. Bien que plus qu'heureux de la tenir dans ses bras, de passer la main dans les mèches cuivrées de sa somptueuse chevelure, il accepta à regret de descendre et de partager sa compagnie.

Elle était là. Pour l'instant, cela devait suffire à son bonheur.

Au cours de l'agréable dîner, Maureen répondit à toutes les questions sur la vie qu'elle avait menée après la sortie de son livre. Elle se détendit rapidement, heureuse d'être en compagnie de trois personnes en qui elle avait une totale confiance. Tous avaient beaucoup à raconter, pour rattraper le temps perdu. Au dessert, ils abordèrent le sujet du Livre de l'Amour, dont la légende survivait en Languedoc.

— Le Livre de l'Amour, dit Bérenger, est l'Évangile, la bonne parole, tels que Jésus les a écrits. Le véritable enseignement, dans sa forme la plus pure. Les paraboles de Jésus, ses prières, ses commandements. Bref, tout ce que nous, êtres humains, avons besoin de comprendre pour trouver Dieu sur le Chemin de l'Amour.

— Tout ce qu'il nous faut savoir pour devenir parfaits, ajouta Roland. Dans la tradition cathare, on appelle parfait celui qui a atteint le plus haut niveau de compréhension de cet enseignement. Le mot n'avait pas le même sens qu'aujourd'hui. Il impliquait d'être parvenu à vivre entièrement au nom de l'amour, et sans condamner. Car tel est le but de l'enseignement de Jésus. En devenant des êtres qui aiment, nous nous modelons sur notre Père qui est aux cieux, car Il est l'amour.

Maureen garda le silence quelques instants. Elle ne leur avait pas encore parlé de cette partie de son rêve, mais, apparemment, ils avaient compris.

— Ainsi, sois donc parfaite.

— C'est exact, dit Bérenger. Heureusement, on trouve quelques-uns de ces préceptes dans les Évangiles canoniques. Celui-là est chez Matthieu, par exemple, avec le Sermon sur la montagne et la Prière du Seigneur.

— Récapitulons, intervint Maureen. Nous savons que Jésus a écrit ces préceptes durant sa vie et qu'il les a remis à Marie Madeleine, qui n'est pas seulement son épouse mais aussi son successeur, celle qui enseignera à son tour. Nous savons qu'il en existe des copies, Marie Madeleine mentionne celle qu'a faite Philippe. Mais l'original, celui qui est écrit de la main d'Easa, arrive jusqu'ici.

— Exact. Marie Madeleine aborde les rivages de France avec ses enfants, une poignée de fidèles disciples, et le Livre de l'Amour. Elle enseigne selon ce qui y est écrit, à Marseille d'abord, puis en Languedoc. Notre terre d'Arques est sacrée, car, selon la légende, elle s'y installa et y fonda sa première école. La première des missions, en quelque sorte. Ce lieu s'appelle Arques en référence à l'arche, l'Arche d'alliance. En d'autres termes, la nouvelle alliance, la parole de Jésus, est parvenue en ce village, qui fut son réceptacle. Hélas, tous les monuments anciens dédiés à Madeleine ont été démolis depuis longtemps, pour effacer toute trace de son passage en Languedoc.

Maureen le savait, mais elle fit appel à son talent de journaliste pour jouer l'avocat du diable.

— Ce qui m'amène à la question cruciale, celle que poserait toute personne sceptique ou incrédule si on lui racontait cette histoire. Comment est-il possible d'avoir effacé de la surface du monde quelque chose de si important pour l'histoire de l'humanité ? Voilà l'un des secrets les mieux gardés depuis deux mille ans. Sans doute *le* mieux gardé. Comment expliquer que personne ne soit au courant de sa simple existence ?

Roland, passionné par le sujet, répondit le premier :

— Parce que notre peuple a été assassiné pour que nul ne témoigne de cette existence.

— En effet, ajouta Bérenger, rien ne pouvait représenter un plus grave danger pour l'Église qu'un Évangile écrit de la main de Jésus, surtout s'il démontrait que ce que l'Église appliquait était en totale contradiction avec le véritable enseignement. C'est le document le plus dangereux de l'histoire de l'humanité.

— Mais ils n'ont pas réussi à s'en emparer. En tout cas, pas à Montségur, dit Maureen.

— Grâce à votre noble ancêtre, comme vous le savez, reprit Roland. Elle a sauvé le Livre. Mais, après Montségur, on n'en trouve plus trace. Comme tant d'autres choses. Il ne nous reste que ce qui a été transmis par la tradition orale, et beaucoup a été oublié avec le temps.

— La culture cathare, poursuivit Bérenger, a été décimée par un holocauste. Ceux qui restaient se dispersèrent dans toute l'Europe, et nous avons perdu le fil de leur histoire.

— Pourtant, dit Maureen en s'adressant à Roland, quelques-uns d'entre vous ont survécu. Votre famille, et les rescapés du massacre de Montségur. Mon ancêtre. Ils auraient dû tout faire pour sauver le Livre.

— Bien sûr! Mais ils ne pouvaient pas se permettre d'en parler. Même lorsque les cathares vivaient en paix, avant les massacres, ils ne discutaient jamais ouvertement du Livre de l'Amour. Vous comprenez certainement pourquoi...

— En effet, dit Bérenger, les cathares ont protégé le Livre en n'en parlant jamais. L'Église voulait éradiquer quiconque aurait pu attester de sa simple existence. Ce secret est d'une telle importance, tant pour ceux qui en sont les gardiens que pour ceux qui le méprisent, qu'on en a effacé toute trace dans l'Histoire.

— Évidemment..., soupira Maureen. Donc, le dernier lieu où sa présence est signalée serait...

— Montségur, compléta Roland. Mais la légende dit que votre ancêtre l'aurait emporté dans le nord de l'Espagne, au monastère de Notre-Dame de Montserrat. Après, ce ne sont que conjectures...

— Mais, ajouta Bérenger, bien qu'il n'existe qu'un seul livre écrit de la main de Jésus, on est à peu près certains que des copies en ont été faites plusieurs fois dans l'Histoire. Et c'est une bonne chose, car cela nous donne une chance de connaître un jour son contenu, à défaut de retrouver l'original.

— Le croyez-vous réellement perdu?

La question de Maureen flotta quelques instants dans l'air. Roland répondit enfin.

— Le Livre est à Rome. L'Église tenait tellement à le récupérer qu'elle a commis un génocide. Elle n'a pas pu s'arrêter en route. C'est le ténébreux secret qui fonde l'Inquisition, dont le premier objectif était la traque des cathares survivants, et de leurs sympathisants. Par la suite, elle est devenue un fléau pour le genre humain tout entier. Pourtant, quelque chose me dit qu'il faut garder espoir. Vous rêvez à nouveau et quelqu'un en ce bas monde essaie d'entrer en contact avec vous. Peut-être en existe-t-il une copie quelque part et aurons-nous la chance de la trouver.

**

Après dîner, Maureen profita de la richesse de la bibliothèque de Bérenger pour commencer ses recherches sur l'énigmatique Matilda avant de partir pour Orval, le lendemain matin. Bérenger était très fier de sa collection de livres rares et de manuscrits, orientée principalement sur l'histoire et l'art européens. Tous aidèrent Maureen en parcourant les ouvrages consacrés au Moyen Âge. Il y avait fort peu de traces de leur comtesse toscane, et quasiment aucune en anglais. Son nom apparaissait dans quelques textes anciens écrits en latin ou en italien, mais, sans Peter, ils étaient trop difficiles à traduire pour des linguistes novices.

Maureen feuilletait un livre consacré à Gianlorenzo Bernini, dit le Bernin, lorsqu'elle s'écria :

— J'ai trouvé quelque chose ! Écoutez. « En 1635, le pape Urbain le Huitième demanda que la dépouille de la comtesse Matilda de Canossa fût retirée du monastère de San Benedetto de Po à Mantoue, où elle reposait depuis cinq siècles, et transférée à Rome. Les moines de ce monastère de Mantoue refusèrent, car ils croyaient qu'exécuter cet ordre serait une violation des dernières volontés de la comtesse, qui avait souhaité rester près de sa demeure natale pour l'éternité.

« Pourtant, lors de la construction de la nouvelle basilique Saint-Pierre, le pape commanda au Bernin une somptueuse tombe en marbre et un mausolée pour la comtesse. Il ne voulait pas qu'on lui refusât la précieuse relique et offrit en échange à l'abbé de San Benedetto une importante somme d'argent qui suffirait à entretenir le monastère et ses bonnes œuvres au nom de Matilda pour l'éternité. L'abbé accepta le marché, mais le dissimula à ses moines, de crainte qu'ils ne se rebellassent. Ainsi, au cœur de la nuit, des prêtres choisis dans l'entourage du pape remirent le fruit de la corruption à l'abbé, et, tels des voleurs, brisèrent les sceaux de la tombe d'albâtre. »

Maureen interrompit un instant sa lecture.

— Que se passe-t-il, Maureen ? lui demanda Bérenger qui avait perçu un grand trouble sur son visage.

La jeune femme leva les yeux sur lui, reprit son souffle et poursuivit.

— « Ils découvrirent un squelette parfaitement intact, enveloppé de soieries d'or et d'argent. En son époque, on avait parlé de Matilda comme d'une amazone ; pourtant, elle était de très petite taille. Ses dents étaient parfaitement conservées. Et, plus extraordinaire encore, de longues mèches de cheveux d'une rare couleur cuivrée ornaient son crâne. Persuadés de se trouver devant la comtesse légendaire que convoitait le pape, les prêtres la sortirent de son cercueil pendant que le monastère dormait, et repartirent pour Rome avant le lever du soleil. Matilda de Toscane devint ainsi la première femme enterrée à Saint-Pierre, au cœur même de la basilique. »

— Bon, dit Tamara. Je ne suis certainement pas la seule à entrevoir quelque chose. Notre Matilda était une petite femme aux cheveux roux, deux des caractéristiques génétiques des femmes de la lignée de Madeleine, et les plus connues. Peut-on en déduire qu'elle était l'Élue de son époque ?

Maureen se redressa. Les aspects personnels qui la reliaient à Matilda étaient certes troublants. Peut-être expliquaient-ils le rêve du poisson et son désir profond de se rendre à Orval le plus vite possible.

— Mais je veux savoir pourquoi, dit-elle. Pourquoi ce pape, Urbain VIII, tenait-il tellement à récupérer la dépouille de Matilda ?

Bérenger proposa une explication :

— Croyait-il qu'elle avait été placée dans son cercueil avec quelque chose de très important ? Il aurait alors inventé cette ruse pour faire ouvrir la tombe en pleine nuit. Était-il à la recherche du Livre de l'Amour, ou d'autre chose que les ossements de Matilda ? Serait-ce pour cette raison qu'il a dû agir en si grand secret ?

Maureen réagit à cette éventualité :

— Avait-elle été enterrée avec un document ? une preuve quelconque, que le pape voulait récupérer ?

L'énigme ne se résoudrait pas cette nuit ; ils partaient tôt le lendemain matin et la jeune journaliste était épuisée, tant par le décalage horaire que par la charge émotionnelle de la journée. Elle souhaita une bonne nuit à chacun et déclara qu'elle allait se coucher. Bérenger comprit son degré de fatigue. Il l'embrassa doucement, retint son visage entre ses deux mains pendant quelques instants en la regardant avec intensité, puis la laissa partir. Bérenger ne les accompagnerait pas à Orval. Maureen avait insisté pour faire le voyage en la seule compagnie de Tammy. Elle devait se concentrer sur sa mission, ce qui lui serait trop difficile s'il lui fallait aussi débrouiller les fils compliqués de sa relation avec Bérenger.

Après leur excursion en Belgique, elle reviendrait au château. Il serait temps, alors, de s'atteler à cette tâche. Pourtant, en cet instant d'intimité, elle ne pouvait s'empêcher de regretter de le quitter.

Ainsi la fille de Notre-Seigneur et de Notre-Dame, connue sous le nom de Sarah-Tamar, s'engagea-t-elle sur le chemin de sa destinée. Forte de la gloire de ses deux parents, elle devint le chef du peuple de Gaule. On dit qu'elle avait la beauté et la puissante féminité de sa mère, et qu'elle pouvait soulager les douleurs et guérir les blessures des humains et des animaux en les touchant de sa main, comme son père. Lors de sa naissance, on la déclara tant aimée de Dieu qu'on la coucha dans la crèche en bois où son père était né.

On dit que depuis qu'elle était devenue femme elle entrait en des transes et parlait en rythme et en vers. Ce qu'elle exprimait alors fut considéré comme de grandes prophéties et retranscrit par les scribes de la Sainte Famille. Avec le temps, il fut prouvé que ces prophéties étaient d'inspiration divine. Certaines d'entre elles concernent les générations à venir.

L'histoire l'a oubliée, car, dès sa majorité, les persécutions du peuple du Chemin commencèrent. Elle fut contrainte d'enseigner en secret, et elle s'y employa jusqu'à sa mort.

Sarah-Tamar conçut de nombreux enfants. Certains demeurèrent en Gaule, d'autres se rendirent à Rome et en

Toscane, pour retrouver leurs parents et former avec eux des communautés qui se protégeraient des persécutions, afin que les enseignements du Chemin de l'Amour se perpétuent. Consultez la légende des saintes Barbara, Marguerite, Ursule et Lucie, si vous voulez savoir ce qu'il advint de sa lignée.

À toi, qui as des oreilles pour entendre.

La légende de Sarah-Tamar, la prophétesse, telle que rapportée dans le Libro Rosso.

Frontière belge

De nos jours

Tammy et Maureen commencèrent leur voyage le long de la frontière belge et dans la forêt des Ardennes, où est niché Orval depuis que Matilda en posa la première pierre, en 1070. C'était une belle journée, propice à une balade dans une forêt réputée pour être enchantée depuis des siècles. Maureen était calme et sereine. Une seule chose la préoccupait un peu : elle n'avait pas rappelé Peter. Il avait insisté pour qu'elle lui téléphone quand elle serait seule, et l'occasion ne s'était pas encore présentée. Après leur visite à Orval, dans l'après-midi, elle irait se promener seule, et en profiterait pour l'appeler sur son portable. Tammy comprendrait.

En suivant la route en direction du nord, elles discutèrent de ce qu'elles savaient et de ce qu'elles ignoraient au sujet de la mystérieuse comtesse médiévale de Toscane, sur laquelle on trouvait si peu d'écrits en anglais.

— L'Histoire ne nous apprend rien sur elle, dit Tamara. Il ne faut pas s'en étonner. Elle a vécu il y a plus de mille ans.

— Et c'était une femme, ajouta Maureen. Les scribes de l'époque ne se sont guère intéressés à ses actions.

— Nous savons que la prophétie d'Orval – celle de l'Élue – provient de documents conservés au monastère et protégés pendant des siècles. Elle fait partie d'un ensemble plus important – une série de prophéties datant de l'époque de Marie Madeleine, et qui ont été presque toutes perdues, sauf quelques-unes, transmises oralement par les cathares et d'autres sectes hérétiques.

— Et nous pensons, ajouta Maureen, qu'elles ont été écrites par la fille de Marie Madeleine et de Jésus, la petite prophétesse que nous connaissons sous le nom de Sarah-Tamar.

Maureen avait appris l'existence de cette légende deux ans auparavant, lors de sa quête de l'Évangile perdu de Madeleine, car la prophétie de l'Élue émanait de l'ancienne abbaye d'Orval. Sa découverte de l'Évangile d'Arques lui avait démontré qu'elle était elle-même une Élue ; elle remplissait en effet toutes les conditions de la prophétie. Être considérée comme une prophétesse par ses pairs était plus que troublant pour une femme du XXIe siècle.

— Crois-tu qu'il s'agisse des prophéties que tu estimes volées par Nostradamus ? celles qui fondent ses célèbres œuvres ?

— Exactement les mêmes. Comme tu le sais, Nostradamus a étudié à Orval ainsi que dans d'autres abbayes belges, toutes liées à l'hérésie. Et nous savons que lorsqu'il en est parti les moines ont découvert que certains documents avaient disparu. Et un beau matin, voilà qu'il se réveille dans la peau d'un prophète, et qu'il publie ses remarquables prédictions. Il a certes su reconnaître l'importance des prophéties, mais il les a discréditées en refusant d'admettre qu'elles n'étaient pas de lui. Version Renaissance du plagiat.

— Vraiment ?

— Que veux-tu dire ?

Maureen haussa les épaules.

— Je ne sais pas. Quelque chose me dit que Nostradamus était peut-être plus qu'un plagiaire. Qu'il était peut-être l'un de nous. Qu'il...

Maureen s'interrompit en voyant le premier panneau indiquant Orval. Le paysage devenait de plus en plus beau à mesure que la voiture s'enfonçait dans la dense forêt des Ardennes, en suivant ce long ruban de velours vert, sous les immenses pins qui enlaçaient la route. Les mots « Abbaye d'Orval » étaient soulignés d'une flèche vers la gauche. Tammy suivit les indications, et les deux jeunes femmes retinrent leur souffle tandis que Tammy freinait. Si l'abbaye d'Orval avait été conçue pour impressionner tout pèlerin l'apercevant pour la première fois, les architectes avaient incontestablement atteint leur objectif. Restaurée au siècle dernier, la façade était ornée d'une gigantesque statue de la Vierge à l'Enfant de style Art déco rappelant au visiteur que le nom complet de l'abbaye avait toujours été Notre-Dame d'Orval. Haute comme un immeuble de plusieurs étages, la madone évoquait une déesse égyptienne du temple de Louxor.

L'extérieur était moderne et monumental, et ne laissait rien deviner des ruines datant d'un millénaire qui s'étendaient à l'arrière.

Une charmante jeune fille vendit les tickets d'entrée à Maureen et à Tammy et leur donna un fascicule en anglais. Elle portait autour du cou l'emblème d'Orval : un poisson doré tenant un anneau de mariage dans sa bouche. Ce symbole, les deux jeunes femmes le retrouveraient partout au cours de la journée, dans l'abbaye et aux environs : sur des bouteilles de bière, des emballages de fromage, des souvenirs et des enseignes de cafés.

— Salut, Ichthys ! murmura Tammy.

Elles avaient longuement discuté de ces deux mots lors de leur voyage. Ichthys était certainement une référence à un poisson, le poisson qui symbolisait Jésus pour les premiers chrétiens.

— Tu sais, le poisson de Jésus, du genre de ceux qu'on voit à l'arrière de certaines voitures. C'est ça, un ichthys, avait dit Tammy.

— C'est un acrostiche, Peter me l'a expliqué, avait répondu Maureen. « Ichthys », correspond aux lettres utilisées pour épeler en grec le nom de Jésus-Christ, fils de Dieu et Notre-Sauveur. *Iesous*, *Christos*, *Theou*, *Yios*, *Soter*. Et le mot lui-même signifie poisson. On peut donc en conclure que « Salut, Ichthys ! » est une référence à Jésus, et à la culture ou à la mythologie grecques. Ce poisson figure dans nos deux documents. Il doit avoir une signification.

Tammy parcourut le fascicule pendant qu'elles avançaient vers les ruines de l'abbaye.

— Oh ! écoute ça ! « Matilda a baptisé l'abbaye elle-même. Pendant qu'elle parcourait ses terres de Lorraine, elle fit une halte en forêt pour se rafraîchir à l'eau d'une source. Elle se pencha sur l'eau, et son alliance glissa de son doigt et disparut. Avant que la bonne comtesse eût le temps de pleurer sa perte, une truite dorée jaillit des profondeurs, son alliance dans la bouche. En récupérant sa bague, la comtesse s'écria : "Nous sommes vraiment dans la vallée de l'Or !" Ainsi ce lieu prit-il le nom d'Or Val – la vallée de l'Or – et l'a-t-il conservé depuis. » Arrête-moi, si tu le sais déjà.

Maureen, stupéfaite, secoua la tête. Elle avait rêvé d'Orval avant d'avoir reçu le document mentionnant Matilda dans sa chambre d'hôtel de New York.

Tu trouveras ici ce que tu cherches. Seigneur ! Comme elle l'espérait !

— Ils disent, poursuivit Tammy, que Matilda a immédiatement fait construire ce monastère sur les lieux mêmes du miracle du poisson, afin de lui montrer son éternelle gratitude de lui avoir restitué son alliance.

Songeuse, Maureen garda le silence quelques instants.

— Mais nous savons par la lettre de Matilda qu'elle menaçait son mari d'envahir ses terres à la tête d'une armée ! Pourquoi, dans ces conditions, aurait-elle tellement tenu à son alliance ?

— Peut-être qu'elle l'a expédiée volontairement au fond du puits, et que le satané poisson la lui a rapportée...

— C'est une allégorie, forcément. Ça doit en être une. Cachée, mais à la vue de tous...

Maureen s'arrêta soudain. Tout était exactement semblable à ce qu'elle avait vu en rêve. Les délicates arcades gothiques, la fenêtre à la rosace aux six pétales sculptée dans la pierre. Une idée traversa fugitivement son esprit :

six pétales, ce n'était pas un hasard, le chiffre avait une signification. Puis, remarquant que la lumière filtrait à travers les arbres comme dans son rêve, elle se souvint d'autre chose.

— Viens, viens, c'est ici. Il faut que je la trouve.

Maureen saisit Tammy par le bras et l'entraîna dans sa course à travers les ruines. En parcourant le chemin qu'elle avait suivi dans son rêve, elle parvint devant la niche qui abritait la petite madone.

— La voici.

Plus lentement, comme avec respect, Maureen s'approcha de la statue. Elle était encore plus belle en vrai, et son expression plus espiègle. Son visage était particulier : de grands yeux, un front haut soulignant son intelligence et son innocence. La jeune fille de pierre était vêtue simplement, d'une tunique et d'un voile. De longues tresses entouraient son visage. Ce n'était encore qu'une enfant, qui tenait dans ses bras un bébé qui ne pouvait être le sien.

Tammy murmura :

— Que t'a-t-elle dit, dans ton rêve ?

— Elle m'a dit : « Je ne suis pas celle que tu crois que je suis. »

— Alors, qui crois-tu qu'elle soit ?

Envahie d'un étrange sentiment de communion avec la petite fille, Maureen sourit.

— Je sais qui elle est. C'est Sarah-Tamar, et le bébé est son jeune frère, Yeshua. Nous pensons que Matilda a fait construire ce bâtiment pour la lignée, n'est-ce pas ? Et quelles prophéties y trouvait-on ? Celles de Sarah-Tamar. Il fallait qu'elle soit présente ici.

— Revenons à cette allégorie, dit Tammy qui s'efforçait de reconstituer le puzzle.

— D'accord. Je te propose une hypothèse, dit Maureen qui pensait tout haut. Un poisson, qui symbolise Jésus, jaillit d'un puits. Partons du principe que Jésus a enseigné de cette façon, avec des paraboles, des récits symboliques. Le puits est un ancien symbole de la connaissance cachée. Et notre poisson tient une alliance dans la bouche. Regarde autour de toi, tu le verras partout. Jésus, le poisson, l'ichthys, émerge des secrètes profondeurs pour montrer son alliance au monde. Dans chacun des récits, il est souligné que la bague est une alliance, un anneau de mariage. Il la remet entre les mains de Matilda, car elle est digne de confiance, elle la protégera. Ça semble tellement évident ! Et nous sommes ici dans la vallée de l'Or, car c'est ici qu'est caché le savoir de sa famille, un savoir qui vaut plus que tout l'or du monde. Tout le récit est une allégorie de ce que Matilda savait, et de la façon dont elle l'a préservé.

— C'est ainsi que se sont perpétuées les légendes sur la lignée, par le biais de symboles et de codes, à l'époque où les gens risquaient la mort en en parlant ouvertement.

— L'art sauvera le monde, fit observer Maureen. À mon avis ; il faut prendre le mot art dans un sens beaucoup plus large ; il ne s'agit pas seulement de peinture, mais aussi d'architecture, de littérature, de statuaire.

Elles arrivèrent devant un grand puits en pierre, qu'une petite pancarte désignait comme la fontaine Matilda. Maureen recouvrit sa main droite de la gauche, pour protéger la bague de Jérusalem. Poisson magique ou pas, elle ne voulait pas prendre le risque de la perdre.

Il émanait du puits une grande sérénité. De l'eau de source y affleurait doucement, venue des profondeurs des Ardennes. Maureen songea aux puits irlandais sacrés, dédiés à des déesses depuis la nuit des temps avant d'être convertis en sites chrétiens à la gloire de Marie. Aux yeux de Maureen, tout à Orval était féminin, et plein de la pure énergie d'une très ancienne déesse. Elle sentait qu'elle tombait amoureuse de ce lieu, d'où se dégageait un immense sens du sacré. Sa beauté exaltait son désir d'en savoir davantage sur la mystérieuse Matilda, qui avait créé cet endroit et cette communauté mille ans auparavant grâce à sa volonté.

Tammy se pencha sur le puits et se mira dans son eau sombre.

— Dans ton reflet, tu trouveras ce que tu cherches.

Maureen l'imita. Lorsqu'une troisième image se joignit à leurs deux reflets, elle s'immobilisa. Un visage en tous points identique à celui de la petite madone. Mais il était de chair et de sang.

Maureen et Tammy se retournèrent brusquement. Derrière elles se tenait une enfant délicate et ravissante, vêtue de manière simple, et deux tresses encadraient son visage, telle la madone de la statue. Elles remarquèrent évidemment que la chevelure de la fillette était d'or roux. Ses mains étaient derrière son dos, comme si elle cachait quelque chose pour leur en faire la surprise.

— Bonjour, dit doucement Maureen.

L'enfant ne parla pas. Elle éclata de ce rire léger que Maureen avait entendu en rêve et ramena ses mains devant elle pour montrer ce qu'elle avait dissimulé. Un grand sac de toile, qui semblait contenir quelque chose, quelque chose qui ressemblait à un livre. Elle tendit le sac à Maureen avec un sourire épanoui qui éclaira son doux visage. Dès que Maureen s'en fut saisie, la fillette tourna le dos et partit en courant sans un mot. Elle disparut presque immédiatement.

Tammy scruta les environs, pour voir si quelqu'un avait surpris la rencontre, mais il n'y avait personne.

— Qu'y a-t-il dans ce sac ?

Maureen l'ouvrit, et elles se penchèrent en avant, pour ne pas attirer l'attention sur ce qu'il contenait en l'exposant au grand jour. Ce fut évident pour elles deux. C'était bien un livre, un livre ancien, relié de cuir rouge.

Les deux amies retournaient vers la voiture à la hâte pour consulter le livre à l'abri des regards, lorsque Tammy s'arrêta net. Quelque chose clochait. Sa voiture semblait pencher vers la gauche. Elle s'en approcha prudemment, constatant que les deux pneus gauches étaient à plat. Maureen la suivit et regarda par-dessus l'épaule de Tammy, qui s'était agenouillée pour mieux voir.

Les pneus, tailladés, avaient été volontairement crevés. Elle montra à Maureen les entailles en forme de X, ce qui n'était pas un hasard. La lettre X était utilisée comme symbole de l'hérésie depuis des siècles, tant par ses opposants que par ses adeptes. On trouvait de nombreux X gravés sur les murs des châteaux cathares et sur les parois des grottes où les adeptes se cachaient durant les persécutions. La lettre signifiait qu'en ce lieu était dispensé l'enseignement gnostique, et que ceux qui recherchaient la foi pure y trouveraient la bonne parole et un abri. Les peintres de la Renaissance qui sympathisaient avec l'hérésie de la lignée avaient intégré de nombreuses formes en X dans leurs tableaux.

C'était le symbole de la vérité en ce qui concernait Dieu.

Mais, en l'occurrence, ce X sur les pneus était apparemment un signe d'hostilité venant d'un ennemi.

Maureen et Tammy étaient tellement absorbées par leurs réflexions qu'elles n'entendirent pas qu'on s'approchait d'elles.

— Levez-vous, toutes les deux.

L'ordre avait été délivré à voix basse, mais sur un ton comminatoire. Maureen obtempéra, se retourna et vit un homme de haute taille, vêtu d'une veste à capuche, les yeux dissimulés derrière des lunettes noires et la bouche grimaçante. Tammy laissa échapper un petit cri en sentant une arme entre ses omoplates.

— Je ne vous le dirai pas deux fois, gronda-t-il avec un accent très particulier que Maureen ne parvint pas à identifier. Donnez-moi ce sac, ou je la tue immédiatement, sans hésiter. Et je vous tuerai après.

Les lieux étaient déserts. Au cœur de la forêt, nul ne les entendrait. Maureen n'avait pas le choix. Elle tendit le sac à l'homme, en priant pour qu'il ne fasse pas de mal à Tammy.

Il le lui arracha, et aboya ses ordres :

— Entrez dans la voiture, restez-y pendant une demi-heure, sans bouger. Regardez, fit-il en levant un doigt vers les arbres, un de mes hommes est là-haut. Si vous faites le moindre mouvement avant une demi-heure, il tirera, et il vous tuera toutes les deux. C'est bien compris ?

Des branches remuèrent dans la forêt sombre. Leur agresseur ne bluffait pas.

Maureen et Tammy entrèrent dans la voiture, le cœur battant la chamade. Au moment où les portières se refermèrent, l'homme s'éloigna lentement, sans un regard en arrière.

Ces trente minutes semblèrent une éternité. Les jeunes femmes prièrent, et parlèrent à voix basse de leur aventure. Par sécurité, elles demeurèrent quelques minutes de plus dans la voiture avant de retourner à l'abbaye. Lorsque la charmante jeune fille à l'accueil leur annonça que l'abbaye fermait, Tammy lui expliqua que sa voiture avait été vandalisée, sans mentionner l'homme armé ni le vol. Elles espéraient qu'on leur proposerait de les accueillir au monastère pour la nuit car il était réputé pour recevoir des pèlerins des deux sexes. Mais des pèlerins pourchassés par un voleur en capuche ne seraient peut-être pas les bienvenus.

Leur choix de ne pas entrer dans les détails s'avéra excellent. La jeune fille était sous le choc d'un acte de vandalisme commis au sein de la sereine beauté d'Orval. Elle fit appeler un des jeunes moines, frère Marco, afin qu'il trouve une chambre aux deux femmes et qu'il téléphone au garage de Florenville pour qu'on vienne réparer la voiture. La sollicitude dont on les entourait réconforta Maureen et Tammy, comme si l'esprit de Matilda régnait encore, et les protégeait. Frère Marco les invita à partager le dîner des moines, pris en silence dans la salle à manger. Mais les deux femmes étaient épuisées, et bouleversées. Elles préférèrent se retirer dans leur chambre avec du pain, du fromage, et de la bière d'Orval, dont l'étiquette sur les bouteilles portait le poisson.

La chambre, d'une propreté impeccable, était d'une simplicité toute monacale. Deux lits jumeaux, une table de nuit et un lavabo. Maureen n'en demandait pas plus. Il fallait qu'elle appelle Peter et qu'elle réfléchisse aux événements de la journée. Qui les avait agressées pour voler le livre ? Qu'était ce livre ? L'idée qu'elle avait peut-être tenu entre ses mains l'un des trésors de l'humanité, et qu'il était désormais perdu, lui était insupportable.

Quand Tammy se rendit à la salle de bains de l'étage pour prendre une douche, Maureen appela Peter sur son portable.

Lorsqu'elle lui narra leur aventure, il perdit son calme.

— Pourquoi ne m'as-tu pas rappelé avant ? Je t'avais dit que c'était important, et que tu étais en danger.

— Tu n'avais qu'à me parler en présence de Tammy. J'ai confiance en elle. Si elle avait été blessée...

Elle ne termina pas sa phrase. Il était clair que Peter en aurait été un peu responsable.

— Je suis navré. Vraiment. Et heureux que vous soyez saines et sauves toutes les deux ! Maureen, tu dois prendre l'avion pour Rome dès demain. Il y a quelqu'un ici que tu dois rencontrer. Nous pouvons envoyer une voiture te chercher au monastère, et Tammy peut t'accompagner, si tu le souhaites.

— Merci, Peter. C'est amusant... Il m'arrive d'apprécier sincèrement le pouvoir du Vatican.

Quel endroit plus propice au rêve que le monastère enchanté d'Orval ?

Maureen s'avançait parmi les ruines du monastère, où la lumière filtrait doucement sur les pierres écroulées par la fenêtre en rosace. Elle savait où elle allait, cette fois : à la fontaine.

C'est alors qu'elle entendit l'éclat de rire.

Guère étonnée, Maureen aperçut la fillette aux tresses dorées, qui lui faisait signe d'avancer jusqu'au puits. Elle ne disait rien, mais paraissait tout à fait contente d'elle, et continuait à rire. L'enfant désigna l'eau pour inciter Maureen à y plonger le regard.

Maureen se pencha sur le puits et vit des images prendre forme à sa surface. Elle eut un hoquet. Leur agresseur entrait dans une pièce, le précieux livre à la main. La scène se déroulait dans une sorte de grotte, ou de cave aux murs de pierre, dans laquelle se tenait une assemblée d'hommes vêtus d'une tunique à capuche bleu foncé qui leur recouvrait entièrement la tête. On ne distinguait aucun visage. Les hommes étaient assis autour d'une longue table rectangulaire. Un des sièges, plus large et sculpté, semblait indiquer que son occupant était le chef de cet ordre étrange.

L'agresseur de Maureen, toujours habillé de vêtements modernes et portant encore ses lunettes de soleil, présenta le livre au personnage central, qui en examina la reliure fermée par une courroie de cuir et un verrou. L'homme semblait s'y attendre, car il sortit de sa manche un poignard avec lequel il trancha d'un coup sec la courroie de cuir. Le livre s'ouvrit.

Un silence absolu et une totale immobilité régnaient dans la pièce. Le chef feuilleta le livre.

Les pages étaient blanches. Sur la dernière figurait une inscription latine griffonnée en travers : INLEX.

Le chef des hommes masqués jeta le livre vers le sbire qui l'avait apporté d'un air dégoûté. Maureen ignorait ce que signifiait le mot inlex, mais il était évident que ce n'était pas ce que les hommes réunis ici avaient espéré.

Le rire de la petite fille attira l'attention de Maureen. L'enfant se tenait exactement à la même place que dans la journée, les mains derrière le dos. En souriant, elle tendit à Maureen un sac de toile renfermant un livre.

— Ce n'est pas ce que tu crois, dit-elle avant de disparaître dans un dernier éclat de rire en laissant Maureen dans la plus grande perplexité.

Que lui avait-on donc volé ?

Aux premières lueurs du jour, Maureen se frotta les yeux pour en chasser le sommeil et regarda son amie, toujours endormie dans son lit. Après avoir rêvé, elle s'était levée et avait pris des notes, en insistant sur le mot *inlex*. Si c'était bien un mot latin, elle était au bon endroit. Tous les frères vivant à Orval avaient certainement reçu une éducation classique, et seraient capables de le lui traduire.

Elle s'habilla à la hâte et se mit en quête du serviable frère Marco, qu'elle trouva en train de préparer la salle à manger pour le petit déjeuner.

— *Inlex ?* C'est certainement du latin, en effet. Mais c'est un mot bizarre. Allons à la bibliothèque, pour voir si nous trouvons sa traduction.

À la suite du moine, Maureen pénétra dans une pièce merveilleuse enrichie d'innombrables volumes anciens. Elle lui était reconnaissante de n'avoir posé aucune question sur le motif de sa recherche. Il s'efforçait simplement de rendre service à son hôte. Dans le dictionnaire qu'il feuilletait, frère Marco découvrit rapidement ce qu'il cherchait.

— *Inlex*, voilà. Cela signifie leurre, ou ruse. Cela vous satisfait-il ?

Oh ! que oui ! cela la satisfaisait ! Maureen se retint de lui sauter au cou et de l'embrasser sur les deux joues. Elle choisit de le remercier poliment, et s'en retourna dans la chambre pour réveiller Tammy.

— C'était un leurre, Tammy !

Maureen avait déboulé dans la chambre en courant, et son exubérance avait réveillé son amie.

— Quoi ? fit Tammy en se redressant.

— Le livre. Le livre qu'on nous a volé hier. Ce n'était pas le vrai, c'était…

Maureen s'interrompit. Dans sa hâte à expliquer à son amie le sens du mot *inlex*, elle avait failli ne pas voir le sac de toile posé sur son lit.

— Mais qu'est-ce que c'est que ça ? fit Tammy, soudain tout à fait réveillée. Oserai-je te demander d'où ça vient ?

Le cœur battant, Maureen secoua la tête. D'où, en effet ? Et de qui ? Qui connaissait ses rêves et lui envoyait de mystérieuses et hérétiques reliques ?

Qui accédait au lit où elle avait passé la nuit, à côté de son amie endormie ? Une dernière question se posait, et des plus angoissantes : qui les avait volées, à main armée, et que cherchait-il ?

Elle se saisit du sac, l'ouvrit et en sortit un volume très épais, différent de celui qu'on leur avait volé : le cuir était abîmé, sa couleur rouge avait passé, et il était beaucoup plus lourd. Celui-ci paraissait vraiment ancien, comme s'il était resté caché pendant mille ans. Contrairement au faux, il n'était pas fermé par une courroie et un verrou, et Maureen l'ouvrit sans peine. Il reliait des centaines de pages en parchemin recouvertes de mots latins. La première page était enluminée d'un emblème que Maureen avait appris récemment à reconnaître. La croix latine, et l'étrange signature :

« Matilda par la grâce du Dieu qui est. »

Chapitre 4

Florenville, Belgique

De nos jours

— Cette putain de Matilda m'a encore roulé !

Le chef des hommes en capuchon marmonna son insulte tout en jetant le livre sur le sol dans un accès de colère.

L'un des frères prit la parole et s'aventura en eau trouble.

— Comment pouvez-vous être certain que c'était le livre de la comtesse qui devait être remis à cette Pascal ?

— Tu oses douter de moi ? rugit son aîné. Y a-t-il un seul homme parmi vous prêt à défier mon autorité ?

Un silence absolu régna dans la cave.

Le chef poursuivit sa diatribe :

— Grâce aux inlassables efforts des frères qui nous ont précédés, nous avons réussi à éradiquer toutes les références connues au Livre de l'Amour. Il ne subsiste aucune preuve de son existence, sauf les élucubrations d'hérétiques morts aujourd'hui. Pendant l'Inquisition, nous avons confisqué tout document s'y rapportant, et nous avons détruit ces documents, et les hérétiques. Un seul manuscrit nous a échappé depuis tant de siècles, celui de... Matilda.

Il cracha son nom d'une voix vénéneuse. Toutes les femmes de l'Histoire qui s'étaient prétendues prophétesses le mettaient dans une rage folle. Mais la détestée comtesse de Canossa plus que toute autre, que mille ans n'avaient pas réussi à réduire au silence.

Le jeune sbire ayant agressé Maureen et Tammy fit un pas en avant.

— Que voulez-vous que je fasse, Votre Sainteté ?

— Va à la source. Trouve Destino.

De tous les disciples mâles, seuls Nicodème et Joseph d'Arimathie étaient sur la colline du Golgotha le Sombre Jour du Crâne. Ce furent eux qui ôtèrent les clous et descendirent le corps de Jésus de la croix. En présence des femmes, ils portèrent le corps du Messie sur une civière de toile jusqu'à une tombe peu éloignée, commandée par la famille de Joseph d'Arimathie, qui offrait ce lieu de repos à Jésus par respect et par parenté, car il était son disciple et son oncle.

En arrivant devant le sépulcre, Marie Madeleine entreprit de laver les blessures de son bien-aimé en priant avec ferveur. Inlassablement, elle appliquait les onguents et incitait tous ceux qui se trouvaient autour de la tombe à prier avec elle pour que leur divin père leur rendît son fils. Et tous priaient, mais nul avec plus de ferveur que Marie Madeleine. Malgré son visage souillé de boue, de sueur et de sang, elle avait la dignité et la présence d'une reine. Elle était plus pâle qu'il ne semblait possible de l'être, à la limite de s'évanouir de fatigue et de chagrin, mais elle ne cessa pas un instant ses soins, ni ses prières, sauf pour veiller à la santé et au bien-être de ceux qui l'entouraient. Qu'elle fût capable de s'inquiéter d'eux à un tel moment était particulièrement emblématique de son exceptionnelle compassion.

Marie Madeleine poursuivit son travail la nuit durant, tandis que les autres dormaient, et ne perdit jamais l'espoir que Dieu leur rendrait le Messie. Mais son corps restait inerte et aucun signe n'apparaissait. Lorsque se levèrent les premiers rayons du soleil, le dimanche matin, elle enveloppa le corps de son aimé dans son linceul. L'accomplis-

sement de cet acte, sa finalité, l'obligation de se soumettre la submergèrent. Elle s'écroula au sol, sans lâcher la jarre d'albâtre qui contenait les précieux onguents. Les hommes la portèrent chez Joseph d'Arimathie sur la civière de toile où avait reposé Jésus la veille. Luc, le bon médecin, lui dispensa ses soins. Son état l'inquiétait. Outre tout ce qu'elle avait enduré la veille, elle portait un enfant. C'était elle dont il fallait désormais s'occuper, et pour elle qu'il fallait prier. Dès qu'elle fut confortablement installée dans un lit, avec ses femmes autour d'elle, les hommes se rendirent dans les appartements privés de Joseph.

La pureté de l'amour et de la dévotion de Marie Madeleine pour Jésus bouleversait les trois hommes, accablés pourtant par leur propre chagrin. Elle les aidait à comprendre que la perte du Messie ne signifiait pas la perte du message. Marie Madeleine maîtrisait et incarnait les enseignements du Chemin, et prouvait par ses actes que l'amour était plus fort que la mort. Elle vivait de cette vérité, chacun des jours de sa vie. Joseph, Nicodème et Luc jurèrent de la protéger et de l'aider à dispenser le message sacré jusqu'à sa mort, celle de ses enfants et encore au-delà. En cette journée sacrée, les trois hommes échangèrent leur foi et leur sang en un inaltérable serment. Ils nouèrent une alliance qui serait par la suite connue sous le nom d'ordre du Saint-Sépulcre.

Le lendemain matin, après que Jésus se fut levé pour annoncer sa résurrection à Marie Madeleine, les trois hommes comprirent qu'ils avaient eu raison d'engager ainsi leur foi. Tous les vestiges terrestres de leur maître avaient disparu.

Ces hommes étaient persuadés que cette bouleversante annonce faite à Marie Madeleine prouvait qu'elle était bien le successeur qu'il avait choisi pour poursuivre l'enseignement du Chemin. Peut-être les soins qu'elle lui avait infatigablement prodigués dans sa tombe avaient-ils leur part dans le processus de résurrection? Était-il possible qu'il suffît de la pure puissance de l'amour pour susciter un tel miracle? Qui donc aurait la réponse à ces questions? Il s'agissait de foi, et chaque homme devait en arriver à ses propres conclusions, à sa propre compréhension de Dieu, le moment venu.

Mais ces hommes étaient des témoins. Les traditions et les pratiques qu'ils transmettraient aux générations suivantes se fondaient sur leur propre expérience et sur les enseignements de Jésus lui-même. Ils furent les fondateurs de notre Ordre. Qu'ils soient bénis à tout jamais.

La fondation de l'ordre du Saint-Sépulcre telle que rapportée dans le Libro Rosso.

Rome

De nos jours

La place du Panthéon, à Rome, piazza della Rotonda, dominée par le magnifique dôme qui lui donne son nom, est l'un des sites les plus prisés des touristes. Depuis deux mille ans, le Panthéon a toujours été un lieu de culte, pour les anciens païens puis pour les fervents disciples du catholicisme. Bien que consacré dans l'Histoire à différents dieux, la courbure féminine du dôme qui le rend célèbre fut à l'origine dédiée aux déesses de l'Antiquité.

Une source d'énergie féminine d'inspiration divine irrigue la piazza. En son centre est érigée l'une des plus anciennes fontaines de Rome sur laquelle trône un obélisque égyptien de granit rose, vieux de trois mille trois cents ans, apporté d'Héliopolis à Rome pour orner un temple dédié à Isis, la mère de toute vie.

La chambre de Maureen donnait sur la place. De sa fenêtre, elle admirait la fontaine en attendant que Peter revienne pour délivrer son verdict sur le mystérieux cahier rouge. Cela faisait deux jours qu'elle était à Rome. Tammy était restée en Belgique, où Roland était venu la chercher afin qu'elle n'ait pas à accomplir seule le long trajet de retour jusqu'en Languedoc. Elle était à présent avec Roland et Bérenger, soupira Maureen en songeant à ses trop brèves retrouvailles avec Sinclair.

Comme elle avait été bête de les craindre et de les retarder si longtemps !

Elle avisa Peter qui traversait la place, une sacoche à la main.

— *Buona sera*, lui cria-t-elle de la fenêtre avant de sortir de sa chambre pour l'attendre dans le hall.

À son expression, elle comprit que sa découverte était importante, mais ils s'étaient mis d'accord pour ne pas en parler en public, ni par téléphone. Dès qu'ils furent entrés dans l'ascenseur, Peter prit la parole :

— Tu te rappelles ce que t'a dit la fillette dans ton rêve ? « Ceci n'est pas ce que tu crois » ?

— Oui, fit Maureen. Ce n'est pas le Livre de l'Amour.

— Non. Mais il en contient apparemment quelques passages, et il y est souvent fait référence.

En ouvrant la porte de sa chambre, Maureen s'efforça de ne pas ressentir une trop forte déception. Comment avait-elle pu imaginer que le Livre de l'Amour lui tomberait si facilement entre les mains ? Un tel trésor, il fallait le mériter.

Peter, souriant, ouvrit sa sacoche et en sortit des photocopies du premier cahier de parchemins, ainsi que la traduction qu'il en avait faite.

— Maureen Pascal, je te présente Matilda Toscana. Et voici l'histoire de sa vie, inconnue jusqu'à nos jours, et écrite de sa propre main.

Toute déception s'évanouit. Maureen était enchantée. Sa passion pour le rôle des femmes dans l'Histoire était l'un des moteurs de sa vie. Découvrir un texte d'une telle importance valait plus que tout l'or du monde.

— On dirait bien que c'est une tradition familiale, fit observer Maureen en parcourant les feuillets. Notre manie, c'est de retrouver des autobiographies de membres de la lignée.

— Ne te moque pas. Je crois que c'est effectivement une tradition familiale. Les membres de haut rang de la lignée ont été obligés de consigner par écrit leurs connaissances, car ils savaient que sinon la vérité disparaîtrait. Et c'est exactement ce qu'a fait Matilda. Comme tu le sais, pendant des générations, les hérétiques n'ont rien écrit, car c'était trop dangereux. Mais Matilda n'était pas une banale hérétique. C'était une femme téméraire qui croyait sincèrement à sa mission, préserver la vérité. Il existe une biographie d'elle au Vatican, écrite par un moine appelé Donizone, un de ses contemporains qui prétend être son biographe personnel. Mais c'était un bénédictin. Il a écrit dans un but précis, comme tous les moines de son ordre, ce qui rend son récit suspect. Son texte ressemble à un document officiel émanant des autorités de l'église. Je pense qu'elle a pris la bonne décision en couchant elle-même son histoire sur le papier, ce qu'elle était éminemment capable de faire. Donizone la dit *docta*, ce qui signifie exceptionnellement instruite. Ce terme n'était pas employé au hasard, surtout concernant une femme. Demeure que le texte est sujet à controverse...

— Tu l'as lu en entier?

— J'en ai lu assez pour savoir qu'il faut s'attendre à un tremblement de terre, mais pas assez pour te dire de manière précise qui elle était, ni ce qu'elle avait en sa possession.

— Mais elle mentionne le Livre de l'Amour...

— Oui.

Maureen avait mille questions, et commença à harceler Peter, qui prit le parti d'en rire.

— Il vaut mieux laisser Matilda te répondre elle-même... Tu es prête?

Et Peter se mit à lire sa traduction.

Mantoue, Italie

1052

— Pas cette histoire, Isobel! Raconte-moi celle du labyrinthe.

Bien que de très petite taille pour ses six ans, Matilda était douée d'une volonté que son apparence physique ne laissait pas présager. Elle tapa du pied par terre et passa impétueusement les mains dans son opulente chevelure rousse.

— Tu sais que c'est mon histoire préférée. Je ne veux pas en entendre une autre. Mais arrête-toi avant le malheur. Je déteste ce passage.

Tandis que la petite comtesse de Canossa faisait une grimace pour ponctuer son rejet, la jolie Isobel de Lucques hocha patiemment la tête. Elle avait, de ses mains délicates, lavé le sang natal du visage du nouveau-né, puis emmailloté et bercé le bébé comme s'il se fût agi de son propre enfant. Matilda était confiée à Isobel depuis que, par une belle soirée de printemps, elle avait poussé son premier cri strident, pour signaler son arrivée en terre toscane. Pour le peuple de son père, les descendants des féroces guerriers lombards du nord de l'Italie, la naissance d'un enfant lors de l'équinoxe de printemps était une bénédiction divine. Ce premier cri fut si péremptoire que le père de la fillette, qui attendait, entouré de ses hommes, dans un jardin, crut que Dieu lui avait envoyé un fils. La déception du duc Boniface fut de courte durée. En grandissant, Matilda, qui avait hérité des caractéristiques de ses nobles parents – la délicate beauté de sa mère alliée à la force et à la détermination de son père –, devint la fille précieuse et adorée de l'homme le plus redouté d'Italie.

— Pourquoi aimes-tu tellement cette histoire, Tilda? Elle devrait finir par t'ennuyer, tu la connais par cœur! Et j'en ai plein d'autres à te raconter.

— Elle ne m'ennuie pas du tout, voilà. Alors, commence, et par le commencement.

C'était un ordre, manifestement.

Isobel sourit avec bienveillance, mais ne dit rien. Matilda parut sur le point de se rebeller avant de se radoucir.

— S'il te plaît, Isobel, je t'en prie, raconte-moi mon histoire préférée. Je jouerai le rôle de la princesse Ariane, je tirerai mon fil magique pendant que tu parles. Et j'ai dit s'il te plaît.

— Tu as fini par le dire, en effet. Mais je ne devrais pas avoir à te rappeler les bonnes manières, Matilda. Ta digne mère descend de la plus noble des familles, et de Charlemagne en personne. Pourtant, elle ne se conduit pas ainsi, même avec ses plus humbles serviteurs. L'as-tu jamais entendue aboyer ses ordres ? Non. Et tu ne l'entendras jamais. Ton père excepté, et il a ses raisons, aucun citoyen de Lucques ne se conduirait ainsi. Ce n'est pas dans nos habitudes, petite. Ce n'est pas le Chemin.

La remontrance chagrina Matilda. Elle tenait son impulsivité de son caractère naturellement vif et de l'influence de son père. Dame Béatrice était en effet la plus douce des femmes de haute naissance, mais Boniface était un soudard toscan. Il était le fruit de la sainte ville de Lucques et du sang des farouches soldats lombards qui étaient entrés dans la maison de Toscane. Béatrice était dotée de la grâce et de la culture de la famille royale germanique dont elle était issue, alors que Boniface avait la soif de pouvoir et la rudesse d'un seigneur féodal : chez lui, le sang lombard l'emportait sur celui, imprégné de spiritualité, de sa ville natale, Lucques. Les Lombards avaient envahi l'Italie au vie siècle, et réduit en miettes les vestiges de l'Empire romain. Le nord de l'Italie porte toujours d'ailleurs leur nom : Lombardie.

De naissance, Boniface avait reçu richesses et pouvoir, mais il n'eut de cesse de les accroître par ses mérites. Les fleuves qui entouraient Mantoue, le Pô et le Mincio, avaient été d'importantes artères commerciales vers l'Europe du Nord, mais elles déclinaient. Les marchands craignaient les hors-la-loi de l'Italie du Nord et évitaient d'y naviguer. Des voies fluviales essentielles desservant les grands ports comme Venise, où arrivaient les précieux produits d'Orient et d'ailleurs, étaient complètement inutilisées.

Mais le duc de Toscane gouverna la plaine du Pô d'une main de fer et fit pendre les brigands haut et court après de cruelles mutilations, pour signifier aux pirates que leurs actes ne seraient plus tolérés. Des groupes d'hommes braves et bien rémunérés constituèrent une petite armée d'élite, qui contrôlait les rives du fleuve au nom du duc.

La stratégie de Boniface se révéla payante : les voies fluviales étaient désormais sûres et les marchands les empruntèrent à nouveau, en provenance de l'Adriatique comme des Alpes, que les Germains acceptaient désormais de traverser avec leurs marchandises originaires des royaumes saxons du Nord. En contrepartie, le Toscan imposa des taxes de passage aux marchands, qui les acquittèrent volontiers afin de maintenir les échanges avec cette lucrative région. Sa richesse et son pouvoir devinrent légendaires. Sa belle et blonde épouse de sang royal participait de sa réputation. Elle était le joyau de sa couronne féodale, et lui apportait la légitimité à laquelle il aspirait.

La seule faiblesse de Boniface était sa chère fille adorée, qu'il emmenait souvent sur son cheval lorsqu'il inspectait ses territoires. À l'âge de six ans, Matilda avait chevauché davantage que la plupart des adultes mâles de l'époque. Cependant, après que l'enfant avait passé beaucoup de temps sous l'autorité de son père, il fallait à Isobel des trésors de patience pour corriger son comportement.

— Je suis désolée, fit Matilda en affichant une brève expression de modeste repentir. Je m'efforcerai de devenir une bonne et noble comtesse.

— Voilà qui est mieux! Et maintenant, voyons... Où donc commence l'histoire?

— En Crète! s'écria Matilda.

— Ah! oui. Dans le puissant et riche royaume de Crète. Il y a bien, bien longtemps, y vivait un grand roi nommé Minos...

Le Minotaure était un monstre né dans la famille du roi de Crète, un puissant seigneur connu sous le nom de Minos et son épouse la reine Pasiphaé. Mi-homme, mi-taureau, il avait l'appétit de dix bêtes sauvages. On prétend que le Minotaure était le fruit de l'accouplement entre la reine Pasiphaé et un dieu, ou, pire encore, un grand taureau blanc. À cette époque, les hommes ne comprenaient pas les grands mystères des Anciens. Il est vraisemblable que la reine Pasiphaé ait été une prêtresse

de la lune et l'incarnation du principe sacré féminin et que son accouplement avec un prêtre apparu sous forme de taureau pour symboliser le principe sacré masculin était l'accomplissement d'un rituel considéré comme un mystère divin depuis l'aube de l'humanité : le rituel de l'union entre les énergies féminine et masculine, nécessaire à l'harmonie de la vie sur terre.

L'origine de la conception du Minotaure est donc énigmatique, mais nous savons ceci : son existence est le résultat de la fusion de l'humain avec le divin, et il était par conséquent à moitié miraculeux et à moitié terrifiant. Le secret de la Chute réside possiblement en cet être mystérieux que l'on appela Minotaure. Peut-être est-il le symbole de la grande perte qui se produit lorsque les humains ne sont plus capables d'assumer la part divine de leur nature, et surtout de la perte que subit l'humanité lorsqu'elle cesse d'honorer ensemble le masculin et le féminin, unis sous leur forme la plus divine.

Le prénom du Minotaure était Astérius, l'homme-étoile, en référence à ses origines divines. Il était vénéré comme un dieu et, en même temps, objet des pires terreurs parmi les humains. Son corps était parsemé d'étoiles, en signe de l'origine céleste de toute créature, même celle qui semble de la plus basse extraction. C'est du ciel que nous venons, et au ciel que nous retournerons. Car ce qui est au-dessus est aussi en dessous.

Astérius était-il né monstre, créature horrible qui exigerait des sacrifices humains et mettrait en péril la paix crétoise ? ou l'était-il devenu parce qu'il avait été privé d'amour, ridiculisé, cruellement traité ? D'évidence, il était une source de honte pour le roi Minos, qui ne pouvait supporter l'idée que sa femme eût conçu en dehors de lui, même avec un être divin. Fou de jalousie, il n'avait qu'un désir : détruire Astérius, mais ne l'osait, en raison de son origine divine. Il choisit donc de construire une prison souterraine, où le monstre serait enfermé et soustrait à sa vue.

Un réfugié athénien du nom de Dédale l'Inventeur fut chargé par Minos de concevoir cette prison. Ce fut au cours de ce travail que Dédale devint un maître architecte.

Il imagina un gigantesque labyrinthe qui aboutissait en son centre à un temple où la créature habiterait. Sa conception était telle qu'une fois entré dans le labyrinthe, il était impossible d'en sortir. Tel serait donc le sort du monstre et de ses innocentes victimes, car il avait exigé qu'on lui offrît tous les neuf ans sept jeunes garçons et sept jeunes filles, qu'il dévorait sans en laisser la moindre trace.

Ainsi vivait Astérius le Minotaure, tel un dieu-monstre, invisible aux yeux des Crétois et piégé dans son labyrinthe souterrain. Mais une ombre obscurcissait le royaume tous les neuf ans. Le roi Minos et la reine Pasiphaé mirent au monde d'autres enfants, dont la jolie princesse Ariane, célébrée pour sa beauté radieuse et la pureté de son cœur et de son esprit. Elle était surnommée « la lumineuse ».

Il arriva que la Crète et Athènes entrent en conflit. Le frère d'Ariane et seul véritable fils de Minos, un héros nommé Androgeos, fut tué par les Athéniens au cours d'une bataille. Fou de douleur, Minos déclara une guerre sans merci contre Athènes, afin de le venger. En contrepartie de sa victoire, il exigea qu'Athènes fournît désormais les quatorze jeunes victimes sacrificielles.

Le plus jeune des fils du roi d'Athènes était un héros d'une grande beauté nommé Thésée. Lorsque vint le moment pour la ville d'envoyer en Crète son effroyable tribut, Thésée, bien décidé à vaincre le Minotaure et à sauver ainsi la vie de treize jeunes Athéniens, s'offrit à être le premier des quatorze. Ainsi libérerait-il à jamais Athènes de cette abomination. Car, malgré son jeune âge, ce héros était un sage. Il avait compris que l'offrande sacrificielle au Minotaure était un choix délibéré, et une tradition qu'il était inutile de perpétuer. Mais il fallait un homme d'un exceptionnel courage pour y mettre fin.

La princesse Ariane se promenait sur la plage, non loin du port, lorsque le navire athénien aborda la Crète. Il est dit qu'elle aperçut Thésée et en tomba immédiatement amoureuse, et aussi qu'elle reconnut en lui le héros qui vaincrait les ténèbres enfouies sous la terre crétoise sous la forme de son demi-frère, le terrible Minotaure Astérius. Sa vie durant, elle avait été hantée par le massacre d'enfants innocents destinés à le repaître, sans pourtant que s'éteignît dans son cœur la compassion qu'elle éprouvait pour ses grandes souffrances.

La veille du jour du sacrifice, elle conclut un pacte secret avec Thésée. S'il l'épousait et l'emmenait au loin, elle lui offrait son aide.

Son père avait promis la jeune Ariane au dieu débauché Dionysos, qui, dit-on, rendu à moitié fou par sa passion pour la jeune fille, avait exigé que Minos la lui donnât en mariage en échange des victoires militaires qu'il lui permettrait de remporter sur les Athéniens. Bien qu'avec réticence, Minos avait accepté. Mais la pure Ariane était une disciple d'Aphrodite, la déesse de l'Amour. Elle ne pouvait donc imaginer un mariage sans amour, et moins encore de se soumettre au destin en devenant la concubine du dieu de l'Hédonisme.

Sitôt qu'elle avait vu Thésée et s'en était éprise, Ariane sut qu'il pouvait modifier le cours de sa destinée. Thésée sauverait le peuple du monstre, et la sauverait elle du sombre dieu, grâce à la force de l'amour. On dit que cette nuit-là Ariane et Thésée s'unirent, en chair comme en esprit, en foi et en conscience.

Comme elle était la demi-sœur du Minotaure, Ariane connaissait le point faible du monstre, et savait comment sortir du labyrinthe. Elle partagea ses secrets avec son nouvel amour. Ensuite, elle tissa de ses propres cheveux blonds un long fil magique, pour que son amant puisse s'échapper du labyrinthe. Enfin, elle lui donna une épée miraculeuse, jadis forgée pour Poséidon, le dieu de la Mer ; elle était fabriquée en or et en argent, afin de refléter la lumière du soleil et de la lune sur la surface des eaux. Ariane savait que cette épée tuerait son demi-frère sans lui infliger aucune souffrance. Thésée ne pouvait manquer de tuer le monstre d'un seul coup s'il suivait ses instructions à la lettre. Ensuite, il n'aurait plus qu'à revenir à la lumière.

Le lendemain matin, alors qu'on le conduisait devant l'entrée du labyrinthe, Thésée attacha une des extrémités du fil d'Ariane à un anneau de fer scellé dans le mur par un nœud symbolisant le lien nuptial, comme Ariane le lui

avait recommandé. Il déroula le fil tout en avançant prudemment vers le centre du labyrinthe.

Là, protégé par l'amour d'Ariane, il affronta la bête
monstrueuse et la vainquit en combat loyal grâce à un
seul coup de l'épée magique. Sa tâche accomplie, le héros
revint sur ses pas en enroulant peu à peu le fil d'Ariane et
parvint, sain et sauf, à l'entrée du labyrinthe où l'attendaient les bras de son aimée. Il délivra les treize jeunes
victimes athéniennes désignées et retourna à son navire
avec Ariane. Il serait à jamais celui qui avait libéré son
peuple et mis à mort la bête monstrueuse.

Ils naviguèrent jusqu'à l'île de Dia, où ils firent halte
pour la nuit et embarquèrent les provisions dont ils
auraient besoin pour rejoindre Athènes. Ils célébraient
joyeusement leur victoire lorsque Dionysos, ivre, vint
gâcher leur bonheur en réclamant sa fiancée. Ariane,
prétendit-il, lui appartenait, selon la loi humaine comme
la loi divine. Son royal père la lui avait accordée, elle
n'avait aucun droit à se refuser. Thésée commença par
résister au dieu : il dit qu'Ariane l'avait choisi de son plein
gré, et qu'il voulait la faire reine d'Athènes. Dionysos
rétorqua que lui pouvait la rendre immortelle, par son
mariage avec un dieu, et que si Thésée l'aimait vraiment,
il ne s'opposerait pas à sa destinée divine. La discussion
dura toute la nuit, sans que Dionysos ne cédât d'un pouce.

Le dilemme du jeune prince, qui ne pouvait rivaliser
avec le dieu malin et déterminé, était fort douloureux.
Thésée finit par croire que, s'il s'opposait à sa volonté,
Dionysos lui arracherait Ariane par la force, et s'en prendrait à lui et aux autres Athéniens. Le cœur lourd, il
abandonna la partie et quitta Dia sans sa bien-aimée.

La malheureuse Ariane était désespérée d'avoir perdu
Thésée et de devenir la compagne du dieu hédoniste contre
sa volonté. Mais, par la simple force de l'amour, un changement miraculeux se produisit en l'âme de Dionysos. Il
était si épris de la pure et belle Ariane qu'il ne pouvait
supporter de la voir ainsi éplorée. Il ne la prit pas de force,
et lui déclara qu'il ne deviendrait son mari que lorsqu'elle
le voudrait. Dionysos lui offrit mille cadeaux, célébra
inlassablement sa beauté et fit même le vœu de changer de

comportement pour lui prouver son amour. Quand Ariane comprit à quel point il lui était attaché, et ce que la force de cet amour avait accompli, son cœur s'adoucit. Aphrodite, l'incarnation de l'amour, lui souffla que si Thésée l'avait aimée du plus profond de son âme, il aurait combattu pour la garder. Puisqu'il ne l'avait pas fait, mieux valait l'oublier.

Car l'amour qui n'est pas réciproque n'est pas de l'amour. Il n'est pas sacré. En s'acharnant dans une telle relation, on risque de laisser passer l'amour vrai.

Vint le jour où Ariane accepta d'être l'épouse de Dionysos, et ils vécurent pour l'éternité dans la bénédiction du hieros gamos. Ainsi Ariane trouva-t-elle l'amour vrai, avec celui qui avait combattu pour elle.

Thésée, pour sa part, endeuillé par la perte d'Ariane, regretta jusqu'à la fin de ses jours sa terrible décision de l'abandonner. En l'honneur de celle qui était désormais une déesse, il fit ériger un temple, sur l'île d'Amathus, le nomma temple de l'Amour et y fit installer la statue d'Aphrodite qu'Ariane avait emportée en quittant la Crète. Il fit construire en son enceinte un labyrinthe qui devint le symbole de l'amour et de la libération. Une cérémonie à la gloire de l'union divine y était célébrée chaque année. On dansait en l'honneur d'Ariane, la Dame du Labyrinthe qui vainquit les ténèbres par la force de l'amour. Ce nouveau labyrinthe fut conçu comme un lieu de joie. Un sentier en spirale menait en son centre et permettait d'en sortir. Aucun humain ne s'y perdrait plus, au contraire : les âmes s'y ouvriraient à ce qu'il y a d'humain et de divin en chaque être, dès lors qu'il aurait appris à vaincre le Minotaure qui est en lui grâce à la foi en l'amour.

Thésée devint le plus grand des héros. Il instaura la démocratie et la justice à Athènes, où il est, de nos jours encore, considéré comme le sage et généreux fondateur de cette ville qui dispensa le savoir au monde. Il ne fait aucun doute que sa connaissance intime de l'amour et de la perte fut l'élément essentiel de sa grandeur.

À toi, qui as des oreilles pour entendre.

La légende d'Ariane, la Dame du Labyrinthe telle que rapportée dans le Libro Rosso.

***

Isobel raconta la légende du labyrinthe comme elle l'avait déjà fait maintes fois, telle qu'elle était rapportée dans les écrits les plus sacrés et dans le Libro Rosso, le cahier rouge dont elle constituait la pierre angulaire. Elle adaptait l'histoire à l'âge de l'enfant, en éliminant les épisodes ouvertement sexuels et en s'arrêtant avant ce que Matilda appelait le malheur, lorsque tout s'achève pour les jeunes amants et qu'Ariane est abandonnée à Dionysos. Pour la fillette, la légende s'achevait heureusement : Thésée terrassait le monstre, sauvait les enfants d'Athènes et emmenait sa belle princesse.

Elle aurait bien le temps d'apprendre que la plupart des histoires d'amour n'étaient pas si simples et ne s'achevaient pas si bien. En réalité, l'une des grandes leçons de la légende était que, dans l'histoire de l'humanité, on ne tenait pas souvent compte des aspirations des femmes et du pouvoir de l'amour. La volonté d'Ariane ne fut un argument ni pour Thésée ni pour Dionysos, malgré leur amour pour elle. Ariane n'eut pas le droit de choisir son destin, qui avait été scellé par son père lorsqu'il avait vendu sa propre fille en échange des faveurs de Dionysos. Cette histoire présage de la véritable chute de l'humanité – lorsque les femmes devinrent de simples jouets entre les mains des hommes, sans aucun droit sur leur avenir. Elles étaient leur propriété, des pions sur un échiquier politique que manipulaient au mieux de leurs intérêts leurs parents de sexe masculin : elles étaient dévaluées, diminuées, et même déshumanisées. Tandis que les mariages devenaient des affaires politiques, on échangeait les femmes comme du bétail. La fusion des âmes, qui avait été la plus sacrée des unions, fut transformée en viol légalisé par les états. La Chute de l'Homme était accomplie.

Isobel savait que le jour viendrait où Matilda aurait à maîtriser tous les aspects complexes de l'amour et du pouvoir que recelait l'histoire d'Ariane. Mais elle devrait aussi lui enseigner que l'union entre un homme et une femme était censée signifier plus que ce qu'elle était devenue : une transaction déshumanisée et brutale.

Isobel, en tant que gouvernante de Matilda, avait la charge, outre de sa bonne santé, de son développement spirituel et intellectuel. L'enfant était d'exceptionnelle naissance et son guide avait été choisi avec le plus grand soin. La tâche d'Isobel était d'élever la jeune fille dans les plus secrètes traditions de Lucques, pratiquées depuis le Ier siècle. Boniface était trop occupé par ses conquêtes et son expansion territoriale pour s'intéresser à la religion ou à la spiritualité, mais il révérait grandement son arrière-grand-père, le légendaire dirigeant toscan Siegfried de Lucques, et tenait à ce que sa fille fût instruite et endoctrinée selon les préceptes auxquels se référait son aïeul. Boniface et Béatrice avaient choisi Isobel, fille de l'une des meilleures familles de Toscane, et apparentée à Boniface par la lignée de Siegfried.

La mère de Matilda, dame Béatrice, était de la noble lignée de Lorraine, où les traditions spirituelles étaient beaucoup plus anciennes, et moins vivaces que celles de Toscane. Bien que consciente de son héritage hérétique, Béatrice pratiquait un catholicisme rigoureux, car elle était membre de la famille royale de Germanie, qui avait fait allégeance à l'Église catholique et à ses affiliés, les détenteurs du pouvoir dans une Europe aux structures politiques complexes. Béatrice était pieuse et obéissante, bien que de nature forte, et servait sans rechigner les objectifs de son légendaire époux. En fait, elle avait eu la chance – peu fréquente pour les femmes de son époque – de trouver l'amour et la satisfaction dans un mariage arrangé. Sa beauté délicate, sa chevelure enchanteresse et ses yeux noirs étaient le délicieux superflu dont jouissait Boniface.

Matilda n'était pas leur premier enfant. Ils avaient eu la douleur de perdre les deux aînés au cours d'une épidémie de grippe qui avait balayé l'Europe. L'un était un garçon, le fils héritier mort à l'adolescence, dont la perte avait désespéré Boniface. L'autre, une fille décédée en bas âge. Cette tragédie avait gravement affaibli Béatrice.

Triste et malade, elle n'avait que peu d'énergie pour s'occuper de sa dernière-née. Matilda tenait de sa mère la naissance et la lignée, mais Isobel incarnait l'unique puissance maternelle qu'elle connût.

— Quand tu seras plus grande, Tilda, je te raconterai une histoire différente du labyrinthe, dit Isobel. Une histoire où le sage roi Salomon et l'extravagante reine de Saba jouent un grand rôle.

— Raconte-la-moi maintenant !

— Non. Tu n'as pas l'âge de la comprendre. Je te la conterai lorsque tu auras atteint tes seize ans.

Matilda baissa la voix pour murmurer sur le ton de la conspiration :

— Est-elle... dans le Libro Rosso ?

Et elle trembla en prononçant le nom du livre magique.

— Oui, dit Isobel. Cette histoire et bien d'autres, qu'il te faudra connaître. Maintenant, au lit ! Je vais natter tes cheveux.

De ses longs doigts, Isobel s'adonna au rituel nocturne et tressa les opulents cheveux dorés de Matilda en une natte qui lui tombait au milieu du dos.

La fillette avait sommeil, et ne rechigna pas à se coucher. Elle se frotta les yeux, bâilla énergiquement et, une fois couchée, eut une dernière prière :

— S'il te plaît, tu me chantes la chanson, celle du pays de ta mère ?

Isobel céda volontiers à la supplique et, après avoir bordé la fillette, entonna d'une voix douce et claire :

— Il y a longtemps que je t'aime
Jamais je ne t'oublierai * 1...

Matilda, qui parlait couramment toscan et allemand, commençait seulement à apprendre le français.

Puis Isobel chantonna la vieille ballade sacrée dans la région de la Beauce, où vivait sa mère avant qu'elle épousât un seigneur de Lucques. C'était un poème écrit mille ans auparavant par un grand homme et qui célébrait son amour pour une femme bénie et pour ses enfants :

_____

1. Les passages suivis d'un astérisque sont en français dans le texte.

— Je t'ai aimée dans le passé
Je t'aime aujourd'hui
T'aimerai encore dans l'avenir
Le temps revient *.

Elle embrassa Matilda sur le front et l'enfant tendit la main vers un petit autel posé au pied de son lit, où trônait une statuette en bois peint représentant sainte Modesta. La famille française d'Isobel la lui avait offerte pour son sixième anniversaire. La sainte levait une main pour bénir et tenait un livre rouge aux enluminures dorées dans l'autre. Matilda aimait cette statue, si bien peinte que les cheveux de la sainte avaient exactement la même couleur que les siens. Elle la caressa avant de reprendre le chant d'Isobel, ce qui faisait partie de son rituel du soir.

— Oui, dit Isobel. En vérité, le temps revient.

Elle soupira en contemplant le petit être compliqué qu'elle aimait comme si c'était l'enfant de sa chair. Apparemment, Dieu avait décidé de ne pas donner d'enfant de son propre sang à Isobel. Le rôle qu'elle s'était engagée à tenir auprès de Matilda ne lui laisserait jamais le temps de se marier et d'enfanter, bien qu'elle n'eût pas encore atteint la trentaine. Qu'il en soit donc ainsi. Elle avait compris que son sort était d'élever cette enfant-là à la hauteur de son futur destin, et la tâche, parfois épuisante, requérait toute son attention.

« Que Ta volonté soit faite », répétait plusieurs fois par jour Isobel au cours de ses dévotions. Extrait du Livre de l'Amour, c'était le deuxième des six commandements du *Notre-Père*, la prière qui fondait toute pratique. L'obéissance à Dieu. La soumission à Sa volonté. Et il n'était pas contestable qu'Isobel respectait cette volonté en consacrant sa vie à l'éducation de cette enfant.

Matilda prouverait un jour que « le temps revient », comme la grande prophétesse de la lignée, Sarah-Tamar, l'avait prédit longtemps auparavant. C'était le destin de cette enfant de poser sa marque sur l'Histoire. Mais ce n'était pas pour ce soir.

— Bonne nuit, ma petite *. Fais de beaux rêves.

— Bonne nuit, mon Issy, murmura l'enfant d'une voix ensommeillée. Je t'aime.

Matilda était surexcitée. Elle courait partout en criant de joie, ses cheveux dorés, dénoués et indisciplinés flottant derrière elle.

— Lucques! Luuucques! Vraiment? Nous allons à Lucques demain, Isobel? avec papa?

— Oui, ma petite. Enfin, nous allons à Lucques.

Matilda répéta une fois encore le nom de sa vile natale, sans crier mais en imitant le ton d'Isobel, qui soupirait souvent de nostalgie pour son pays d'origine et en parlait à mi-voix, comme si c'était le lieu de repos de tous les anges sur cette terre. La fillette, soudain profondément grave, consacra toute son attention à sa gouvernante.

— Je n'ai aucun souvenir de Lucques, Isobel.

— C'est bien normal, Tilda. Tu n'étais qu'un bébé lorsque nous sommes venus à Mantoue. Pourtant, le premier souffle d'air que tu as respiré venait de cette ville sacrée, et il te sera une bénédiction pour ta vie entière.

— C'est vraiment si beau? et rempli d'anges et de saints?

— La magnificence de Lucques ne se compare à nulle autre sur cette terre. Viens, ce soir, je vais te raconter une autre histoire, qui fait partie de notre héritage particulier, et...

Isobel ne termina pas sa phrase. Matilda, en dépit de son intelligence précoce, était encore incapable de saisir tous les aspects du legs complexe que se transmettait son peuple. Mieux valait l'instruire par le truchement d'histoires pour le moment.

— Bon. Je veux maintenant que tu te souviennes de tout ce que je t'ai raconté sur Notre-Seigneur, commença Isobel du ton sérieux qui signifiait qu'il s'agissait autant d'une leçon que d'une histoire.

Matilda hocha solennellement la tête et replia ses jambes sous elle.

— Notre-Seigneur avait un merveilleux ami du nom de Nicodème. Ni-co-dè-me. Peux-tu répéter ce nom ?

L'enfant s'exécuta.

— Nicodème était l'un des deux hommes qui l'accompagnèrent à la mort. Te rappelles-tu qui d'autre était avec lui ?

Matilda était une excellente élève, à la mémoire infaillible. Elle aimait le récit de la Passion, et convoqua tous les souvenirs qu'elle avait engrangés. Elle n'avait jamais été rebutée par les détails les plus cruels de la Crucifixion, telle que la lui avait narrée le confesseur de sa mère, un prêtre lorrain du nom de Fra Gilbert. Il s'attardait à loisir sur les aspects les plus violents de la mise à mort du Christ lorsqu'il tentait de faire comprendre la pénitence, ce qui lui arrivait souvent. Cette approche déplaisait à Isobel, qui révérait le Christ pour ses paroles et ses actes plutôt que pour sa façon de mourir. C'était la philosophie adoptée par le peuple du Chemin de l'Amour depuis des siècles. Lorsque Fra Gilbert était présent, Isobel s'éclipsait discrètement. Mais Matilda était captivée par toutes les versions de la plus grande histoire du monde, même les plus horribles. Elle était bien, en cela, la fille de Boniface, sans crainte, et ne reculant devant aucun des plus rudes aspects de la réalité.

Mais c'était la version d'Isobel qu'elle préférait. Car, même si elle éprouvait la plus grande dévotion pour le Seigneur, et s'émouvait grandement de son sacrifice, un autre aspect de son histoire la fascinait : la place des femmes dans le récit, et d'une femme en particulier.

— L'autre homme, répondit Matilda, était Joseph d'Ara...

— D'Arimathie, la reprit Isobel.

— Et il y avait sa mère, Marie la Grande, et sa bien-aimée, Marie Madeleine. Et toutes les autres Marie qui étaient ses disciples et enseigneraient sa parole jusqu'à la fin des temps. Mais, ajouta-t-elle en baissant la voix pour ne pas être entendue, on n'a pas le droit de parler de sa bien-aimée Marie Madeleine devant Fra Gilbert, hein ?

— Non. On n'en a pas du tout le droit.

— Mais pourquoi, Issy? Si Jésus l'aimait, pourquoi n'est-on pas autorisés à en parler et à l'aimer comme lui? Pourquoi avons-nous tant de secrets?

En soupirant, Isobel caressa les cheveux de Matilda, dont la couleur cuivrée était un des signes de l'appartenance de la petite comtesse à la lignée, à sa lignée. On disait que les cheveux de Marie Madeleine étaient de cette même couleur et l'étaient restés jusqu'à sa mort, à un âge avancé. Les deux parents de Matilda descendaient de l'union entre Jésus et sa bien-aimée Madeleine, sa mère par son ancêtre Charlemagne, son père par les sectes secrètes italiennes enracinées en Toscane depuis les persécutions des premiers chrétiens par Rome.

La réponse à l'interrogation de Matilda était ardue pour tout adulte, même le plus instruit. La fillette était trop jeune pour comprendre. Isobel contourna la question avec toute son habileté de conteuse.

— L'ami de Jésus, Nicodème, possédait un rare talent, précieux de nos jours encore. Veux-tu savoir lequel? C'était un artiste. Un sculpteur. Il sculptait dans le bois les visions que le Seigneur lui envoyait.

— Comme Frederick?

Frederick était le plus vieux des serviteurs de son père, et lui aussi un membre du cercle de Lucques. Il amusait souvent Matilda en sculptant pour elle des morceaux de bois ramassés dans la forêt. Sa poupée préférée, une représentation de la princesse Ariane, était un chef-d'œuvre créé pour elle par le vieil homme. Il avait même reproduit le labyrinthe sur son dos, afin que Matilda puisse comprendre le dessin complexe intrinsèque à leur tradition.

— Oui, comme notre Frederick. Mais Nicodème ayant été présent lors de la mort de Notre-Seigneur sur la croix, il ne pouvait s'ôter cette image de l'esprit. Aussi décida-t-il de la graver dans le bois, afin que le monde se souvînt à jamais du sacrifice. Il lui fallut un an pour achever son travail, mais, lorsqu'il eut fini, Nicodème avait réalisé la première œuvre d'art à l'image de Jésus. On l'appelle le Volto Santo, la Sainte Face, car c'est l'une des deux seules œuvres au monde créées par un homme qui avait vu Jésus de face, de son vivant comme après sa mort. L'autre, un tableau de la main de Luc l'Évangéliste, est à Rome et appartient au pape. Personnellement, je n'ai vu que le Volto Santo. Il est magnifique.

— Tu as vu la sculpture ? demanda Matilda, les yeux écarquillés.

— Oui. Et tu la verras, toi aussi.

— Quand ? Où ? Quand, Isobel ?

La patience n'était pas le fort de l'enfant, qui harcelait Isobel des mêmes et inlassables questions.

— Je dois t'abord te raconter la suite de l'histoire. Lorsque Nicodème mourut, la statue disparut. Les premiers chrétiens la cachèrent, pour que les Romains ne la détruisissent pas. Elle resta en Terre sainte pendant plusieurs siècles. Puis, lorsque les prophètes décrétèrent que le moment était venu, le Volto Santo, qui avait renfermé le trésor le plus sacré de notre peuple, fut extrait de sa cachette et préparé pour un long voyage.

— Le trésor le plus sacré ? l'interrompit Matilda, surexcitée à l'idée d'un important secret.

— Oui, ma chérie. Car, vois-tu, pendant qu'il sculptait le Volto Santo, Nicodème y ménagea une cavité à laquelle on pouvait accéder par un mécanisme dissimulé et y cacha le plus sacré des trésors.

— Le Libro Rosso ?

— Oui, dit Isobel. Le Libro Rosso. Et c'est le plus sacré des trésors parce qu'il renferme les enseignements du Chemin de l'Amour, tels que les écrivit Notre-Seigneur lui-même, et les prophéties de sa sainte fille. Tu en sauras davantage quand nous serons à Lucques. Car c'est là que tu verras le Libro Rosso de tes yeux. Le moment est venu, chère enfant, de commencer ton apprentissage.

Matilda, bouche bée, garda le silence, ce qui était si extraordinaire qu'Isobel ne put se retenir de rire.

— Qu'y a-t-il, mon amour ? Cela t'étonne donc tant, que ton moment soit venu ? Tu viens d'avoir six ans, et le chiffre six est magique. C'est le chiffre de Vénus, le chiffre de l'amour. Et l'année où commence l'apprentissage, surtout pour une Élue. Ne t'inquiète pas. Je serai auprès de toi tout au long du chemin. Et maintenant, il faut que je te prépare à rencontrer celui qui t'enseignera. Tu l'appelleras Maître, Maître tout court.

— N'a-t-il pas de nom?

— Si, sûrement, mais nous ne l'employons pas. Nous l'appelons le Maître, en signe de respect, car il vient d'une longue lignée d'élus de notre ordre, que l'on a toujours appelés ainsi. C'est un homme d'une grande sainteté. Néanmoins, il faut que je te prévienne. Il porte au visage une cicatrice. Une cicatrice très laide, Matilda, mais tu ne dois pas avoir peur de lui. Ce sera la première des leçons : apprendre à ne pas juger un homme sur les apparences, avant que te soit révélé l'être humain qu'elles recouvrent. Le Maître est un grand homme et un homme bon. Il te dispensera son enseignement, comme il l'a fait pour moi et pour beaucoup d'autres.

Matilda avait envie de pleurer, mais se retint. Ce Maître, avec une horrible cicatrice, cet apprentissage, qui commencerait dans la mystérieuse Lucques... C'en était trop pour elle! Peut-être que le voyage à Lucques n'était pas un si beau cadeau, après tout. Rester à Mantoue, où elle n'avait jamais connu que la sécurité, paraissait plus enviable. Elle se mordit la lèvre inférieure, pour l'empêcher de trembler.

— N'aie pas peur, ma petite*, dit Isobel en la serrant dans ses bras, car cette fillette au courage de lionne n'était encore qu'une enfant. C'est ton destin, et c'est un destin magnifique. Souviens-toi toujours de qui tu es, par la grâce de Dieu.

Matilda hocha gravement la tête. Elle était la comtesse de Canossa, et l'héritière du grand Boniface. Elle était fille de Lucques et de Mantoue; elle était l'enfant de la prophétie; elle était l'Élue.

Elle était *Matilda, par la grâce du Dieu qui est.*

*La vérité prendra racine dans les marais
Et fleurira ici en secret
Par la force de ceux qui la détiennent.*

La sainte parole et le saint esprit brilleront
Un jour et encore un autre, à l'heure du temps qui revient.
Beaucoup douteront, mais la vérité vaincra
Pour les enfants à venir,
Ceux qui ont des oreilles pour entendre
Et des yeux pour voir.

La vérité doit vivre dans la pierre
Et s'élever dans la vallée de l'Or.
La nouvelle bergère, l'Élue,
La verra dans sa perfection
Et portera la Parole du Père et de la Mère
Et le legs de leurs enfants, en des lieux sacrés.
Tel est son legs,
Cela, et connaître un Très Grand Amour.

À toi, qui as des oreilles pour entendre.

La seconde prophétie de l'Élue,
dans les écrits de Sarah-Tamar,
tels que rapportés dans le Libro Rosso.

Chapitre 5

Lucques

1052

La ville de Lucques est de nature sacrée, c'est l'un des lieux de pouvoir en ce monde, reconnu comme dépositaire d'une aura spécifique depuis le commencement de l'histoire de l'homme. Des traces de vie datant du paléolithique prouvent son ancienneté, mais ce sont les Étrusques et les Celtes de Ligurie qui instaurèrent sa réputation. On dit qu'elle tient son nom du mot celte *luks*, qui signifiait région de marécages. Au IIIe siècle av. J.-C., les Romains accordèrent à Lucques un statut spécial.

Mais, pour les premiers chrétiens, ce sont les Ier et IIe siècles qui ont forgé l'âme de la ville à leurs yeux sacrée entre toutes. Tandis que les Romains poursuivaient leurs grands travaux de construction, entourant la ville de routes importantes, la protégeant de son premier ensemble de remparts et bâtissant un spectaculaire amphithéâtre, les premiers chrétiens constituaient en secret l'ossature de la culture qui se perpétuerait dans le cœur des citoyens de la ville.

Le catholicisme traditionnel s'épanouissait ouvertement, mais Lucques obéissait en secret à une culture chrétienne plus fondamentale, en harmonie avec la foi des premiers convertis. Car il était dit que les enfants des apôtres et leurs disciples étaient venus vivre ici, et, selon la légende, des membres de la Sainte Famille les avaient rejoints. Ces chrétiens affirmaient que l'enseignement qu'ils recevaient provenait directement de la parole du Christ, par le truchement de ses enfants, et ils possédaient un livre sacré grâce auquel ils transmettaient cet enseignement à leurs descendants.

À l'époque de l'arrivée de Matilda à Lucques, l'orthodoxie catholique était triomphante et le pouvoir des moines ascètes avait crû de telle façon que les fidèles de l'ancienne foi pratiquaient leur culte en secret. Les nouvelles réformes concernaient sans aucun doute possible les pratiquants du Chemin de l'Amour. Le mot hérésie commençait à circuler dans toute l'Europe. Comme beaucoup d'autres à Lucques, la famille d'Isobel affichait un soutien sans faille à l'Église catholique et préservait ses traditions derrière les portes fermées de sa demeure. Isobel, descendante de Siegfried de Lucques, avait été élevée dans le respect rigoureux des anciennes traditions. Elle était membre de l'ordre du Saint-Sépulcre, la société secrète fondée le jour des premières pâques par Luc l'Évangéliste, Nicodème et Joseph d'Arimathie. L'ordre avait des branches à Jérusalem, en Calabre, à Rome et dans toute la Toscane. Non seulement cet ordre acceptait les femmes, mais il les choisissait comme chefs, en l'honneur de Marie Madeleine, que l'Ordre avait pour mission de protéger, ainsi que sa fille Sarah-Tamar. Selon la tradition, elles étaient les successeurs de Jésus et les saintes femmes qui avaient permis au christianisme de s'épanouir en Europe.

Les habitants de la ville se choisirent le nom de Lucquois, un habile jeu de mots qui les définissait comme citoyens de la ville et comme enfants de Luc l'Évangéliste, le fondateur de l'ordre du Saint-Sépulcre et celui qui l'avait introduit en Italie.

La petite troupe entra dans la ville par la porte de San Frediano, au nord, et Matilda se réjouit de constater qu'on les accueillait avec moult festivités. Elle portait une robe dorée du plus fin des brocarts, et se trouvait perchée sur le haut cheval de son père, tout aussi richement vêtu, arborant une cape bordée d'hermine et incrustée de pierres précieuses. Aux poignets de Boniface étincelaient au soleil toscan de lourds bracelets d'or. Les habitants de Lucques se pressaient pour admirer la légendaire petite comtesse aux nattes cuivrées et aux extraordinaires yeux bleu-vert. Au matin, Isobel avait tressé ses cheveux avec des fleurs et refusé de recouvrir d'un voile ceux de Matilda, à la grande consternation de Boniface qui trouvait indigne de sa fille de s'exhiber ainsi. Mais Isobel savait s'y prendre avec le père de la fillette, et adoucir son humeur. Être gracieuse et jolie la servait dans ses entreprises lorsqu'elle souhaitait imposer l'un de ses désirs au prince guerrier à la virilité affirmée. Mais elle n'usa jamais de ses charmes de façon inconsidérée.

Lorsqu'elle aurait grandi, la petite comtesse aurait besoin du soutien du peuple de Toscane. Pour l'heure, elle était l'unique héritière d'une grande fortune qui, de par la loi, ne pouvait échoir par héritage à une femme. Pour faire valoir ses droits, il lui faudrait, même si cela n'y suffirait pas, l'amour du peuple. Isobel l'avait patiemment expliqué à Boniface. L'entrée de Matilda à Lucques devait être un événement mémorable. Il lui fallait devenir l'enfant chérie du peuple de Toscane pour avoir un petit espoir de succéder un jour à son père.

Isobel était au courant de la force de la légende qui entourait Matilda depuis son plus jeune âge. Les initiés de Lucques connaissaient les prophéties de Sarah-Tamar, et avaient compris dès sa naissance le jour propice de l'équinoxe que Matilda pouvait être l'Élue. Si c'était le cas, elle devait être vénérée comme la Bergère, la femme qui les guiderait sur le Chemin de l'Amour. À l'époque, les Lucquois avaient besoin du symbole d'espoir qu'elle incarnait. Tous ces facteurs entraient en compte pour expliquer le retour triomphal de Matilda sur son lieu de naissance.

Boniface avait cédé et Isobel avait habilement apprêté la future prophétesse de façon à marquer les esprits. Matilda se comporta parfaitement, elle saluait à la ronde, souriait, et correspondait à l'image exacte de la créature mythique qu'elle incarnait pour tant de Lucquois. Cette attitude lui était naturelle, et simplement amplifiée en ce jour par l'excitation de porter une nouvelle robe, de chevaucher avec son père, et de voir tous ces gens qui criaient son nom dans les rues. C'était un jour qu'elle n'oublierait jamais.

**

— A-t-elle déjà rêvé, Isobel ?

Le sage connu de ses élèves sous le seul nom de Maître était penché sur le visage endormi de la petite comtesse à bout de forces. Parades et banquets s'étaient succédé tout le jour, dans une ambiance d'adoration. Sa première rencontre avec le Maître aurait lieu le lendemain, après qu'elle se serait reposée. Mais le sage voulut apercevoir son visage et s'entretenir avec sa gouvernante. L'homme était impressionnant : de haute taille, altéré par l'âge et défiguré par la hideuse cicatrice qui lui barrait la joue gauche.

— Oui, mais elle n'en comprend pas le sens.

— Elle a rêvé du Golgotha ?

— Pas exactement. Mais elle a rêvé du Vendredi saint.

Le Maître hocha la tête, satisfait. Selon la prophétie, l'Élue aurait des visions du Sombre Jour du Crâne. On avait interprété ces mots comme la Crucifixion elle-même, mais, pour une enfant de cet âge et de si prometteuse naissance, rêver du Vendredi saint était un signe positif.

— Je crois qu'elle est bien ce qu'ils disent, déclara-t-il. Amène-la-moi tout de suite après que son jeûne sera rompu. Nous avons beaucoup de travail devant nous. Et, Isobel...

— Oui, Maître ?

— Tu t'es bien occupée d'elle. Elle doit tout à ton amour.

— Non, Maître, rétorqua Isobel en souriant à son vénéré Maître, elle doit tout à Dieu.

Le Seigneur mit Salomon au défi de construire un tabernacle, un lieu où tous les fidèles auraient accès à Dieu. Dans sa sagesse et son obéissance, Salomon fit bâtir le Temple, lieu saint entre tous.

Dans la sainteté de la chambre nuptiale, Salomon et Makeda conçurent le labyrinthe aux onze sentiers comme un autre tabernacle où les hommes et les femmes totalement accomplis pourraient découvrir la présence de Dieu en eux-mêmes. Ce labyrinthe, ou Aron, était un lieu où l'on pouvait simuler l'enceinte du Temple, destiné à ceux qui ne pouvaient s'y rendre.

Au centre du labyrinthe, les yeux des enfants de Dieu s'ouvriront. Ils quitteront le monde des ténèbres qui est le lot de la majorité des humains. Ils doivent s'éveiller en cette vie, en ces corps où réside tout ce qui existe sur cette terre. Leur corps est leur temple, et ils ne le voient pas. Ils croient que le royaume ne les accueillera qu'après leur mort, et ainsi ignorent le premier des enseignements : nous sommes destinés à vivre sur cette terre comme si elle était le ciel, et à créer le paradis sur cette terre là où il n'est pas. Le royaume de Dieu nous appartient, ici et maintenant, sur cette terre et dans notre chair, si nous y prétendons par la grâce de l'amour.

Au cœur du labyrinthe, l'on s'adresse directement à Dieu. Et les enfants reçoivent le don d'anthropos, c'est-à-dire qu'ils deviennent des humains accomplis et éveillés. Là, ils découvrent leur être authentique, leur être unique, et deviennent tout simplement ce qu'ils doivent être sur terre.

Priez comme je vous l'ai enseigné, au cœur du labyrinthe et au cœur de vous-mêmes. Que la prière vous soit une rose dont vous admirez les six pétales, car en elle il y a tout ce qu'il vous faut pour trouver le ciel sur cette terre. Le cercle central est l'amour parfait.

Les enfants du monde doivent ouvrir les yeux pour voir Dieu tout autour d'eux. Alors, ils vivront dans l'amour, ils accompliront leur destin et leurs promesses, de toute éternité et pour toute l'éternité. Ils doivent s'éveiller. Et ils doivent s'éveiller maintenant.

L'amour est le vainqueur de toutes choses.
À toi, qui as des oreilles pour entendre.

D'après le Livre de l'Amour
tel que rapporté dans le Libro Rosso.

Lucques

1052

La cicatrice était hideuse. Elle ne pouvait la quitter des yeux.

— Viens, ma petite. Débarrassons-nous de ce problème. Je veux que tu poses ta main sur mon visage et que tu touches ma cicatrice. Tu verras que ce n'est que de la chair, et qu'il n'y a rien à en craindre. Viens.

Matilda consulta du regard Isobel, qui hocha la tête en souriant. Elle laissa le Maître prendre sa petite main dans la sienne et la lever jusqu'à son visage ravagé. Matilda passa son index et son majeur le long de la cicatrice. La curiosité était en train de dépasser la peur. Elle trouva le courage de lui poser une question :

— D'où vient cette cicatrice, Maître ?

Isobel poussa un soupir de soulagement. Matilda avait retenu ses leçons. Que Dieu soit loué.

— C'est une bonne question, elle mérite une histoire. Viens t'asseoir près du feu.

Comme prévu, Isobel et Matilda s'étaient présentées au petit matin sur les lieux de l'édifice en vieille pierre connu sous le nom de l'Ordre. Le Maître y vivait et y travaillait à instruire les enfants des plus anciennes familles locales. Ils se trouvaient dans l'une des salles de classe, meublée d'une longue table sur laquelle étaient placés encre et parchemins, ainsi qu'une grande boîte en bois renfermant des rouleaux d'enseignement. Les jours où le printemps toscan n'était pas encore assez clément, un feu de bois brûlait dans une cheminée massive. Le

Maître parlait souvent de ses vieux os et de la souffrance que lui infligeait le froid.

Matilda et Isobel prirent place sur un banc, à côté de la cheminée. Le Maître s'assit en face d'elles, sur un tabouret.

— Il y a bien longtemps de cela, un des premiers chefs de notre Ordre fut blessé au cours de la grande guerre entre les forces de la lumière et les forces des ténèbres. Alors que l'on crut longtemps la bataille perdue, elle ne l'était pas. Il remporta la victoire, par le pouvoir de l'amour et de la foi et par ce qui était devenu sa croyance inébranlable en un Dieu d'amour tout-puissant. Mais la blessure lui laissa une cicatrice qui lui barrait le visage et le rendait aisément identifiable. Depuis des siècles, ceux d'entre nous qui veulent suivre sa voie se sont infligé la même blessure, en son honneur et pour montrer que nous nous consacrons à l'enseignement que nous transmet l'Ordre. Je sais qu'il est difficile de comprendre qu'un homme se défigure ainsi. Mais c'est le signe de notre ferveur pour ce qui est intérieur et non pour ce qui est extérieur.

Matilda se toucha rapidement le visage, ce qui fit rire le Maître.

— Ne crains rien, petite. On ne te demandera jamais rien de tel. Je vois que ta beauté sera une de tes meilleures armes de guerrière du Chemin. Mais n'oublie jamais que Dieu te l'a donnée pour que tu en fasses bon usage.

La fillette hocha gravement la tête avant de demander, d'une toute petite voix :

— Ça vous a fait mal ?

— À vrai dire, je ne m'en souviens pas. Cela fait si longtemps ! Mais si j'ai eu mal, je sais que ma souffrance était incomparable avec celle de Notre-Seigneur lors de son ultime sacrifice. Et maintenant, le sujet de ma cicatrice étant clos, j'aimerais commencer ma leçon. Si cela vous convient, jeune dame.

— Oui, Maître, répondit poliment Matilda, qui n'avait que hoché la tête avant d'être rappelée à l'ordre par une petite toux d'Isobel.

Les bonnes manières qu'elle désirait montrer firent sourire le Maître.

— Bien. Je vais commencer par te donner une fleur. Une fleur pas comme les autres, pour une jeune dame pas comme les autres. C'est une rose à six pétales.

Le Maître ouvrit la boîte en bois qui se trouvait sur la table et en sortit un rouleau noué d'un ruban écarlate incrusté de diamants. La beauté de ce présent fit briller de joie les yeux de Matilda.

— Tu peux l'ouvrir. Et garder le ruban, ajouta-t-il avec un clin d'œil qui exprimait une telle bonté que son visage n'avait plus rien d'effrayant.

Isobel avait raison, bien sûr! Il était important de ne pas juger un homme sur les apparences. Un jour, ce visage serait pour Matilda le plus beau qu'il lui eût jamais été donné de voir.

Une fleur était dessinée à l'encre sur le parchemin qu'elle déroulait. Six pétales ronds entouraient un cercle central.

— La rose à six pétales est le symbole du Livre de l'Amour, Matilda. Tu apprendras d'elle les secrets du *Pater Noster*. Elle connaît cette prière, n'est-ce pas? demanda le Maître en se tournant vers Isobel.

— Elle la connaît en toscan, en allemand et en latin. Et je lui apprends le français, afin qu'elle sache les quatre versions.

— Sait-elle lire et écrire?

— Elle apprend vite, c'est une élève très douée. Elle saura bientôt lire et écrire dans les quatre langues si son père décide qu'elle doit poursuivre son éducation. Et je ne vois aucune raison pour qu'il le refuse.

— Veille à ce qu'il comprenne bien l'importance de son éducation, recommanda solennellement le Maître.

Matilda s'éclaircit la voix et se redressa, puis choisit de réciter la prière dans sa langue.

— Notre Père, qui êtes aux cieux;
Que Votre nom soit sanctifié;
Que Votre règne vienne;
Que Votre volonté soit faite
Sur la terre comme au ciel.

Donnez-nous aujourd'hui notre pain quotidien,
Pardonnez-nous nos offenses,
Comme nous pardonnons à ceux qui nous ont offensés.
Et ne nous laissez pas succomber à la tentation
Mais délivrez-nous du mal.

— Bien, petite ! Mais tant que tu n'auras pas compris chacune de ces phrases, et le pouvoir qu'elles ont de changer le monde qui t'entoure, cette prière n'aura aucun sens. Prononcées en conscience, ces paroles renferment tout ce que tu as besoin de savoir pour trouver le royaume du ciel sur cette terre. Répétées sans y réfléchir, ce sont des paroles inutiles. Tu ne diras plus jamais cette prière sans réfléchir, tu comprends ? Et maintenant, au travail. Je vais te montrer le rapport entre cette prière et la rose à six pétales.

Et l'homme connu sous le nom de Maître entreprit d'instruire Matilda des enseignements du Livre de l'Amour, la bonne parole que légua à l'humanité le Prince de la Paix.

Matilda consacra le reste de la journée à visiter les nombreux lieux saints de Lucques et rejoignit son père en la grande église de San Frediano. Leur guide, un jeune prêtre nommé Anselmo, était né à Lucques et connaissait sur le bout des doigts l'histoire de sa ville. Son oncle, Anselmo DiBaggio, était le puissant évêque de Lucques, comme ne l'ignorait pas Boniface. Issu d'une telle famille, son jeune neveu était certainement promis à un brillant avenir dans la communauté. Les DiBaggio étaient en outre de discrets membres de l'ordre du Saint-Sépulcre, mais ils s'étaient sagement intégrés dans les structures de pouvoir de l'église catholique.

Anselmo le Jeune leur expliqua que l'église portait le nom d'un évêque du VIe siècle qui en avait commencé la construction de ses propres mains.

— Nous l'appelons Frediano, en toscan, mais, dans son pays, il portait le nom de Finnian. Il venait d'un lieu appelé Irlande. Sais-tu où se trouve ce pays, Matilda ?

La fillette secoua la tête. Irlande! Ce nom semblait magique, et issu des contes d'Isobel.

— C'est une île verdoyante et noyée dans les brumes, très mystérieuse et très ancienne, au-delà des terres des Normands et des Saxons. Mais c'est aussi un lieu saint. Finnian est venu en pèlerinage à Lucques, car un saint homme du nom de Patrick l'avait instruit des origines sacrées de notre ville, et il voulait vivre au plus près de la parole de Jésus.

Matilda s'efforça de ne pas montrer son ennui lors de la visite du baptistère au grand autel de pierre. En vérité, maintenant qu'elle en connaissait l'historique, San Frediano ne l'intéressait pas beaucoup et elle n'avait qu'une hâte : arriver à l'église suivante, celle de San Martino, où se trouvait le Volto Santo, la Sainte Face sculptée par Nicodème.

Tout en marchant dans les rues étroites qui y menaient, Anselmo raconta à Matilda et à Boniface en quelles circonstances rocambolesques la statue était arrivée à Lucques.

— Lorsque le Volto Santo quitta la Terre sainte, il parvint sur le rivage toscan après plusieurs mois de navigation. On le débarqua prudemment et on le chargea sur un chariot traîné par deux bœufs blancs non dressés, qui allaient là où les menait leur instinct. Les gardiens de la Sainte Face pensaient que Dieu guiderait le chariot jusqu'au lieu où la volonté divine désirait qu'il demeurât. De nombreux miracles se produisirent tout au long du chemin. Les bœufs tirèrent le chariot durant trois jours et trois nuits, jusqu'à leur arrivée ici, au cœur de Lucques. Nous croyons que le Volto Santo a suivi le chemin emprunté par le Livre de l'Amour.

Pour amuser Matilda, Anselmo poursuivit sur un ton de conspirateur :

— Les initiés, ceux de notre Ordre, savent que le Volto Santo ne pouvait se rendre qu'au plus près des vrais enseignements, c'est-à-dire uniquement dans la congrégation de San Martino.

Dédiée à saint Martin de Tours dès sa construction initiale par l'évêque irlandais Finnian au VIe siècle, l'église n'avait rien d'impressionnant. En fait, elle tombait en ruine. Matilda estima que cet état ne convenait pas à un lieu abritant la première œuvre d'art de la chrétienté, sculptée par un homme qui avait vu le visage de Notre-Seigneur et l'avait descendu de la croix. Elle tira son père par la manche.

— Papa ?

— Oui, ma douce ?

— Nous sommes très riches, n'est-ce pas ? Ne pouvons-nous pas donner au peuple de Lucques assez d'argent pour construire une belle église, digne d'abriter la Sainte Face ?

Boniface éclata de rire et souleva sa fille dans ses bras.

— Nous sommes riches, en effet. Et j'espère que nous le resterons en ne jetant pas notre fortune à tous les vents. Et surtout pas à ceux de l'Église !

Très mécontente de sa réponse, Matilda échappa aux bras de son père et courut vers l'entrée du monument religieux.

L'intérieur était sombre et humide. La fillette cligna des yeux pour s'habituer à la faible lumière des bougies. Sans attendre son père ni Anselmo, elle se précipita vers l'autel jusqu'à en être assez proche pour pouvoir toucher l'image la plus sacrée du royaume du Christ.

Transfigurée, elle se figea sur place. La statue, grandeur nature, avait été sculptée par un artiste de grand talent. Nicodème avait imprimé au bois de cèdre les courbes délicates d'une tunique drapée sur le corps allongé du Christ crucifié. Les détails du visage, ses cheveux, sa barbe étaient colorés. Notre-Seigneur était brun, et très beau. Des boucles de cheveux noirs encadraient son visage à la barbe bien taillée qui pointait vers l'avant. Il avait de longs doigts fins. Mais ce furent ses yeux surtout qui la captivèrent : immenses, noirs, et les lourdes paupières découvrant un regard doux et compassionnel en dépit de ses ultimes souffrances. Matilda n'avait jamais rien vu de plus beau que cet homme sur sa croix. Elle le fixa, certaine qu'il la regardait aussi.

— Tu es ma fille, dont je suis satisfait.

Matilda resta muette de stupéfaction. La Sainte Face lui avait parlé. Elle ferma les yeux, pour mieux entendre. Mais c'était fini.

Son père et Anselmo étaient à quelques pas derrière elle. Anselmo chuchotait à l'oreille de Boniface, sans doute lui expliquait-il quelques détails historiques. Matilda ne les entendait pas. Elle n'écoutait que la statue. La statue de Jésus qui lui avait parlé. Il était satisfait d'elle.

Elle ne voyait pas bien ce qu'elle avait fait jusque-là pour plaire à son Seigneur, mais elle était bien décidée à s'y atteler désormais. Elle se souvint soudain des deux précieuses tresses d'or et d'argent qu'Isobel avait nouées dans ses cheveux, le matin même. La maison de Lorraine les lui avait offertes pour sa naissance. Subrepticement, de façon que son père ne s'aperçût de rien, elle les démêla de ses cheveux et les prit en main.

Matilda sourit à la statue qui était satisfaite et murmura :

— Un jour, je construirai une belle église pour ta Sainte Face. Je te le promets.

Elle s'inclina, et recula pour ne pas lui tourner le dos. En rejoignant son père et Anselme, elle se contenta de dire :

— Elle est très belle.

C'est à Isobel qu'elle réservait le récit de ce qu'elle avait vécu. Issy saurait pourquoi le Seigneur était satisfait d'elle.

Boniface sortit en hâte de l'église. Il avait eu sa dose de religion pour la journée et voulait reprendre ses discussions avec les hommes qui garantissaient la sécurité de la région. Ensuite, il participerait à la grande chasse qu'il avait organisée pour récompenser ses loyaux soldats, et s'en réjouissait à l'avance. Matilda les suivait lentement, en espérant pouvoir parler seule à Anselmo. Il avait un visage doux et avenant. Animée de l'instinct sans faille des enfants intelligents, elle l'aimait bien. Lorsque son père eut pris assez d'avance, elle glissa sa petite main dans celle du jeune prêtre.

— Qu'est-ce que c'est que ça, petite princesse ? lui demanda gentiment Anselmo en contemplant le trésor qu'elle lui avait remis.

— Chut, dit Matilda. J'ai promis à la Sainte Face de lui construire un jour une église. Garde ceci, en attendant que je t'en apporte davantage.

Anselmo la regarda attentivement. En vérité, ce n'était pas une enfant ordinaire. Renoncer à un objet si précieux pour la gloire de Dieu ! Il posa sa main sur la tête de la fillette.

— Tu es généreuse, Matilda de Canossa. J'espère, un jour, être celui qui fera bâtir cette église par la grâce de tes dons.

Matilda lui sourit, ravie d'avoir désormais un complice pour son grand dessein.

— Bien. Nous le ferons ensemble, alors. Quand je serai plus grande, et que je pourrai disposer de mon argent comme je le voudrai.

Elle se retourna, fit une dernière révérence à la Sainte Face, et sortit en courant de l'église pour exiger de son père qu'il la raccompagnât immédiatement auprès d'Isobel. Le farouche Boniface, cet homme dont le seul nom inspirait la terreur aux plus féroces guerriers, s'arrêta dans un immense éclat de rire destiné au seul être vivant dont il était disposé à recevoir les ordres.

Après la Crucifixion, rester en Palestine aurait été périlleux pour la famille de Jésus. Son oncle, Joseph d'Arimathie, s'attacha à trouver un refuge pour Marie Madeleine, enceinte de l'héritier du Sauveur, ainsi que pour les autres enfants et les plus intimes des disciples.

La grande cité d'Alexandrie était réputée pour sa tolérance et son haut niveau d'éducation. Croyances et cultures diverses s'y épanouissaient en harmonie. Marie Madeleine ne tarderait plus à mettre son enfant au monde. Alexandrie était assez proche pour offrir une solution rapide, même si elle était provisoire, et assez éloignée pour que la famille y fût en sécurité.

Joseph d'Arimathie était un marchand prospère. Sous le couvert d'un transport de marchandises, il fit embarquer les survivants de la Sainte Famille à bord d'un navire pour l'Égypte. Encore une fois, une Marie devait quitter son pays pour protéger l'enfant béni en son sein. Il s'agissait de la deuxième fuite en Égypte.

Marie Madeleine fit demander à son fidèle ami, l'apôtre très instruit connu sous le nom de Philippe, de venir la rejoindre à Alexandrie. Durant des mois, elle lui lut de longs passages du Livre de l'Amour afin qu'il les transcrivît parfaitement sous sa surveillance. C'est ainsi que fut faite une copie quasi exacte des enseignements divins par les deux disciples et enseignants. Marie Madeleine garderait l'original sa vie durant, mais elle souhaitait que Jacques, le frère de Jésus demeuré à Jérusalem, en possédât un exemplaire. L'église qui y prenait son essor aurait l'usage de cette forme la plus pure des enseignements du Chemin.

Jacques reçut la copie et la conserva à Jérusalem, dissimulée à l'intérieur de la statue sculptée par Nicodème.

Philippe, pour sa part, partit pour Sumer, où il prêcha durant tout le reste de sa sainte vie selon les paroles du Livre de l'Amour qu'il avait un jour transcrit.

L'histoire de Philippe et du Livre de l'Amour telle que rapportée dans le Libro Rosso.

La pièce souterraine utilisée comme chapelle par l'ordre du Saint-Sépulcre était vieille de presque mille ans. Elle avait été aménagée par les premiers chrétiens, qui y pratiquaient leur foi en secret, à l'abri des yeux indiscrets des Romains. Matilda s'accrocha fermement à Isobel, qui marchait devant elle, pour descendre les marches qui y menaient. Le Maître les précédait, une lampe à huile à la main, mais la pièce proprement dite avait été préparée avant leur arrivée par des novices, qui avaient placé des bougies de cire d'abeille sur des appliques murales en fer. Les ombres dansaient dans la pénombre de la chapelle aux murs obscurcis par la fumée des bougies, et une entêtante odeur d'encens imprégnait l'atmosphère.

L'expérience qu'avait vécue Matilda devant le Volto Santo avait ébranlé le Maître, ce qui n'était pas tâche aisée. Il savait que cette enfant était spéciale, mais il ne s'attendait pas à ce qu'elle connût si jeune une authentique vision. Et il était convaincu de son authenticité. Lorsqu'elle avait raconté l'événement à Isobel d'abord, puis à lui, les yeux de Matilda s'étaient illuminés. Il s'agissait d'une grâce, sans aucun doute, et non de l'imagination d'une petite fille désirant attirer l'attention sur elle. Cela relevait d'une véritable expérience mystique, vécue par une enfant choisie par Dieu en vue d'une destinée particulière. Il avait appris à reconnaître la différence durant ses longues années de mentor.

Aussi décida-t-il de mettre immédiatement Matilda en présence du Libro Rosso.

La minuscule chapelle possédait un simple autel de pierre, creusé dès l'origine. Bien que ce fût une chapelle consacrée, on n'y voyait ni crucifix ni croix. Au-dessus du tissu de velours dont était recouvert l'autel, des scènes de la vie de Jésus et de Marie Madeleine étaient gravées sur une arche en bois, telles que les avait dépeintes saint Luc. Le support était presque aussi sacré que ses ornements, car, au sein de l'Ordre, on l'appelait l'Arche de la nouvelle alliance. Sa périphérie était sculptée de reliefs en forme de diamant, le symbole de l'union sacrée, et un X revêtu d'or, emblème des théories gnostiques, était gravé à chacune de ses extrémités. Le Maître conduisit Isobel et Matilda devant l'arche et leur fit signe de s'agenouiller. Elles s'exécutèrent et il récita une prière au Seigneur pour le remercier de leur avoir légué son saint testament. Il manipula l'arche, et en souleva le lourd couvercle avant de la poser par terre et d'en extraire le volume qui y reposait.

Matilda leva les yeux à ce moment. Le Libro Rosso était un très gros cahier, relié de cuir d'un rouge profond recouvert d'une feuille d'or incrustée de cinq gros diamants en forme de X. Le Maître porta le livre à ses lèvres et baisa la pierre centrale, un rubis qui étincelait dans la lumière des bougies.

— La parole du Seigneur, à toi qui as des oreilles pour entendre.

Il donna le livre à Isobel, qui le baisa de la même façon et répéta :

— La parole du Seigneur.

Puis elle le tendit à Matilda, éperdue et solennelle, qui imita ses gestes.

Le Maître reprit le livre et le posa sur une table, devant l'autel. Il sourit à Matilda.

— Tu peux le toucher, mon enfant.

Ses petits doigts effleurèrent la couverture dorée. Elle sursauta, comme si on l'avait brûlée. Le Maître et Matilda échangèrent un regard. Mais, lorsqu'elle posa la main sur le livre une deuxième fois, elle n'eut aucun sursaut.

— Le Libro Rosso. Le livre sacré de notre peuple, qui renferme les paroles écrites par le Sauveur du monde. En ce livre, Matilda, est inscrit en entier l'Évangile de Jésus-Christ, la bonne parole que nous appelons le Livre de l'Amour. Ceci est la copie qu'en exécuta Philippe sous la dictée et qui fut remise à Nicodème pour qu'il la mît à l'abri dans le Volto Santo. Marie Madeleine y a apposé son sceau, afin d'en authentifier le contenu. Tu as déjà vu le modèle de ce sceau. Il figure sur nos documents les plus secrets, et il est porté par nos initiés du plus haut rang.

μαγδλαεν.

Magdalène.

À côté de la signature figurait en effet un emblème que la fillette connaissait. C'était le dessin qui ornait la bague de cuivre d'Isobel, celle qui se prenait parfois dans ses cheveux lorsqu'Isobel les tressait. Neuf cercles dansaient autour d'une sphère centrale. C'était une représentation du ciel, que portaient les fidèles de l'Ordre pour se rappeler qu'ils n'étaient jamais éloignés de Dieu, sur terre comme au ciel. Matilda ignorait que ce symbole était le sceau de Marie Madeleine. C'était l'un des secrets de l'Ordre.

— Tu auras une bague semblable, lorsque tu auras atteint l'âge des mystères, lui souffla Isobel.

— Tu grandiras, reprit le Maître, et tu seras instruite des enseignements du Livre de l'Amour, ainsi que des prophéties de Sarah-Tamar. Tu les sauras par cœur, et tu apprendras à les interpréter. Certaines concernent directement ta naissance. Tu devras les comprendre à la perfection.

« Et enfin, tu étudieras les histoires que renferme le Libro Rosso. Ce sont les Actes cachés des apôtres, les récits de ceux qui ont tout sacrifié pour se consacrer à enseigner le Chemin de l'Amour. Nous lirons aussi le livre écrit par un de nos fondateurs, le très saint Luc. C'est en honorant la mémoire de nos martyrs que nous honorons Dieu, tout en priant pour que vienne le temps où cet enseignement sera reçu en paix par tous, et où il n'y aura plus de martyrs.

« Voici ta première leçon, Matilda : comprendre les trois parties du Libro Rosso. La première est le Livre de l'Amour, qui est la bonne parole même. La deuxième contient les divines prophéties de Sarah-Tamar. Et la troisième, ce sont les Actes des apôtres, rapportés par notre peuple depuis les premiers jours de la chrétienté. Pour ce soir, qu'il te suffise de savoir cela.

Sous la tutelle du Maître, Matilda s'épanouissait de jour en jour. Mais, pour autant qu'elle appréciât les leçons, elle préférait par-dessus tout le labyrinthe du luxuriant jardin de l'Ordre. Elle avait roucoulé de plaisir en le découvrant pour la première fois. Elle avait déjà vu des dessins de labyrinthe, il y en avait même un petit gravé sur le dos de sa poupée préférée, mais en contempler un de cette taille, où vingt adultes à la fois pouvaient arpenter un des chemins, lui avait causé un profond ravissement.

Pour cette première fois, le Maître lui avait pris la main afin de le lui faire traverser jusqu'en son centre.

— Il n'y a qu'un seul chemin pour y entrer, Matilda. Les sentiers ont beau être sinueux, si tu t'en tiens à ton choix tu ne te perdras pas. Telle est la première leçon du labyrinthe : marche délibérément vers le centre, car tu sais que Dieu t'y attend. Et même si le sentier sinueux semble t'en éloigner, tu dois garder confiance, il te conduira sur le droit chemin. C'est comme la vie. Seule la foi te mènera à ta destination, qui est de trouver Dieu à chaque instant, sans jamais faillir.

« Presque tout ce que je t'apprendrai sur le labyrinthe est très simple, Matilda. Car la vérité est toujours simple.

Il garda le silence tout en marchant, puis reprit sa leçon :

— Le Seigneur, petite, s'adresse à nos âmes vacillantes de diverses façons. En rêve, par exemple. Je sais que tu fais parfois des rêves que tu ne comprends pas. Dieu nous parle ainsi, car, dans notre sommeil, nos esprits sont ouverts et ses messages nous parviennent sans interférence. Dieu se montre aussi par les nombres, qui sont une langue spécifique avec divers niveaux de signification, que la plupart des hommes ne se donnent pas la peine de comprendre. Mais la construction de ce labyrinthe est fondée sur des nombres très particuliers. Onze cycles mènent au centre, et onze cycles permettent d'en sortir. Dans le langage sacré des chiffres qui nous vient de la Terre sainte, du temps du roi Salomon, onze était le nombre de l'initiation. En additionnant ces cycles, on trouve le nombre vingt-deux. Vingt-deux représente le plus haut niveau de l'initiation. Ce labyrinthe a été conçu par Salomon et sa bien-aimée, la reine de Saba. Je sais que cela fait beaucoup à apprendre en même temps pour toi, et je ne m'attends pas que tu retiennes tout d'un coup. Contente-toi d'écouter tandis que tes pieds foulent le sentier du labyrinthe.

Matilda écoutait, essayait de comprendre, mais ses pieds semblaient animés d'un rythme propre. Elle se retenait, s'efforçait de marcher lentement, mais elle n'avait qu'une seule envie : courir en dansant à travers le lieu enchanté où nul ne se perdait jamais, et où chacun trouvait Dieu. Il y avait ici de la joie, et une sorte de liberté. Malgré son jeune âge, Matilda ressentait profondément la dimension spirituelle du lieu, qui l'emplissait de bonheur, de lumière, et du plaisir d'apprendre dans un tel environnement. Elle ne se contint bientôt plus et acheva le circuit au pas de course. Lorsqu'elle atteignit le centre, elle se mit à danser sous le soleil de sa chère Toscane.

Il me baisera des baisers de sa bouche !

Son étreinte m'entraînera plus haut que le vin,
Tes odeurs, tes huiles, ton nom,
Beautés ruisselantes,
Les jeunes filles en frémissent,
Prends-moi, courons !
Le roi m'entraîne dans ses appartements, dans sa
chambre,
Vers les jubilations, la joie...
Comme il est juste d'aimer,
L'ivresse de l'amour est plus raisonnable,
Plus douce que le vin.

Le Cantique des cantiques 1, 2-4

Ce premier vers du chant d'amour le plus sacré fut ins-
piré par l'union divine du roi Salomon et de la reine de
Saba. Tandis qu'ils s'aimaient à la lumière de la vérité et
de la conscience, ils découvrirent que leur plus grand
amour, à l'un comme à l'autre, allait à Dieu et au monde
que Dieu aimait.

Comme il est juste d'aimer,
L'ivresse de l'amour est plus raisonnable,
Plus douce que le vin.

Ces paroles sont les louanges adressées à Dieu par les
amants, qui ont trouvé la voie de Dieu dans leur chambre
nuptiale. Par l'union sacrée de leur amour, ils ont pu
comprendre entièrement les bénédictions que nous dis-
pense Dieu pour qu'elles s'expriment dans notre corps et
notre chair.
Tout amour est Dieu, et Dieu est tout amour.
Quand nous nous unissons à notre bien-aimé, nous
vivons l'amour et Dieu est présent dans la chambre
nuptiale.

Ce chant commence par un baiser, l'expression la plus sacrée de l'amour entre bien-aimés. Dans la sainte tradition que nous léguèrent Salomon et Saba, le mot est nashakh, qui implique plus qu'un simple baiser : il signifie mêler les souffles de façon à ne plus faire qu'un seul esprit, mêler les forces de vie pour devenir un seul être.

Ainsi devenons-nous anthropos, *des êtres humains dans leur complet accomplissement. Par ce baiser, nous naissons à nouveau. Nous nous donnons mutuellement naissance, par le partage de l'amour qui est en nous.*

Par la sainteté du baiser, deux âmes s'unissent et n'en forment plus qu'une. C'est le prélude à l'union sacrée des amants.

À toi, qui as des oreilles pour entendre.

Le chant de Salomon et de la reine de Saba tiré du Livre de l'Amour tel que rapporté dans le Libro Rosso.

Lucques

1052

— Elle est parfaite, exactement telle que tu me l'as décrite. Je suis certain qu'elle nous mènera à une nouvelle ère du Chemin. Elle est l'Élue, sans aucun doute. Mon oncle sera d'accord dès qu'il aura eu connaissance de tout ce qui s'est passé. Le temps revient, Isobel, comme nous avons toujours su qu'il reviendrait durant notre vie.

Anselmo avait écouté attentivement le récit d'Isobel sur les récents et miraculeux événements survenus dans la jeune vie de Matilda. Il se faisait maintenant une meilleure idée de la petite fille qui lui avait offert de l'or. Le Volto Santo lui avait parlé à San Martino. C'était un merveilleux présage.

Isobel lui sourit, il dit de même en retour :

— Nous sommes tous si fiers de ce que tu as accompli auprès d'elle ! Et personne ne l'est plus que moi, mon amour.

Anselmo se rapprocha d'elle. La porte était fermée et il y avait peu de risques qu'on les découvrît à cette heure tardive de la nuit. En outre, ils étaient sur le territoire de l'Ordre, un lieu où l'union des amants était considérée comme le plus haut des sacrements. Cette loi, si fortement mise en évidence dans le Livre de l'Amour, avait préséance sur toute loi humaine. Entre ces murs, les vœux publics qu'Anselmo avait prononcés afin de pouvoir prétendre par la suite hériter du haut rang de son oncle l'évêque pouvaient être écartés. Ici, il pouvait être lui-même et célébrer l'amour qui apportait tant de joie à son âme, l'amour, le plus grand des présents que Dieu ait offerts en partage à toute l'humanité, afin que les hommes et les femmes trouvassent la divinité en eux-mêmes.

Isobel le rejoignit et s'abîma dans la chaleur de ses bras. Il lui avait tant manqué, depuis qu'elle occupait la position de gouvernante de Matilda. Leur amour était un amour d'enfance, surpassé seulement par leur amour pour l'Ordre et les enseignements du Maître, les enseignements du Libro Rosso qu'ils avaient tous deux fait serment de protéger.

Elle murmura les deux premiers vers du chant sacré, qu'elle adoucit encore par la sensualité de sa voix tandis que ses lèvres s'approchaient de celles d'Anselmo.

Il aurait pu réciter la suite, mais il était déjà trop près d'elle pour parler. Ils s'enlacèrent dans un long baiser, mêlant leurs âmes en prélude à la fusion de leurs corps.

Matilda hurlait. Isobel traversa en courant la petite entrée où elle dormait sur une paillasse de novice. Matilda avait veillé tard, et travaillé longtemps avec le Maître qui avait décidé qu'elle dormirait ici, dans la simplicité du dortoir de l'Ordre. Tout d'abord, Isobel crut que l'enfant avait été effrayée de se réveiller dans un endroit inconnu, et se reprocha de l'avoir laissée seule. Mais, épuisée comme l'était Matilda, comment imaginer qu'elle ouvrirait les yeux avant l'aube ?

En fait, l'enfant sanglotait, assise sur son lit.

— Qu'y a-t-il, ma petite* ? demanda doucement sa gouvernante en la prenant dans ses bras et en la berçant tendrement pour apaiser ses pleurs.

— Papa !

La fillette avait du mal à parler. Des hoquets la secouaient encore des pieds à la tête.

— Tu as rêvé ?

— Oui. Et dans mon rêve, il est arrivé quelque chose de terrible à papa. Dieu est fâché contre lui, Isobel.

— Ne dis pas de sottises. Dieu est juste, et aimant. Ce n'est pas un Dieu de colère et de vengeance. Il ne ferait pas de mal à ton père.

— Fra Gilbert dit que Dieu punit les méchants, et il dit que papa l'est.

— Tu me surprends, Matilda. Tu viens de passer une soirée en présence du très sacré Livre de l'Amour, ainsi nommé pour une bonne raison ; l'amour de Dieu pour ses enfants.

D'ordinaire, Isobel se montrait tolérante et respectueuse des croyances des catholiques orthodoxes, mais parfois sa patience était à bout, surtout lorsqu'elle devait réparer les dommages causés par le prêche à sa précieuse enfant. De plus, il était tard, elle était fatiguée, et n'avait personnellement aucune prétention à la sainteté.

— Fra Gilbert est un homme dur, qui ne connaît rien de la nature de Dieu, ni de celle de ton père, ni même de l'amour.

Matilda éclata de rire. Isobel incarnait en général le Chemin de l'Amour. Ainsi, elle se mettait rarement en colère. Il était donc amusant de la voir dans cet état.

— Mais, Issy, mon père ne veut pas donner d'argent pour construire l'église de la Sainte Face.

— Ton père est généreux à sa manière. Je sais que c'est difficile à comprendre, mais un adulte peut avoir de bonnes raisons pour refuser de construire une église en ce moment.

Isobel ne voulait pas expliquer à une enfant de six ans que Boniface savait que les fonds qu'il offrirait pour la reconstruction de San Martino seraient détournés de leur vocation et finiraient dans les coffres de la hiérarchie ecclésiastique. Matilda, dans son innocence, ne voyait que le refus de son père d'aider le Seigneur.

— Dans mon rêve, Dieu était en colère parce que papa refusait de lui construire une nouvelle église... Il arrivait quelque chose de terrible. Il faut que je voie papa. Il faut que je lui dise de changer d'avis, pour que Dieu soit content de nous.

Isobel soupira. Il serait impossible de la raisonner tant qu'elle serait dans les affres de son cauchemar. De plus, elle était inquiète, car souvent les rêves de Matilda s'étaient avérés prophétiques, ce qui n'avait rien d'étonnant étant donné sa naissance. Elle embrassa la fillette en priant pour que ce rêve ne fût que la manifestation d'une peur de petite fille, et non une prophétie.

— Ton père est parti ce soir à la chasse. Mais je te promets que dès son retour nous parlerons avec lui de la construction d'une nouvelle église. Tu es satisfaite ?

Matilda hocha la tête et se recoucha, épuisée par cette épreuve.

— Reste avec moi, Issy, supplia-t-elle.

— Mais oui, bien sûr, répondit Isobel en commençant à fredonner la chanson qui avait toujours le pouvoir d'apaiser la petite fille.

La nouvelle parvint tout d'abord à Mantoue, où la mère de Matilda était restée pour diriger la maison. Le château fut immédiatement plongé dans le chaos et deux médecins se relayèrent auprès de Béatrice, en proie à de violentes crises de nerfs. C'en était trop. Dieu lui avait déjà pris deux enfants. N'était-ce pas assez de souffrance infligée à n'importe quelle femme sur terre ? Pourquoi la punissait-Il encore ? Fra Gilbert devait avoir raison. Dieu se vengeait des méchants.

— Où est Matilda ? Qu'on m'amène ma fille !

On rappela à Béatrice que Matilda était encore à Lucques, mais qu'on enverrait immédiatement une petite troupe qui la reconduirait saine et sauve dans sa maison natale. Elle serait rentrée à temps pour les funérailles.

Si invraisemblable que cela pût paraître, Boniface, le comte de Canossa, le marquis de Mantoue et le duc de Toscane, était mort. Il avait été tué par une flèche qui s'était fichée dans sa gorge pendant la chasse, le matin suivant le rêve de Matilda.

Le temps revient.

Nombreux sont les appelés.
Les élus font vœu
Ils promettent à Dieu,
Ils se promettent l'un à l'autre
Un amour éternel.
Les prophètes reviennent.
Ils le doivent, car la vérité est éternelle,
Tout comme l'amour.
Les hommes et les femmes de cœur
Connaîtront et vivront la vérité.
Ils seront accomplis
Ici-bas dans leur corps,
Sur cette terre comme au ciel.
Voilà pourquoi
Le temps revient.

À toi, qui as des oreilles pour entendre.

**Les prophéties de Sarah-Tamar
telles que rapportées dans le Libro Rosso.**

Chapitre 6

Rome

De nos jours

— Oh!

Les jambes repliées sous elle, Maureen était assise sur son lit et regardait la place du Panthéon par la fenêtre. La nuit était tombée et le superbe monument était illuminé. Son exclamation s'adressait aussi bien au spectacle qui s'offrait à ses yeux qu'au récit que Peter venait de lui lire.

— Tu t'imagines? Lorsque Matilda est arrivée à Rome, le Panthéon était exactement comme il est de nos jours. Il est possible qu'elle soit venue sur cette place, et l'ait admiré comme je le fais en ce moment, n'est-ce pas?

— C'est la raison pour laquelle on appelle Rome la Ville éternelle. Les Italiens, et c'est tout à leur honneur, préservent amoureusement les traces de leur histoire.

Depuis qu'il y vivait, Peter avait parcouru toute la ville à pied, en s'attardant particulièrement sur certains itinéraires riches en vestiges de civilisations disparues. À Rome, chaque carrefour révélait un fragment d'histoire. Il suffisait d'ouvrir les yeux.

— Tu es fatigué? lui demanda Maureen.

— J'ai faim. Allons dîner chez Alberto, c'est juste en face.

— Je ne peux pas faire ça, soupira Maureen. Lara, la dame de la réception, m'a dit qu'ils cuisinaient les meilleurs *saltimbocca* de Rome.

— Et en quoi est-ce un problème ?

— Je me haïrais de manger du veau. Alors, ne me tente pas ! Mais je pourrais accepter l'idée de la cuisine florentine d'Il Foro. *Porcini* aux champignons ? Un délicieux *brunello* ? Voilà une récompense digne de ce travail. D'ailleurs, il me semble approprié de déguster de la cuisine toscane, en l'honneur de Matilda.

— Prends mon bras ! Tu sais que j'adore cet endroit.

Ce qu'elle venait d'entendre suscitait chez Maureen une intense curiosité, et elle savait que Peter répondrait plus volontiers à ses questions s'il était bien nourri, et s'il se détendait un peu. C'était un linguiste distingué, mais la traduction de ce genre de texte était éprouvante. En outre, un peu de marche leur ferait du bien à tous les deux. Ils firent une halte à la réception, pour s'assurer qu'il n'était pas utile de réserver une table, et partirent à pied.

Le personnel connaissait Peter, qu'on salua par son nom. On les conduisit à une petite table près de la fenêtre dans l'arrière-salle. Dès que leur eut été servi un verre d'un délicieux vin toscan, Maureen se mit à le questionner :

— Aide-moi à clarifier un point. Le Livre de l'Amour et le Libro Rosso ne sont donc pas un seul et même ouvrage ?

— En effet. Le Livre de l'Amour figure dans le Libro Rosso, tout au moins sa copie. Je pense que cela a été conçu comme le Nouveau Testament du canon traditionnel. Par exemple : nous avons quatre Évangiles, Matthieu, Marc, Luc et Jean. Mais nous avons aussi les Actes des apôtres, écrits par Luc, les Épîtres de Paul ainsi que d'autres lettres, et enfin le Livre de la Révélation. Ensemble, ils constituent le Nouveau Testament. Tu me suis ?

Maureen opina.

— Maintenant, comparons. Voici ce que je déduis du livre que possédait le Maître de Matilda : il existe un exemplaire de l'Évangile de Jésus, appelé le Livre de l'Amour...

Maureen prenait des notes. Elle l'interrompit :

— Un exemplaire. Tu veux dire la copie réalisée par Philippe ? Car l'original, pour ce que nous en savons, était encore en France à l'époque.

— Exact. Et le Livre de l'Amour est suivi des prophéties de la fille de Jésus, Sarah-Tamar. Celle qui concerne l'Élue est fascinante, non ? Quel effet te fait-elle ?

Maureen prit le temps de boire une gorgée de vin avant de répondre :

— Eh bien... Je me sens très proche de Matilda. Physiquement, nous nous ressemblons, même taille, même couleur de cheveux, nous sommes nées le même jour ou presque, nous sommes toutes les deux soumises à la pression de cette prophétie suspendue au-dessus de notre tête, et la mort de Boniface m'a fait pleurer. Cela fait beaucoup de coïncidences.

— Plus que des coïncidences, si tu veux mon avis.

— Quoi donc alors ?

— Je ne sais pas encore. Mais je ne suis pas loin de voir derrière tout cela un plan d'inspiration divine.

— Le temps revient ?... Que crois-tu que cela signifie ?

— Il faut que je travaille encore un peu avant d'avancer une hypothèse.

Maureen comprit qu'il refusait de parler.

— Non, Peter. Donne-moi ta première impression. Pense à voix haute pendant une minute, pour me faire plaisir.

— D'accord. Alors, ma première idée... concerne les prophètes. Tu te rappelles qu'à l'époque du Christ on croyait que Jean Baptiste était la deuxième incarnation du prophète Élie ? En parlant de Jean Baptiste, Jésus fait référence à une prophétie selon laquelle Élie reviendrait pour annoncer la venue du Messie. Plus tard, après la mise à mort de Jean, Jésus a dit : « En vérité, je vous le dis, Élie est venu et ils ne l'ont pas reconnu. » Donc, le retour des prophètes est inscrit dans la tradition biblique.

— Ce serait une sorte de réincarnation ? Jean Baptiste serait la réincarnation d'Élie ? Jésus serait Adam, de

140

retour sur la terre? Sont-ils une seule âme, ou ne partagent-ils qu'une destinée identique?

Peter, ayant reçu un enseignement religieux traditionnel, ne pouvait qu'être heurté par la simple idée de réincarnation.

— Je me garderai bien d'employer ce mot, et de calquer une idée orientale ou New Age sur le phénomène. Mais il y a bel et bien une tradition biblique qui prévoit le retour des prophètes lorsqu'on a besoin d'eux pour accomplir la tâche que leur a confiée Dieu. Dans l'Évangile de Luc, lorsque le retour de Jean est prédit à son père Zacharie, il est dit : « Il se présentera à eux dans l'esprit et la puissance d'Élie. » À mon sens, c'est là qu'il faut chercher, dans l'esprit et la puissance d'un prophète; après lui, il en vient un autre pour achever le travail. Cela dit, le mot esprit peut revêtir plusieurs sens. Littéral, et il n'y aurait qu'un seul esprit. Ce qui nous contraint de réfléchir à la réincarnation. Mais je penche pour une interprétation plus large.

— Le temps revient. Dans mon rêve, Easa m'a dit que c'était la chose dont je devais me souvenir. On trouve ces mêmes mots dans la prière du soir de Matilda. Ce concept avait une extraordinaire importance dans la vie quotidienne de ces gens. Je tiens compte de ce que tu dis, mais, à mon avis, il faut aller plus loin.

— J'en aurai traduit plus dans vingt-quatre heures. Nous continuerons notre lecture, en espérant que la petite comtesse rousse nous apporte quelques indices.

— À Matilda, dit Maureen en levant son verre.

Peter trinqua.

— Le temps revient, ajouta-t-il.

De retour dans son bureau, Peter réfléchit intensément aux surprenantes implications théologiques contenues dans le Libro Rosso.

L'idée que l'apôtre Philippe avait fait une copie du Livre de l'Amour en était une. Philippe aurait fort bien pu écrire son Évangile personnel, dont un exemplaire aurait été trouvé au sein des textes gnostiques découverts en Égypte, à Nag Hammadi, en 1945. Dans le dernier rêve de Maureen, Jésus citait Philippe : « Tu dois t'éveiller en ce corps. » À moins qu'il ne se soit cité lui-même, qu'il n'ait cité le Livre de l'Amour, et que ces paroles aient été attribuées à Philippe par la suite.

La transcription du Livre de l'Amour avait-elle inspiré son propre Évangile à Philippe ? Ce dernier Évangile était-il en fait destiné à perpétuer les enseignements du Livre de l'Amour ? C'était une hypothèse intéressante. Et si, depuis 1945, grâce aux écrits de Philippe, l'humanité disposait d'une version exacte des enseignements de Jésus ? Cela signifiait-il aussi que le Livre de l'Amour bouleversait tout ce que l'on croyait savoir de la sexualité de Jésus ?

L'Évangile de Philippe soulignait les aspects physiques de l'union sacrée et la sainteté de la chambre nuptiale, ainsi que l'importance de Marie Madeleine, la bien-aimée de Jésus. Selon Philippe, leur relation n'était pas anodine ; elle était un engagement profond, elle était sexuelle, et elle était sacrée.

Voilà qui posait de sérieux problèmes. Le matériau gnostique avait été traduit et authentifié par de grands érudits, mais les passages où était soulignée la virilité du jeune Jésus étaient encore controversés. Beaucoup de chrétiens n'étaient pas prêts à l'admettre. Les hommes qui entouraient Peter seraient morts plutôt que d'envisager une telle éventualité. Il en était sûr, et l'indignation de plusieurs membres du comité chargé d'évaluer l'authenticité de l'Évangile de Marie Madeleine le prouvait clairement.

Durant ses heures d'insomnie, Peter décida de concentrer ses recherches sur les récits concernant le labyrinthe. La question était centrale dans les milieux « hérétiques » et les références à ce sujet abondaient dans l'histoire de Matilda. Pour l'aider dans sa tâche, il disposait d'une bibliothèque d'une richesse inégalée. Il se mit fiévreusement au travail.

Il y avait des labyrinthes dans de nombreuses églises gothiques. Peter en connaissait plusieurs en France, et on en trouvait aussi, mais de plus petits, en Italie. Personne n'avait jamais expliqué la présence de ce symbole païen dans des édifices résolument catholiques. Le manuscrit de Matilda fournissait un éclairage inattendu sur le vieux symbole.

Peter savait qu'il s'en trouvait un, très grand et gravé dans la pierre, sur le sol de la cathédrale de Chartres, un chef-d'œuvre de l'art gothique à une centaine de kilomètres de Paris. Il recouvrait presque toute la nef principale, mais Peter n'avait pu le voir lors de ses visites, car, pour des raisons qu'il ne parvenait pas à comprendre, les autorités ecclésiastiques qui administraient la cathédrale avaient décidé, près de deux cents ans plus tôt, de le recouvrir de rangées de chaises amovibles.

Pourquoi l'Église catholique dissimulait-elle ce trésor architectural vieux de huit cents ans et respectant des règles mathématiques précises ? Il était tout à fait digne d'être exposé, et même protégé. Pourtant, les chaises amovibles endommageaient la vieille pierre du labyrinthe sans que nul au sein de l'Église semble s'en soucier le moins du monde. Au mieux, il s'agissait de négligence. Au pire, c'était un acte de vandalisme délibéré commis par ses frères, les prêtres qui avaient fait installer ces sièges. Ce dommage était-il intentionnel ?

La cathédrale était immense, pouvant abriter plusieurs milliers de personnes. On disait qu'elle pouvait contenir un stade de football. Sa hauteur atteignait celle d'un immeuble de douze étages.

Les rangées de chaises supplémentaires n'étaient donc pas nécessaires pour s'y asseoir, sauf peut-être lors de très grandes fêtes, comme Noël ou Pâques. Ces réflexions conduisaient Peter à supposer que recouvrir le labyrinthe était un acte volontaire de dissimulation depuis le début du XIXe siècle, perpétué de nos jours.

En tant que prêtre, il lui était très pénible d'imaginer que l'Église ait pu agir de façon si contraire aux convictions de Jésus. Pourtant, depuis deux ans, il en avait constaté de plus en plus de preuves. C'était un défi qu'il devait relever jour après jour. Concernant la place des labyrinthes dans l'enseignement du Christ, il n'était pas encore prêt à accuser l'Église, mais il estimait que l'on devait respecter ces chefs-d'œuvre de l'art religieux réalisés à l'âge d'or de l'architecture par les maîtres anciens dans les lieux de culte.

Peter parcourut ses notes et les classa par catégories : labyrinthes dans les églises, Italie, France, références bibliques. Le Maître avait parlé du roi Salomon. Cette piste valait la peine d'être explorée. Les raisons d'impliquer Salomon dans l'histoire des labyrinthes étaient nombreuses, la première étant qu'il avait, disait-on, fait construire le Temple de Jérusalem. Et Jésus, fils de la lignée de David – le père de Salomon –, aurait pu hériter des plans du Temple. Il était hautement probable qu'une famille de ce sang et de cette lignée ait préservé des enseignements secrets. Jésus possédait-il les plans du Temple et d'autres édifices construits par la famille ? Le labyrinthe aux onze cycles de Salomon était-il l'un de ces secrets ? Salomon aurait-il transmis autre chose à ses descendants ? Et Jésus aurait-il rapporté cet enseignement dans le Livre de l'Amour ?

En découvrant dans l'histoire de Matilda une référence à un labyrinthe parfaitement conçu, gravé sur la façade ouest de l'église San Martino de Lucques en l'an 1200, celle-là même qui abritait la Sainte Face, Peter fut pris d'un long tremblement. Le labyrinthe de Lucques était unique en son genre. Il était gravé à hauteur des yeux et, de petite envergure, les fidèles pouvaient le toucher avant d'entrer dans l'église. Les labyrinthes de petite taille avaient deux avantages : le premier, et le plus évident, était qu'on pouvait les inscrire dans des lieux où il n'y avait pas de place pour en dessiner un sur le sol. Le second était lié au fait que, gravés en façade, on ne pouvait les dissimuler sous des sièges.

Le labyrinthe de San Martino était le seul à être accompagné d'un texte inscrit dans un cartouche vertical, tout le long du tracé. Il s'agissait d'une légende païenne dont rien ne justifiait la présence sur le mur d'une église catholique :

VOICI LE LABYRINTHE CONÇU PAR DÉDALE LE CRÉTOIS
ET D'OÙ NUL NE PEUT SORTIR APRÈS Y ÊTRE ENTRÉ.

SEUL THÉSÉE Y PARVINT
GRÂCE AU FIL D'ARIANE.

Peter trouva une autre information concernant Lucques dans une obscure référence italienne. Il y aurait eu au centre du labyrinthe une représentation de Thésée, et la suite du texte inscrit dans le cartouche :

ET GRÂCE À L'AMOUR.

Un labyrinthe de onze cycles à Lucques ! Cela ne pouvait être un hasard, pas plus que sa ressemblance avec celui de Chartres. Les labyrinthes de Chartres et de Lucques, par leurs similitudes, semblaient avoir été conçus par la même personne.

La puissance et la pérennité de la légende d'Ariane associaient le labyrinthe et l'union sacrée depuis des milliers d'années ; selon le manuscrit de Matilda, Jésus lui-même en aurait eu connaissance. Il était cependant prouvé que les moines qui l'avaient traduite du grec au Moyen Âge en avaient délibérément changé la signification. Au lieu de conserver les références à l'amour et à la perte, les prêtres avaient réécrit la légende, sans que l'on sache pourquoi, en donnant comme explication une faille dans l'architecture. La présence d'Ariane avait été totalement éradiquée. Cela ne pouvait être une coïncidence. Ariane, effacée de sa propre histoire... Alors que l'objectif de la légende, à l'origine, était de souligner l'importance d'Ariane, la Dame du Labyrinthe, qui protège l'homme qu'elle aime et les innocents grâce à la puissance de son amour. Pourtant, cela disparaissait complètement dans les versions plus tardives.

Marie Madeleine, pour sa part, avait subi le même sort : les hommes d'église avaient réduit son rôle dans la vie de Jésus, quand ils ne l'avaient pas simplement éradiqué. Peter élabora une théorie : Ariane était un symbole allégorique de Marie Madeleine pour les « hérétiques » qui voulaient que se perpétue son souvenir. La survie de Thésée, sa sortie du labyrinthe après avoir affronté la mort, constituait une métaphore de la résurrection. Ariane, qui avait protégé Thésée par son amour, fut le premier témoin du triomphe qui faisait de lui un sauveur, de même que Marie Madeleine, qui avait oint Jésus, fut le premier témoin de la gloire de la résurrection du Sauveur de son peuple. L'union de Thésée et d'Ariane préfigurait peut-être celle de Jésus et de Marie Madeleine ; ainsi les « hérétiques » pouvaient-ils se servir de la légende pour afficher leurs opinions sans craindre de représailles. Le fil d'Ariane ? Un symbole de la dévotion de Marie Madeleine, qui emporta le Livre de l'Amour jusqu'en Europe et consacra sa vie à le protéger. En suivant le fil de la vérité, comme Thésée, il est possible de sortir des ténèbres de l'antre du Minotaure et de trouver la lumière de la liberté.

Le lendemain, après quelques heures d'un sommeil agité, Peter reprit ses recherches et trouva une référence à une église italienne qui piqua sa curiosité. San Michele Maggiore, à Pavie, dans le nord de l'Italie, avait été construite à l'époque de Matilda, et s'était peut-être trouvée sur ses territoires. Un labyrinthe, de nos jours presque entièrement disparu, y avait été inclus au XIIe ou au XIIIe siècle. Mais il en existait des reproductions, que Peter put consulter à la bibliothèque du Vatican. C'était un labyrinthe parfait, aux onze cycles. En son centre, on pouvait lire : « Thésée entra et tua le monstre hybride. »

Cette fois, le monstre n'était pas le Minotaure, mais un centaure, une créature mi-homme, mi-cheval. Apparemment, au Moyen Âge et jusqu'à la Renaissance, on avait délibérément transformé le minotaure en centaure. Était-ce volontaire ? Était-ce une référence au meurtre d'une autre espèce de bête ?

Le « monstre hybride » pouvait-il être l'Église, qui commençait alors à persécuter les « purs » chrétiens ? Peter s'attarda un instant sur cette hypothèse. Au cours des deux années passées, c'était exactement ce que l'Église était devenue à ses yeux. Un hybride de beauté et de souffrance, de vérité et de mensonge. Une institution à laquelle il croyait passionnément une partie du temps, et qui le désespérait pendant l'autre.

Mantoue

1052

— Ce n'était pas un accident, Isobel. J'ai honte d'avouer que je suis parente de ce monstre qui porte la couronne d'Allemagne.

Béatrice, très agitée, arpentait sa chambre d'un pas furieux.

La mort suspecte de Boniface, le 6 mai 1052, avait consterné la Toscane. Nombreux étaient ceux qui murmuraient que l'empereur Henri III en était responsable. En fait d'accident de chasse, cela ressemblait davantage à un assassinat fomenté par un monarque cupide et dévoré d'une jalousie féroce envers le grand Boniface. Bien qu'il eût supprimé cet ennemi, Henri, qui était le cousin de Béatrice, avait manqué de subtilité.

— Heureusement, je suis aussi parente du pape, qui a pris des mesures pour notre protection. Henri n'osera pas confisquer les richesses de Boniface, le risque de représailles serait trop grand. Nos vassaux toscans se soulèveront contre lui, et...

Béatrice baissa la voix afin de s'assurer que seule Isobel pouvait entendre :

— ... nous avons conçu un plan qui ne peut pas échouer.

— Je prierai pour qu'il en soit ainsi, madame, dit Isobel, secrètement terrifiée pour Matilda dont elle devait confier la sécurité à Béatrice.

Béatrice poursuivit, un sourire de satisfaction aux lèvres :

— Le pape Léon a pris des dispositions pour me fiancer immédiatement à Geoffroi de Lorraine.

Isobel eut un hoquet. Geoffroi haïssait ouvertement l'empereur, il s'était rebellé contre le monarque corrompu. Le pape offensait Henri en chargeant Geoffroi de la protection de Béatrice et de sa fille, et en lui attribuant les possessions de Boniface. Et il y avait aussi un autre obstacle, plus délicat à aborder.

— Mais, madame, Geoffroi de Lorraine est votre cousin germain ! L'Église interdit une telle union.

Béatrice y avait réfléchi de longues heures, et elle prouva qu'elle était plus rusée qu'Isobel ne le croyait.

— Nous avons décidé de prononcer nos vœux de célibat avant de célébrer le mariage à l'église. Cela me convient fort bien, car aucun homme ne me touchera plus jamais, maintenant que mon Boniface m'a quittée.

Elle s'adoucit un instant, en veuve réellement éplorée.

— Tu dois comprendre cela mieux que personne, Isobel.

Isobel comprenait, en effet. Même si Béatrice ne pratiquait pas la loi sacrée du *hieros gamos* propre à l'Ordre, elle la connaissait parfaitement. Boniface avait été son amant, son bien-aimé au sens le plus sacré du terme, et elle le pleurerait jusqu'à la fin de ses jours.

— C'est un simple problème pratique, poursuivit Béatrice qui avait repris son masque de femme digne et forte. Il faut à Matilda un défenseur puissant qui protégera ses territoires. En tant que femme, elle ne peut hériter personnellement. Mais je t'ai fait venir pour te dire autre chose, Isobel.

Les deux femmes n'avaient jamais été intimes. En fait, la mère de Matilda était très jalouse de l'amour de sa fille pour sa gouvernante. Isobel avait beau être sûre que Béatrice avait de bonnes raisons de l'informer de son plan, elle ne s'attendait pas du tout à ce qui suivit.

— Pour garantir la sécurité de ma fille, le pape a décidé que Matilda sera fiancée au fils de Geoffroi, le futur duc de Lorraine, et j'ai accepté.

Isobel ne pouvait s'opposer à cette décision, mais son cœur saignait. Le mariage arrangé d'une enfant était un blasphème aux yeux de l'Ordre, car l'amour vrai était le plus saint des sacrements. Béatrice ne se rendait-elle pas compte qu'elle condamnait au malheur sa très spéciale, sa magique petite fille ?

Mais tout avait déjà été irrévocablement conclu. La délicieuse petite comtesse de Canossa était promise à un jeune homme que l'on connaissait déjà sous le malheureux surnom de Geoffroi le Bossu.

Lorsque le pape Léon IX, cousin de Béatrice, mourut subitement au printemps 1054, le sort de Matilda et de sa mère prit un nouveau tour. Henri III, en vautour qu'il était, attaqua les territoires italiens qu'il considérait comme siens. Le nouveau mari de Matilda, le duc Geoffroi, l'abandonna pour protéger ses propres terres de Lorraine, qu'Henri, fin stratège, menaçait en parallèle. Privées de toute protection, Béatrice et sa fille furent enlevées et placées sous la garde du roi germain qui venait de se décerner le titre de Saint Empereur romain.

Matilda n'était plus une héritière. D'une seule phrase de l'empereur, elle avait perdu tout ce que la famille de son père avait bâti en plus de quatre générations. L'empereur fit savoir que Béatrice et Matilda vivraient de sa charité et sous ses ordres à la cour germanique de Bodsfeld jusqu'à ce qu'il en décidât autrement. Elles étaient prisonnières, et soumises à un monarque cupide et narcissique qui avait tous les atouts en main.

Matilda n'était encore qu'une petite fille, mais l'injustice de sa situation la marqua à jamais.

C'était trop douloureux. Elle avait perdu non seulement son père bien-aimé, son héritage et sa maison, mais aussi le plus pur amour parental qu'elle eût jamais connu. Isobel, qui n'était plus autorisée à approcher de sa pupille depuis qu'elle avait été enlevée, retourna à Lucques pour prier Dieu de délivrer son enfant adorée.

Bodsfeld, Allemagne

1054

Matilda s'éveilla en sursaut. Une lumière grise filtrait à travers les vitres. En octobre, il faisait froid et sombre, en Allemagne. Pas de soleil, pas de chaleur, qui auraient un peu allégé son chagrin. Elle était prisonnière depuis trop longtemps, et détestait ce pays. Et elle haïssait l'homme qui l'avait amenée ici, qui avait tué son père, volé son héritage, qui humiliait sa mère en la réduisant au statut de mendiante. Mais celui qu'elle détestait le plus était son fils, un petit démon de six ans qui était son cousin et l'héritier du trône d'Allemagne. Qu'un seul enfant puisse inspirer tant de terreur et causer tant de malheurs était incompréhensible, mais cet *infans terribilis*, comme on appelait Henri, était capable de tout et n'était jamais puni. Sa mère, une Française stricte et rigide par ailleurs, se montrait avec lui d'une indulgence qui frisait l'idiotie.

En relevant la tête, Matilda eut une preuve de plus de la méchanceté de son cousin. Elle sentit d'abord quelque chose de gluant sur la nuque. Non. Il n'avait pas recommencé! En passant la main dans ses cheveux, elle constata amèrement que ses jolies boucles dorées étaient enduites d'une matière collante et épaisse. Elle porta les doigts à son visage pour essayer de reconnaître l'odeur de la substance horrible qu'on avait versée sur ses cheveux. Du miel. Du miel et quelque chose d'autre, quelque chose de noir et de huileux, qui durcirait et détruirait ses boucles.

— Maman! appela-t-elle, éperdue.

La captivité n'avait eu qu'un avantage, pour Matilda : dans leur isolement, sa mère et elle s'étaient rapprochées. Matilda s'était aperçue que Béatrice était une femme plus forte et plus instruite qu'elle ne l'avait cru, et que sa soumission à son père était un acte délibéré de respect et non de la faiblesse. Béatrice discutait avec elle de leur situation, envisageait des retournements politiques, et l'informait qu'elles avaient encore des amis et des alliés dans toute l'Europe. Geoffroi de Lorraine semblait les avoir abandonnées, pourtant, c'était un homme puissant et intelligent, qui savait que si Matilda et sa mère recouvraient la liberté, il reprendrait possession du nord de l'Italie. Il avait placé des espions lorrains au château, et avait fait passer à sa femme des mots d'encouragement. Il travaillait à élaborer une stratégie.

Ce serait long, mais c'était sur la bonne voie. Elles avaient perdu une bataille, pas la guerre.

Pour sa part, Béatrice découvrit que son unique enfant survivante était forte et douée, ce qui lui donna espoir en l'avenir. Matilda était incontestablement la digne héritière de Boniface. Cette période de captivité avait eu un aspect bénéfique : elle l'avait endurcie, lui avait donné un sens aigu de la justice, et l'avait instruite des dures réalités de la politique.

En entendant sa fille crier, Béatrice se hâta de quitter la pièce voisine, où elle était occupée à broder. Bien que prisonnières, les deux femmes n'étaient pas traitées misérablement. La mère de Matilda trouvait une consolation dans ce travail manuel qui la calmait et lui permettait de réfléchir.

Elle avait essayé d'apprendre à sa fille, mais cette dernière n'avait que faire des travaux d'aiguille, pas plus que des autres talents féminins qui s'apparentaient pour elle à de la sujétion. Jamais elle ne se soumettrait en ces lieux, jamais.

— Cet abominable Henri m'a de nouveau versé du miel sur les cheveux !

Matilda ne pleurait pas, elle ne donnerait pas à son cousin cette satisfaction. La première fois, le miel était parti facilement et n'avait en rien abîmé ses beaux cheveux. Il avait donc concocté une mixture plus nuisible, qu'elle ne parvenait pas à identifier, et qui commençait à se solidifier.

— Vite, maman, il faut les laver avant que ça ne durcisse encore plus. Je ne veux pas lui faire le plaisir de me couper les cheveux !

Béatrice savait se faire obéir, même en captivité. Elle ordonna que lui fussent apportés de l'eau chaude et le savon épais fabriqué à partir de racines coupées dans la forêt des Ardennes par la population locale. Ce savon était un détergent puissant, destiné au linge, mais il fallait employer de grands moyens si elle voulait sauver la chevelure légendaire de sa fille.

— Je ne lui ai jamais rien fait, protesta Matilda. Pourquoi me déteste-t-il tant ?

— Il est jaloux de toi, et c'est le rejeton d'un père diabolique et d'une lourdaude. Que Dieu vienne en aide à l'Allemagne s'il en devient un jour le roi. Il n'est même pas assez intelligent pour mener des cochons à l'auge. Et s'il est si malfaisant à six ans, seul le bon Dieu peut imaginer ce qu'il sera capable de faire lorsqu'il aura tous les pouvoirs, et qu'il connaîtra celui de la corruption...

Depuis le jour de leur arrivée en Allemagne, l'héritier du trône terrorisait Matilda sans relâche. Il passait ses journées à inventer des moyens de la rendre malheureuse, et ses nuits à exécuter les plans qu'il avait élaborés. Il s'en prenait souvent à ses cheveux, qui l'obsédaient littéralement. Il lui arrivait aussi de la poursuivre, armé d'un arc et d'une flèche miniatures, en hurlant :

— Je suis Boniface, le duc de Toscane, et je suis mort !

Puis il faisait semblant d'être atteint à la gorge et s'écroulait au sol en gigotant, feignant les affres de l'agonie.

Matilda avait été élevée dans la religion de l'amour, elle priait chaque nuit avec ferveur. « Mon Dieu, je vous en supplie, pardonnez-moi de le mépriser autant. Je sais que vous nous avez dit qu'il fallait aimer ses ennemis, mais là, c'est au-dessus de mes forces. »

En dépit de ses efforts et de l'enseignement du Maître, la leçon du *Pater Noster*, « pardonnez-nous nos offenses comme nous pardonnons à ceux qui nous ont offensés », serait toujours pour elle la plus difficile à appliquer. Pourtant, Henri le Terrible lui donnait maintes occasions de s'y exercer.

Il l'insultait sans cesse. L'une de ses phrases préférées était par exemple : « Mon père dit que tu es à moitié barbare, et que tu ne mérites pas d'être entretenue dans le luxe, mais il n'ose pas te jeter dehors, parce que tu essaierais de rallier tes hordes païennes contre son impériale personne. »

Il racontait aussi des horreurs sur Béatrice, des choses qu'il ne pouvait pas comprendre à six ans, au sujet de son mariage contre nature avec son cousin Geoffroi de Lorraine, qui la rendait odieuse aux yeux de Dieu. Après lui avoir flanqué un bon coup de poing sur le nez,

Matilda avait été enfermée dans sa chambre pendant plus d'une semaine. Son nez était en effet l'unique trait délicat du garçonnet lourd et sans menton, ce que Matilda avait commis l'erreur de dire à la mère d'Henri lorsqu'elle s'était précipitée au secours de son rejeton. Agnès d'Aquitaine faillit s'évanouir devant cette outre-cuidance et exigea que la petite barbare à la chevelure de feu fût retirée de sa vue sur-le-champ. Une telle couleur de cheveux était contre nature, comme l'était tout chez la sauvage créature qui tourmentait son doux agneau.

Béatrice lava soigneusement les cheveux de Matilda, mèche par mèche, et soupira de soulagement. Le miel s'en allait, la substance ne durcissait pas au point qu'il devînt nécessaire de couper ses cheveux, un peu décolorés par le produit. Le temps leur rendrait leur flamboyance naturelle.

Une fois la catastrophe réparée, Béatrice demanda des livres à Fra Gilbert, son confesseur, qui, considéré comme un loyal sujet germain, avait été autorisé à les accompagner dans leur exil. Elle voulait les écrits de saint Augustin, pour les donner à lire à Matilda. Sa mère jugeait important que sa fille poursuivît son éducation, afin qu'elle pût tenir sa place lorsque ce cauchemar prendrait fin, ce qui, à son avis, se produirait bientôt.

Matilda s'assit devant la petite statue de sainte Modesta, offerte par la famille d'Isobel lors de sa naissance. Modesta était sainte au sein de l'Ordre et parmi le peuple de la Beauce, en France, car elle avait consacré sa vie à l'enseignement du Livre de l'Amour. Cette statue était le seul bien que Matilda avait été autorisée à apporter de Toscane. Souvent, elle était aussi son unique réconfort.

Ce soir-là, le dîner de Béatrice et Matilda leur fut servi dans une petite antichambre glacée, et on les y laissa seules. Il se passait quelque chose d'imprévu. La famille ne s'était pas montrée de la journée et, contrairement à son habitude, Henri n'était pas venu se vanter de son méfait, ce qui était très étonnant.

La nouvelle qu'elles apprirent le lendemain matin fut la première dont Matilda pût se réjouir depuis le début de sa captivité. L'empereur d'Allemagne, ce voleur et cet assassin, était mort des fièvres durant la nuit. Le sort de sa famille était plus qu'incertain, car l'Allemagne et les territoires alentour sombrèrent immédiatement dans le chaos. La reine Agnès n'eut guère le temps de pleurer son époux, elle fut nommée régente et unique gardienne de son fils, le futur Henri IV.

Durant trois jours, Matilda et Béatrice furent laissées sans nouvelles et n'aperçurent ni la reine ni son fils. Le quatrième jour, Geoffroi de Lorraine, qui s'était préparé à cette éventualité pendant la longue captivité de Béatrice et de Matilda, se présenta aux portes de Bodsfeld pour faire une proposition à la reine régente. Il prêterait serment d'allégeance à elle et à son fils, et les grands vassaux lorrains suivraient son exemple, afin d'unifier la région et d'instaurer une certaine stabilité dans le royaume en proie au chaos. En échange, Agnès reconnaîtrait la légitimité de son mariage avec Béatrice et leur restituerait les possessions de Boniface.

Dans son désarroi, Agnès accepta. La stratégie politique n'était pas son fort, et elle disposait de trop peu de temps pour prendre conseil, car la crise s'amplifiait rapidement et le sort de son fils était en jeu. Son seul espoir était d'essayer de lui conserver la Lorraine et la Saxonie, livrées au désordre par la mort de son époux, monarque impopulaire et injuste qui avait gouverné par la terreur. Mais sa priorité absolue était l'Allemagne et les territoires alentour. L'Italie était alors le dernier de ses soucis et Geoffroi eut l'intelligence de profiter de la situation. Dans le monde instable de la politique européenne, bien choisir le moment d'agir était essentiel.

La Toscane était en ruine. Tout ce qu'avait bâti la famille de Matilda en quatre générations, une terre de prospérité, où la population s'enrichissait et où les ressources naturelles étaient protégées, avait été détruit par le roi germain en moins de deux ans. Henri avait violé la région, l'avait dépouillée de tous ses atouts, et avait laissé derrière lui un peuple réduit à la mendicité. Sur les voies fluviales, la piraterie avec son cortège de meurtres et de vols, tolérée par la couronne impériale, avait repris ses droits.

Le spectacle que découvrit Matilda au cours de la traversée de la Toscane la bouleversa. Il ne restait rien des villes et des villages animés qu'elle avait visités avec son père, toujours accueilli par des transports de joie. Physiquement épuisée par le voyage dans les Alpes, Matilda l'était plus encore moralement. En entrant dans un village, elle ne comprit pas ce qui se passait. Elle qui avait vécu la captivité et le mépris, elle eut peur de la foule qui s'était assemblée. Cependant, en se rapprochant, elle put distinguer les paroles que scandaient les villageois :

— Ma-til-da ! Ma-til-da !

Des enfants, les bras chargés de fleurs, vinrent à elle en courant et déposèrent leurs offrandes à ses pieds. Leurs parents suivaient, et saluaient le retour de leur bien-aimée petite comtesse. Ce soir-là, dans la chaleur évanouie d'une ancienne salle de banquet du palais d'un seigneur local, Matilda rencontra les villageois. Tous se pressaient pour lui raconter les drames qu'ils avaient vécus sous la férule du féroce monarque étranger. Assise près de sa mère et de son beau-père, Matilda écouta chacun. Les injustices qu'avait subies ce peuple magnifique la touchèrent au plus près du cœur et de l'esprit. Elle les engrangea soigneusement, et fit vœu de trouver le moyen de les réparer dès que sa famille et elle seraient installées dans leur nouvelle vie.

Les villageois demandèrent au duc Geoffroi, désormais leur suzerain, de leur rendre ce qui leur appartenait et de les aider à reconstruire la région sous la protection de ses troupes. Mais ils étaient surtout venus pour voir de près la légendaire petite comtesse, fille de Toscane et enfant élue. C'était Matilda qui incarnait l'espoir de la population du nord de l'Italie. C'était

Matilda qui rendrait à la Toscane sa grandeur passée et sa prospérité.

Il existe des unions si élevées que les mots ne peuvent l'exprimer,
Plus puissantes que les forces les plus immenses, par le pouvoir de leur destin.

Ceux qui les vivent ne seront jamais séparés,
Ils ne font qu'un, au-delà de l'espace entre les corps.

Ceux qui ainsi se reconnaissent vivent une joie inexprimable,
Ils vivent ensemble, dans la plénitude.

Le temps revient.

Quand des Familles de l'Esprit se constituent sur terre, la maison d'El et d'Asherah se réjouit. Ceux qui se reconnaissent sur terre vivent en une plénitude inconnue de ceux qui ne reçoivent pas cette bénédiction.
Plus heureuse que l'union, seule l'est la réunion. Et l'éveil qui s'y produit. Tu dois t'éveiller dans ce corps, car chaque chose existe en ce corps ; seul cet éveil te donnera des oreilles pour entendre et des yeux pour voir. Par ce seul éveil, tu reconnaîtras, et tu te rappelleras, ceux à qui ton destin te commande de t'unir.
À toi, qui as des oreilles pour entendre.

D'après le Livre de l'Amour
tel que rapporté dans le Libro Rosso.

Chapitre 7

Florence

1057

Le duc Geoffroi choisit pour résidence la ville de Florence, qu'il préféra à Mantoue, où il aurait été difficile de rivaliser avec le souvenir vivace de Boniface. Florence offrait un champ d'action plus cosmopolite et plus politique, alors que Mantoue, Modène et Canossa étaient davantage provinciales. Il fit agrandir et restaurer un vieux palais du centre de la ville, proche du baptistère octogonal qui en était le symbole.

Matilda, toute à la joie et à l'émotion de retrouver sa chère Isobel, s'habitua aisément à Florence. Béatrice, fort occupée à gouverner les terres toscanes au nom de sa fille, n'avait plus le temps d'assumer ses tâches maternelles. Même si en Allemagne la mère et la fille étaient devenues plus proches qu'elles ne l'avaient jamais été, Matilda aspirait de toute son âme à la douce tutelle d'Isobel.

La transformation du caractère de Matilda durant sa captivité inquiétait la gouvernante. Elle avait perdu de son innocence et de sa confiance instinctive. De plus, sa passion pour la justice était devenue incontrôlable. Isobel et le Maître comprirent qu'une rude mission les attendait pour que la petite fille apprît à distinguer désir de justice et désir de vengeance.

Le premier était lumière ; le second, ténèbres. En tant que futur chef spirituel, Matilda devait se situer du côté de l'amour chaque fois que cela était possible. L'amour, le véritable vainqueur.

En outre, au regard des buts poursuivis par l'Ordre, Matilda n'avait reçu aucune éducation religieuse durant deux ans, des années critiques dans le développement d'une enfant. Pendant sa captivité, elle n'avait entendu que les interprétations rigides des écritures, qui étaient le lot quotidien de la famille royale germanique. Travailler à en effacer les dommages était un défi à relever. Les grands initiés de l'ordre du Saint-Sépulcre de Lucques en avaient déduit qu'il fallait prendre des mesures d'urgence. Le Maître irait vivre à Florence, où l'Ordre avait un centre, un monastère au bord de l'Arno appelé la Sainte-Trinité, Santa Trinita. Une discrète et un peu mystérieuse confrérie de moines liée à l'Ordre l'avait fait construire au xe siècle, sous les auspices de Siegfried de Lucques, l'arrière-grand-père de Matilda. Les moines n'étaient pas de simples sympathisants de l'Ordre, certains d'entre eux descendaient des plus puissantes familles de la lignée, et ils avaient prêté serment.

Le Maître reprendrait ici l'enseignement de Matilda, leur précieuse Élue, et la ramènerait sur le Chemin de l'Amour. Et tous s'emploieraient à ce qu'elle pût accomplir son destin. On lui expliquerait que Dieu lui avait envoyé l'épreuve de l'emprisonnement et de l'injustice pour qu'elle connût intimement la douleur d'un tel traitement. Elle utiliserait cette connaissance pour prendre ses décisions de chef, pour garder en mémoire l'humanité de chacun de ses vassaux, pour ne jamais oublier que le Livre de l'Amour nous apprend que toutes les âmes humaines sont égales et que nulle ne vaut plus qu'une autre. Si certains êtres semblaient avoir une destinée plus exaltante aux yeux des humains, aux yeux de Dieu, tous les hommes étaient égaux.

Si les cours de Matilda étaient ardus pour quelqu'un de si jeune, le Maître soulignait qu'ils faisaient partie du plan que Dieu avait conçu pour elle, afin qu'elle devînt le plus bienveillant et le plus grand des dirigeants.

Il y avait une autre source d'inquiétude, pour ses mentors : son expérience avec le jeune Henri empoisonnait ses relations avec les enfants de son âge, les garçons surtout. L'avenir dépendrait de son habileté diplomatique, principalement avec des hommes, c'était donc un problème qu'il fallait résoudre. Le Maître décida de mêler Matilda à d'autres enfants, et il commença par un petit orphelin de Calabre, qui lui avait été envoyé en raison de ses dons pour l'étude et de ses dispositions à la direction des hommes. Il avait à peu près le même âge qu'elle et, de l'avis du Maître, serait digne de leur petite comtesse. Patricio avait neuf ans lors de son arrivée, et s'était déjà montré exceptionnel au niveau intellectuel et spirituel. Adorable, doté d'un heureux caractère et d'une forte volonté, il serait ainsi capable de se montrer à la hauteur de Matilda, et même de la défier. Les enfants se ressemblaient assez pour s'entendre, et même se stimuler. La solution était excellente, et résoudrait peut-être le problème de Matilda.

Florence

1059

— Mère, je veux apprendre l'art de la guerre.

Béatrice écarta les documents qu'elle examinait lorsque sa fille, âgée désormais de treize ans et magnifiquement belle, s'adressa à elle depuis le pas de la porte.

— Entre, et parle-moi convenablement, Matilda. Tu ne dois pas hurler de telles choses quand toute la maison peut t'entendre.

Béatrice lui sourit cependant, pour lui montrer qu'elle n'était pas gravement contrariée par son comportement impétueux. Elle s'y attendait, et cela lui plaisait.

— Assieds-toi, ma fille, et dis-moi d'où tu tiens cette nouvelle fantaisie.

— J'ai étudié les lois sur l'héritage.

Matilda s'assit sur un banc en bois, face à sa mère, qui travaillait sur la table de la salle à manger, plus pratique pour étaler tous les comptes. Béatrice était devenue une redoutable et efficace femme d'affaires, ne négligeant aucun des intérêts ni de sa fille ni de son époux.

Elle accorda cependant toute son attention à Matilda, qui avait clairement l'intention de poursuivre sur le même sujet. Lorsque la jeune fille était sérieuse, rien ni personne ne pouvait la détourner de son objectif.

— Selon la loi, une femme n'a pas le droit d'hériter de biens comme les nôtres. Et voici la raison qui est avancée : une femme ne peut pas assurer le service des armes, or les hommes qui possèdent ces biens doivent être capables de les défendre par les armes. J'ai donc l'intention de prouver que je peux mener une armée, tout aussi bien que n'importe quel homme, ou même mieux. Cela fait, plus rien ne s'opposera à ce que j'hérite des biens de mon père. Je monte mieux à cheval que la plupart des Toscans, et Geoffroi dit que je suis meilleure stratège que beaucoup de ses conseillers. Il me suffit donc d'apprendre le métier des armes pour devenir une guerrière accomplie, apte à défendre ses terres.

Béatrice, songeuse, hocha la tête. Si Matilda était née de sexe masculin, elle serait déjà en voie de devenir un grand chef militaire. Son génie pour la stratégie, tant aux échecs que face aux problèmes militaires qu'il lui donnait à résoudre, ravissait Geoffroi. Il autorisait même sa présence lorsque les chefs des régions de Toscane venaient lui faire leurs rapports. Le duc de Lorraine, d'ordinaire considéré comme un homme dur, en était venu à aimer les deux femmes extraordinaires qui étaient entrées dans sa vie et constituaient désormais sa famille. Il avait trouvé en Béatrice une associée solide et digne de confiance, qui administrait avec lui le royaume. Les époux n'avaient jamais consommé leur mariage, mais ils avaient appris à s'apprécier et à éprouver l'un pour l'autre une affection fondée tout d'abord sur le respect, puis, avec le temps, sur la chaleur et le sentiment. Béatrice parlait souvent de Geoffroi comme de son « mari ». Ce dernier avait pour Matilda

une tendresse particulière, tant pour sa force de caractère que pour son intelligence, et il la traitait comme sa
propre fille. Béatrice savait cela.

— Ton beau-père est très indulgent à ton égard, mais
il ne le permettra peut-être pas. La Lorraine est beaucoup plus conservatrice que la Toscane, il doit penser à
sa réputation dans les deux pays.

— Il me le permettra. Il faut qu'il le permette. Si nous
insistons toutes les deux, il cédera. Nous sommes les
deux femmes les plus convaincantes d'Europe, selon ses
propres mots.

— Ma foi, je constate que tu as beaucoup réfléchi à la
question. Ce qui ne m'étonne guère, d'ailleurs. Isobel
est-elle au courant de ton projet ?

Matilda hocha la tête. Elle avait discuté de sa stratégie
avec sa gouvernante et avec le Maître.

— Ni l'un ni l'autre ne s'opposent à quoi que ce soit
qui garantisse mon héritage et protège nos manières de
vivre. Ma force est leur force. Ils savent que je l'utiliserai
pour préserver nos traditions et mes droits. Et ils pensent que Dieu me protégera pendant les batailles.

Plus rien n'étonnait Béatrice de la part de la fille des
deux plus grandes familles d'Europe. Bien que n'étant
pas elle-même disciple des prophéties révérées à Lucques, elle était chaque jour plus convaincue de la pré-
destination de sa fille. Peut-être était-elle en vérité
l'enfant des prophéties dont parlaient les Toscans à
mi-voix depuis sa naissance… Sa force, sa beauté et son
intelligence étaient uniques. Béatrice était fière d'elle, et
supposait que Geoffroi serait impressionné par la tactique envisagée par Matilda pour contourner la loi. Il lui
avait sans doute remis lui-même les documents officiels
et ne saurait être étonné par l'interprétation qu'elle en
avait faite.

— Eh bien, c'est dit. J'élèverai une guerrière, si cela
est ton désir. J'en parlerai à Geoffroi ce soir, dès son
retour. Il faudra qu'il trouve un maître d'armes adéquat,
et des partenaires convenables pour…

— Il n'est pas question de ça ! Me ménager ? Sûrement
pas, mère. À quoi servirait d'apprendre le maniement

des armes en m'entraînant contre de braves garçons à qui l'on aurait recommandé de ne pas me faire mal ? Je veux les plus vaillants chevaliers de Toscane et les plus endurcis.

— Bien sûr, soupira Béatrice, légitimement inquiète de l'audace de sa fille.

Mais elle savait aussi que Matilda n'en ferait qu'à sa tête.

— Tu les auras, si Geoffroi consent.

— Merci, mère, dit la jeune fille en se levant et en esquissant une révérence. Je fais cela pour vous autant que pour moi. Plus personne, jamais, ne nous prendra ce qui nous appartient. Plus jamais un roi germain ne ravagera la Toscane, ne volera nos richesses, ne terrorisera notre peuple. Jamais.

Béatrice contempla la jeune fille à la beauté frappante qui se tenait devant elle. La forme du bas du visage de Matilda, si toscane, lui rappela tellement celle de Boniface que des larmes lui montèrent aux yeux.

— Il serait fier de toi, Matilda.

Les yeux de Matilda se mouillèrent. Il ne se passait pas un jour sans que son père lui manquât. Elle lui parlait chaque soir, en récitant ses prières.

— Il me voit, mère. Je sais qu'il me voit. Et je saurai le rendre fier.

Tout Européen aurait commis une grave erreur en s'imaginant que cette frêle jeune fille ne saurait pas défendre ce à quoi elle avait droit. Geoffroi de Lorraine ne la commit pas. Il accéda à la requête de Matilda et assura personnellement le choix de son futur maître d'armes. Il connaissait l'homme qu'il fallait.

Le couteau frappa la cible en son centre, avec une telle force que l'arbre trembla. Le seigneur de guerre qui avait lancé la lame tourna vers Geoffroi de Lorraine un visage courroucé.

— Pour qui me prends-tu ? Pour une bonne d'enfants pleurnicheuses ?

En cet instant, Conn des Cent Batailles n'aurait pu moins ressembler à une bonne d'enfants, pleurnicheuses ou pas. Il se dirigea à grands pas vers la cible et en arracha son couteau. Pour un homme si gigantesque, il bougeait avec une grâce surprenante. C'était l'heure la plus chaude du jour, et sa vaste poitrine nue était couverte de sueur. Ses longs cheveux, couleur poil de carotte comme sa barbe, et noués dans la nuque par un lacet de cuir, lui donnaient l'allure d'un dieu celte. En fait, le géant, originaire des terres de brume mystiques d'Irlande, était arrivé à Florence sept ans auparavant pour y chercher un emploi de mercenaire. Il n'avait révélé ses raisons à personne.

— Pas le moins du monde, Conn, répliqua Geoffroi, amusé par sa fureur.

Cet homme, qu'il considérait comme un ami, comptait parmi ses plus fidèles guerriers. Lorsqu'ils s'étaient rencontrés pour la première fois, Conn ne lui avait rien livré de son histoire, mais Geoffroi était bon juge des qualités d'un homme, et il décela chez lui de l'intelligence, et bien plus de talents que celui de la force brute. Au cours de leurs trois années de combats côte à côte, le duc avait découvert des trésors cachés chez son allié. Il savait aussi que Conn était trop orgueilleux, trop arrogant, pour accepter d'emblée d'instruire Matilda dans le maniement des armes, surtout à portée d'oreilles de ses hommes. Il devrait batailler, mais Geoffroi était sûr de remporter la victoire. Car il savait quelque chose à propos de Conn. Le géant celte avait une faiblesse pour la jeune fille, dont il vantait souvent les dons d'écuyère et à qui il trouvait, à la voir chevaucher comme le vent, une beauté mythique.

Mais, pour l'heure, il n'y avait rien de faible dans le regard de Conn tandis qu'il ôtait son arme de la cible. Il baissa la voix.

— Tu veux me rendre ridicule aux yeux des autres. Je refuse.

— Tu as du répondant, me semble-t-il, rétorqua le duc.

Puis il ajouta sur un ton plus grave :

— Je comprends tes réticences, Conn. Mais j'ai besoin de toi. Tu es le plus vaillant guerrier et le meilleur stratège de toute la Toscane. Matilda ne fait pas un caprice et il est de la plus grande importance qu'elle soit aussi bien préparée que possible à l'art de la guerre. Je ne veux pas la perdre sur un champ de bataille au prétexte qu'elle ne sait pas se défendre. Cela détruirait sa mère, cela mettrait en péril l'avenir de la Toscane... et cela me tuerait aussi.

Conn grommela entre ses dents en repassant son poignard dans sa ceinture. Geoffroi posa une main amicale sur l'épaule du guerrier.

— J'ajouterai que ce travail sera très bien payé. Et si cela ne suffit pas à te corrompre, pense à une chose...

Geoffroi s'était préparé à devoir jouer tous ses atouts pour emporter l'acquiescement de Conn. Son amour pour son ascendance celte en était un.

— Quand Matilda sera devenue la plus légendaire des reines guerrières, on se souviendra de toi comme de celui qui l'a instruite.

Il avait gagné. Pour un homme de cette origine, honneur et argent étaient deux promesses irrésistibles. Geoffroi lisait de l'espoir dans les yeux du Celte. La négociation était terminée.

— De plus, il faut bien une créature rousse et sauvage pour en comprendre une autre. Quand Matilda sera plus âgée, et que vous chevaucherez ensemble à la bataille, on vous prendra pour des frère et sœur, unis par la même férocité. Vos ennemis trembleront à votre vue et les chroniqueurs graveront vos aventures pour l'éternité.

Conn, ne voulant surtout pas laisser paraître qu'il était secrètement enchanté de la tâche qu'on lui confiait, affichait toujours le même air dédaigneux lorsqu'il passa devant le duc. En le quittant, il cria, de façon à être entendu de tous :

— Bon! Mais il reste à voir ce que toi et moi entendons par bien payé!

***

— Entre, petite Boadicée.

Conn était assis sur un tabouret, dos à la porte. Il avait l'ouïe et les autres sens en alerte, comme tout guerrier expérimenté. Reconnaître qui survenait par-derrière était un talent qui pouvait sauver la vie sur un champ de bataille.

Matilda avala sa salive en entrant dans la pièce, une salle d'armes adjacente aux écuries. Épées et lances étaient suspendues sur tous les murs tandis que des haches et des couteaux étaient posés sur une table grossière. Elle y jeta un coup d'œil en s'approchant de son futur maître d'armes. Même si Matilda était enchantée que Geoffroi l'eût prise assez au sérieux pour la confier au plus endurci des seigneurs de la guerre, elle était impressionnée par la réputation du géant. Pourtant, elle ne voulait en aucun cas paraître intimidée.

Conn lui fit signe d'approcher de la table où il était assis, devant un échiquier. Il ne l'avait pas encore regardée.

— Que ferais-tu, à ma place ? Celui-ci ? (Il désigna le cavalier noir.) Ou celui-là ?

Il montra un fou noir.

Matilda étudia l'échiquier pendant quelques instants avant de répondre :

— Ni l'un ni l'autre.

Conn leva les yeux pour la première fois sur l'adolescente qui allait devenir son élève et retint son souffle. Il l'avait vue de loin, lorsqu'elle chevauchait avec Geoffroi, mais de près, elle était éblouissante. Vêtue d'une grossière tenue d'entraînement, elle était aussi splendide que parée de soieries et de bijoux. Cela serait peut-être un avantage dans la bataille, car les hommes seraient désarmés par son apparence. Il ne fallait négliger aucun des atouts possibles, sa petite taille étant un handicap.

— Pourquoi, ni l'un ni l'autre ? Les deux coups sont bons.

— Oui, mais ils sont tous les deux trop évidents, et valables à court terme seulement. En anticipant de trois ou quatre mouvements, on s'aperçoit que cela n'a servi à rien. Moi, j'attaquerais la tour, ici. Ce sera plus long, mais le roi blanc sera beaucoup plus facile à prendre. Échec et mat en six coups.

— Tu ne me déçois pas, petite. Tu as réussi la première épreuve. Maintenant, assieds-toi, nous allons jouer pour de bon.

— Comment ça, assieds-toi ?

— Est-ce que par hasard ces deux mots auraient un sens que j'ignore ?

— Non, répondit Matilda. Mais je ne suis pas venue pour jouer aux échecs. Ça, je peux le faire avec les vieillards, au château. Je suis ici pour apprendre les armes.

Conn la fit sursauter en se levant d'un bond, vif comme l'éclair, et en faisant tomber le tabouret qui roula au milieu de la pièce. Il lui attrapa le poignet et le tordit dans son dos jusqu'à ce qu'elle criât de douleur. Il le maintint ainsi, pour qu'elle comprît. Matilda ne protesta ni ne se débattit pas pendant qu'il lui donnait sa première leçon.

— Écoute-moi, petite fille. J'aurais pu te casser le poignet en deux. Tu es petite, tes os sont frêles. Celui que tu rencontreras sur le champ de bataille sera plutôt de ma stature que de la tienne. Ce sera un soldat endurci et un homme qui se moquera bien que tu sois une femme, il te traitera comme n'importe quel homme qu'il est décidé à tuer. Ou, pire, il appréciera que tu sois une femme, ce qui signifie qu'il te gardera en vie assez longtemps pour que tu le regrettes. Le problème, petite sœur, c'est que, si par hasard tu tombes de cheval, tu ne pourras pas te battre d'égal à égal avec un homme. Donc, tu devras être plus maligne et plus rapide au corps à corps que ton adversaire.

Conn lâcha doucement son bras.

— Ce qui signifie qu'avant de passer aux armes je voudrais savoir comment fonctionne ton cerveau.

D'un geste théâtral, il désigna l'échiquier.

— Après vous, madame.

Matilda gagna. Mais elle dut reconnaître qu'il était d'une autre force que ses adversaires habituels. Conn était son égal ; leurs relations, qui devaient s'établir sous le signe du respect, s'instauraient sous de bons auspices. Au cours de son apprentissage, Matilda s'apercevrait que Conn était aussi brillant intellectuellement que dans le maniement des armes. Bien qu'il ne révélât jamais rien de son passé, il était de toute évidence un homme éduqué et instruit.

Après la partie, Conn décrocha une petite épée et la lui lança sans la prévenir, pour observer ses réflexes. Il fut impressionné par sa grâce et sa rapidité. La leçon suivante serait consacrée à la manipulation d'une arme et de telles qualités étaient précieuses. Matilda avait déclaré qu'elle voulait se battre un jour avec l'épée de Boniface, mais la lame était aussi haute qu'elle. Alors qu'ils se dirigeaient vers le terrain d'entraînement, dans la chaleur de l'après-midi toscan, Matilda lui demanda :

— Qui est Boadicée ?

— Boadicée ?

— Oui. Quand je suis entrée, vous avez dit : « Entre, petite Boadicée. »

— Ah ! et tu ne sais pas de qui il s'agit. Ce n'est pas étonnant, mais c'est dommage. Alors, écoute bien. Connaître l'histoire de grands chefs militaires te sera fort utile.

Conn lui désigna un banc et entreprit de lui révéler la légende de Boadicée. Ses dons innés de conteur firent monter les mots de son âme à ses lèvres.

— Il faut d'abord que je te parle d'un grand peuple, les Celtes. À une époque, presque toute l'Europe était habitée par des tribus celtiques. On les appelait alors les Keltoï, ou encore les Galli. Ils ont donné leur nom à la Gaule. Ici, en Italie, tu sais sûrement que les Celtes liguriens se sont établis en Toscane et ont notamment bâti ta chère ville de Lucques. Les Celtes avaient un don pour sentir la présence de Dieu sur la terre. C'est comme cela qu'ils choisirent d'établir leurs lieux de culte à certains endroits. Lucques en est un. Il y en a un autre en France, qui s'appelle Chartres. Cette ville est si sacrée qu'elle est devenue le centre de toutes les cérémonies d'initiation des tribus celtiques d'Europe. C'est un lieu d'une beauté et d'une puissance rares.

À la mention de Chartres, Matilda releva la tête.

— Isobel m'en a parlé. Sa mère est originaire d'un endroit appelé la Beauce, qui en est très proche.

— La Beauce est la région ; Chartres, la ville.

— Il y a une école très importante, là-bas...

Matilda hésitait. Elle ne connaissait pas assez bien l'énigmatique géant pour lui parler à cœur ouvert de ses croyances personnelles, désormais considérées comme dangereusement hérétiques par l'Église orthodoxe. Mais Isobel lui avait dit qu'à Chartres, on dispensait les enseignements du Livre de l'Amour. Elle attendit, pour voir s'il prendrait l'initiative d'amorcer le sujet.

Son espoir fut déçu. Conn n'était pas né de la dernière pluie et il se contenta de hocher la tête.

— En effet.

Elle fit une autre tentative :

— Vous y êtes allé ?

— Oui. Mais c'est une autre histoire, pour un autre jour. Un guerrier doit savoir se concentrer sur le sujet en cours. Et notre sujet, présentement, est l'histoire des Celtes et la légende de Boadicée.

Conn avait répondu catégoriquement, et repris le contrôle de la conversation. Matilda hocha la tête sans rien dire et ne lui posa plus de questions. Mais il avait levé un pan du voile en parlant de Chartres, et elle était bien décidée à en savoir plus.

— Les tribus celtiques eurent beaucoup d'adversaires, pourtant aucun ne fut plus périlleux pour leur survie que les Romains. Ce fut le cas dans toute l'Europe, et surtout dans les îles. Boadicée, la reine guerrière, vivait et régnait sur l'une d'elles. Elle était de la tribu celte des Iceni. Après que les Romains eurent envahi ses terres, elle se rebella et leva une armée pour bouter les légions romaines hors de chez elle. Elle avait remporté la première bataille lorsque les Romains décidèrent de punir son audace en enlevant les jeunes femmes de sa tribu, y compris ses deux filles, et en les livrant aux caprices des légionnaires.

Conn s'interrompit en s'apercevant qu'il parlait à une très jeune fille, une vierge sans aucun doute. Inutile d'entrer dans les détails de ces viols de masse.

— Elles furent gravement molestées, beaucoup furent assassinées. Boadicée, leur mère et leur reine, jura de les venger. Elle leva une armée celtique d'une puissance inégalée jusqu'alors et attaqua les Romains. Elle décima les légions qui avaient envahi East Anglia, mais ne s'arrêta pas là. Elle était tellement indignée par la douleur infligée à ces innocentes et par l'injustice de leur sort qu'elle fondit sur la grande ville de Londonium. Le siège de cette place forte romaine fut le plus brutal qu'on eût jamais vu, mais aussi un exemple de stratégie militaire, comme nous le verrons dans d'autres leçons. Voilà ce que tu dois avant tout savoir de Boadicée. Et une dernière chose : beaucoup d'artistes l'ont peinte avec des cheveux de la même couleur que les nôtres !

Il lui fit un clin d'œil et attrapa l'une de ses tresses pour souligner la caractéristique physique qui symbolisait leur parenté spirituelle.

— Pendant qu'elle attendait des renforts, Boadicée apprit que les Romains parlaient des Iceni comme de barbares, ce qui faisait hésiter certains des alliés dont elle espérait le soutien. Les Celtes, vois-tu, ne consignaient ni leurs croyances ni leur histoire par écrit, et ils n'étaient pas enclins à les partager avec des étrangers. Beaucoup de peuples les considéraient comme dangereux et mystérieux. Les Romains, en revanche, se servaient de l'écrit à des fins de propagande répandant l'idée que les Iceni et les autres tribus celtiques étaient des monstres sauvages qui sacrifiaient des enfants à leurs dieux païens. évidemment, c'était de la pure calomnie, les Celtes vénérant toute forme de vie. Mais en feignant de débarrasser le monde d'une race monstrueuse, les Romains rendaient acceptable le massacre de ce peuple.

« Offensée, Boadicée décida de contre-attaquer sur le même terrain. Elle engagea des scribes, chargés de narrer ce que les légionnaires avaient infligé aux jeunes filles iceni, pour montrer qui étaient les vrais barbares. Elle adopta à cette époque le cri de guerre qu'elle conserverait tout au long de sa vie.

Il s'arrêta, pour voir si Matilda écoutait attentivement. C'était bien le cas. Elle buvait ses paroles, impatiente de connaître le cri de guerre de la courageuse

Boadicée. Comme il ne poursuivait pas sur-le-champ, elle l'aiguillonna :

— Alors ? Quel cri ?

— Je pense qu'il va te plaire. Sur la bannière de Boadicée, on pouvait lire les mots : LA VÉRITÉ CONTRE LE MONDE.

Conn s'arrêta là. Matilda était sans voix. C'était la plus belle chose qu'elle eût jamais entendue. Une reine guerrière se battant au nom de la justice contre un puissant adversaire et portant l'étendard de la vérité. Lorsqu'elle reprit enfin la parole, ce fut pour demander :

— Conn, je veux tout savoir des stratégies de Boadicée.

Le géant roux bondit sur ses pieds avec la grâce d'une panthère.

— Alors, viens, petite sœur ! Boadicée n'a pas vaincu les Romains en restant assise sur un banc.

Ainsi commença l'apprentissage de Matilda avec un maître d'armes qui deviendrait son plus farouche défenseur et aussi l'un de ses plus grands précepteurs, sur le champ de bataille et ailleurs. Comme toujours lorsqu'elle l'avait décidé, Matilda excella bientôt dans l'art des armes. Conn lui apprit à compenser le handicap de sa taille et de ses muscles par la grâce et la rapidité de ses gestes, ainsi que par la ruse.

À presque seize ans, la comtesse de Canossa était parfaitement capable de diriger une armée. Et n'avait qu'une hâte : en avoir l'occasion.

Son entourage l'avait toujours considérée comme une enfant téméraire, mais, en réalité, elle avait une peur panique du noir, et détestait s'y retrouver seule, en raison des rêves et des cauchemars qui peuplaient ses nuits depuis l'enfance. Ils étaient le plus souvent bizarres et troublants. Désormais, elle savait qu'elle rêvait de l'époque de Jésus, et que cela faisait partie de la prophétie : l'Élue verrait en songe les derniers jours du Christ, et surtout la Crucifixion. Jusqu'à la veille de son seizième anniversaire, la vision du Christ sur la croix lui avait été épargnée. Mais lorsqu'elle se réveilla le jour de l'équinoxe de printemps, la situation avait changé.

Une foule entourait Matilda, les gens pleuraient, hurlaient. L'impitoyable soleil du début de l'après-midi les écrasait, la sueur et la poussière se mêlaient sur les visages désolés ou furieux. Elle se trouvait au bord d'une route étroite, et la masse manifestait de plus en plus bruyamment. Un petit groupe emprunta la sente, et tout le monde sembla le suivre. C'est à cet instant que Matilda vit la femme pour la première fois.

Elle était seule, tel un îlot sur la marée humaine, et comptait parmi les rares femmes de la foule. Mais ce qui la différenciait le plus, c'était son maintien, qui la désignait comme reine, malgré la saleté recouvrant ses mains et ses pieds. Ses longs cheveux auburn et lustrés, décoiffés, étaient en partie dissimulés sous un voile écarlate. Matilda comprit qu'elle devait rejoindre cette femme, la toucher, lui parler. Elle savait très bien qui elle était. Mais, emportée par la foule dans un mouvement contraire, elle n'y parvenait pas.

— Madame! cria Matilda dans son rêve en tendant la main vers la femme qui se retourna et la regarda. Son visage aux traits délicats était d'une extrême beauté. Mais c'étaient ses yeux qui hanteraient Matilda bien après son réveil. Des yeux immenses, brillants de larmes retenues, couleur d'ambre cendré, emplis d'une infinie sagesse et d'une tristesse insupportable, qui inspirèrent à Matilda un sentiment de profond désespoir.

Tu dois m'aider.

L'échange muet s'interrompit lorsque la femme baissa le regard sur une petite fille qui la tirait par la main. Matilda retint son souffle. Cela faisait des années qu'elle attendait que ce rêve survînt. Elle vit la petite fille prendre sa mère par la main et sut ce qui allait se passer; un garçonnet plus âgé qu'elle, son frère, se tenait derrière elle. La foule se mit en mouvement. Le garçon prit la main de sa sœur, pour éviter qu'elle ne fût emportée. La fillette hurla de terreur, puis Matilda ne vit plus les enfants.

Il commençait à pleuvoir. Dans l'illogique séquence du rêve, Matilda n'était plus au sein de la foule, et elle voyait Marie Madeleine et son voile rouge. Un éclair traversa le ciel d'une noirceur surnaturelle tandis que la femme gravissait la colline, suivie de Matilda. C'était une étrange sensation ; elle était à la fois participante et observatrice. Elle ne savait pas si elle vivait les sentiments de Marie Madeleine ou les siens.

Indifférente aux coupures et aux écorchures, les siennes ou celles de Madeleine, Matilda n'avait qu'une hâte : le rejoindre.

Le bruit d'un marteau sur un clou, métal contre métal, résonna de manière sinistre. Alors qu'elle – ou elles deux – parvenait au pied de la croix, la pluie se mit à tomber à verse. Elle leva les yeux sur lui et des gouttes de son sang se mêlèrent à l'eau sur son visage défait.

Matilda regarda autour d'elle. Madeleine n'était plus en elle. Elle la voyait, au pied de la croix, qui enlaçait la mère du Seigneur apparemment éperdue de douleur. Il y avait d'autres femmes au voile rouge tout autour d'elles, serrées les unes contre les autres. Une femme plus jeune habillée en blanc retint l'attention de Matilda. À ses côtés se tenait un centurion romain à l'attitude plus protectrice que menaçante et au visage empreint de bonté, qui semblait partager la souffrance de la famille éplorée. Il avait, remarqua-t-elle, d'extraordinaires yeux bleus, emplis de larmes qui magnifiaient leur transparence.

On ne voyait plus les enfants, constata Matilda avec soulagement en se remémorant ce qu'Isobel lui avait dit : on avait emmené les enfants afin de les mettre en sécurité avant l'affreux événement qui changerait le monde.

Un autre Romain se tenait près de la croix, dos tourné à la famille. Matilda ne pouvait voir son visage, mais la stature de l'homme l'effraya. Il aboyait des ordres à d'autres soldats romains. Elle n'entendait pas ses paroles, mais on ne pouvait se tromper sur la froide arrogance du ton de sa voix.

Elle s'efforçait de retenir tous les détails de la scène, et remarqua qu'il n'y avait que deux hommes près des femmes, l'un âgé et abîmé dans sa douleur, qui avait passé le bras sur les épaules de l'autre, plus jeune, et qui semblait sur le point de s'évanouir. Elle se souvint des leçons d'Isobel, dix ans auparavant.

« Notre-Seigneur avait un merveilleux ami, du nom de Nicodème. Ni-co-dè-me C'était l'un des deux hommes qui l'accompagnèrent à la mort. »

Ainsi, se dit Matilda, bouleversée, ce jeune homme devait être Nicodème, le grand artiste qui avait sculpté le Volto Santo. Et elle prit conscience qu'elle n'avait pas encore osé regarder le visage de Jésus. Elle releva lentement la tête et reçut de plein fouet la vision sainte et terrifiante du visage le plus beau qu'elle eût jamais vu, inondé de pluie. Même en son agonie, il émanait de lui une lumière et une bonté indicibles. Les cheveux et la barbe étaient tels que Nicodème les avait sculptés. Mais c'étaient ses yeux qui prouvaient l'immense talent de l'artiste qui les reproduirait sur le bois. Immenses, noirs, aux paupières lourdes, et empreints d'une douceur incomparable. Jésus la regarda un bref instant, qui lui sembla durer une éternité. Et il dit, sans que ses lèvres remuent :

« Tu es ma fille, dont je suis satisfait. »

Matilda pleurait, mêlant ses larmes et sa douleur à celles de la famille réunie au pied de la croix. Elle était l'une d'entre eux. Elle était séparée d'eux. Mais ils ne faisaient qu'un.

Il y eut un grand cri, un hurlement de désespoir absolu, qui sortit de la bouche de Marie Madeleine. En levant les yeux vers la croix, Matilda comprit ce qui venait de se passer. L'arrogant centurion qui se tenait près de Jésus avait transpercé son flanc de sa lance, le sang et l'eau coulaient de la blessure.

Le cri de Marie Madeleine se fondait dans le rire sardonique du Romain lorsque Matilda se réveilla aux premières lueurs de l'aube toscane, un millénaire plus tard en ce monde.

— Le Volto Santo ressemble merveilleusement à Jésus.

Le Maître, Isobel et Patricio se figèrent sur place lorsque Matilda entra dans la pièce avec cette extraordinaire nouvelle. Elle était décoiffée, n'avait manifestement pas assez dormi, mais s'était exprimée d'une voix posée et ne semblait pas avoir l'esprit dérangé.

— Que s'est-il passé, Matilda ? demanda Isobel.

La jeune fille raconta son rêve, décrivit en détail les événements auxquels elle avait assisté et les personnages qui en avaient été les acteurs. Elle s'attarda sur la beauté bouleversante de Marie Madeleine, puis dépeignit Nicodème et les soldats romains.

— As-tu vu le visage des centurions ? demanda le Maître.

Matilda hocha la tête. Le Maître, immobile, attendait qu'elle en dît plus.

— Il y en avait un avec des yeux bleus extraordinaires.

— Ce doit être Prétorius, le Romain aux yeux bleus dont parle le Libro Rosso.

Le Maître semblait très heureux de la réponse de Matilda. La jeune fille ne connaissait pas encore l'histoire de Prétorius et de Véronique, qui faisait partie de l'enseignement qu'elle recevrait dès sa majorité, survenue ce jour. Dans la tradition, on ne parlait pas aux initiés de l'union sacrée des bien-aimés avant leur seizième anniversaire. Que Matilda eût vu Prétorius et remarqué la couleur inhabituelle de ses yeux était un signe incontestable de l'authenticité de sa vision, dont d'ailleurs il ne doutait guère.

— As-tu vu le visage de l'autre centurion ?

— Celui qui a transpercé le flanc de Notre-Seigneur ? Non.

— C'est Longinus Gaius, dit le Maître. Je te parlerai de lui un jour. Mais pas aujourd'hui.

— Je n'ai pas vu son visage, mais...

Matilda s'interrompit et se mit à trembler. Le Maître lui adressa un signe apaisant ; il savait que ce spectacle était une rude épreuve pour un être si jeune et si sensible. Mais il était important qu'elle s'exprimât.

— J'ai vu ce qu'il a fait. Et je crois que je ne l'oublierai jamais. Pas plus que je n'oublierai son rire horrible, aussi longtemps que je vivrai.

Le visage du Maître se voila de tristesse et il garda longtemps le silence.

— Non, dit-il enfin. Et tu ne dois pas l'oublier, car tu as reçu une vision divine. Tu dois en chérir chaque instant, même ceux qui sont difficiles à supporter. Continue, mon enfant. Qu'as-tu vu d'autre ?

La voix rauque, Matilda tenta de relater le moment où Jésus était sur la croix.

— Il était... si beau. Et si bon. Et je ne pouvais penser qu'à l'extraordinaire ressemblance de ses cheveux noirs et de ses yeux avec ceux du Volto Santo. C'est vraiment une Sainte Face, car c'est la sienne.

Ils poursuivirent leur conversation au sujet du rêve. Patricio posa plusieurs questions sur les personnages présents. À ses yeux, c'était un événement fabuleux, qui faisait revivre le passé. En tant que membre de l'Ordre qui atteindrait bientôt la majorité, il était passionné par l'histoire des fondateurs, Joseph d'Arimathie et Nicodème. Matilda lui raconta tout ce dont elle se souvenait, le maintien digne du vieil homme, le soutien qu'il dispensait au plus jeune, et affirma qu'elle était certaine qu'il n'y avait pas d'autre homme présent.

Isobel désirait une description détaillée de Marie Madeleine. Les deux femmes pleurèrent ensemble tandis que Matilda dépeignait le courage et la douleur qu'elle avait démontrés devant l'horrible scène.

— Matilda, nous avons un cadeau pour toi.

Le Maître quitta la pièce et y revint avec une boîte en bois au couvercle gravé du symbole sacré en forme de diamant.

— Nous avions prévu de t'offrir ceci aujourd'hui, pour ta majorité, et ce jour est particulièrement bien choisi. Au nom de Notre-Dame, Marie Madeleine, et au nom de l'ordre du Saint-Sépulcre fondé par Nicodème, Joseph d'Arimathie et saint Luc pour honorer sa mémoire, nous te donnons ceci, avec tout notre amour.

Matilda n'avait pas autant pleuré depuis la mort de Boniface. Mais les mots du Maître avaient pour elle plus de valeur que tous les cadeaux matériels, et la touchaient au cœur. Elle ouvrit la boîte, où reposait une bague identique à celle que portait Isobel, avec ses étoiles entourant un disque central. C'était le sceau de Marie Madeleine, tel que reproduit dans le Libro Rosso. Celle d'Isobel était en cuivre, celle de Matilda, en or. C'était un beau présent, digne d'une comtesse toscane.

Elle glissa la bague au quatrième doigt de sa main droite, celui que l'on dit directement relié au cœur. Elle lui allait parfaitement.

— Je ne l'enlèverai jamais, dit-elle à travers ses larmes. Jamais.

Elle les remercia mille fois et passa le reste de la journée à suivre son enseignement, en dépit de ses pleurs intarissables. Elle était bénie entre toutes les femmes d'avoir de tels amis. Elle leur demanda de finir l'après-midi en parcourant ensemble le labyrinthe jusqu'en son centre, pour dire le *Pater Noster* comme le recommandait l'Ordre, selon chacun des six pétales. Après la prière, elle réaffirma sa volonté de faire construire une église digne de recevoir la Sainte Face, et à la mesure de sa gratitude d'avoir été bénie d'une telle vision.

Ce fut sans aucun doute l'un des plus beaux jours de son existence mémorable.

Il en alla ainsi qu'en le sombre jour du sacrifice de Notre-Seigneur sur la croix, un centurion du nom de Longinus Gaius ajouta aux tourments qu'il subissait aux dernières heures de sa vie. Cet homme de Ponce Pilate était celui qui avait flagellé Notre-Seigneur Jésus-Christ en prenant plaisir à infliger ces souffrances au fils de Dieu. Comme si cela n'était pas assez d'ignominie, ce fut aussi lui qui transperça le flanc de Jésus sur la croix.

Au moment de son passage de ce monde dans l'autre, on dit que Notre Père qui est aux cieux parla directement au centurion.

Longinus Gaius, en ce jour, tes mauvaises actions M'ont offensé, comme elles ont offensé tous les humains au cœur tendre. Ton châtiment sera la damnation éternelle, la damnation sur terre. Tu erreras pour toujours, sans que te soit accordé le bénéfice de la mort, et chaque nuit tu seras tourmenté par des rêves et par les souffrances que tu as provoquées. Ce châtiment se poursuivra jusqu'à la fin des temps, ou jusqu'à ce tu accomplisses une pénitence digne de rédimer ton âme souillée, au nom de Mon fils Jésus-Christ.

À cette époque, Longinus n'avait pas ouvert les yeux sur la vérité, et sa cruauté sadique était au-delà de toute rédemption. Mais l'enfer de sa condamnation à l'errance éternelle sur terre le rendit fou. Il se rendit donc en Gaule, afin de supplier Notre-Dame Marie Madeleine de lui accorder son pardon. Dans sa grande bonté, elle lui pardonna et lui dispensa les enseignements du Chemin comme elle l'aurait fait pour n'importe quel autre nouveau disciple.

On ignore ce qu'il advint de Longinus Gaius ; il n'est mentionné dans aucun texte romain, ni dans ceux des disciples de la première heure. On ne sait s'il se repentit sincèrement et si fut levée la juste sentence divine, ou s'il erre encore sur cette terre, damné pour l'éternité.

**Histoire du centurion Longinus
telle que rapportée dans le Libro Rosso.**

Chapitre 8

Cité du Vatican

De nos jours

En franchissant les portes majestueuses de la basilique Saint-Pierre, Maureen s'accrocha fermement au bras de Peter. À une autre époque de sa vie, rien n'aurait pu la contraindre à y pénétrer, elle détestait trop les aspects les plus dogmatiques de l'Église catholique. Mais, depuis la découverte de l'Évangile de Marie Madeleine, elle avait changé. Bien qu'elle ait gardé toutes ses réticences au sujet de la politique menée par l'Église, elle s'efforçait de se comporter en disciple de Marie Madeleine, qui avait tant prêché les vertus du pardon.

Cependant, la basilique, siège de l'évêque de Rome, était manifestement destinée à impressionner ses visiteurs. Elle respira à fond et suivit Peter qui la guida immédiatement vers la droite du lieu de culte.

Maureen était au Vatican pour rencontrer le père Girolamo DiPazzi, qui avait demandé à la voir. Peter avait bien l'intention de la présenter lui-même et de l'aider à passer les divers contrôles draconiens qui garantissaient la sécurité du plus petit et du plus insulaire des états du monde. Avant la réunion, ils avaient décidé de rendre une visite à leur petite comtesse.

— Il faut d'abord que tu voies ce que le génie d'un artiste exceptionnel peut créer, dit Peter en désignant la

178

première niche sur sa droite, où les flashes des visiteurs agglutinés crépitaient, signalant une attraction de première importance. En s'en approchant, Maureen eut le souffle coupé par la beauté absolue du spectacle qui s'offrait à elle. Le chef-d'œuvre de Michel-Ange, la *Pietà*, semblait irradier de l'intérieur. La majesté sereine du visage de la Vierge Marie, le corps de son fils dans les bras, était sublime et effrayante à la fois. Maureen attendit que la foule se disperse pour faire quelques pas supplémentaires vers la sculpture. Cette dernière reposait sous une cloche de verre épais depuis qu'un fou avait tenté de la détruire au cours des années 1980.

— Comme elle a l'air jeune..., observa Maureen. N'est-ce pas étrange qu'elle paraisse plus jeune que l'homme sur ses genoux, censé être son fils ? Est-ce que cela pourrait être une autre Marie ? La nôtre, par exemple ?

Peter sourit en secouant la tête.

— Non, ne vois ici aucun complot ! Michel-Ange s'en est expliqué lui-même : la pureté de la Vierge était telle qu'elle paraîtrait éternellement jeune.

Pas totalement convaincue, Maureen hocha la tête. Quelle qu'elle soit, cette Marie était splendide.

— Mais que fais-tu de l'arbre généalogique qu'a reçu Bérenger ? Il s'achève avec Michel-Ange, avec une carte d'accompagnement spécifiant : « L'art sauvera le monde. » Et c'est la même personne qui m'a envoyé mon document. Il y a forcément un rapport entre les deux.

— Celui qui t'a envoyé le paquet t'a aussi agressée à main armée pour te voler !

— On ne peut pas en être certain.

— Qui d'autre, voyons ? Allez, viens. Je vais te présenter l'énigmatique comtesse de Canossa, ajouta-t-il en l'entraînant quelques mètres plus loin.

— Elle est ici ? à une place si importante ? fit Maureen, étonnée par le majestueux monument de marbre qu'elle avait sous les yeux. Et, excuse-moi de te le faire remarquer, mais sa tombe est très proche de la *Pietà* de Michel-Ange ! Considères-tu que ce soit une simple coïncidence ?

La statue du Bernin qui ornait la tombe de Matilda montrait une guerrière de style classique, plus grande que nature, en tunique, un bâton ostensiblement placé dans la main droite, symbolisant ses victoires en termes de batailles et de stratégie. Elle serrait la tiare papale contre son corps, de la main qui tenait la clé de saint Pierre.

— Quelle étrange façon de représenter une femme au Vatican ! Et lui donner la clé de l'Église ! Qu'en penses-tu, Peter ?

Au lieu de répondre, Peter traduisit pour Maureen les mots inscrits sur la tombe de Matilda :

— « Le très Saint-Père Urbain VIII transféra ces ossements du monastère de San Benedetto de Mantoue, ceux de la comtesse Matilda, une âme noble au service de l'église apostolique, réputée pour sa piété et célébrée pour sa générosité. En l'an 1635, avec une gratitude éternelle. »

— C'est captivant ! Mais ça ne nous explique pas pourquoi elle tient le symbole de la papauté en main.

— En effet, ça ne nous l'explique pas, répondit Peter en souriant.

— Mais toi, tu sais quelque chose que tu me caches, n'est-ce pas ?

— Chut, dit Peter en jetant des regards furtifs autour de lui.

Les murs, en ce lieu, avaient vraiment des oreilles.

— J'ai continué de traduire hier soir. Je t'en parlerai cet après-midi.

— C'est insupportable, de mettre ma curiosité à telle épreuve !

— Je sais, mais nous devons être prudents. Entre-temps, je vais te montrer les autres œuvres du Bernin qui sont ici. Elles sont magnifiques !

Peter entraîna sa cousine jusque devant la pièce maîtresse de la basilique, le baldaquin du Bernin qui se trouvait sous le dôme. L'artiste y avait mêlé l'architecture, la sculpture et la spiritualité. C'était un dais immense, soutenu par quatre colonnes en bronze sculptées, que le Bernin affirmait avoir reproduites d'après un dessin exécuté par Salomon pour le premier Temple. Le baldaquin indiquait la place de la tombe de saint Pierre, au centre de la basilique qu'avait fait construire l'énigmatique pape Urbain VIII.

Les niches entourant le baldaquin abritaient des statues de personnages du Ier siècle. Maureen reconnut tout de suite sainte Véronique avec son voile, mais la gigantesque représentation d'un centurion romain armé d'une lance l'intrigua.

— Qui est-ce ?

— Longinus Gaius. Le centurion qui a transpercé le flanc du Christ.

Maureen frissonna. Dans son Évangile, Marie Madeleine décrivait cet homme comme dur et cruel, et l'accusait d'avoir ajouté aux souffrances de Jésus sur la croix. N'était-il pas étrange que le Bernin en ait créé une image si majestueuse, au sein même du Vatican ?

Peter alla au-devant des questions que se posait la jeune femme.

— On suppose que le Bernin a sculpté des statues en rapport avec les saintes reliques abritées ici. Urbain VIII fut semble-t-il un chasseur de reliques acharné. Le voile de Véronique, par exemple, devait être conservé sous sa statue. La « lance de la destinée », comme on surnomma l'arme de Longinus, était elle aussi censée rester à ses côtés. Mais le Vatican n'en possède qu'un morceau, il y en a un autre dans un musée autrichien et le reste a disparu. On disait que, comme l'Arche d'alliance, elle avait des pouvoirs magiques. Ce fut l'une des reliques les plus convoitées de l'Histoire.

— La lance de la destinée ? répéta Maureen.

Peter hocha la tête, puis consulta sa montre et mit fin à leur visite de la basilique. Il était l'heure du rendez-vous dans les bureaux de la congrégation.

Maureen ne s'attendait pas à rencontrer un homme d'une telle vivacité d'esprit, mais ce qui l'étonna le plus fut qu'il soit charmant, chaleureux, et si manifestement désireux de la mettre à l'aise. Il fit servir du thé, que Maureen savoura en connaisseuse ; c'était un thé irlandais au goût prononcé, de sa marque préférée. Pourquoi un prêtre toscan boit-il un thé du comté de Cork ? se demanda-t-elle, intriguée.

Peter les avait laissés seuls, afin qu'ils puissent parler en privé. Il avait préparé Maureen à la discussion en lui décrivant la remarquable expertise du vieux prêtre, mais aussi en lui rapportant ses mises en garde. Le père Girolamo DiPazzi avait vu juste. Quelqu'un se servait de Maureen et il fallait qu'ils découvrent son identité.

— Vous pensez que ceux qui ont envoyé ces documents à mes amis et à moi sont aussi ceux qui nous ont agressées ? lui demanda Maureen.

— Je le pense, oui. Si cela ne vous ennuie pas, voulez-vous me décrire exactement ce qu'ils ont volé ?

Maureen lui raconta comment le livre rouge lui avait été remis par la petite fille et subtilisé par l'homme armé. Elle n'alla pas plus loin. Maureen et Peter n'avaient parlé à personne au Vatican de l'autobiographie de Matilda. Ils avaient appris à leurs dépens ce qu'il en coûtait de se dessaisir de documents originaux.

Le vieux prêtre continua de l'interroger :

— Vous n'avez pas vu ce qu'il y avait dans le livre ?

— Non, il était fermé à clé et mon agresseur me l'a pris avant que j'aie pu l'ouvrir.

— De quoi pensez-vous qu'il s'agisse ?

— Je ne sais pas. Je suis désolée. Tout s'est passé si vite !

Le père Girolamo DiPazzi changea de sujet.

— Êtes-vous disposée à me parler de vos rêves et de vos visions ? Cette question me passionne, et c'est pour cette raison que je vous interroge. Cela dit, si je puis vous être d'une aide quelconque, vous pouvez bien sûr compter sur moi. Il est important que vous puissiez me faire confiance. Ce que je désire le plus, c'est vous protéger contre ceux qui vous utilisent à leurs propres fins.

Maureen, qui l'avait délibérément trompé au sujet du livre rouge, ressentit l'obligation d'accéder à sa demande.

— Volontiers. Que voulez-vous savoir ?

— Vous avez des visions de Marie. Des visions en état d'éveil ainsi que des rêves.

— Oui, mais ce n'est pas votre Marie.

— Vous n'avez jamais vu la mère de Notre-Seigneur ? Elle ne vous est jamais apparue ?

— Non.

Maureen ne faisait pas exprès de répondre de manière si brève, mais elle n'était jamais très à l'aise avec les hommes d'église et ne se sentait pas encline à se confier à eux. Les vieilles habitudes ont la peau dure, et le vieux prêtre ne lui avait pas encore donné assez de raisons de se fier à lui. Girolamo poursuivit cependant avec amabilité :

— Votre cousin m'a dit que le Seigneur vous parlait en rêve.

S'efforçant de se montrer diplomate, Maureen lui donna une version abrégée de ses rêves récents, où figuraient Jésus et le Livre de l'Amour.

— Et dans ce livre qu'il semble être en train d'écrire, l'interrompit le prêtre, les pages sont-elles, par hasard, nimbées de lumière bleue ?

Maureen sursauta.

— Mais oui ! Comment pouvez-vous le savoir ?

— Parce que ce n'est pas la première fois que je l'entends.

— Qui vous en a parlé ?

— C'était au cours d'une consultation confidentielle, ma chère amie, je ne peux donc pas révéler la source. De la même façon que je ne confierai à personne ce que vous me dites aujourd'hui. Savez-vous pourquoi les mots semblent danser dans cette lumière bleue ?

Maureen fit « non » de la tête.

— Parce que tous les Évangiles sont écrits pour ceux qui ont des oreilles pour entendre et des yeux pour voir ; même selon notre canon, il existe des passages que personne n'est capable de lire ou d'interpréter. Si Notre-Seigneur a vraiment écrit un Évangile de sa propre main, il est probable qu'il l'a fait de telle façon que ses enseignements ne tombent pas entre les mains de n'importe qui.

— Pourquoi Jésus écrirait-il un livre auquel tout le monde ne peut pas accéder?

— Parce qu'il vivait à une époque où il n'y avait pas d'imprimerie ni de grande distribution et qu'il ignorait que viendrait le jour où des milliards de personnes sauraient lire. Il écrivait pour léguer un outil d'enseignement à des disciples capables d'interpréter ce qu'il désirait nous faire savoir.

Maureen acquiesça.

— Peut-être était-ce par mesure de précaution. Si le livre tombait entre de mauvaises mains, personne ne pourrait s'en servir pour les décréter, lui et ses disciples, blasphématoires.

— C'est très possible. Nous ne le saurons jamais. Mais vous voyez, j'ai pu éclairer un peu vos rêves, malgré votre réticence à venir ici. Personne au monde n'a plus d'expérience que moi en la matière. J'espère que vous vous sentirez libre de faire appel à moi si vous éprouvez le besoin d'en parler davantage. Et je vous en prie, pour votre sécurité, prévenez-nous si l'on tente de prendre contact avec vous.

Maureen, courtoise, le remercia pour le thé et les moments passés en sa compagnie, et accepta d'assister à une prochaine conférence de la congrégation sur l'apparition de Notre-Dame de Knock. Elle savait que Peter apprécierait sa tolérance envers certains hommes d'église. Tomas DeCaro ne s'était-il pas avéré d'une aide précieuse lors de sa quête de Marie Madeleine? Et le père Girolamo DiPazzi avait été charmant. On pouvait peut-être espérer que des hommes comme eux réfléchiraient et se laisseraient pénétrer par la vérité. Tel était le vœu qu'elle formula intérieurement en traversant le Tibre pour regagner son hôtel.

Le parfum des lys l'assaillit avant même qu'elle ait ouvert la porte de sa chambre, qui, en effet, en était remplie. Elle sourit, certaine, cette fois, de connaître l'expéditeur. Bérenger Sinclair avait téléphoné à maintes reprises depuis sa mésaventure d'Orval, ils avaient échangé des messages, sans parvenir à se joindre directement. Elle savait qu'il était inquiet pour elle, et la sécurité et le bien-être qu'elle éprouvait en sa compagnie lui manquaient. Elle caressa l'idée de négocier une trêve entre Peter et Bérenger, dont elle ne pouvait plus longtemps feindre d'ignorer la brouille.

Bérenger n'était pas homme à se laisser oublier. Sur la petite carte d'accompagnement, elle lut :

Je suis dans une suite du quatrième étage. On dîne ensemble vers vingt heures ?

Maureen éclata de rire. Il lui laissait quand même le temps de se préparer. Elle avait trois heures devant elle pour prendre une douche et se changer.

La jeune femme ouvrit grand la fenêtre de sa chambre, pour admirer la piazza. La fontaine roucoulait autour de son obélisque, sous les yeux de touristes assis sur les marches de marbre, prenant des photos et dégustant des panini. Elle croisa le regard de l'un d'eux et sursauta. Un individu se tenant au pied de la fontaine regardait vers sa fenêtre. Elle avait déjà vu cet homme. Il portait un sweat-shirt à capuche et des lunettes noires.

Rome

De nos jours

INUTILE.

La réunion improductive était terminée. Le chef des hommes encapuchonnés resta seul, pour réfléchir dans le calme. Il arracha le tissu bleu nuit qui lui couvrait le visage avec un geste de dégoût. Les jeunes recrues étaient enthousiastes, mais elles manquaient de sens commun. Elles aimaient être armées et jouer au soldat, mais on ne pouvait leur demander de penser. Il devenait trop vieux pour porter seul ce fardeau. Le court voyage en Belgique l'avait épuisé.

Et cet imbécile s'était laissé voir sur la piazza ! Il allait devoir désigner quelqu'un d'autre pour assurer la surveillance de cette femme. Dieu, que c'était fatigant !

Que ces hommes n'aient pas encore réussi à localiser Destino ne l'étonnait guère. Ce dernier n'avait jamais été un gibier facile.

Destino disposait de nombreuses cachettes sur le continent. Il pouvait être n'importe où. En Italie ou en France, sans doute, mais il allait aussi en Suisse, en Belgique et en Hollande. Muni de plusieurs identités, connu sous d'innombrables noms différents depuis tant d'années, il restait introuvable tant qu'il ne voulait pas se montrer.

Et il était évident que Destino ne voulait pas se montrer pour l'instant.

Il y eut trois promesses, à l'aube des temps, et les trois sont sacrées.

La première promesse est faite à Dieu, vos Père et Mère qui sont aux cieux. Elle symbolise votre mission divine, celle que vous devez accomplir à l'image de vos Créateurs. C'est la raison de l'incarnation, et l'aspiration de vos âmes.

La deuxième promesse est faite à la Famille de l'Esprit au sein de laquelle vous fûtes créés, et à laquelle vous appartiendrez pour l'éternité. Elle concerne votre rapport à chacune des âmes de la famille, et la façon dont vous avez accepté de les assister dans leur mission, comme elles vous aident dans la vôtre.

La troisième promesse est faite à vous-même. Elle représente votre désir d'apprendre, de croître et d'aimer dans le temps de l'incarnation.

Respectez les trois promesses que vous avez faites, car elles sont sacrées au-delà de tout. Ne les oubliez pas, chérissez-les, et vous connaîtrez les joies les plus infinies que puisse ressentir l'humanité. N'agissez pas contre vos promesses sacrées, car telle est la définition du péché.

À toi, qui as des oreilles pour entendre et des yeux pour voir.

**D'après le Livre de l'Amour
tel que rapporté dans le Libro Rosso.**

Florence

Printemps 1062

Bien qu'épuisée, Matilda était heureuse jusqu'au tréfonds de son être. L'émotion intense ressentie durant son rêve de la nuit précédente et la journée exceptionnelle passée à l'Ordre avaient eu raison de sa résistance. Pourtant, la célébration de son seizième anniversaire n'était pas terminée, car Béatrice et Geoffroi offraient un somptueux banquet en son honneur. En jetant un coup d'œil au lieu de réception, Matilda murmura une brève prière au Dieu de bonté qui envoyait sur elle la bénédiction d'être entourée de tant de gens qui l'aimaient. Le Livre de l'Amour recommandait de dire chaque jour des actions de grâces, et elle était profondément reconnaissante du sort qui lui était dévolu.

À la fin du repas, son beau-père se leva. Il avait une déclaration à faire.

— Ma chère Matilda, en l'honneur du jour de ta majorité, nous avons voulu t'offrir un cadeau très particulier.

Conn entra, une grande caisse en bois dans les bras. Il s'était habillé et préparé pour l'occasion et Matilda s'aperçut qu'elle ne l'avait jamais vu ainsi apprêté. Avec son opulente chevelure rousse bien coiffée, vêtu d'une riche tenue de gentilhomme, c'était un homme remarquablement séduisant. Elle observerait plus tard l'intérêt tout particulier de plusieurs des femmes pour le Celte à la virilité triomphante. Il n'aurait sans doute qu'à choisir parmi les femmes célibataires présentes, et peut-être parmi les femmes mariées, qui toutes le regardaient avec des yeux de louves affamées – à moins qu'il ne décide de passer seul le reste de la soirée. Mais, pour l'instant, il ne s'intéressait qu'à Matilda.

— Voici pour toi, petite sœur, dit-il en déposant devant elle la caisse dont il souleva le couvercle.

Matilda était ébahie. Des vagues de cuivre et de bronze ondulaient sous ses yeux à la lueur des bougies. Lorsqu'elle voulut saisir l'objet, le poids des maillons serpentins la stupéfia. Conn l'aida à coller contre son corps une armure complète, polie à la main de telle façon que le cuivre et le bronze fussent de la même couleur que la chevelure de Matilda. Le col, de la même couleur également, était destiné à protéger sa gorge délicate, mais, incrusté d'aigues-marines, il reflétait les yeux de la comtesse, dont la beauté rivalisait avec celle de Cléopâtre.

La splendeur du cadeau et le soin attentif qu'on y avait apporté émurent profondément Matilda. Elle découvrirait par la suite que Geoffroi et Béatrice avaient commandé l'armure et payé les artisans, mais que Conn avait supervisé chaque détail de sa confection, car il voulait non seulement que l'armure la protégeât, mais aussi que le costume incite le peuple de Toscane à la rallier lorsqu'elle chevaucherait à la tête de ses troupes. Le conteur celte alla jusqu'à exiger que l'armure fût celle d'une reine guerrière légendaire, qui mettrait ses pas dans ceux de Boadicée.

Bien des années plus tard, elle apprendrait aussi que Conn avait prié devant l'armure tous les jours, qu'il y avait versé de l'eau bénite, une eau très particulière puisée dans l'ancien puits de Chartres et qu'il avait invoqué Dieu et les anges afin qu'ils protégeassent sa petite sœur en l'esprit, la comtesse guerrière qu'il avait juré de prendre sous sa garde. Ce serment, il l'avait fait à Dieu, et il entendait bien le tenir, à tout prix.

* * *

Les grandes familles d'Europe se livraient de longues et sanglantes guerres pour s'emparer de l'âme de Rome – près de vingt papes se succédèrent pendant la vie de

Matilda –, lorsque se présenta à Florence Ildebrando Pierleoni, un jeune archidiacre issu d'une influente famille romaine, qui désirait rencontrer le duc de Lorraine et ses conseillers.

Malgré son jeune âge, l'homme, que ses amis appelaient Brando, était un fin politicien, fort avisé et de belle allure, avec des traits bien dessinés et des yeux intelligents d'un gris clair inhabituel pour un Romain. Brando Pierleoni était en outre doté d'un rare charisme, que chacun ressentit lorsqu'il fit son entrée dans le palais du duc.

Geoffroi de Lorraine le salua chaleureusement.

— Nous sommes honorés de ta présence parmi nous, et nous t'offrons toutes nos condoléances pour la perte de ton ami, notre bien-aimé Saint-Père.

— Oui, répondit aimablement Brando, qui ne dissimula pas sa tristesse en évoquant le défunt pape Nicolas, c'était un grand homme, je le regretterai jusqu'à la fin de mes jours. Il fut l'un de mes meilleurs précepteurs.

— Tu en as pourtant eu plus d'un, n'est-ce pas ? précisa Geoffroi, soulignant ainsi qu'il était au courant de l'implication du jeune homme dans la politique de la papauté. Ton oncle lui aussi était un mentor avisé.

Brando Pierleoni était le neveu du pape Grégoire VI, un souverain pontife que le roi Henri III, l'empereur malfaisant qui avait emprisonné Béatrice et Matilda et confisqué leurs biens, avait contraint à l'exil. L'habile Brando avait accompagné son parent en Allemagne et assuré la liaison entre lui et sa famille en cette triste période. Ainsi s'était-il forgé sa réputation de conseiller sage et avisé, bien instruit des méandres de la politique de Rome.

En Allemagne, il ne perdit pas son temps, mais profita de son séjour pour essayer de comprendre les motivations du roi et pour parfaire son éducation auprès des meilleurs clercs de Cologne. Il développa surtout un sens aigu de la justice et du droit, et ses réflexions lui donnèrent la certitude qu'un chef séculier, surtout s'il était aussi cupide et sans pitié que celui-là, n'avait pas à intervenir dans les affaires de l'Église. Durant les longues nuits et les sombres journées de l'hiver germain, il prit la décision de se consacrer à réformer les lois de l'Église de façon qu'elle devînt indépendante du pouvoir séculier et qu'aucun roi ne pût contrôler la succession papale. Brando méprisait l'hypocrisie qui régnait autour de lui, et il se jura de consacrer ses efforts à créer pour les hommes d'Église un environnement favorable à une haute intégrité. Il exigerait que tous les prêtres et tous les évêques cessent de se soucier de préserver leur position et d'accumuler des richesses pour eux et leurs familles. Il aurait l'audace de modifier les structures du pouvoir en Europe si nécessaire, afin que les questions spirituelles fussent administrées par la seule papauté, à jamais. Alors, et alors seulement, Rome serait assez forte, et digne de perpétuer la mission que lui avait confiée l'apôtre Pierre. Tel était le vœu qu'il avait formulé, et il le répétait chaque jour avec ferveur.

Dès son intronisation, le pape Nicolas II avait nommé Brando Pierleoni archidiacre chargé des finances, bien qu'il ne fût pas prêtre. Il demeura un politicien séculier, mais sa piété et sa haute spiritualité étaient connues de tous à Rome. Cependant, nul n'avait joui d'une si haute position au sein de l'Église sans avoir prononcé ses vœux. Ce qu'on appellerait l'affaire de l'infâme Pierleoni ne faisait que commencer.

Au bout de quelques mois, Brando signa une loi qui stupéfia l'Europe. Les familles de Rome et le roi germain seraient désormais privés de toute influence sur l'élection du pape. Un collège de cardinaux en serait dorénavant chargé. Brando ne prenait aucun risque. Son décret garantissait que ni l'aristocratie romaine ni la famille royale germanique ne pourraient désormais faire nommer pape une marionnette à leur service.

Ce décret était la cause du voyage à Florence de Brando. Son mentor le pape Nicolas étant mort, une élection allait avoir lieu, selon le système mis en place par le jeune homme.

— Brando, je vais te parler franchement. Nous aimerions que l'évêque de Lucques, Anselmo DiBaggio, succède au Saint-Père. Tu le sais, c'est un réformateur, comme toi. Opposé comme toi à l'immixtion des Germains dans les affaires de Rome.

Brando hocha la tête. Geoffroi s'émerveilla de l'attitude de l'archidiacre, empreinte de confiance en soi et d'une infinie courtoisie. Il était évident qu'il maîtrisait le jeu. Au cours de la conversation, le duc de Lorraine avait observé l'intelligence de l'archidiacre, qui envisageait toutes les possibilités tout en poursuivant la discussion. La réponse de Brando prouva qu'il connaissait toutes les subtilités de la situation.

— Anselmo est un homme de bien, et c'est un bon choix à bien des égards, mais il y a un obstacle : il a, dans le passé, pris la tête d'une rébellion ouverte contre Henri. L'installer sur le trône papal serait interprété par la Germanie comme un acte d'agression.

— Oui, mais la Germanie considérera toute élection par le collège de cardinaux que tu as mis en place comme un acte d'agression. Mieux vaut donc nommer un pape qui se montre ferme devant toute menace, contre la papauté ou contre les seigneurs d'Italie.

Les deux hommes poursuivirent leur conversation sur les mérites d'Anselmo jusque tard dans l'après-midi, et parvinrent à un accord qui scella une longue et puissante alliance entre la maison de Toscane et Brando Pierleoni. Ces liens se resserreraient encore dans le cours de l'Histoire.

Deux semaines plus tard, l'évêque de Lucques, Anselmo DiBaggio, était élu pape sous le nom d'Alexandre II par le récent collège des cardinaux, chargé de désigner les papes en son sein.

Le choix d'un homme si ouvertement antigermain révolta les évêques de Germanie et l'aristocratie du Nord. Ils exigèrent que la reine régente, Agnès d'Aquitaine, s'y opposât au nom de son fils, le futur Henri IV. Agnès, qui n'avait aucune expérience de la politique pontificale, fut totalement désemparée par la tâche qu'on lui imposait. Comme elle se taisait et n'agissait pas, l'évêque de

Cologne, un homme ambitieux nommé Anno, conçut un complot diabolique. Il enleva sa propre souveraine et retint captif le jeune Henri sur un de ses vaisseaux. Puis il exigea que la régente renonçât à ses fonctions et repartît en France. L'évêque se chargerait de l'éducation du jeune prince afin qu'il devînt un vrai roi pour le peuple germain.

Alors âgé de onze ans, Henri était toujours aussi arrogant, impétueux et turbulent. Il reprocha vivement à ses geôliers de l'avoir arraché à sa mère. En retour, pour soulager leur culpabilité, ses gardiens, les plus hauts dignitaires de l'Église de Germanie, l'encouragèrent dans ses vices, le gâtant. Ils le corrompirent plus efficacement que ne l'aurait fait sa propre mère et façonnèrent un véritable monstre. À quinze ans, lorsque Henri eut atteint l'âge légal pour régner, chacun connaissait ses extravagances et ses penchants pour les prostituées, orgies et excès sexuels en tout genre, qui présageaient des perversions légendaires auxquelles il se livrerait à l'avenir. Les évêques, qui procuraient à Henri les moyens de satisfaire ses goûts, n'hésitaient d'ailleurs pas à participer aux réjouissances.

La mère d'Henri, qui vivait désormais en Aquitaine, entendit parler des dépravations de son fils. La noble et pieuse femme le déshérita et se rangea aux côtés de son peuple, contre la couronne. La réprobation de sa mère acheva de détruire l'esprit d'Henri, désormais au-delà de toute rédemption. Les rumeurs les plus terribles couraient; on parlait de cadavres de jeunes femmes dont il fallait se débarrasser après les folles débauches auxquelles se livrait périodiquement le roi. Les hommes d'Église corrompus qui l'avaient élevé lui avaient inculqué que les femmes n'existaient que pour satisfaire les plus vils de ses désirs. La trahison et la faiblesse de sa mère lui prouvaient que les femmes ne servaient à rien en politique. En fait, elles étaient indignes de toute confiance et méritaient leur destin.

Les évêques du Nord qui exerçaient leur influence sur la couronne décidèrent d'envoyer une armée de mercenaires à Rome, afin de placer de force l'homme de leur choix sur le trône pontifical. Lorsque la Toscane choisit de répliquer par les armes, Matilda, alors âgée de dix-huit ans, insista pour se joindre à la troupe. Elle considérait que l'entreprise était essentielle. Alexandre était son pape, un fier citoyen de Lucques et un défenseur secret de l'Ordre. Elle lutterait pour lui jusqu'à la mort si nécessaire.

Matilda entra dans Rome aux côtés de Conn, à la tête d'un groupe impressionnant de guerriers toscans, et vêtue de son armure étincelante. Le peuple fut à la fois scandalisé et ravi par cette jeune comtesse guerrière qui accourait au secours de son pontife.

Conn s'efforçait d'éloigner Matilda du cœur de la bataille, mais, à la fin de la journée, il dut reconnaître qu'elle s'était battue avec courage et sagesse. Les pertes furent lourdes des deux côtés, et aucun des camps ne pouvait revendiquer la victoire. Sous la protection de la garde toscane, Brando Pierleoni escorta le nouveau pape jusqu'à Lucques, où il serait en sécurité. Matilda reprit la route de Florence avec Conn, et Brando eut l'occasion d'apercevoir l'extraordinaire jeune femme en passe de devenir légendaire. Il la vit de dos, son armure étincelante reflétant le soleil qui inondait les rives du fleuve. Soudain, un rayon de soleil dansa sur le Tibre, l'aveuglant pendant un instant.

Dans un éclair de prescience, Brando sut que leurs chemins se croiseraient à nouveau.

Henri IV était lui aussi à Rome lorsque Matilda parcourut la ville dans toute sa gloire. Cette vision lui brouilla la vue et ajouta encore à sa psychose. Sa garce de cousine se rebellait ouvertement contre lui, du haut de sa richesse et de son hérésie. Le peuple de Toscane se repentirait d'avoir soutenu une telle aberration : une femme guerrière ! Il s'en occuperait personnellement. Et il s'occuperait aussi d'elle, tout aussi personnellement. Elle peuplait encore les rêves d'Henri, qui se rappelait ce qu'il ressentait en passant la main dans sa chevelure impie, dont il possédait toujours une mèche, coupée pendant qu'elle dormait. Un jour, il aurait tout pouvoir sur elle, et son imagination perverse ne manquait pas de lui fournir la longue liste des tourments qu'il lui infligerait. Rien à voir, cette fois, avec sa première captivité à Bodsfeld. N'avait-il pas passé mille nuits d'insomnie à les envisager en détail ? Elle était la plus enracinée des obsessions de ce cerveau malade.

La force et la ruse des Toscans finirent par contraindre les Germains à céder la papauté à Alexandre, le réformateur de Lucques. Henri rendit Matilda responsable de son échec. Sa haine pour elle atteignit son apogée.

Pour l'ordre du Saint-Sépulcre, un pape originaire de Lucques était la réalisation d'un rêve. C'était peut-être la première fois qu'un hérétique de la lignée atteignait cette position, mais ce ne serait sûrement pas la dernière.

La nouvelle de l'intronisation officielle d'Alexandre II réjouit Matilda. Désormais, avec l'aide du pape et de son neveu Anselmo, qui lui succéderait sans doute à l'évêché de Lucques, elle pouvait enfin tenir sa promesse d'enfant. Elle veilla à ce que soit construit un sanctuaire digne du Volto Santo. Sous ses auspices, la vieille et décrépite église San Martino se transforma en une cathédrale bâtie sur les mêmes fondations. En tant que comtesse de Canossa, Matilda assista à la cérémonie de consécration aux côtés des autres initiés et du Saint-Père Alexandre II.

La Sainte Face reposait désormais en un écrin digne d'elle et du chef-d'œuvre de Nicodème. Matilda avait accompli la première des actions qu'elle supposait lui mériter la satisfaction du Seigneur.

Ce n'était qu'un début.

Florence

1069

Béatrice gronda d'exaspération. Elle avait l'impression d'avoir passé la moitié de sa vie à répéter la même phrase à son indomptable fille. Âgée désormais de vingt-trois ans, Matilda était d'une beauté stupéfiante et avait une confiance en elle qui dépassait les bornes. Il fallait désormais, en Toscane et au-delà, compter avec son pouvoir politique. Exercer sur elle une quelconque autorité maternelle était une gageure pour la très matriarcale Béatrice.

Conn à ses côtés, Matilda avait conduit une armée des Apennins aux Alpes pour protéger son pape bien-aimé des troupes schismatiques qui soutenaient l'antipape d'Henri. En 1066, elle avait guerroyé à la droite de son beau-père dans la bataille qui avait décimé les dernières troupes de l'antipape. À l'issue du combat, elle avait été acclamée par des hommes qui scandaient haut et fort le cri de guerre qui la suivrait tout au long de sa carrière militaire : « Pour Matilda et saint Pierre ! »

Matilda se battait avec la même férocité et le même courage que ses compatriotes masculins. Les hommes l'adoraient et la suivaient sans rechigner. Étonné, Conn avait remarqué que cette adulation ne s'exprimait pas malgré sa condition de femme, mais parce qu'elle l'était. Lui-même y avait joué un rôle en louant ouvertement ses qualités de chef militaire. Avec ses hommes, le géant celte, qui comprenait la puissance des mythes, comparait souvent Matilda aux figures féminines les plus légendaires de l'Histoire. Les soldats l'écoutaient passionnément lorsqu'il leur contait, autour du feu de camp, les exploits de la reine des Amazones, Penthésilée, qui s'était coupé un sein parce qu'il la gênait pour tirer à l'arc lorsqu'elle combattait les Grecs depuis Troie assiégée ; ceux de Cléopâtre, l'Égyptienne qui défia la puissance de Rome ; ceux encore de Zénobie l'Assyrienne, qui régna sur le plus grand royaume de l'Ancien Monde. À chacun de ces exploits, il comparait ceux de

Matilda et soulignait leur supériorité. Il leur confia la prophétie de l'Élue, et leur expliqua que Dieu l'avait choisie pour les diriger. Les soldats se considéraient alors comme les acteurs d'une nouvelle épopée destinée à devenir mythique, car nul n'oublierait jamais les hommes qui avaient permis à une femme exceptionnelle d'accomplir sa destinée. Ils entreraient tous dans la légende, et accéderaient un genre particulier d'immortalité, comme ne manquait pas de le leur rappeler Conn.

Grâce à son courage, à sa détermination, à sa noblesse, la légende de Matilda de Canossa s'était répandue dans toute l'Italie. Le peuple la surnommait la Vierge Matilda et se massait sur son passage en criant sa devise :

« Pour Matilda et saint Pierre ! »

Pour le moment, la légendaire comtesse arpentait à grands pas la chambre de sa mère, en proie à une agitation manifeste.

— Je n'ai pas envie de m'asseoir, mère, lança-t-elle à Béatrice qui l'en priait.

— Comme tu voudras ! Peu importe que tu m'écoutes debout ou assise, Matilda. Mais tu m'écouteras. Cela fait sept ans que tu parviens à éviter les termes de ton mariage. Geoffroi l'a permis, et moi aussi, pour des raisons différentes. Geoffroi, et c'est tout à son honneur, pense que tu ne trouveras pas l'amour avec son fils, et, s'il le pouvait, il préférerait que tu échappes à cette union.

Le fils unique de Geoffroi, issu de son premier mariage, était l'héritier de Lorraine. Matilda avait été fiancée à lui lorsque la mort de son père avait rendu ce lien légal nécessaire. Le jeune duc, connu sous le nom de Geoffroi le Bossu, n'était pas le mari rêvé pour une jeune femme sensuelle élevée dans la religion de l'amour. À en croire le masque intraitable de sa mère, et étant donné les circonstances que lui avait imposées le destin, il était peu probable qu'elle connût un jour cette plénitude. Par ailleurs, son beau-père parlait rarement de son fils, ce qui laissait supposer qu'il ne brillait pas non plus par le caractère.

— Je ne retournerai jamais en Allemagne. Tu devrais le comprendre mieux que personne. Tu ne peux pas me demander de quitter la Toscane. Elle fait partie de mon âme. Mon sang y coule. Je mourrais si on m'en éloignait. Mon père ne m'aurait jamais contrainte à l'exil.

Béatrice soupira. Elle redoutait cette réaction.

— C'est en Lorraine que tu iras, et la Lorraine fait partie de ton héritage. C'est mon héritage, Matilda, légué par le grand Charlemagne. Il est temps que tu revendiques cette partie de toi, et que tu en reconnaisses l'honneur. J'ajoute que le palais de Verdun est élégant et imposant. N'importe qui apprécierait d'y vivre.

— Ce sera donc une élégante et imposante prison, mais une prison que je ne verrai pas, parce que je n'irai pas, et que je n'épouserai pas le Bossu.

— Matilda, il y a quelque chose que tu ignores.

— Rien de ce que tu pourras me dire ne me fera changer d'avis.

— Ton beau-père est mourant.

Matilda se figea et se tourna lentement vers sa mère, qui savait que cette flèche verbale atteindrait sa cible. Matilda aimait Geoffroi. Cela faisait quinze ans qu'ils vivaient ensemble. Le duc l'avait traitée comme sa fille, il l'avait patiemment instruite des devoirs de sa charge. Elle lui devait tant! Et elle risquait maintenant de le perdre, de souffrir de la mort d'un second père!

— Comment le sais-tu?

Au fond d'elle même, Matilda avait compris que la santé de Geoffroi déclinait. Pendant les deux ou trois ans qui venaient de s'écouler, après les guerres contre le schisme, sa vitalité avait diminué. Il ne montait plus à cheval, et se retirait souvent dans sa chambre pour se reposer. C'était elle qui assistait aux réunions locales, qui se rendait à Mantoue et à Canossa pour rencontrer leurs vassaux et arbitrer les conflits internes. Ce nouveau pouvoir l'avait tant fascinée qu'elle n'avait pas cherché à en connaître la cause. Elle avait choisi de croire que Geoffroi voulait qu'elle s'habituât aux responsabilités qui seraient les siennes plus tard, plutôt que d'admettre qu'il n'était plus physiquement capable de gouverner la Toscane.

— Tu as été beaucoup absente, l'année dernière. Tu ne pouvais pas t'en rendre compte. La goutte l'a envahi.

Il le sait, et je le sais. Traverser les Alpes lui sera pénible, mais il veut mourir chez lui, en Lorraine. De plus, il souhaite te savoir en sécurité, mariée à son fils, avant de nous quitter. C'est nécessaire, Matilda. La loi, à laquelle tous doivent se soumettre, l'exige pour garantir tes possessions. Sais-tu que le jour même de la mort de Geoffroi, ton affreux cousin bondira sur l'occasion de te dépouiller de tes biens, si tu n'es pas mariée ?

Matilda balaya la menace d'un geste de mépris. Dans son esprit, Henri était resté l'enfant odieux qui l'avait tourmentée, il n'était pas digne d'être considéré comme un roi.

— Il ne me volera plus jamais rien. Mon armée l'en empêchera. Qu'il essaie seulement de nous prendre ce qui nous appartient de droit.

— Non, Matilda. Je ne le permettrai pas tant qu'il me restera une goutte de sang dans les veines. Ton beau-père désire te voir mariée. Nous partons immédiatement pour Verdun, car Geoffroi souhaite faire le voyage avant l'hiver et que tu sois mariée avant Noël. Je suis désolée. S'il y avait une autre possibilité, je te soutiendrais. Mais il n'y en a pas.

Matilda sentit ses forces l'abandonner. En signe de reddition, elle se laissa tomber dans l'un des sièges sculptés aux armes lorraines, des fleurs de lys rouges et blanches.

— Il faut que je prévienne Isobel, pour qu'elle se prépare, dit-elle enfin.

Béatrice se leva. Elle savait que ce qui lui restait à annoncer à sa fille serait encore plus douloureux que leur départ pour la Lorraine et son futur mariage.

— Isobel ne t'accompagnera pas à Verdun, ma fille. Tu es une femme adulte, qui va s'unir à un noble mari, et qui n'a plus besoin de gouvernante. Ce ne serait pas convenable.

C'était dit. Béatrice et Geoffroi savaient que tant que les initiés de Lucques conserveraient leur influence sur Matilda, cette dernière n'accepterait pas d'être duchesse de Lorraine, et épouse de Geoffroi le Bossu. Il fallait absolument l'en soustraire. C'était un facteur déterminant de la décision de Béatrice, même si, bien qu'elle répugnât à le reconnaître, elle était jalouse de l'attachement indéfectible d'Isobel pour Matilda.

Béatrice n'osait pas regarder sa fille. Il en avait coûté énormément à son cœur de mère de lui faire tant de mal. Mais elle savait qu'elle agissait pour son bien. Matilda avait trop longtemps nourri l'illusion qu'elle pourrait diriger son propre destin. Même si Béatrice aurait aimé lui épargner cette rude vérité, il était temps que Matilda admît qu'une femme n'a pas ce pouvoir, même une femme devenue légendaire.

Béatrice se rendit à la fenêtre pour admirer le crépuscule toscan en attendant l'explosion de sa fille. Mais elle ne se produisit pas. Matilda gardait le silence.

Quand elle se décida enfin à parler, ce fut pour dire d'une voix douce :

— J'irai à Verdun avec vous, ne serait-ce que pour offrir un peu de paix à Geoffroi, car je l'aime profondément. Je lui dois beaucoup. Je ferai donc cela pour lui. Notre-Seigneur nous a dit d'honorer père et mère. J'obéis.

Elle se leva d'un bond pour quitter la pièce et profiter des derniers rayons du soleil de Toscane, un soleil dont elle ne jouirait bientôt plus.

**

Matilda attendit d'avoir retrouvé Isobel à la Santa Trinita pour laisser libre cours à son désespoir.

— Comment pourrai-je le supporter, Issy ? supporter qu'un homme si affreux me touche ? Et comment vivrai-je sans toi, sans le Maître, sans Conn ? et sans la Toscane ?...

Isobel prit Matilda dans ses bras et lui caressa les cheveux.

— Il y a des choses dans la vie que nous devons supporter, Matilda. Lorsqu'elles arrivent, nous devons nous soumettre à la volonté de Dieu. La prière dit : « que *Votre* volonté soit faite », et non que *ma* volonté soit faite. Ne t'ai-je pas enseigné tout cela ?

— Oui, dit Matilda, je sais.

Mais sa spiritualité devait relever un immense défi pour trouver un sens à sa situation actuelle.

— Un jour, je comprendrai la sagesse de la volonté de Dieu, même si cela me semble inimaginable pour le moment.

— Exactement. Et dès que tu auras admis que tu es sur cette terre dans le seul but d'accomplir cette volonté, plus rien ne te causera de douleur. Accepte, Matilda. Dieu est le grand architecte, nous ne sommes que les ouvriers qui exécutons Ses plans, et nous devons le faire pierre après pierre, comme Il nous l'a enseigné. Ensuite, nous voyons la beauté et la pérennité de l'édifice. Souviens-toi de l'architecte qui a reconstruit l'église San Martino à Lucques. Dieu a inscrit la Lorraine dans le livre de ton destin. Qui sait ce que tu y trouveras ?

— Ce ne sera sûrement pas l'union sacrée avec un bossu ! Ça, j'en suis sûre.

— Je sais, Tilda. Et je déplore que le premier homme que tu connaîtras ne soit pas quelqu'un que tu aimeras. Mais je te promets qu'un jour tu vivras le véritable amour, celui dont tu rêves, et qu'il compensera ta longue attente.

— Comment peux-tu le savoir, Issy ? Comment garder l'espoir alors qu'on me marie avec un bossu, à vingt-trois ans ? Le temps que je sois débarrassée de lui, je serai une vieille femme. Si je me débarrasse de lui un jour. Puisse Dieu me pardonner.

— Je peux te le promettre parce que c'est écrit dans la prophétie, rétorqua Isobel soudain plus sévère. Ou tu crois à la prophétie, Matilda, ou tu n'y crois pas. Il n'y a pas de demi-mesure. Tu es l'Élue, ou tu ne l'es pas. Et si tu l'es, ton destin s'accomplira selon les termes de la prophétie. Tu perpétueras les enseignements du Chemin et tu connaîtras l'amour. Trouve le réconfort dans ta foi, mon enfant. Elle te sauvera dans les moments les plus difficiles. Aujourd'hui, tu dois accepter cette épreuve, comme Notre-Seigneur a accepté les siennes. En comparaison, épouser un duc et vivre dans le luxe ne doit pas être si terrible.

Il était difficile devant de tels arguments de manifester du désespoir sans se sentir abominablement égoïste. Comme le lui rappelait souvent le Maître, lorsqu'elle se lamentait pour une raison ou une autre : « L'un de tes proches, ou l'un de ceux que tu aimes, est-il suspendu à une croix par de grands clous ? Si ce n'est pas le cas, tu n'as pas à te plaindre. »

Le Maître lui avait longuement parlé des sacrifices de Jésus et aussi de ceux de son épouse et de sa mère, qui durent assister à ses derniers instants. Ils s'étaient interrogés, nuit après nuit, et avaient comparé la noblesse de leurs destins – celui de l'agneau sacrificiel ou ceux des fidèles abandonnés sur cette terre afin de porter la bonne parole. La question restait sans réponse, mais inspirait d'infinies discussions.

— Viens à l'Oltrano demain matin, juste après le lever du soleil, dit enfin Isobel. Je demanderai au Maître d'être là, et nous résoudrons ce problème.

L'Ordre possédait une propriété sur l'autre rive de l'Arno, à l'écart de la ville, dans un lieu retiré et à l'abri de la curiosité des Florentins. Quelqu'un de si populaire et de si connu que Matilda ne pouvait traverser la ville en plein jour pour s'y rendre.

C'était pour elle que l'Ordre avait construit un labyrinthe en pierre et en brique, sur l'autre rive du fleuve. C'était, depuis des années, son refuge le plus sûr.

Y déambuler donnait au croyant des oreilles pour entendre. Peut-être Matilda puiserait-elle de la force à écouter Dieu au cœur du labyrinthe. Jusqu'à présent, cela s'était toujours produit. La fleur aux six pétales, au centre du labyrinthe, était le lieu qu'elle préférait au monde. Elle s'y rendrait le lendemain, en quête d'elle-même, de son avenir et de l'indiscernable volonté de Dieu.

Le soleil se levait sur l'Arno et irisait le fleuve de reflets dorés. Matilda, des larmes ruisselant sur ses joues, se gorgea de la beauté de sa chère Toscane. Les fleuves de la région, l'Arno, le Pô, le Serchio, coulaient dans ses veines. En être privée, même pour une courte période, était pour elle un enfer. Que dire alors des longues années qu'elle devrait passer en Lorraine ! C'était pire encore que de devoir épouser un bossu, ce qu'elle aurait à la rigueur supporté si elle avait pu rester en Toscane.

Mais cela ne serait pas. Pour de mystérieuses raisons, Dieu avait décidé qu'elle serait à la fois mariée à un infirme et éloignée de son pays natal. Elle allait essayer de comprendre pourquoi, et, lorsqu'elle l'aurait compris, de se soumettre.

Isobel l'attendait à la grille de la propriété de l'Ordre, protégée des regards par une rangée d'arbres. Matilda connaissait si bien les lieux qu'elle aurait pu arpenter les yeux fermés le sentier qui menait au labyrinthe, situé au milieu d'une clairière, et constitué, selon les instructions de Salomon, de onze cycles menant au centre. Dans le labyrinthe de Salomon, ce centre était parfaitement rond, alors qu'ici il avait été conçu pour qu'y culminât la rose aux six pétales, le symbole du Livre de l'Amour. Ainsi se trouvait-on à la croisée de l'enseignement du grand Salomon et de celui de son descendant, Jésus-Christ.

Quand Matilda arriva, le Maître était agenouillé au centre, abîmé dans ses prières. Fra Patricio, son jeune protégé calabrais resté à l'extérieur, sourit à la jeune femme. Heureuse de le voir, elle le salua à voix basse, pour ne pas déranger le Maître. Tous deux avaient été initiés ensemble aux secrets de l'Ordre. Ils avaient révisé ensemble, mémorisé ensemble les enseignements du Livre de l'Amour et les prophéties du Libro Rosso. Ils s'étaient penchés ensemble sur les dessins d'inspiration divine des temples érigés par Salomon. Assimiler ces données compliquées était plus facile à deux.

Désireux l'un et l'autre de s'attirer les compliments du Maître, ils avaient souvent rivalisé, le plus souvent gentiment, parfois moins, car ils n'avaient pas encore appris à oublier complètement leur *ego*. Patricio était devenu le frère que Matilda avait perdu peu après sa naissance. Le Maître les taquinait en affirmant qu'ils étaient les deux moitiés d'un même cerveau. Quitter Patricio était une autre des épreuves qui l'attendaient.

Le Maître se releva, vint à leur rencontre et prit Matilda dans ses bras.

— Sois la bienvenue, ma fille, dit-il en l'embrassant sur les deux joues. Quelle belle matinée, en vérité, pour que se manifeste la volonté de Dieu. Écoute et comprends, mon enfant, je te dirai ensuite ce que moi j'ai compris. Va, et parle à ton Créateur.

Il entraîna Patricio et Isobel à l'écart, afin de laisser Matilda seule dans le lieu sacré. Elle les remercia et s'approcha de la bague de fer fichée dans la terre pour remercier la Dame du Labyrinthe, le principe divin féminin, l'essence de l'amour et de la compassion, la femme aimée qui donne à l'homme sa plénitude par l'union de l'amour et de l'esprit, de la vérité et de la conscience. La dame était Ariane, elle était la reine de Saba, mais aussi Magdalène, et Asherah.

En l'honneur d'Ariane, Matilda coupa une longue mèche de ses cheveux dorés et la noua en un nœud nuptial autour de la bague, comme Ariane l'avait fait avec son fil pour sauver Thésée.

En pénétrant dans le labyrinthe, Matilda se souvint des paroles du Maître lorsqu'elle y était entrée pour la première fois. Il n'y avait pas de bon ou de mauvais chemin, il n'y avait que le sien. Elle devait avancer à son pas, selon les indications de son âme, et rester fidèle à sa voie.

Elle prit plusieurs profondes inspirations, pour s'éclaircir l'esprit, et avança très lentement, en regardant ses pieds, afin de se libérer des bruits du monde extérieur. L'énergie du labyrinthe agissait sur elle tel un baume. Comme la plupart des êtres humains, Matilda était d'une nature trop agitée pour prier et méditer longtemps, mais dans le labyrinthe elle pouvait à la fois bouger, penser, ressentir et dire à Dieu qu'elle ne voulait rien tant qu'entendre Sa voix et connaître Sa volonté, afin de s'y conformer.

Arrivée dans le saint des saints, elle tomba à genoux et supplia Dieu de lui parler. Dieu ne la fit pas attendre longtemps. Une vision l'attendait au cœur du labyrinthe.

***

Matilda chevauchait dans une forêt luxuriante, dont elle appréciait malgré elle la beauté. Patricio était à ses côtés. Il était sorti de Verdun avec elle. Ils avaient chevauché vite et longtemps, c'était la seule ressource dont disposait Matilda pour s'échapper. Comme il n'y avait pas de labyrinthe en ces lieux, monter à cheval lui permettait de bouger et de penser en même temps.

Ils s'arrêtèrent près d'un petit étang alimenté par une rivière, afin de faire boire les chevaux. Matilda sortit le pain et le fromage qu'elle avait apportés pour leur déjeuner. Pendant que Patricio menait les bêtes au bord de l'eau, Matilda se sentit appelée vers une clairière. Elle n'aurait su dire ce qui guidait ses pas. Puis elle entendit la voix d'une petite fille, sans distinguer ses paroles. L'enfant lui parlait-elle ? L'appelait-elle ? Elle l'entendit rire.

Les rayons du soleil filtraient à travers les branches et se noyaient dans une petite étendue d'eau. Matilda s'en approcha encore et vit que c'était un puits, ou une citerne, assez large pour que plusieurs hommes pussent s'y baigner ensemble. En se penchant, Matilda fut frappée par l'apparente profondeur insondable de l'eau et par le sentiment que ce puits était sacré.

Une ride minuscule troubla la surface calme de l'eau. Une onde de lumière d'or l'auréola et une image se forma. Une magnifique vallée verdoyante, semée d'arbres et de fleurs, arrosée par une pluie de gouttes d'or, qui illuminait l'endroit et recouvrait les arbres. Sous cette averse d'or liquide, tout étincelait autour d'elle.

Puis elle entendit la voix de la petite fille :

— Bienvenue dans la vallée de l'Or.

La vallée de l'Or ! Elle était mentionnée dans la prophétie ! dans sa prophétie. Comme pour lui confirmer qu'elle avait raison, la voix de la fillette s'éleva à nouveau dans la forêt, claire et douce, et récita les paroles prononcées par la jeune prophétesse mille ans auparavant :

— La vérité doit vivre dans la pierre
Et s'élever dans la vallée de l'Or.
La nouvelle Bergère, l'Élue,

La verra dans sa perfection
Et portera la Parole du Père et de la Mère
Et le legs de leurs enfants, en des lieux sacrés.
Tel est son legs,
Cela, et connaître un Très Grand Amour.

Matilda se leva, encore bouleversée par la vision qui émanait, elle en était sûre, de la petite prophétesse. En parcourant les onze cycles, elle en revit les images. Dans son esprit, la vallée de l'Or était sans aucun doute la Lorraine. Voilà pourquoi Dieu l'y envoyait, pour qu'elle bâtît un sanctuaire du Chemin de l'Amour dans cette région. Sous quelle forme, elle l'ignorait. Mais le Maître saurait ce qu'il convenait de faire. N'avait-il pas dit que Dieu l'avait éclairé le matin même ?

La présence de Patricio la réjouissait tout particulièrement. Dieu voulait qu'elle eût un ami en Lorraine, un ami sincère, qui la comprendrait, dans un lieu dont elle ignorait les usages et auprès d'un mari non désiré. Peut-être trouverait-elle la force de supporter dignement son sort, après tout ?

Que Votre volonté soit faite, se répéta-t-elle plusieurs fois en sortant du labyrinthe, avant de s'agenouiller devant l'anneau de fer pour dire sa gratitude à la Dame du Labyrinthe, apparue cette fois sous la forme de Sarah-Tamar.

Le Maître n'avait pas eu la même vision, mais avait vu la jeune femme construire en Lorraine un important monument, qui deviendrait le réceptacle de leurs enseignements et de l'histoire de leur peuple et des saintes familles. Matilda était chargée de faire édifier une école et une bibliothèque afin que fût préservé tout ce qui était sacré pour l'ordre du Saint-Sépulcre. Et cet édifice serait un monastère. Lorsqu'elle aurait localisé la vallée de l'Or de sa vision, elle entreprendrait son édification, avec Patricio. Le Maître choisirait des moines de Calabre, distingués pour leur dévotion et leurs qualités d'historiens et de scribes. Patricio serait leur abbé.

Cette tâche apporterait les plus grands honneurs à Matilda et à Patricio. La vision du Maître comportait un autre élément d'importance. Il avait vu le Libro Rosso traverser les Alpes dans une arche en or tirée par des bœufs, de la même façon que le Volto Santo était arrivé à Lucques des siècles auparavant. Matilda devait emporter le Libro Rosso, afin que son contenu fût copié avec le plus grand soin et déposé dans le nouveau monastère de la vallée de l'Or. La tâche terminée, le Libro Rosso serait restitué à la Toscane, où il demeurerait pour l'éternité.

Les enseignements du Chemin de l'Amour s'implanteraient en Lorraine, sur les terres de Charlemagne. La destinée de Matilda était d'accomplir cette tâche. Tenir cette promesse en dépit de ses doutes au sujet de son mariage l'inciterait à se concentrer et à voir dans son avenir un aspect positif. Elle respecterait son devoir avec grâce et dignité.

Ainsi s'accompliraient sa destinée et ses obligations d'Élue.

Ainsi en alla-t-il pour la jolie Nazaréenne appelée Bérénice à sa naissance et que l'on connaîtrait sous le nom de Véronique. C'était une amie de dame Magdalène, instruite par les soins de Notre-Seigneur pour devenir prêtresse comme ses sœurs nazaréennes. Véronique était trop jeune, à l'époque de la Passion, pour porter le voile rouge des Marie ; le sien était blanc.

On raconte que, sur le chemin de croix, tandis que Notre-Seigneur portait son fardeau et que la sueur et le sang coulaient des blessures provoquées par la couronne d'épines, lui obscurcissant ainsi la vue, Véronique fendit courageusement la foule, enleva son voile blanc, et le tendit au Seigneur pour qu'il s'essuie le visage.

Plus tard, on s'apercevrait que l'image du visage de Jésus s'était à jamais imprimée sur la soie blanche.

Véronique, leur sœur en douleur, rejoignit les Marie au pied de la croix. Un soldat romain aux yeux bleus, du nom de Prétorius, anciennement au service de Ponce Pilate, les prit sous sa protection. Jésus avait un jour guéri la main brisée du centurion, qui était sur la voie de la conversion pendant les horribles événements de la semaine sainte.

Prétorius servirait désormais un autre maître, il deviendrait un soldat du Chemin, l'un des premiers convertis de la communauté et certainement l'un des plus dévoués.

Le jour de la Résurrection, Prétorius accourut au sépulcre sitôt qu'il eut vent du miracle. Ce fut en cette occasion qu'il connut notre sœur de Nazareth, Véronique. Elle l'entretint des grands enseignements du Seigneur, du Chemin de l'Amour, et des transformations que subirait le monde si nous laissions notre cœur se pénétrer de ces vérités.

Depuis cette belle journée de Pâques, Véronique et Prétorius ne furent plus jamais séparés. Un amour né à l'ombre du Saint-Sépulcre ne pouvait qu'être béni par Dieu pour l'éternité. Véronique le guida sur le Chemin et, lorsque notre Dame s'en fut en Gaule pour commencer son œuvre de mission, ils la suivirent et continuèrent de s'instruire sous sa direction inspirée par le Livre de l'Amour, écrit par Notre-Seigneur lui-même.

Ils formèrent le premier couple à enseigner l'union sacrée des amants en Europe où cette tradition s'épanouit en l'honneur de leur amour.

L'amour est le vainqueur.

Quand le temps reviendra, Véronique et Prétorius se retrouveront et enseigneront à nouveau ensemble. Car tel est leur destin éternel, tel est celui de bien d'autres couples qui ont fait la même promesse à l'aube des temps, se retrouver, vivre ensemble et enseigner le Chemin de l'Amour.

À toi, qui as des oreilles pour entendre et des yeux pour voir.

La légende de Véronique et Prétorius et les enseignements de l'amour et de l'union sacrée tels que rapportés dans le Libro Rosso.

Rome

De nos jours

Peter Healy arpentait nerveusement son bureau, les mains moites. C'était inattendu, c'était embarrassant, mais il ne pouvait y échapper. Bérenger Sinclair était annoncé. Il n'avait que quelques minutes pour se préparer à le recevoir. Maggie était allée à sa rencontre, pour l'aider à franchir les portails de sécurité du Vatican. Il ne savait d'ailleurs pas à quoi il devait se préparer, car il ignorait le but de la visite de Sinclair. Maureen se refusait obstinément à lui parler de ses amis des Pommes Bleues.

Maggie fit entrer le visiteur et parut quelque peu déçue lorsque l'aristocratique Écossais refusa le rafraîchissement qu'elle lui proposait. Bérenger attendit que la gouvernante soit sortie de la pièce pour s'approcher de Peter, la main tendue.

— Père Healy, merci de me recevoir sans délai.

Peter prit la main tendue, soulagé de constater que la première approche semblait cordiale.

— C'est tout à fait normal, lord Sinclair. Je suis heureux de votre visite. Qu'est-ce qui vous amène à Rome ?

Peter lui indiqua un siège en face du sien, Sinclair s'assit et répondit simplement.

— Maureen.

— Je m'en doutais. Sait-elle que vous êtes ici ?

— Oui, mais je ne l'ai pas encore vue. Je voulais vous rencontrer d'abord.

— Pourquoi donc ?

Sinclair s'enfonça dans son fauteuil.

— Parce que je sais que vos sentiments à mon égard comptent pour elle. J'espère donc tirer cela au clair, afin qu'elle ait un sujet d'inquiétude de moins.

Peter garda le silence. Il n'avait eu aucun contact avec Sinclair depuis la nuit où il avait quitté le château en emportant l'Évangile d'Arques, mais il savait comment Sinclair avait réagi, et ce qu'il pensait de son acte.

— Peter, j'ai beaucoup réfléchi aux événements de ces deux dernières années, et je dois vous avouer que j'ai compris que je m'étais montré injuste à votre égard. Je veux que vous sachiez pourquoi je ne vous en veux pas de ce que vous avez fait cette nuit-là. Je suis sincère. Quelque chose d'indéfinissable, de métaphysique, peut-être, m'a persuadé que vous aviez agi comme vous le deviez, et comme il le fallait. Vous avez joué le rôle qui vous était dévolu dans la pièce où nous sommes tous impliqués.

— Comme Judas? demanda Peter d'un ton sec.

— Peut-être. Mais comme vous le savez, selon l'Évangile d'Arques, Judas était noble et loyal. Il n'a pas trahi Jésus, il lui a obéi. Il a fait ce qu'il fallait pour que la destinée de tous les protagonistes s'accomplisse. Alors, peut-être, en effet, et dans cette acception, comme Judas. Il y a beaucoup de similitudes, et laissez-moi vous rappeler que Marie Madeleine dit avoir pleuré Judas plus que tout autre homme, sauf un.

Peter hocha la tête. Le caractère de Judas, un homme solide sur qui l'on pouvait compter aveuglément, était l'une des plus stupéfiantes assertions de Marie Madeleine dans son Évangile. Elle modifiait de manière radicale la perception du personnage qui prévalait depuis des siècles. Peter y avait d'ailleurs trouvé une sorte de soulagement.

— Merci. J'apprécie votre visite, plus que vous ne pouvez l'imaginer. J'aimerais vous poser une question, si vous le permettez. Comment se sont passées vos retrouvailles avec Maureen? C'est un sujet qu'elle n'aborde pas avec moi, étant donné les circonstances.

— Connaître Maureen, c'est comme se réveiller un matin et découvrir une licorne dans son jardin.

— Très poétiquement dit, fit Peter. Mais qu'est-ce que cela signifie?

Avant de répondre, Sinclair prit le temps de mettre de l'ordre dans ses pensées.

— C'est unique. C'est un choc inouï. Quelque chose arrive dans votre vie, quelque chose qui vous prouve que la magie existe dans l'univers. Vous avez toujours cru à la présence de la magie, mais maintenant vous la voyez, vous pouvez presque la toucher. Presque seulement. Parce que d'abord, il faut vous rapprocher, et comment approche-t-on une créature si éthérée, si exotique ? L'ose-t-on ? En est-on digne ? Ce genre de rencontre n'appartient à aucun cadre, personne ne peut donner le moindre conseil.

« Et puis, il y a cette corne très pointue. Si douce et charmante que soit la licorne, vous êtes sûr qu'elle peut infliger de graves blessures, et même une blessure mortelle, intentionnellement ou non. La magie agit dans les deux sens. Alors, à la voir si belle, vous savez que sa présence dans votre jardin est une bénédiction, mais qu'elle représente aussi un danger important et qu'elle cause le plus grand trouble au commun des mortels. Dont je fais partie.

Peter le suivit dans son allégorie.

— Et gagner sa confiance, pour garder la licorne dans votre jardin, prend un temps infini. Ainsi qu'une bonne dose de courage.

— En effet. En outre, si vous l'effrayez, et qu'elle s'en va, vous aurez le cœur brisé et toute magie disparaîtra de votre vie, sans espoir de retour. Le paysage semblera désertique. Votre monde ne sera plus jamais le même. Car, s'il y a beaucoup de beauté sur cette terre, il n'y a qu'une seule licorne, n'est-ce pas ?

Peter dédia à Sinclair un sourire franc et chaleureux. Dans le temps, il s'était méfié de cet homme, mais cette époque était révolue. Il apprendrait à l'apprécier et à comprendre son intégrité personnelle. Et surtout, il croyait que Bérenger aimait sincèrement Maureen et la comprenait mieux que quiconque. Désormais, Peter était certain que l'Écossais ferait tout ce qui était en son pouvoir pour la protéger.

— Je crois que vous êtes venu au bon moment. Maureen a besoin de vous. L'agression d'Orval l'a effrayée. Elle nous a tous effrayés. Vous pouvez comprendre ses besoins. Vous souvenez-vous de la fin de la légende de la licorne ? Ce qui l'apprivoise, et l'incite à rester dans le jardin, c'est un amour inconditionnel.

— Je suis prêt à le lui donner, si elle m'autorise à l'approcher.

— Je vous crois, Bérenger. Comment puis-je vous aider ?

— Il faut que je mérite la licorne par mes propres qualités. Vous m'aiderez en ne vous y opposant pas. Si Maureen sent que vous approuvez mon rôle dans sa vie, ce sera plus que suffisant.

— Vous avez ma parole. Je l'approuve entièrement. Quand elle était au plus bas, vous l'avez soutenue mieux que moi. Je ne me pardonnerai jamais le rôle que j'ai joué. J'en suis navré, et j'espère que vous en convaincrez Tammy et Roland. Ils méritent mieux que ce que je leur ai infligé.

La profondeur de son émotion étonna Peter, mais il n'essaya pas de la contenir. Sinclair se montra magnanime.

— Le passé est le passé, Peter. Nous en avons tous tiré une leçon, qui nous rendra peut-être meilleurs. Le Chemin de l'Amour inclut le pardon, et nous essayons tous de nous conformer à ses principes. Ceux prêchés par Jésus et Marie Madeleine. Maintenant, une autre tâche nous attend, peut-être plus grande encore que la précédente. Il faut nous y consacrer.

Ils discutèrent des événements récents et des étranges indices dont ils disposaient, tentèrent d'identifier les responsables des actes hostiles et décidèrent des étapes à venir. Peter proposa qu'ils se retrouvent tous les trois après que Bérenger aurait passé un peu de temps seul avec Maureen. Ils s'engagèrent à travailler ensemble, comme ils auraient dû le faire depuis longtemps. En se quittant, les deux hommes, réconfortés, échangèrent une franche accolade. Le pardon et la réconciliation sont sources de grand soulagement.

Sinclair allait sortir lorsque Peter le rappela :

— Bérenger, sachez une chose. J'ai choisi mon maître et, cette fois-ci, je l'ai choisi avec sagesse. Quoi qu'il arrive, je ne serai plus jamais du mauvais côté.

Chapitre 9

Palais de Verdun
Stenay, Lorraine

Octobre 1069

Certes, il n'était guère séduisant et son corps était déformé, mais il n'était pas aussi monstrueux qu'elle l'avait pensé.

Jusqu'à ce qu'il ouvrît la bouche.

Matilda était assise en face de l'homme qu'elle devait épouser, à l'autre extrémité de la gigantesque table de la salle à manger. Elle avait soigné sa tenue afin de paraître aussi féminine que possible et digne de devenir duchesse. Vêtue de délicates soieries cousues au fil d'or et d'une marotte assortie offerte par son beau-père, elle avait laissé libre sa chevelure cuivrée tressée de chaînes en or à partir des tempes.

Ils dînaient seuls, afin de commencer à faire connaissance. Le jeune Geoffroi ressemblait assez à son père pour que, en louchant un peu, elle le trouvât supportable à regarder. Pourtant, il n'était ni grand ni élancé comme son père, mais plutôt trapu et gras, sans être exactement obèse. Sa malformation l'empêchait sans doute de faire de l'exercice. Et, malheureusement, son visage ne reflétait ni l'intelligence ni l'humour qui éclairaient le visage de son père. Ses traits exprimaient une bouderie permanente, dont Matilda ignorait si elle était de naissance ou le fruit d'années d'amertume.

La bosse qui lui valait son surnom était congénitale. Son beau-père lui avait expliqué que son fils était né avec une infirmité qui l'empêchait de se tenir droit. Son apparence lui avait valu beaucoup de cruautés pendant l'enfance, et il n'avait jamais réussi à prendre confiance en lui. Le résultat : un être humain querelleur et difficile. Comme il maîtrisait mal son corps, il était obsédé par l'idée de contrôler tout ce qu'il pouvait, y compris ses biens en Lorraine, ses futurs biens en Toscane et sa jeune promise. Mais son beau-père avait affirmé à Matilda que le jeune Geoffroi n'était pas un homme cruel, malgré son handicap, et qu'elle était assez intelligente pour apprendre à se débrouiller de son futur mari de telle façon qu'il lui témoignât un respect bienveillant.

Pour l'heure, il était tout sauf bienveillant, et harcelait Matilda de la litanie des comportements qu'il ne tolérerait pas de sa part.

— On m'a dit que vous étiez une forte tête, et que vous vous conduisiez souvent de façon inconvenante pour une femme. Ce qui peut être accepté dans les étendues sauvages de la Toscane ne saurait l'être dans un pays aussi civilisé que la Lorraine. Vous ne sortirez pas de cette maison sans être décemment habillée d'une guimpe et coiffée d'un voile qui couvre votre étrange chevelure. Je ne veux pas que les hommes vous regardent avec concupiscence à cause de votre allure impudique. Ici, on considère les femmes rousses comme de petite vertu, qui ont leur place dans des bordels. On les croit en proie au diable. Aucun vrai Lorrain ne prendrait une rousse pour épouse, et votre chevelure flamboyante m'inquiète... On m'avait prévenu de votre apparence, mais pas en termes assez... vifs. Sachez que des femmes ont perdu la vie uniquement pour leur couleur de cheveux. La guimpe est pour votre propre bien, ainsi que pour me protéger contre ce que pourrait provoquer chez vous une conduite inconvenante. Si vous désobéissez, je vous ferai raser la tête, et vous irez voilée.

« Sachez aussi que, dès notre mariage, je serai le nouveau duc de Toscane et que j'entends administrer mes terres. Mon père, faible et malade, vous a hélas laissé trop de latitude. C'est également pourquoi il ne vous a pas envoyée à moi dès vos seize ans, comme il s'y était engagé. Si j'avais soupçonné une telle faiblesse, je serais venu en Toscane depuis longtemps, pour rétablir l'ordre naturel des choses.

Matilda, en rage, comprenait que son futur époux avait l'intention de gouverner la Toscane, sa chère Toscane. Elle était incapable d'avaler la moindre bouchée. Prise de la furieuse envie de lui envoyer son couteau à la figure, elle parvint cependant à se maîtriser, et se tut, de peur de ce qu'elle proférerait si elle ouvrait la bouche. Mais le promis n'en avait pas terminé.

— On me dit aussi que vous avez amené votre confesseur, un certain Fra Patricio, de Lucques. Je le verrai, pour m'assurer que sa présence en ma maison est convenable, car j'ai cru comprendre que vous étiez liée à des hérétiques. Chez moi, vous vous conduirez en bonne catholique, en toutes circonstances. C'est bien compris ?

Ce que Matilda ne comprenait pas, et ce qui était le plus insultant, c'était qu'il lui donnât des ordres, et qu'il lui parlât comme si elle était l'idiote du village. Elle en souffrait, mais ne montra rien. Car elle savait qu'elle était plus intelligente que lui. Beaucoup plus intelligente. Il s'agissait de considérer cette rencontre comme un jeu de stratégie. C'était la guerre, une guerre qu'elle devait remporter afin de préserver sa liberté et ses biens. Mais, dans ce cas très particulier, les champs de bataille seraient la salle à manger et la chambre à coucher.

Elle ouvrit grand ses yeux d'aigue-marine et lui répondit sur un ton de la plus grande innocence :

— Mais, monseigneur, mon confesseur n'est pas de Lucques. Il est originaire des pieuses terres de Calabre, au sud, et n'a rien à voir avec les hérésies toscanes. Vous constaterez immédiatement, à son accent et à la couleur foncée de sa peau, que c'est un Calabrais. Il a en fait été choisi pour me préparer à être pour vous une bonne épouse catholique.

Geoffroi la considéra un instant avant de grommeler une sorte d'assentiment, puis il retourna avidement à son poulet. Ses manières de table étaient répugnantes, mais au moins, quand il avait la bouche pleine, il ne parlait pas.

Le reste du repas se passa dans un silence relatif, rompu seulement par les bruits de mastication du Bossu. Quand il lui adressa de nouveau la parole, avant de prendre congé, il se montra encore plus charmant qu'il ne l'avait été jusque-là.

— Je veux beaucoup d'enfants, et j'entends que vous me donniez des fils au plus vite. J'espère seulement qu'à vingt-trois ans vous n'êtes pas trop vieille pour me fournir ce que je désire. Si vous m'aviez été remise lors de vos seize ans, notre maison serait aujourd'hui pleine de garçons. S'il s'avère que vous êtes trop vieille, je prendrai une épouse plus jeune. Et je garderai vos biens. Peu m'importe vos barbares habitudes toscanes, j'agirai selon les droits d'un gentilhomme lorrain.

Matilda se mordit la langue au sang. Si cela était ce qu'on prenait pour un gentilhomme en Lorraine, elle se réjouissait d'être une barbare.

En traversant les Alpes, Matilda avait prié pour apprendre à trouver le bien chez tous les enfants de Dieu. Patricio l'y avait aidée, et elle avait fait le vœu de tendre à vivre selon ce principe. Mais elle savait qu'elle n'était pas une sainte, et n'avait aucune intention d'en devenir une. Que Dieu bénisse la patience de Patricio, dont elle avait abusé pendant le long voyage, et qui lui avait permis d'arriver en Lorraine dans les meilleures dispositions possible. Elle essaierait d'aimer le Bossu, et elle espérait sincèrement qu'ils trouveraient ensemble une forme d'amitié. Si le jeune Geoffroi était un homme bon à la conversation agréable et un partenaire convenable aux échecs, elle s'y efforcerait. Hélas, ce n'était pas le cas. Elle ne l'avait pas encore affronté aux échecs, mais elle savait qu'il ne possédait pas les deux premières qualités.

En fait, il agissait comme Henri le ferait si elle n'était pas mariée. Il voulait s'emparer de ses biens, la priver de tous ses droits et la tenir prisonnière dans le Nord. Il n'y avait aucune différence. Sauf une : elle n'aurait pas été obligée de coucher avec Henri ni de dîner avec lui. En quoi donc sa situation s'était-elle améliorée ?

Elle convoqua sa mère et son beau-père pour leur poser la question. La santé de Geoffroi se détériorait de plus en plus, mais il était toujours le duc de Lorraine, l'homme qui avait négocié des papautés et gouverné des royaumes. De plus, il aimait sincèrement Matilda et se souciait de son bonheur et de sa sécurité.

Matilda exposa ses arguments avec une logique si évidente qu'ils ne purent trouver ni l'un ni l'autre une raison valable pour justifier ce mariage. La crise couvait, et la santé de son beau-père en souffrait. Geoffroi demanda à Matilda de lui accorder quelques jours pour envisager une solution et parler sérieusement à son fils.

La jeune comtesse souleva un autre problème.

— Pourquoi les domestiques me regardent-ils comme si j'étais un monstre à deux têtes ? Est-ce ma couleur de cheveux qui les terrifie ?

Geoffroi expliqua à sa belle-fille qu'il était entendu que seules les femmes de la lignée étaient rousses et qu'on les considérait comme des hérétiques. Dans le passé, elles avaient même été accusées de sorcellerie.

— Quand j'étais jeune, beaucoup de femmes dont le seul crime était d'avoir cette couleur de cheveux furent torturées, mutilées et brûlées vives en place publique après avoir subi l'humiliation de la « parade », un spectacle heureusement mis hors la loi depuis en Lorraine.

— La parade, qu'est-ce ? interrogea Matilda, pourtant pas très sûre de vouloir une réponse à sa question.

— La femme aux cheveux rouges, les poignets, le cou et les pieds liés, traversait le village à pied, tandis que les habitants lui jetaient des pierres et des légumes pourris. Elle était exposée afin que tous pussent constater que cette même teinte était présente aux endroits les plus intimes de son corps. Comme l'on prétendait que cette couleur était le résultat d'un commerce avec le diable, cela constituait une preuve de sorcellerie.

Cet obscurantisme fit hausser les épaules de Matilda. Ainsi, cette disposition génétique qui signalait qu'une femme descendait de Jésus et de Marie Madeleine, du Sauveur et d'une prophétesse, s'était transformée en une malédiction.

— Hélas! les paysans sont encore très superstitieux. Donc, tu suscites leur curiosité et leurs craintes. J'aurais sans doute dû te prévenir, mais j'ai été longtemps absent et j'espérais que mon pays aurait évolué.

Geoffroi soupira et choisit de changer de sujet de conversation.

— Je parlerai à mon fils, et j'arrangerai tout cela.

Puis il incita Matilda à visiter les verdoyantes terres de Lorraine avant l'hiver et le froid. Il savait que monter à cheval en pleine nature améliorerait son humeur. Ce n'était certes pas la Toscane, mais les paysages étaient beaux, dans son pays.

Matilda quitta ses parents et se mit en quête de Patricio pour lui demander de l'accompagner le lendemain matin, afin de commencer à chercher la vallée de l'Or. Telle était, après tout, sa raison d'être ici...

Matilda adorait monter. Elle chevauchait dans une forêt immense, ses cheveux flottaient, libres. Elle avait sauvagement arraché l'horrible guimpe dès qu'elle était sortie des murs de Verdun. Malgré elle, la beauté des lieux l'impressionnait. Certes, il y faisait froid, ce n'était pas la Toscane, mais il en émanait un charme étrange. Patricio chevauchait à ses côtés, tentant parfois de la dépasser, en vain. À cheval, Matilda était imbattable. Sans crainte, téméraire, et d'une habileté peu commune. Elle reconnaissait une qualité au Bossu : il savait choisir ses chevaux. Leurs montures étaient belles et fières, d'une endurance extraordinaire. La jeune comtesse et son ami avaient longuement chevauché dans la forêt où devait se situer la vallée de l'Or, d'après la vision de Matilda. Jusqu'à lors, elle n'avait vu aucun point d'eau.

Dans l'après-midi, la jeune femme fut envahie par une étrange sensation ; une sorte de tremblement intérieur la gagna, avec le sentiment d'être à la croisée des chemins et du temps. Le passé, le présent et l'avenir l'habitaient. Ce vertige, un peu effrayant mais aussi très stimulant, l'incita à ralentir.

Lorsque cette impression se dissipa, elle poussa à nouveau son cheval. Patricio la suivit, et ils aperçurent un petit étang alimenté par de l'eau courante, où ils pourraient faire boire leurs chevaux. Ils posèrent pied à terre et Patricio se proposa pour s'occuper des chevaux, car il avait compris que Matilda devait avancer seule vers la clairière devant eux. Jusqu'à présent, tout ressemblait exactement à sa vision. Un cygne blanc glissa sur l'eau et se retourna vers elle, comme pour lui faire signe de le suivre. Et Matilda entendit la voix d'une petite fille, au loin. Puis son rire.

Les rayons du soleil de l'après-midi jouaient sur la surface de l'eau. Matilda s'en approcha, sachant déjà qu'elle allait trouver un puits. Elle se pencha, s'abîma dans la contemplation de l'eau à l'insondable profondeur. Ce lieu était magique. La forêt était ancestrale, immuable, riche des pouvoirs de la nature, et propice à l'édification d'un monument dédié à l'amour et à la connaissance.

Matilda trempa doucement sa main dans l'eau glaciale sans s'apercevoir que sa précieuse bague en or portant le sceau de Marie Madeleine glissait de son doigt. Lorsqu'elle en prit conscience, il était trop tard. Elle s'enfonçait déjà dans l'eau profonde du puits.

Matilda hurla.

Elle s'agenouilla contre la margelle en pierre, pour tenter d'apercevoir la bague, mais c'était inutile. Résignée, elle se relevait doucement lorsqu'elle perçut une sorte d'éclair sur les eaux. Splash ! Un poisson gigantesque ressemblant à une truite, ses écailles étincelant au soleil, bondit hors de l'eau puis plongea à nouveau. Elle attendit, pour voir s'il reviendrait. L'eau se brouilla un instant, la truite réapparut, et nagea lentement à la surface, la bague sortant de sa bouche.

Matilda retint son souffle lorsque le poisson envoya l'anneau dans sa direction. Elle n'eut qu'à ouvrir la main pour que la bague y tombât. Refermant sa paume,

Matilda la pressa contre son cœur, emplie de gratitude. Le poisson plongea, la surface de l'eau se calma. C'était fini.

Après avoir remis la bague à sa main droite, Matilda scruta encore une fois les profondeurs, dans l'attente, peut-être, d'un nouveau miracle. L'eau immobile se rida à peine. Une onde de lumière dorée inonda le puits et les alentours. On aurait dit qu'un or liquide venu du ciel se répandait partout. Il coulait dans la vallée, il recouvrait les arbres. Tout étincelait.

Puis elle entendit à nouveau la voix de la petite fille – la voix, elle le savait, de Sarah-Tamar.

— Bienvenue dans la vallée de l'Or.

Un léger bruit fit sursauter Matilda, qui se retourna. Patricio approchait, ravi lui aussi par le spectacle de la vallée dorée. Cela dura le temps d'une vision. Quelques secondes? Quelques minutes? Impossible à dire. Les rayons d'or s'évanouirent, et ils se retrouvèrent dans la grande forêt verdoyante.

Partager un tel moment avec un ami de confiance était une bénédiction. Patricio appartenait dès lors à la prophétie, au même titre que Matilda. Ils s'embrassèrent fraternellement, dans l'échange doux et innocent de deux personnes qui s'aiment tout simplement parce qu'elles sont frère et sœur de sang. Puis ils firent ensemble le serment d'édifier en cette vallée la plus grande abbaye d'Europe : un sanctuaire, une école et une bibliothèque, dédiés au Chemin de l'Amour. Ici demeurerait le plus grand trésor de l'humanité.

Et ils l'appelleraient Orval. Car ce serait, en vérité, la vallée de l'Or.

Matilda regagna Verdun dans un état de bonheur indescriptible, mais, à son arrivée, une convocation urgente de sa mère et de son beau-père l'attendait. Son sang ne fit qu'un tour. Elle pria de tout cœur pour que la santé de Geoffroi n'eût pas empiré en son absence. Puis, après s'être lavée et parée d'habits plus appropriés, elle se rendit dans les appartements de son beau-père.

— Entre, ma chère enfant. Entre.

Matilda soupira de soulagement. Bien que fort pâle et ayant les traits tirés, Geoffroi était assis à son bureau avec une meilleure mine que les semaines précédentes. Deux jours de négociations avec son fils avaient peut-être redonné un peu de forces au vieux politicien.

Béatrice prit la parole :

— Ton beau-père a durement œuvré à un accord satisfaisant pour chacune des parties. La Toscane reste à toi, et Geoffroi le Jeune ne perd pas la face. Ce contrat te protégera également contre les conséquences injustes dont t'a menacée Geoffroi.

— Mon fils a accepté de signer un document qui stipule qu'il n'a de droits sur la Toscane que tant qu'il est ton époux. S'il décide de t'écarter, pour n'importe quelle raison, il perd toutes ses prérogatives. De plus, tu as le droit de le quitter et de retourner en Toscane s'il se montre cruel envers toi, physiquement ou de quelque autre manière, en vertu de dispositions officielles et soigneusement rédigées. Tu pourras aussi te rendre en Toscane une fois par an, et administrer tes terres durant ton séjour.

Matilda était stupéfaite. Un tel contrat était inouï, mais Geoffroi connaissait bien le droit et avait certainement tenu à respecter la loi. C'était sans aucun doute une meilleure option que d'entrer en guerre contre Henri et le Bossu pour préserver son héritage.

— Cela te semble-t-il acceptable, ma fille ?

Matilda, consciente de son avantage stratégique, décida de le pousser un pas plus loin.

— Aujourd'hui, j'ai eu une vision dans la forêt. Je désire y faire bâtir une abbaye dédiée à Notre-Dame, la Sainte Mère de Dieu, et que Patricio en devienne l'abbé. Je souhaite que le jeune Geoffroi m'en donne les moyens, et que ce don soit considéré comme un cadeau de mariage.

Ni Béatrice ni Geoffroi ne furent dupes : ils avaient compris à qui l'abbaye serait en fait dédiée, et à quoi elle servirait, mais ils ne soulevèrent pas la question. Après tout, si construire pour l'Ordre une abbaye dans la forêt

220

aidait Matilda à se résigner à son sort, qu'il en aille ainsi. En être l'instigatrice améliorerait sans doute sa réputation dans le pays, où couraient déjà d'infâmes rumeurs. Une duchesse si dévote qu'elle consacrait tout son temps à l'édification d'un monument à la gloire de Notre-Seigneur et de sa Sainte Mère ne pouvait être une sorcière.

Son beau-père lui sourit malicieusement.

— Je suis certain que mon fils sera plus que désireux de fournir les fonds destinés à ce saint projet. Et enchanté d'avoir pour épouse une femme si pieuse et si bonne catholique.

Matilda s'inclina profondément et remercia ses parents avant de quitter leurs appartements. Le scénario n'était pas parfait, mais elle s'en accommoderait. En outre, elle pouvait commencer immédiatement la construction de l'abbaye qu'elle appellerait Notre-Dame d'Orval. Elle remplirait son obligation en tant qu'Élue, comme elle avait tenu sa promesse à la Sainte Face. C'était l'essentiel.

— Que Votre volonté soit faite, murmura Matilda, les yeux au ciel. Puis elle alla chercher Patricio, pour lui annoncer les bonnes nouvelles, ainsi que sa nomination en tant que futur abbé d'Orval.

Patricio supervisa les plans et le début de la construction de l'abbaye, avec l'aide des moines bénédictins du duc Geoffroi l'Ancien. Matilda était consultée à chaque étape. Des messagers partirent pour Lucques, afin d'annoncer à l'Ordre et à Isobel qu'ils avaient réussi à trouver la vallée de l'Or et de les prévenir que les moines calabrais chargés de transcrire le Libro Rosso devaient se tenir prêts à venir en Lorraine au cours de l'été 1070.

Matilda possédait dans sa chambre un coffre en ivoire sculpté que lui avait offert son père pour son sixième anniversaire. Il était incrusté des armoiries de sa famille de Lucques, celle de Siegfried, en pierres semi-précieuses. Elle y conservait le rouleau noué d'un ruban écarlate où le Maître avait dessiné la rose à six pétales. La jeune femme s'en fut le montrer à Patricio, qui conversait avec l'architecte.

— J'aimerais que l'on crée une fenêtre avec ce dessin, dit-elle. Je veux que la lumière du jour brille à travers les pétales et éclaire le sol. Sur le sol doit se trouver un labyrinthe. Tu sais comment le dessiner, Patricio, n'est-ce pas?

Matilda faisait allusion au projet de Salomon, dessiné dans le Libro Rosso. Les maçons auraient fort à faire, car elle en voulait un autre dans les jardins. Pour satisfaire les vœux de Matilda, ils n'étaient pas au bout de leurs peines.

— J'ai rêvé de la nef, poursuivit-elle. Ce doit être la plus majestueuse de Lorraine, digne du trésor qu'elle abritera. Je ne suis pas une artiste habile, mais je vais essayer de vous la dessiner.

Matilda saisit la plume de l'architecte, tandis que Patricio souriait malicieusement de sa fausse modestie. Matilda s'était imprégnée des plans de Salomon pour son grand Temple, et avait développé un grand talent pour le dessin.

Elle entreprit d'expliquer ses projets à l'architecte.

— Je voudrais de très hautes voûtes, aussi hautes que possible, et soutenues par des colonnes de marbre doré. La nef doit être fort longue, avec beaucoup de piliers et plusieurs arches. Ce monument est érigé à la gloire de Dieu et de ce que l'on peut accomplir au nom de l'amour. Il doit en avoir la grandeur.

L'architecte hocha la tête et s'inclina respectueuse-ment devant la duchesse de Lorraine. Cette femme savait dessiner, et comprenait fort bien les principes de l'archi-tecture. Elle lui demandait de relever un défi auquel elle avait manifestement réfléchi. Lorsque Matilda eut ter-miné, l'architecte était certain d'avoir compris son projet. Un projet plus qu'onéreux... Construire la plus grande abbaye de l'Europe du Nord.

Matilda avait gagné le plus de temps possible. Mais la santé de son beau-père déclinait et elle devait épouser le Bossu dans trois jours. Elle trouva Patricio dans la chapelle.

— Patricio, aide-moi ! Je sais que je le dois, mais je suis terrorisée à l'idée qu'il me touche. Que puis-je faire ?

Le garçon avait reçu la même éducation que Matilda, il était instruit de la sainteté de la chambre nuptiale et savait que la jeune femme ne connaîtrait pas l'union sacrée dont il était question dans les écritures avec un homme odieux et qu'elle méprisait. Mais il n'avait guère d'expérience en la matière. Matilda le taquinait souvent en parlant de lui trouver une abbesse convenable parmi les beautés blondes de sa maison, mais il n'avait pas encore rencontré l'élue de son cœur. Désemparé, il lui demanda ce qu'Isobel lui avait conseillé.

— De ne pas l'embrasser, répondit Matilda.

Patricio hocha la tête. C'était un sage conseil, en effet. Le Livre de l'Amour et le Cantique des cantiques considéraient le baiser comme sacré, car les âmes s'y rencontraient, et les esprits s'y confondaient en un même souffle. Plus peut-être que ce qui suivait, le baiser représentait l'intimité suprême et la vérité de l'union divine.

Matilda se remémorait les paroles d'Isobel.

« C'est son droit de mari d'engendrer des enfants, Tilda. Tu devras le laisser posséder ton corps, des pieds jusqu'aux hanches, aussi souvent qu'il le voudra. Mais tu n'as pas à le laisser posséder ton âme. À partir du cœur, tout t'appartient. Accorde-lui ses droits de mari, mais préserve les tiens. Ne le laisse pas t'embrasser si cela te répugne. Ce trésor, seul ton bien-aimé y aura droit. »

Isobel avait fait rougir Matilda en lui enseignant une série de gestes qui détourneraient l'attention de son époux du baiser. Elle avait écouté, et enregistré. Maintenant, à l'approche du détestable événement, elle était soulagée d'avoir été attentive.

Lorsque les époux prêtèrent serment dans la chapelle, Matilda tremblait de tous ses membres, de froid et de peur. Mais elle avait décidé d'aborder la question du lit nuptial de façon stratégique, comme un champ de bataille où il lui faudrait lutter pour préserver ce qui lui appartenait de droit. Dans ce cas, c'était son âme qu'elle protégerait.

Une fois dans la chambre nuptiale, le Bossu fut scandalisé par son impudeur. Matilda l'attendait, dans la splendeur de sa totale nudité, ses opulents cheveux roux reposant contre sa peau d'albâtre. La chevelure maudite recouvrait jusqu'aux régions les plus intimes de sa féminité, ce qui était à la fois excitant et choquant, en tout cas difficile à supporter pour tout bon chrétien. Geoffroi n'eut aucun mal à croire que cette créature surnaturelle était bien la sorcière qu'on prétendait. Le serpent, Lilith, la démoniaque tentatrice, la compagne du diable. Mais il était désormais prêt à risquer son âme immortelle. Le diable avait gagné.

Geoffroi était tétanisé, fasciné et horrifié à la fois par sa femme. Cette dernière ne perdit pas de temps et en profita pour mettre en œuvre les astuces de prostituée que lui avait apprises Isobel. Elle s'aperçut bien vite qu'il en oubliait immédiatement de l'embrasser. Naturellement, ce fut vite fini. Le Bossu roula sur lui-même et se mit à ronfler. Le corps de Matilda en avait un peu pâti, mais son âme était intacte.

Le lendemain, lorsque quelques-uns de ses hommes l'interrogèrent sur sa nuit de noces, le Bossu confirma la réputation des femmes aux cheveux rouges.

Des rires lascifs accueillirent ses paroles. Manifestement, chacun en Lorraine connaissait fort bien les atouts des rousses dans une chambre à coucher.

Geoffroi l'Ancien, duc de Lorraine, sombra dans un coma profond le lendemain. Il mourut peu après, le jour de Noël de l'an 1069. Matilda le pleura comme son propre père, à la différence de son mari. Geoffroi le Jeune, perché tel un vautour, attendait impatiemment la mort de son père afin d'hériter de tous ses biens en plus de ceux de Matilda.

Le cupide Bossu était désormais trop affairé pour s'occuper beaucoup d'elle. Matilda agissait à sa guise et passait le plus clair de son temps à superviser l'édification d'Orval avec Patricio. La construction ne commencerait qu'au printemps, mais il y avait beaucoup à faire avant. L'Arche de la nouvelle alliance qui renfermait le Libro Rosso se trouvait dans une chapelle privée, où seuls Matilda et Patricio pouvaient entrer. Cette disposition particulière faisait partie de ses exigences prénuptiales. Elle avait menti au Bossu au sujet de ce qu'elle contenait, mais il était loin d'être assez observateur pour le remarquer. Patricio passait beaucoup de temps dans cette chapelle, à essayer péniblement de reproduire les dessins du labyrinthe de Salomon, afin de pouvoir en montrer une copie à l'architecte.

Matilda restait chaque jour de longues heures auprès de sa mère, veuve pour la seconde fois, et de deux hommes qu'elle avait sincèrement aimés. Béatrice affrontait l'épreuve avec sa dignité habituelle, mais Matilda voyait sa souffrance. De longues mèches de cheveux blancs striaient sa chevelure autrefois d'un noir de jais, et sa beauté légendaire commençait à se faner sous les effets de l'âge et du chagrin.

— Dès la fonte des neiges, je retourne à Mantoue, déclara un soir Béatrice à Matilda.

Sa fille s'en étonna, car elle croyait que sa mère était heureuse de vivre dans son pays natal, la Lorraine.

— La Toscane est devenue mon pays pendant que nous y vivions, Matilda. Je m'y sens beaucoup plus chez moi qu'ici. De plus, je n'ai pas en ton mari la confiance que j'avais en Geoffroi. Il sera très pris par ses affaires locales, et je voudrais m'assurer de la bonne administration de nos terres. Pour ta protection comme pour la mienne.

— Comme j'aimerais t'accompagner..., soupira Matilda.

Béatrice posa sa main sur celle de sa fille.

— Un jour, ma chérie, un jour. Ne perds pas espoir. Tu es jeune, tu reverras bientôt la Toscane.

Soudain, Matilda se mit à pleurer. Elle s'abandonnait rarement à ses faiblesses, mais à cet instant, la tête enfouie dans les mains, elle s'autorisa à déverser ses larmes sur la perte de son pays natal, de ses deux pères, de ses amis trop éloignés, sur son répugnant mariage, sur ses responsabilités spirituelles, et désormais sur le départ de sa mère. Béatrice la laissa épancher son chagrin tout en lui caressant les cheveux, en une de ses rares manifestations d'amour maternel.

Prie comme je te l'ai enseigné, avec la rose pour modèle de l'Esprit saint.

De la gauche vers la droite, toujours, touche le premier pétale, le pétale de la FOI, et prie :

Notre Père qui régnez sur les cieux
Que Votre nom soit sanctifié.

Pense à ta foi en le Seigneur ton Dieu et à la grâce de l'Esprit saint, et remercie-les pour leur présence dans ta vie et sur cette terre.

Touche le deuxième pétale, le pétale de la SOUMISSION, et prie :

Que Votre royaume nous soit donné par notre obéissance à Votre volonté.
Que Votre volonté soit faite.

Écoute la voix de ton Père pour comprendre Sa volonté et exécute-la sans crainte. Reste auprès de ce pétale aussi longtemps qu'il le faut pour te fondre en lui et trouver le réconfort dans l'obéissance à sa volonté et non à la tienne.

Touche le troisième pétale, le pétale de la SERVITUDE, et prie :

Sur la terre comme au ciel.

Puis tu confirmeras ta promesse, à ton Dieu et à toi-même, si tu es vraiment anthropos, *et si tu t'en souviens. Si tu n'as pas encore atteint le stade de l'accomplissement, confirme ta résolution de créer le ciel sur la terre en agissant selon le Chemin de l'Amour, en aimant le Seigneur ton Dieu plus que tout et en aimant tes frères et sœurs terrestres comme toi-même, car ils font partie de toi. Tu prieras alors pour la lumière et par la gnose tu te rappelleras la nature de ta promesse éternelle.*

*Touche le quatrième pétale, qui est le pétale de l'ABON-
DANCE, et prie :*

Donnez-nous aujourd'hui notre pain quotidien.

*Remercie Dieu pour tout ce qu'Il t'a donné et sache que
tant que tu vivras en harmonie avec Sa volonté, et que tu
honoreras ta promesse à Son service, tu connaîtras les
bienfaits de l'abondance et ne manqueras jamais de rien.
Tout ce dont tu as besoin, tout ce que tu désires te sera
donné si tu vis dans la grâce de Dieu et que tu respectes la
volonté de Dieu.*
*Touche le cinquième pétale, le pétale du PARDON, et
prie :*

*Et pardonnez-nous nos erreurs et nos fautes
Comme nous nous pardonnons et pardonnons aux
autres.*

*Souviens-toi ici de tous ceux qui t'ont fait du mal, qui
ont fait de faux témoignages contre toi ou t'ont causé du
chagrin. Et pardonne-leur, en priant pour qu'ils soient un
jour* anthropos, *qu'ils rejoignent Dieu et se rappellent leurs
promesses. Demande que ceux que tu as offensés te par-
donnent de la même façon, et surtout pardonne-toi toutes
tes actions et tes pensées qui te font honte. Car si le pardon
est le baume de notre Mère, se pardonner soi-même est le
plus important.*
Touche le sixième pétale, le pétale de la FORCE, et prie :

*Gardez-moi sur le droit chemin,
Et délivrez-moi de la tentation du mal.*

*Car la tentation est ce qui t'empêche de t'accomplir, de
tenir ta promesse à Dieu, à toi-même et à ton prochain.
Garde-toi surtout de céder à l'avarice, à l'excès, à la
paresse, à la luxure, à la colère, à la gloutonnerie et à
l'envie. Pense à ces péchés et prie pour être libéré de celui
qui te tenterait sur le chemin de l'anthropos.*
*Prie comme je te le dis et enseigne cette prière à tes frères
et tes sœurs d'esprit afin qu'ils agissent de même. Par cette*

prière, les hommes et les femmes créeront le ciel sur la terre. Par cette prière, ils vivront selon les principes de l'amour.

L'amour est le vainqueur.

À toi, qui as des oreilles pour entendre.

**La prière de la rose aux six pétales
d'après le Livre de l'Amour
telle que rapportée dans le Libro Rosso.**

Palais de Verdun

Printemps 1071

Matilda était enceinte.

Elle en était certaine. Plus de deux cycles de lune étaient passés sans qu'elle saignât et la nausée qui lui tordait l'estomac chaque matin l'empêchait d'avaler le moindre morceau.

Un dilemme se présentait à elle.

Soit elle déclarait sans tarder son état, et obtiendrait que le Bossu ne la touchât pas durant toute la gestation, ce qui serait un soulagement non négligeable, car elle haïssait ses halètements et ses grognements. Elle pourrait peut-être même exiger de se retirer dans des appartements privés jusqu'à la délivrance. Malheureusement, Matilda n'avait pas prévu que son comportement impudique durant la nuit de noces exacerberait le désir de son mari pour elle. Il était littéralement obsédé par son inhabituelle épouse, et venait souvent réclamer ses droits.

Ses visites rendaient Matilda malade, même si elle avait pour l'instant réussi à éviter qu'il ne l'embrassât, ce qui était sa seule consolation.

Soit elle lui disait qu'elle attendait un enfant. Mais, dans ce cas-là, il ne la laisserait plus monter à cheval.

Elle ne pourrait plus superviser la construction du monastère, son unique source de joie, et n'arrivait pas à imaginer d'en être privée. Matilda avait posé elle-même la première pierre, le jour de l'équinoxe de printemps de 1070, un an auparavant. De plus, l'Ordre lui avait fait savoir que les moines calabrais étaient en route. Elle pourrait les accueillir au palais pendant quelque temps, mais, le travail de transcription du Libro Rosso une fois commencé, il faudrait les éloigner de Verdun et de la curiosité du Bossu. Elle ne voulait pas perdre sa liberté d'aller et venir avant que cela ne fût absolument nécessaire.

Les choses se présentèrent de telle façon que Matilda n'eut pas à résoudre son dilemme. Un soir, peu après qu'elle avait pris conscience de son état, elle se coucha avant que son mari ne fût rentré d'une de ses longues tournées sur ses terres. D'ordinaire, quand il était si tard, il dormait à l'extérieur. Matilda était épuisée par ses tâches quotidiennes de maîtresse de maison, par la construction de l'abbaye et par l'enfant qui grandissait en son sein. Étant donné l'heure tardive, elle était certaine que son mari ne rentrerait pas de la nuit.

Mais elle se trompait.

Elle l'entendit avant de le voir, et sentit son odeur avant qu'il ne pénétrât dans sa chambre.

— Où est ma femelle ? grommela-t-il en avançant d'un pas incertain.

Il empestait la bière et autre chose que Matilda n'identifia que lorsqu'il fut plus près. Le vomi. Il était aussi crasseux que s'il s'était roulé dans la fange des brasseries pendant des heures. Malgré son infirmité, c'était un homme en excellente santé. Avant son mariage, il cherchait une compensation à son infortune dans les bordels et dans la bière. Depuis qu'il avait épousé la sorcière rousse, il avait besoin plus que jamais de s'évader auprès de femmes germaniques aux cheveux de paille, dans l'espoir d'échapper au sort que lui avait jeté sa diabolique épouse. Laquelle, pour ajouter à ses tourments, le détestait, et détestait qu'il la touchât.

D'ordinaire, en ces circonstances, il s'écroulait bien avant de rejoindre sa femme. Mais, ce soir-là, elle n'eut pas cette chance. Les paysannes obtuses n'avaient pu rivaliser avec Matilda dans son cerveau fiévreux. Même la compagnie simultanée de deux filles plantureuses dans une arrière-salle n'avait pu lui ôter de l'esprit l'image de la femme de feu qui l'attendait dans son propre lit. L'homme qui arriva au palais était possédé par la luxure et ses propres démons.

— Viens à ton homme, femelle impudique, grommela-t-il en s'approchant du lit.

Matilda dormait à moitié et tenta de reprendre rapidement ses esprits, embrumés par le sommeil. Il grimpa sur elle à toute vitesse, lui laissant juste le temps de détourner le visage pendant qu'il essayait de coller sa bouche puante à la sienne. Il n'embrassa que sa joue, qu'il mordit. De ses mains habiles, Matilda essaya de le distraire de son projet, mais cette nuit-là, sa stratégie d'ordinaire efficace fut inopérante.

Geoffroi la gifla violemment.

— Tourne ta tête vers moi, femme !

Il n'attendit pas qu'elle obéît, mais prit ses cheveux à pleines mains et obligea sa bouche à se joindre à la sienne. Matilda serra énergiquement les dents, mais le Bossu était plus fort. Incapable de se dégager, Matilda usa d'une tactique que lui avait apprise Conn. Elle releva son genou jusqu'au menton du Bossu et se retourna d'un mouvement vif.

Le Bossu tomba par terre en grognant et resta immobile le temps de reprendre son souffle. Puis il se releva, l'air menaçant.

— Je peux user de mes droits de mari sur toi quand je le veux et comme je le veux. Ton précieux document officiel ne l'interdit pas !

Avant qu'il ne fît un pas de plus, Matilda s'écria :

— Geoffroi, arrête ! J'attends un enfant !

Il cligna des yeux, comme s'il n'avait pas bien entendu, ce qui n'aurait pas été surprenant vu son état d'ébriété.

— Qu'as-tu dit ?

— Que je portais ton enfant. Et selon la sage-femme, j'ai les os si étroits que je risque de le perdre si tu me touches.

Elle mentait, bien entendu, mais il était trop ignorant pour le savoir, même dans son état normal.

Il fit un pas de plus et, d'un geste étonnamment rapide, saisit ses cheveux et la força à le regarder.

— Pourquoi est-ce que je te croirais, sale menteuse ?

Son désir et son ivresse ajoutaient au danger de la situation. Le Bossu avait de la force. Matilda devait marquer un point, et vite.

— Parce que tu veux un héritier depuis des années et que, si tu me touches, tu cours le risque de ne jamais en avoir.

Il adoucit un peu sa prise, mais sans la lâcher. Matilda était à bout, et s'exprima avec la détermination de la guerrière qu'elle avait été.

— Il y a une foule de servantes dans cette maison, qui seront trop heureuses de te soulager en échange d'un petit cadeau. Faut-il que tu mettes en danger notre enfant, le futur duc de Lorraine, pour satisfaire tes instincts de soudard ?

Cela fonctionna. Pour empoisonné qu'il fût par la bière et le désir, Matilda avait encore le pouvoir de convaincre la part de son cerveau où résidait son ambition la plus chère. Le Bossu marmonna quelques mots pour signifier qu'ils en parleraient le lendemain et sortit de la chambre sans se retourner.

Matilda fut prise de pitié, et d'une certaine culpabilité, en songeant à la malheureuse qui aurait à subir les assauts de son seigneur le duc dans l'état où il se trouvait cette nuit-là. Elle se renseignerait auprès de ses servantes pour savoir laquelle avait subi cette indignité, et doublerait ses gages. C'était la moindre des choses qu'elle pût faire.

Mais la culpabilité ne l'empêchait pas d'être infiniment soulagée à l'idée qu'elle n'aurait pas à remplir son devoir conjugal pendant au moins les sept prochains mois.

Matilda était prisonnière en son palais. Comme elle l'avait redouté, Geoffroi avait dressé la liste de ce qui lui était strictement interdit, et monter à cheval venait en tête. Des hommes du duc la surveillaient en permanence : prêtres, médecins, sages-femmes se relayaient à ses côtés, sans lui laisser un instant de tranquillité. Même le cuisinier établissait lui-même ses menus et envoyait des serviteurs dans la salle à manger, pour être sûr qu'elle avalait ce qui avait été préparé à son intention.

Heureusement, son mari l'évitait comme la peste depuis la nuit de son humiliation. Matilda était certaine qu'il ne lui accordait aucune confiance et pensait qu'elle pourrait faire volontairement du mal à l'enfant. C'était abominable de se dire que tous la croyaient capable d'un acte si monstrueux. Non moins terrible était de sentir la vie qui palpitait dans son corps, et de savoir qu'elle n'avait pas été conçue dans la pureté enseignée par l'Ordre. Ce n'était pas la faute du pauvre bébé, s'il n'avait pas été créé dans un environnement sacré. Selon le Livre de l'Amour, tout enfant né de l'union d'amants sincères est considéré comme de conception immaculée alors qu'un enfant créé hors de cet amour ne reçoit pas la même bénédiction à sa naissance. Il ne s'agissait pas de porter un jugement sur l'innocent nouveau-né, mais d'avertir les adultes qu'il ne fallait pas concevoir sans amour.

Mon Dieu, pourquoi m'avoir éloignée d'Isobel et du Maître en ce moment ? Plus que jamais, être privée d'un guide spirituel rendait Matilda profondément malheureuse. Son unique refuge était la petite chapelle où elle pouvait s'enfermer, hors de la vue des espions du Bossu. En y entrant, elle caressait toujours la petite statue de Modesta, posée sur un autel doré.

En guise de cadeau d'anniversaire, Patricio lui avait fait la surprise de peindre une rose à six pétales sur le sol de la chapelle. Puisqu'elle n'aurait pas de labyrinthe avant que l'abbaye Orval ne fût terminée, elle pourrait au moins se recueillir devant le symbole sacré pour prier Dieu de lui donner la force d'affronter les épreuves qu'elle traversait.

Les pétales étaient assez grands pour qu'on pût s'agenouiller dans chacun d'eux. Matilda entra dans le premier, et rendit grâces pour les bienfaits dont elle avait été comblée durant sa vie, puis elle passa au deuxième.

— Que Votre volonté soit faite, se répéta-t-elle inlassablement. Mon Dieu, pourquoi exigez-Vous cela de moi ? Pourquoi ai-je été éloignée de tous ceux que j'aime, et du lieu de mon enfance ? Comment puis-je mieux comprendre Votre volonté ?

La voix ne lui répondait toujours, mais à ce moment-là, elle l'entendit plus distincte que jamais :

— Lorsque la vallée de l'Or sera achevée, tu retourneras chez toi, et tu trouveras le grand amour afin d'être récompensée de ton obéissance à ton destin et à ta promesse.

Les termes de la réponse n'étaient pas très précis, mais Matilda y puisa du réconfort. La volonté de Dieu était qu'elle bâtît Orval, et elle s'y employait. La construction avançait à grands pas. Un hiver relativement doux avait permis aux ouvriers de ne pas interrompre leur tâche, et les moines calabrais travaillaient à la copie du Libro Rosso. Le projet n'avait pris aucun retard.

Elle termina son parcours de prières et s'attarda sur le cinquième pétale, celui du pardon. Elle pria pour trouver la force de pardonner sa méchanceté à Geoffroi, en ayant de la compassion pour sa condition et pour les maux dont il avait souffert. Matilda pria aussi Dieu de lui pardonner le mépris qu'elle ressentait pour son mari, et pour ne pas se comporter de manière plus aimante avec lui. Quand elle eut terminé, elle fut envahie par un sentiment de paix. Et Dieu la récompensa de sa piété, car Patricio revint d'Orval en ce même après-midi.

Il lui annonça que les travaux de la belle abbaye étaient en bonne voie, et lui montra les dessins de sa structure, érigée pour en magnifier la majesté. Elle s'attarda sur la reproduction de la grande fenêtre à la rosace aux six pétales. L'exaltation de Patricio était contagieuse, mais il s'efforça de partager sa passion sans la désespérer de son incapacité à se rendre sur place.

— Oh ! Patricio, je voudrais tellement être là-bas avec toi !

— Le temps passe vite, tu verras. Quand tu pourras voyager, nous aurons presque terminé les premiers bâtiments, et ton labyrinthe ornera le jardin. Je m'en occuperai personnellement.

— Je m'en réjouis, plus que tu ne peux l'imaginer.

Au début de l'automne, Patricio, fou de joie et désireux de la partager avec son amie, revint à Verdun pour annoncer à Matilda que le labyrinthe était prêt. Il l'avait inauguré la veille, et avait parcouru les onze cycles. Cette réussite était celle de Matilda comme la sienne. Ils avaient créé ensemble une magnifique bibliothèque et des lieux d'enseignement du Chemin de l'Amour.

Matilda n'avait guère la tête à se réjouir. Elle en était à son septième mois de grossesse et son corps autrefois si menu dénonçait son état. Ils se dirigeaient vers les écuries, et Matilda admirait les chevaux avec nostalgie.

— Je donnerais tout au monde pour arpenter ce labyrinthe ! Tu sais que c'est l'unique lieu où je trouve une réelle paix.

Elle s'interrompit soudain et regarda autour d'elle. Personne, apparemment, ne les suivait. Patricio la connaissait assez pour savoir à quoi elle pensait. Le Maître avait raison de dire qu'ils avaient le même esprit.

— Non, Matilda ! Il n'en est pas question. C'est trop dangereux.

— Geoffroi est absent pour trois jours. Si nous partons maintenant, nous serons de retour avant la nuit. Je ne resterai pas longtemps, Patricio, juste assez pour voir les bâtiments et parcourir une fois le labyrinthe.

— Tu es devenue folle, tu n'es pas en état de monter ! Et tu ne portes pas les vêtements appropriés.

— Écoute-moi, je t'en prie. As-tu jamais vu quelqu'un plus à l'aise que moi sur un cheval ? C'est comme d'être assise sur une chaise. Je vais prendre un cheval âgé, et calme. Le trajet me prendra une heure de plus, mais, si nous partons immédiatement, ce n'est pas un problème. Et il y a des tenues dans les écuries, des tenues d'homme, et tant mieux si je suis déguisée.

— Ne me demande pas ça, Tilda, je t'en supplie !

234

— À qui d'autre pourrais-je le demander, frère ?

Les yeux pleins de larmes, Matilda insista :

— S'il te plaît ! Je n'ai pas eu un seul moment de bonheur depuis six mois. Voir ce que nous avons accompli à Orval me redonnera courage et me permettra de tenir encore deux mois.

— Que Dieu me pardonne s'il vous arrive quoi que ce soit, à toi et à l'enfant ! (Patricio secoua la tête.) Allons-y vite alors, avant qu'on nous voie !

Une fois dans la forêt, Matilda oublia sa grossesse et poussa son cheval au galop.

— Matilda ! Ralentis !

Patricio transpirait, malgré l'air frais de ce début d'automne. Depuis qu'il avait vu son amie dans les écuries, il avait un mauvais pressentiment. Certes, elle ne voulait pas nuire à son enfant, mais sa conduite n'était pas raisonnable.

Matilda tira sur les rênes.

— Pardonne-moi ! Mais c'est si bon de sortir !

Elle respira à pleins poumons l'air parfumé à l'essence de pin des Ardennes. Ils étaient presque arrivés et Matilda peinait à contenir son excitation. En dépassant l'étang où elle avait aperçu le cygne blanc qui lui avait adressé un signe, elle eut un hoquet de stupéfaction.

Les colonnes de marbre doré qui soutenaient les arches de la nef étincelaient sous ses yeux. Le spectacle était magnifique.

— Oh ! Patricio ! Regarde ce qu'on a fait !

Elle descendit prudemment de cheval, aidée par son ami, et avança vers l'édifice dont elle avait tant rêvé.

— Viens avec moi, vite.

Patricio, désormais rassuré qu'elle fût arrivée saine et sauve, et lui trouvant meilleure mine que depuis longtemps, ne cachait plus son impatience. Il l'aida à franchir le seuil et la fit entrer dans la vaste salle où se trouvait la fenêtre à rosace.

Matilda, muette d'émotion, éclata en sanglots. Quand elle recouvra la parole, ce fut pour murmurer sa gratitude :

— Elle est parfaite. Telle que je la rêvais.

Patricio l'entraîna à sa suite vers le scriptorium, où travaillaient les moines calabrais. Matilda ne les avait vus que lors de leur arrivée en Lorraine. Ils s'étonnèrent de sa venue, mais la saluèrent chaleureusement et lui proposèrent de se reposer pendant qu'ils iraient lui chercher une collation de pain et de fromage, provenant de l'abbaye. Orval se suffirait bientôt à elle-même.

Après s'être restaurée, et enquise de l'état des travaux de transcription, beaucoup plus ardus qu'ils ne l'avaient prévu, Matilda demanda à Patricio de l'emmener au labyrinthe.

Il était splendide. L'abbé avait travaillé pendant plus d'un an avec les meilleurs tailleurs de pierre. Les onze cycles étaient pavés de pierres de taille égale, enfoncées une à une dans le sol afin de créer les onze sentiers circulaires. Au centre, une rose parfaite avait été taillée dans une roche plus claire. C'était un pur chef-d'œuvre.

— Regarde, dit Patricio en désignant l'entrée, qui donnait à l'ouest, et en parcourant une dizaine de mètres avant de s'agenouiller pour lui montrer l'anneau de fer encastré dans le sol. Pour notre Dame, Notre-Dame du Labyrinthe.

Rayonnante, Matilda retira quelques mèches de sa chevelure tressée et les noua autour de la bague en un nœud nuptial. Elle embrassa Patricio sur la joue et le remercia encore avant d'entrer dans le labyrinthe tant attendu, où elle savait qu'elle trouverait Dieu.

Elle y eut plusieurs visions intrigantes. Elle, en Toscane, avec Conn, l'évêque Anselmo, Isobel et un inconnu de haute stature. Matilda s'étonna de paraître toujours aussi jeune qu'aujourd'hui. Après la naissance de l'enfant, Geoffroi ne la laisserait pas de sitôt aller en Toscane. Puis elle vit Lucques, à Noël. Elle se tenait devant la cathédrale San Martino, qu'elle avait fait ériger pour la Sainte Face. Ces visions la transportèrent de joie. Combien de temps devrait-elle encore attendre avant qu'elles ne deviennent réalité ? Mais si ce n'était que le reflet de ses désirs, et non la prévision de ce qu'il lui arriverait ? Elle s'étonna de l'absence de son enfant, alors

236

qu'elle le sentait bouger en son sein. Dieu ne voulait peut-être pas qu'elle le vît avant sa naissance.

L'inquiétude de Patricio grandissait. Matilda restait trop longtemps dans le labyrinthe, ils n'arriveraient jamais à rentrer avant la nuit. Malgré les prières muettes qu'il lui adressait, elle s'attardait encore. Lorsqu'elle sortit enfin, bouleversée par ses visions, il ne lui laissa pas le temps de lui parler.

— Vite, Tilda ! Tu me raconteras tout en chemin.

Un coup d'œil sur le ciel lui montra qu'il était beaucoup plus tard qu'elle ne le croyait. Patricio l'aida à monter à cheval et ils prirent la route du retour.

Les jours raccourcissaient. Matilda avait le choix entre accélérer pour profiter de la lumière ou prendre le risque d'affronter la nuit. Elle opta pour la première solution et lança son cheval au galop.

— Que Dieu nous vienne en aide, murmura Patricio en essayant de la suivre.

Matilda ne saurait jamais si c'était le fait de sa destinée ou de sa propre volonté, mais à cause de la lumière crépusculaire et de l'allure qu'elle imposait au vieux cheval l'animal trébucha en plein galop et perdit l'équilibre. Si elle n'avait pas été enceinte, Matilda aurait roulé à terre et encaissé la chute avec, tout au plus, quelques contusions, mais, gênée par un corps qu'elle ne maîtrisait plus aussi bien, elle fut violemment projetée au sol.

Patricio hurla de terreur et sauta à terre. Soulagé, il constata que son amie respirait encore, même si elle était inconsciente. Il l'examina, sans déceler la moindre blessure dangereuse pour sa vie. Alors, il ôta la couverture qui recouvrait la selle de son cheval, l'y enveloppa au mieux tout en priant pour le salut de Matilda avec une ferveur inégalée. Puis il bondit à cheval et galopa en direction de Verdun comme s'il avait le diable à ses trousses.

Aux douleurs qui lui tenaillaient le ventre, on aurait dit que dix épées chauffées à blanc la transperçaient.

Elle revenait à elle, mais aurait de loin préféré demeurer inconsciente. Elle se tordit soudain en un atroce accès de souffrance et sentit un flot tiède couler sur ses cuisses. En ouvrant les yeux, elle vit qu'elle était dans sa chambre, entourée de deux des espions de Geoffroi, les sages-femmes. La plus jeune, Greta, était plutôt gentille, et la seule des membres de l'équipe du duc à lui avoir témoigné quelques attentions amicales. Elle essuya le visage de Matilda avec un linge frais et lui murmura en allemand que tout allait bien, et qu'elle était en sécurité.

On ne pouvait en dire autant de l'aînée des deux femmes. Elle lançait des ordres abrupts aux personnes présentes dans la pièce tout en appuyant sur le ventre de Matilda.

— Poussez, ordonna-t-elle d'un ton coupant. Le bébé doit sortir maintenant, pour avoir la moindre chance de vivre.

Matilda ne comprit pas le reste de sa phrase, qu'elle marmonna en allemand entre ses lèvres serrées. Sans aucun doute une malédiction destinée à la duchesse impie qui avait mis en danger l'enfant du duc.

Matilda poussa. Elle n'avait pas le choix. La pression était insupportable. Un ultime effort, une douleur inouïe, et elle sentit le nourrisson franchir le canal de la vie. La sage-femme s'en empara.

Il était gravement prématuré, tous le savaient. Cette naissance n'aurait pas d'heureuse issue. Matilda, épuisée, traumatisée par le choc et la douleur, n'en était pas moins consciente, et malheureuse. Elle attendit en silence tandis que la sage-femme nettoyait le bébé.

— C'est une fille, dit l'accoucheuse sans la moindre émotion.

Tout à coup, un petit cri retentit dans la pièce. Était-ce possible ? se demanda Matilda. Son enfant vivait-il ? Elle essaya de se redresser, mais la jeune sage-femme la retint doucement.

En dépit de sa dureté avec Matilda, l'aînée se montrait délicate et tendre avec le nouveau-né, qu'elle massait avec prudence, tout en lui murmurant des petits mots incompréhensibles.

— Va chercher un prêtre, ordonna-t-elle à la plus jeune avant d'envelopper le bébé dans une couverture de laine et de le déposer dans le lit, à côté de sa mère.

— Elle vit, dit-elle à Matilda sur un ton indifférent, mais ça ne durera pas. Elle est trop petite, elle respire trop vite. Elle sera morte avant la fin de la nuit. Avant même que son père ne puisse la voir vivante. Vous devez lui donner un nom, pour que le prêtre la baptise et que son âme n'erre pas à jamais. Un nom chrétien, insista-t-elle.

Mobilisant toutes ses forces, Matilda prit sa minuscule fille dans ses bras. Elle était si petite qu'elle n'avait pas l'air réelle, mais parfaite, sans la moindre trace de la difformité de son père. Une fossette qui rappelait celle de Matilda creusait son menton et ses rares cheveux étaient incontestablement roux.

L'enfant la regardait, droit dans les yeux, et Matilda était sûre qu'elle la voyait vraiment. L'instant fut bref mais intense et laissa apercevoir l'âme de la petite fille venue en ce monde pour si peu de temps. La mère et la fille se connurent, en un échange qui brisa le cœur de Matilda. Elle était responsable de cette tragédie. Que Dieu lui pardonne.

Le prêtre se présenta. C'était le confesseur de Geoffroi, qui n'avait jamais eu la moindre indulgence envers la duchesse. Il répandit à la hâte l'eau bénite sur le front du nourrisson, comme s'il craignait qu'il ne mourût dans la minute.

— A-t-elle un nom de baptême chrétien ?

Matilda caressa le petit menton de sa fille et hocha la tête.

— Oui. Elle s'appelle Béatrice Magdalène.

L'air désapprobateur, le prêtre la baptisa et lui administra les derniers sacrements en une étrange cérémonie où se confondaient la vie et la mort. Puis il sortit, sans un regard pour la mère.

Éplorée, la jeune femme prit l'enfant contre son sein et la berça doucement. Elle ne connaissait pas de berceuses. La petite fille quitta donc ce monde en entendant les pleurs de sa mère, entrecoupés de strophes de la seule chanson qui lui avait toujours apporté du réconfort. Celle en français, qui parlait de l'amour.

Matilda étouffait. Il y avait quelque chose sur son visage qui l'empêchait de respirer. Elle se débattit, sans résultat. Son agresseur était plus fort qu'elle. Elle était sur le point de perdre connaissance lorsqu'elle reconnut une voix d'homme. Puis une courte lutte se déroula dans la pièce où l'on criait en allemand.

La vue brouillée, et reprenant lentement sa respiration, Matilda aperçut le Bossu penché sur elle, un coussin dans les mains. Mais, contre toute attente, ce n'était pas lui qui avait tenté de la tuer, il venait au contraire de la sauver. La plus âgée des sages-femmes, celle qui avait tenté de l'assassiner, regardait Matilda avec haine.

— Diablesse! Sorcière assassine! Tu as tué cette enfant aussi sûrement que si tu lui avais tranché la gorge.

— Assez!

Geoffroi s'occuperait plus tard de la sage-femme. Il ne pouvait tolérer un meurtre dans sa propre chambre à coucher, même s'il était justifié, comme ne manqueraient pas de le penser la plupart de ses gens. La vieille femme sortit de la pièce en courant. Geoffroi s'approcha de Matilda, qui essaya de parler, mais les mots ne franchissaient pas sa gorge.

Le Bossu lui lança un regard haineux, dénué de pitié.

— Ne me remercie pas de t'avoir sauvée, femme. Je ne l'ai pas fait pour ta chair damnée. Mais je ne pouvais mettre mon âme en danger pour une enfant de sexe féminin en laissant s'accomplir un meurtre sous mon toit. Sache cependant une chose : si l'enfant avait été un garçon, j'aurais laissé la sage-femme te tuer.

Il fallait qu'elle s'en allât. Matilda ne donnait pas cher de sa vie si elle restait à Verdun. Tous ici croyaient qu'elle avait délibérément tué l'enfant du duc. Seule Greta, la plus jeune des sages-femmes, pouvait devenir une alliée. Elle avait rendu visite à Matilda pour s'assurer qu'elle récupérait et lui faire avaler un peu de pain trempé dans du vin coupé d'eau.

Greta rapporta à Matilda que, dans la maison, tous murmuraient que c'était aussi bien que l'enfant fût morte, car elle avait la même couleur de cheveux que sa mère. Elle aurait été sorcière, elle aussi, et aurait apporté la malédiction sur leur bon duc. La duchesse, elle, était en grand danger. Greta avait entendu dire plus d'une fois que, si Matilda mourait au lendemain de ses couches, il serait facile de faire croire à des complications suite à l'accouchement. Au château, personne ne mettrait en doute les causes naturelles de son décès. Geoffroi hériterait de ses biens et serait libre de prendre une jeune épouse.

Matilda proposa une partie de son coffre à bijoux à Greta en échange d'un cheval. Il se trouvait que le frère de la jeune fille travaillait aux écuries. Un collier de rubis digne d'une reine le persuada de préparer un cheval pour Matilda.

Au milieu de la nuit, elle sortit du château par une porte de service, sans autres vêtements que ceux qu'elle portait, et attendit le garçon à l'écurie. Le cheval une fois sellé, elle le monta et s'éloigna dans l'obscurité, espérant que le clair de lune brillerait assez pour lui montrer le chemin. Cette fois, elle modéra son allure, afin de ne pas tomber de nouveau.

— Je dois rester ici, Matilda, le Bossu ne me fera pas de mal. Il n'osera pas. Je suis moine, et nous sommes dans la maison de Dieu. N'oublie pas qu'il n'a pas la moindre idée de ce que tu fais bâtir ici. Personne ne s'en doute. Pour les Lorrains, nous construisons le plus beau monastère d'Europe du Nord. Et Geoffroi en récoltera le crédit.

Matilda hocha la tête, en espérant que c'était la vérité. Elle désirait que Patricio restât à Orval pour mener à bien leur grand projet. Elle avait depuis longtemps transféré tous les fonds accordés par Geoffroi dans les coffres de l'abbaye. Patricio les gérait. Le duc ne pouvait donc pas couper les vivres aux moines d'Orval. Mais elle craignait que son mari ne s'en prît à Patricio lui-même, en représailles de sa complicité.

— Mon seul souci est que tu quittes la Lorraine au plus vite. Mais une femme seule ne peut pas traverser les Alpes à cheval.

— Non. Mais ma mère a des parents ici. Une cousine. J'irai chez elle, et je lui raconterai ce qui s'est passé. De là, j'enverrai un messager en Toscane, afin qu'une escorte vienne me chercher.

— Tu as confiance en cette cousine ?

— Je ne la connais pas. Mais elle est duchesse de naissance, et elle a dû combattre Henri à maintes reprises. Nous avons donc beaucoup en commun, je l'espère. Et, en vérité, je n'ai pas le choix, n'est-ce pas ?

— Tu as raison. Va aussi vite que possible et tiens-moi au courant. Nous nous servirons du Sator Rotas pour communiquer.

Lorsqu'ils étaient enfants, le Maître leur avait appris à coder un message. Ce langage chiffré était né aux premiers jours du christianisme, à Rome, quand une mort violente attendait quiconque était soupçonné de pratiquer la religion chrétienne. Les premiers convertis ne communiquaient entre eux que par messages cryptés. Plus jeunes, Matilda et Patricio avaient joué à échanger des petits mots constitués de suites de lettres et de chiffres. Le code servirait une fois encore à protéger le christianisme authentique, ainsi qu'à garantir la sécurité de Matilda.

« Dieu prend soin des siens. »

C'était une phrase que le Maître prononçait souvent, et Matilda en connaissait le bien-fondé. Chaque fois qu'elle avait eu besoin de son assistance divine, Il la lui avait accordée. Elle se manifesta cette fois sous la forme de la cousine de sa mère, Giselda, ainsi baptisée en l'honneur de la reine qui avait élevé Béatrice lorsqu'elle était devenue orpheline. Apparemment, dans cette famille, la force et la grâce allaient avec ce prénom. Cette femme originale et éduquée était révulsée tant par la réputation licencieuse d'Henri IV que par ses tentatives de s'approprier ses territoires héréditaires. Descendante de Charlemagne, elle estimait mériter un meilleur traitement de la part de ce parvenu, roi ou pas.

Elle considéra l'arrivée de Matilda comme une bénédiction, car les deux femmes ne tardèrent pas à s'allier contre leur ennemi commun. Matilda promit le soutien de la Toscane en cas d'attaque contre les territoires de Giselda qui, pour sa part, lui offrit la meilleure des hospitalités, les services de médecins réputés, et le plaisir de sa compagnie. Elle envoya également le plus sûr de ses messagers à Mantoue.

L'escorte toscane mit des semaines à arriver en Lorraine. Matilda mit ce délai à profit pour recouvrer la santé. La prière et les exercices spirituels régulièrement pratiqués lui permirent de surmonter peu à peu la tristesse de la perte de son enfant, son profond sentiment de culpabilité, et le traumatisme provoqué par les conséquences cauchemardesques de son accouchement. La sympathie de Giselda et la paix de la solitude nourrirent l'âme de Matilda de forces nouvelles, tandis que les médecins remettaient son corps en état avant qu'elle n'entame la traversée des Alpes à l'approche de l'hiver.

Lorsque les Toscans furent en vue, et qu'elle reconnut les cheveux roux du géant à cheval venu la ramener chez elle, Matilda était prête pour le voyage.

Un messager d'une abbaye bénédictine apporta une lettre de Patricio pendant les préparatifs du départ. La jeune femme s'assit à l'écart et entreprit de déchiffrer l'apparente incohérence de la suite de chiffres et de lettres.

« Ma chère sœur,

« Le Bossu est venu à Orval et s'est emparé du Libro Rosso. Les copies sont en sécurité dans le scriptorium, mais il a emporté l'original et l'Arche de la nouvelle alliance. Il ne sait pas exactement ce que c'est, mais il a compris que ces objets étaient précieux à tes yeux, et il espère ainsi t'obliger à revenir. Il ne s'en est pris ni à moi ni à nos frères, mais avoir été dépossédé de notre bien le plus sacré me désespère. Je crois qu'il se trouve au palais de Verdun. Je t'en prie, dis à ton frère ce qu'il convient d'entreprendre. J'obéirai à ta volonté, car je sais que c'est Dieu qui te l'inspirera. Je prie pour toi tous les jours et te souhaite d'être heureuse et en sécurité.

« Ton frère Patricio. »

Matilda était stupéfaite. Elle n'avait pas imaginé un instant que le Bossu souhaiterait son retour, et n'avait certainement pas prévu son chantage. Elle demanda à Giselda des parchemins et de l'encre pour écrire à Patricio et à Geoffroi. Étant donné son éducation et son intelligence, Matilda n'avait jamais besoin de scribe. Elle écrivait elle-même presque toute sa correspondance, et y trouvait plaisir, surtout lorsqu'elle pouvait laisser libre cours à ses pensées.

La première lettre lui en offrit l'occasion.

« Au duc Geoffroi de Lorraine, de la comtesse Matilda de Canossa.

« Au nom du peuple de Toscane et de la noble famille de Canossa, j'exige que me soient restitués sans délai nos plus saints objets de vénération, confisqués illégalement par la maison de Lorraine. Le Libro Rosso, mon précieux livre rouge, doit être immédiatement remis entre les mains des moines d'Orval, qui en garantiront la sécurité entre les murs du paradis construit pour l'abriter.

« Si le Libro Rosso n'est pas immédiatement restitué, la maison de Toscane déclarera une guerre juste et sainte à celle de Lorraine. Je saurai mener tous les guerriers du nord de l'Italie jusqu'à Stenay, afin de récupérer nos objets sacrés, par la force s'il le faut. »

Elle signa sa lettre de son ancien paraphe, « Matilda, par la grâce du Dieu qui est », entrelacé dans une croix et suivi du symbole des Poissons et du Verseau, ses emblèmes en tant que très chrétienne fille de la prophétie de l'équinoxe. Elle ne jouerait plus jamais de rôle, ni pour le Bossu ni pour personne. Désormais, elle vivrait dans la gloire de son identité et reprendrait ce qui lui appartenait ou ce qui était sous sa protection. À l'avenir, Matilda signerait toujours ainsi, pour signifier qu'elle était légitime en ses biens et en ses actes par la grâce de Dieu dont elle était l'enfant élue. Mari ou roi, elle n'aurait besoin de nulle autre reconnaissance pour conserver ce qui lui avait été donné.

Puis elle écrivit à Patricio pour le prévenir de l'arrivée de Conn, qui remettrait personnellement sa lettre à Geoffroi et négocierait en son nom. Un échec était hors de question, et elle ne s'autorisa pas un instant de l'envisager en conscience. Elle informa Patricio que le Libro Rosso et l'Arche de la nouvelle alliance seraient bientôt sous sa garde. Elle se chargerait alors de se les faire remettre, afin de les rapporter à Lucques.

Geoffroi de Lorraine fut plus qu'impressionné par le géant celte qui le menaçait d'une guerre au nom de Matilda. Il refusa cependant de le montrer et exigea le retour de sa femme en échange des objets qu'il avait volés à Orval.

Conn lui rit au nez et lui rappela que la servante qu'il avait personnellement choisie avait tenté d'assassiner Matilda dans son propre lit après qu'elle avait vécu l'horrible tragédie que représente la perte d'un enfant. Il employa à dessein le mot assassinat dont la connotation politique affaiblissait la position officielle de Geoffroi. Le duc était pris à son propre piège, et ne l'ignorait pas.

Conn exposa les autres conditions posées par Matilda. Elles étaient relativement raisonnables, car elle poursuivait un double objectif : restituer à l'Ordre son bien le plus précieux et quitter la Lorraine sans encombre. Lorsqu'elle serait en sécurité en Toscane, entourée de ses conseillers au premier rang desquels figurait sa mère, elle s'occuperait de l'avenir de son mariage. Elle espérait que Geoffroi accéderait rapidement à ses exigences, car elle ne parlait pas de divorce malgré le contrat qui lui en donnait le droit en cas de cruauté. Il conserverait ses titres toscans tant qu'il n'interviendrait pas dans l'administration des terres de Matilda d'une façon qu'elle jugerait agressive ; elle offrait aussi de soutenir Henri si besoin et avait demandé à Conn de laisser entendre qu'elle pourrait envisager un retour dans le lit conjugal s'il lui retournait ses biens.

L'enfer gèlerait et les Alpes s'écrouleraient avant qu'elle ne laissât Geoffroi la toucher à nouveau, mais elle l'espérait trop bête pour le comprendre. Le désir de son mari pour elle était un atout précieux dans la guerre qu'elle menait contre lui. Il joua son rôle. Geoffroi accepta de lui restituer ses biens, ainsi que des objets personnels qu'elle n'avait pu emporter dans sa fuite, dont les plus précieux étaient son coffre en ivoire, cadeau de Boniface, et la statue de Modesta. Geoffroi donnerait six mois à Matilda pour visiter ses terres et voir sa mère avant de réclamer son retour. Conn accepta sans crainte. Matilda, il le savait, inventerait mille stratagèmes pour éviter de retourner auprès de son mari. Il conserva la lettre de Matilda, car mieux valait ne pas laisser une menace de guerre entre les mains de l'ennemi, ni la signature hérétique de la comtesse, qui pourraient par la suite être utilisées contre elle.

Conn se chargea lui-même de rapporter l'Arche et son contenu à Patricio, pour qu'il les examinât. Il passa la nuit à Orval. Les moines calabrais et l'abbé vérifièrent que les copies étaient complètes, et qu'il n'y manquait ni pages, ni dessins, ni diagrammes. Ils s'assurèrent ensuite que l'original était intact. Après que chaque homme eut baisé respectueusement le couvercle doré de l'Arche, le

Libro Rosso y reprit sa place et fut confié à Conn des Cent Batailles, qui fit le serment de le protéger avec une ferveur intense et inattendue.

Le géant celte ne ménagea pas ses louanges à Patricio pour le magnifique travail accompli à Orval. L'abbaye était digne d'abriter les écritures les plus sacrées, la parole du Seigneur et les prophéties de Sa sainte fille. Tout l'édifice était un chef-d'œuvre créé par le pouvoir de l'amour. Lorsqu'il aperçut le labyrinthe dans les jardins, Conn pria qu'on le laissât seul afin de le parcourir.

Après l'après-midi passé en compagnie du Celte, Patricio était étonné et intrigué par sa compréhension intime et profonde du Libro Rosso. À sa connaissance, le géant n'avait jamais été membre de l'Ordre, et le jeune abbé se demandait comment il en savait autant sur ses traditions. Matilda n'avait pu partager ces informations avec Conn, car elle n'aurait jamais violé son serment de silence envers les non-initiés. Matilda savait-elle seulement que Conn était capable de citer le Livre de l'Amour ? qu'il connaissait les fonctions du labyrinthe, sans que Patricio lui en eût parlé ?

Il faudrait éclaircir ce mystère, car l'homme ne donnait pas le moindre indice sur son passé. Patricio envisagea d'écrire une lettre codée à Matilda à ce sujet, mais se ravisa. Et si le Celte connaissait aussi le code ? Mieux valait ne pas l'offenser. C'était un allié, prêt à mourir pour Matilda. Patricio en déduisit que Conn était lui aussi un des élus de Dieu et qu'il ne lui appartenait pas de s'occuper de ce qu'il savait ou non. Le trésor de l'ordre du Saint-Sépulcre serait en sécurité sous la garde de son épée et de celle de Matilda. Le Libro Rosso et l'Arche de la nouvelle alliance retourneraient en Italie, leur pays. Pour l'instant.

Exactement six mois plus tard, Geoffroi envoya des messages exigeant le retour de sa femme à Verdun en juin 1072, dernier délai. Matilda les ignora. D'autres lettres suivirent, d'un ton plus conciliant. Elle les ignora de la même façon. Au bout de huit mois, Geoffroi suppliait son épouse d'accepter au moins de le voir pour parler de l'avenir de leur mariage. Comme elle refusait ne fût-ce que de répondre à ses lettres, il marcha sur la Toscane pour faire valoir ses droits de duc et installa sa cour à Mantoue. À nouveau, il supplia Matilda de le rejoindre et de siéger à ses côtés sur le trône ducal. Pour toute réponse, elle se retira en sa forteresse de Canossa.

Béatrice se chargea de panser les plaies de Geoffroi. Elle implora son pardon et le supplia de prendre patience. Un Geoffroi apaisé ne représentait aucun danger et elle était bien décidée à neutraliser tout obstacle à l'héritage de sa fille. Elle lui expliqua d'un ton navré que Matilda n'était plus la même depuis la mort de son enfant et qu'un mari devait le comprendre et lui accorder encore un peu de temps. La tactique fonctionna un moment, mais Geoffroi se lassa et s'en retourna en Lorraine, lourd de colère et d'humiliation. Peu après, il prêta allégeance à Henri IV, ce dernier étant trop heureux de soutenir les prétentions de Geoffroi sur la Toscane en échange de son appui militaire en Lorraine. Henri déclara que Matilda violait la loi salique, qui privait les femmes de tout droit à héritage, et la dépouilla de tous ses biens. Avec le soutien du roi, Geoffroi franchit une étape supplémentaire : en faisant de son neveu, Godefroi de Bouillon, l'unique héritier de Lorraine et de Toscane, il alimentait la rage de son épouse.

Matilda n'en tint aucun compte. Elle ne répondait qu'à un seul maître, Dieu, qui lui avait accordé son territoire. À ses yeux, la possession avait force de loi, et elle possédait la Toscane, le peuple comme les terres. Elle continua de visiter son royaume en compagnie de sa mère, d'arbitrer les conflits et de tenir conseil non seulement dans les territoires principaux, mais aussi dans les plus petits hameaux. Le peuple la connaissait et l'adorait. Sa réputation de se battre pour la justice et de faire preuve de compassion se répandit dans toute l'Italie, car Matilda poursuivait inlassablement sa tâche : venir en aide aux nécessiteux et reconstruire les villes et les villages dévastés pendant les guerres schismatiques. Elle lança de nouveaux projets architecturaux pour édifier églises et monastères à la gloire de Dieu et au bénéfice de son troupeau. Monastères et couvents distribuaient aide et nourriture aux pauvres.

Canossa fut baptisée la nouvelle Rome. Le commerce et la connaissance y fleurirent. Matilda fit fortifier et restaurer le monastère de San Benedetto Po, proche de Mantoue, qu'avait érigé son grand-père à la mémoire de sa sainte grand-mère. Sa passion pour l'architecture, née à San Martino de Lucques, et qui avait atteint son apogée à Orval, s'affirmait chaque jour davantage. De la Lorraine, elle regrettait uniquement Orval et Patricio qui lui manquaient horriblement. Elle créa un nouvel Orval à San Benedetto, et y fit venir des membres de l'Ordre pour l'aider à étudier le Libro Rosso. Le Maître s'était fixé dans le quartier général de l'Ordre, à Lucques, et ne désirait pas voyager. Matilda ne le voyait pas aussi souvent qu'elle l'aurait souhaité. Mais Anselmo venait fréquemment à San Benedetto, et passait alors ses journées à étudier avec Matilda et ses nuits avec sa bien-aimée Isobel.

La Toscane s'épanouissait sous son règne, comme du temps de son père. Arduino della Paluda, un jeune général charismatique, issu d'une noble famille toscane liée à l'Ordre, commandait les troupes. Il parvint à éradiquer la piraterie et les voleurs. Sous sa surveillance, les marchands étrangers payaient régulièrement les taxes de passage sur les routes désormais sûres. De nouveaux ponts furent construits, certains selon des plans de Matilda, et le commerce était plus florissant encore que du temps de Boniface.

La Toscane connaissait la paix et la prospérité, sous l'autorité de la comtesse, qui partageait volontiers la table des plus pauvres de ses vassaux. C'était son peuple, et elle aimait également chaque individu, car tel était l'enseignement de son Seigneur, tant dans les textes canoniques que dans le Livre de l'Amour : « Aime ton prochain comme toi-même. » Elle appliquait ce principe à tous, et l'enseignait par l'exemple. De mémoire d'homme, aucun seigneur féodal ne s'était conduit ainsi.

Au fil des ans, Matilda avait adopté un comportement en accord avec ses traditions religieuses. Elle choisissait des conseillers loyaux, forts et intelligents et s'assurait que tous les membres de son entourage proche étaient de la même famille d'esprit qu'elle. Tous étaient engagés par des promesses qu'ils avaient faites de longue date, à Dieu et à eux-mêmes : être ici en ce lieu et en ce temps. Le temps revient. Son ami Arduino assurait la sécurité du peuple toscan et Conn, plus qu'un frère de sang pour elle, dirigeait sa garde personnelle. L'évêque Anselmo s'occupait des âmes et soutenait les réformes de son oncle, le pape Alexandre II, tout en préservant secrètement les objectifs de l'Ordre. Isobel, sa plus proche confidente, tenait la maison, et Béatrice était son mentor pour les questions générales de politique et de société.

Cette grande famille féodale n'avait qu'un seul sujet d'inquiétude : garder Henri et Geoffroi à distance. Ils étaient devenus *de facto* les gouverneurs des territoires qui s'étendaient des Alpes jusqu'à Rome. C'est dans ce contexte que, le 13 avril 1073, leur allié et bien-aimé pape Alexandre II mourut subitement.

Chapitre 10

Cité du Vatican

De nos jours

Le père Healy traversa l'esplanade, ébloui une fois encore par le chef-d'œuvre architectural du Bernin. Il ne s'en lasserait jamais, se disait-il. Bien qu'il ait été récemment forcé d'ouvrir les yeux sur les aspects les plus impitoyables de la politique de l'Église, il restait totalement fidèle à sa vocation. La basilique Saint-Pierre, était à ses yeux un lieu sacré, siège du premier des apôtres et de ses successeurs.

Le soleil printanier chauffait sa chevelure brune, qui commençait à grisonner sur les tempes. Avant de revenir en poste au Vatican, il avait beaucoup moins de cheveux gris, songea-t-il en se dirigeant vers les bureaux du cardinal DeCaro.

Pour l'occasion, il avait revêtu la soutane traditionnelle. À la fin de la semaine se tiendrait la réunion de la commission d'évaluation de l'Évangile d'Arques. Peter se rendait chez son mentor afin de décider de l'attitude à adopter.

Il haïssait cette commission ; elle était le fléau de son existence, et en même temps sa raison d'être. La commission avait été mise en place non seulement pour authentifier l'Évangile de Marie Madeleine que Maureen avait découvert à Arques, mais aussi pour adapter les sujets de controverse qu'il renfermait de façon à les rendre acceptables dans la perspective du catholicisme traditionnel. Et la tâche s'avérait impossible.

Au sein de la commission, composée de douze membres choisis parmi les prêtres les plus âgés et les plus conservateurs, seuls le cardinal DeCaro et Peter étaient d'inconditionnels partisans de la vérité. Quelques-uns des participants semblaient hésitants et menaient de sourds combats internes, mais les autres étaient clairement en faveur d'occulter à jamais le contenu de l'Évangile. La traduction de Peter avait été contestée sur plusieurs points et, cette semaine-là, il devrait la défendre. Pour se préparer à la bataille, il avait commencé à prendre des notes sur les principaux points controversés de l'Évangile de Marie Madeleine.

Il lui faudrait de solides arguments pour prouver que le texte ne contredisait en rien les fondements du catholicisme traditionnel. Leur vérité n'étant pas, hélas, susceptible d'être remise en question. Peter avait appris, depuis plus de deux ans, que la vérité était une notion hautement subjective, à Rome plus qu'ailleurs. Elle comptait beaucoup moins que la protection du *statu quo*, pensait souvent Peter en arpentant les sous-sols du Vatican, à tel point que les lieux auraient mérité une bannière clamant : « Tradition avant Vérité. » Il était persuadé que les plus vieux prêtres de la commission s'étaient fait tatouer cette devise à l'endroit du cœur.

La bataille serait épique, il devrait la livrer avec force et mobiliser toutes ses ressources intellectuelles. Au moins, il n'était pas seul.

— Entre, mon garçon.

Le cardinal Tomas Borgia DeCaro accueillit chaleureusement le père Healy dans son bureau, aussi raffiné et élégant que l'était l'homme lui-même. Comme l'indiquait son nom, le cardinal appartenait à l'une des familles les plus riches et les plus aristocratiques de Rome. Tous ses gestes étaient empreints de grâce et de noblesse. Ses origines lui conféraient à Rome une position inattaquable, en dépit de ses opinions considérées comme trop radicales par la hiérarchie en place.

— Merci, Tomas.

DeCaro était le maître spirituel de Peter et son meilleur ami en un monde où l'amitié était rare et précieuse. En privé, Peter l'appelait par son prénom, ce qu'il ne se permettait jamais en présence de tiers. Il sursauta donc en s'apercevant qu'ils n'étaient pas seuls. Le cardinal Marcelo Barberini s'avançait vers lui, la main tendue.

— Père Healy, quel plaisir de vous voir ! l'accueillit-il avec une franche poignée de main.

Le cardinal Barberini était un membre influent de la commission. Il gardait souvent le silence, et écoutait attentivement, en proie, semblait-il, à des luttes intérieures. Il faisait en outre partie de l'entourage immédiat du pape. Peter sentit la nervosité le gagner.

DeCaro ferma les deux portes de son bureau, afin de s'assurer que la conversation resterait privée.

— Asseyez-vous, mes amis, dit-il avant de prendre place auprès d'eux, dans l'un des confortables fauteuils en cuir qui meublaient son bureau. Peter, notre conversation devra pour le moment demeurer confidentielle. J'ai demandé à Marcelo de t'informer des récents développements de l'affaire d'Arques.

DeCaro était impliqué dans l'affaire depuis le début, il était même venu au château pour rencontrer Maureen, l'aider et lui prodiguer ses conseils. Et il était fermement persuadé de l'authenticité de l'Évangile de Marie Madeleine. Plus que quiconque, DeCaro était conscient de l'importance de ce document, car, grâce à son rang, il avait accès à des textes gardés secrets dans les archives du Vatican, dont le reste du monde n'imaginait même pas l'existence.

— Comme tu le sais, Peter, certains membres de la commission contestent l'authenticité de ce document, malgré les nombreuses preuves qui l'attestent. Tu en as fait une remarquable présentation, très complète, ce qui n'a fait que conforter les conservateurs dans leur opinion qu'une telle version des événements représentait un grave danger potentiel.

Peter hocha la tête sans répondre. Mieux valait garder le silence tant qu'il ignorait où le cardinal voulait en venir et le rôle que jouait Barberini.

Ce dernier, un petit homme grassouillet au visage avenant, se redressa sur son siège.

— Père Healy, je suis infiniment inquiet du tour que prennent les événements. Au sein de la commission, on s'intéresse beaucoup plus à la manière d'éviter que ce document ne soit connu qu'à l'authentifier.

— Par éviter, vous voulez dire…

DeCaro se pencha vers Peter.

— Tu peux parler librement, mon fils. Marcelo est… un ami.

Soulagé, Peter poursuivit :

— … qu'ils veulent l'enterrer ?

— J'en ai peur, répondit Barberini. Il est pourtant impensable qu'un tel document ne voie pas le jour. Et je redoute même que certains d'entre nous n'aient la ferme intention de le détruire, et de nier qu'il ait jamais existé.

Peter se prit la tête entre les mains. C'était aussi ce qu'il craignait le plus.

— Ne désespérez pas, Peter. Ils n'ont pas encore gagné, reprit Barberini.

— Mais nous devons, tous les trois, ici, maintenant, choisir notre maître. Sommes-nous au service d'un concile d'êtres humains assez faibles pour se laisser mener par leurs intérêts sur cette terre, ou sommes-nous au service de Notre-Seigneur Jésus-Christ ? Si nous sommes au service de Notre-Seigneur Jésus-Christ, et de Sa vérité, n'est-il pas de notre devoir, quelles que soient les conséquences, de lutter pour cette vérité ? par tous les moyens ?

Le cardinal poursuivit, avec une passion qui étonna Peter :

— Je pleure sur ces hommes que nous appelons nos frères. Ils portent les habits du pouvoir, et exercent une autorité spirituelle. Mais ces hommes, des hommes de bien, je n'en doute pas, se sont perdus en chemin. Ils prétendent à la sainteté, mais n'incarnent pas l'amour, ni la compréhension. Parfois, pendant que nous siégeons, je me fais la réflexion : « Que dirait Notre-Seigneur aux hommes réunis dans cette pièce ? » Et je ne connais pas la réponse. Mais je souffre.

Les trois hommes gardèrent le silence. Ils avaient ressenti la même tristesse durant l'année écoulée. Peter fut le premier à reprendre la parole. Il avait une question à poser depuis son rendez-vous au bureau de la congrégation de la Sainte-Apparition.

— Et Girolamo DiPazzi ? où se situe-t-il ?

— Comme tu le sais, il ne fait pas partie de la commission, et ne l'aurait pas souhaité. Il est vieux et a dédié sa vie à une mission : célébrer les apparitions de Notre-Dame. Il n'a aucune envie de perdre son temps dans ce genre de réunion, mais je crois qu'il s'intéresse à Maureen, à cause de ses visions. Il est un spécialiste incontesté en la matière.

— Lui faites-vous confiance ?

— Il ne m'a jamais donné de raison de me méfier de lui, bien que ce soit un conservateur. Je le crois inoffensif. Mais... en dehors de nous trois, je ne suis pas certain de faire entièrement confiance à quiconque.

— Notre foi sera mise à l'épreuve, et de dure façon, dit doucement Barberini. Nous devrons réfléchir à chaque pas que nous ferons pour protéger l'Évangile d'Arques. Peut-être même devrons-nous entreprendre... une sorte de guérilla.

Une déclaration si subversive dans la bouche de ce petit homme qu'il avait toujours considéré comme un prélat tranquille et non impliqué choqua Peter, qui pourtant ne dit rien, et laissa DeCaro poursuivre.

— Nous serons peut-être contraints de sortir l'original du Vatican, déclara ce dernier. Et, dans ce cas, nous ne serons plus les bienvenus ici.

— Pourtant, et je parle pour Tomas et pour moi, reprit Barberini, c'est la seule vie que nous ayons jamais connue.

— Mais nous avons toujours su que ce jour viendrait, dit DeCaro. Nous nous y sommes préparés depuis l'enfance, sans savoir la forme que cela prendrait. Nous avons tous choisi notre destin le jour où nous avons prononcé nos vœux. Le moment est venu de nous en souvenir.

À Alexandrie, Joseph conduisit la Sainte Famille en la demeure d'un homme de bien, un Romain nommé Maximinus, qu'il connaissait depuis de nombreuses années et en qui il avait confiance. Maximinus était en exil. Il avait hélas l'expérience des persécutions de Rome et éprouvait de la sympathie pour ceux qui les encouraient.

Marie Madeleine et ses enfants arrivèrent chez lui épuisés par le voyage et submergés par leur chagrin. Il les accueillit aimablement et s'assura que la digne femme serait en sécurité jusqu'à la fin de sa grossesse.

Maximinus avait été instruit dans les écoles égyptiennes; il était avide de connaissances, de sagesse et de vérité. Pendant le temps que Madeleine demeura chez lui, il se noua entre eux de solides liens d'amitié, car le Chemin de l'Amour des Nazaréens avait emprunté nombre de ses enseignements aux traditions de l'Égypte. Ils parlèrent beaucoup, et apprirent à se connaître. L'amitié initiale se mua en une affection durable.

Maximinus avait fort souffert dans la vie. Sa femme et son enfant étaient morts lors de la délivrance, sur le chemin de l'exil. Il s'assura les services de la meilleure sage-femme d'Alexandrie, afin qu'elle assistât Marie Madeleine lors de son accouchement. Ainsi Sarai, la prêtresse égyptienne, aida-t-elle à venir au monde le saint enfant que l'on connaîtrait sous le nom de Yeshua David.

Joseph d'Arimathie et Maximinus prirent en charge le nouveau-né, comme ils le faisaient pour les autres enfants de Marie Madeleine. Durant son séjour à Alexandrie, cette dernière entreprit d'instruire Maximinus à partir du Livre de l'Amour, et il devint un disciple dévoué du Chemin.

Lorsque arriva le moment du départ de la Sainte Famille pour la Gaule, Maximinus insista pour l'accompagner. Il le fit, et ne la quitta plus jamais. Jusqu'à la fin de sa vie, il serait pour Madeleine un compagnon, un protecteur, et un exemple d'amour paternel pour ses enfants. Il est dit que l'amour de Maximinus ne connaissait pas de limites, mais, par nécessité, il était purement spirituel.

Le Romain écrivit des odes à la grâce de Marie Madeleine, afin de célébrer son amour pour elle en des termes chastes et honorables. Les grands poètes français que l'on nomme troubadours sont les héritiers de cette tradition de l'amour courtois, à la gloire de femmes aimées mais intouchables, car promises au hieros gamos avec d'autres. Mais l'amour courtois pour la femme parfaite dure jusqu'à la mort et au-delà. Ainsi Marie Madeleine fut-elle la première muse et Maximinus, le premier poète troubadour.

En vieux français, troubadour signifie « trouve l'or perdu ». En perçant les mystères que nous légua le Livre de l'Amour, ainsi trouverons-nous le trésor sacré.

Son plus beau poème est toujours chanté en France, transmis au peuple par les troubadours. S'y trouve l'une des merveilles de notre enseignement, la vérité sur le retour de l'amour, qui est un don de Dieu.

> Je t'ai aimée dans le passé
> Je t'aime aujourd'hui
> T'aimerai encore dans l'avenir
> Le temps revient.

Avec le temps, Maximinus devint un grand prêtre du Chemin, et il administra les derniers sacrements à Marie Madeleine lors de sa mort précoce. Il demanda à être enterré à ses pieds quand sonnerait son heure, et il en fut ainsi. Ils reposèrent longtemps côte à côte près de la ville qui prit le nom du saint homme, Saint-Maximin.

À toi, qui as des oreilles pour entendre.

**L'histoire du Romain Maximinus
et comment il devint saint Maximin
telle que rapportée dans le Libro Rosso.**

Rome

Avril 1073

L'Esquilin était la plus haute des sept collines de Rome. Des taudis insalubres et surpeuplés s'accrochaient à son versant occidental, alors que des citoyens éminents, les conseillers des césars, habitaient les villas situées sur son côté oriental. Entre les deux vivaient les Romains de rang moyen, nobles ou politiciens. C'est là que s'épanouit en secret la chrétienté durant le Ier siècle, dans les résidences privées de Romains convertis par saint Pierre en personne. À l'époque de Matilda, on les considérait comme les bâtisseurs des plus anciennes églises de Rome.

L'église San Pietro in Vincoli, « saint Pierre enchaîné », en faisait partie. Elle avait été érigée au sommet de la colline et tenait son nom d'une autre relique de grande importance aux yeux des premiers chrétiens, immortalisée dans les Évangiles, au sein des Actes des Apôtres. Au chapitre 12, saint Luc décrit l'emprisonnement de Pierre par Hérode à la suite de l'exécution de Jacques le Mineur. Pierre était enchaîné aux murs d'un donjon fortifié jusqu'à ce que survînt le miracle :

*Et l'ange du Seigneur vint à lui, et une lumière brilla dans sa prison. L'ange prit Pierre par le bras et dit .
« Lève-toi vite. » Et ses chaînes lui tombèrent des pieds et des mains.*

L'ange mena Pierre jusqu'à la liberté. Le miracle était accompli. Au Ve siècle, le pape Léon Ier choisit le site de cette ancienne résidence chrétienne, où Pierre avait baptisé à maintes reprises, pour y construire la grande église qui abriterait les chaînes qui l'avaient entravé.

C'était un lieu propice aux miracles.

Là se déroulèrent les funérailles du regretté pape Alexandre II, et là, le même jour, se produisit un événement extraordinaire : la désignation d'un nouveau chef de l'Église par une foule d'hommes d'église et de prêtres, un homme qui n'était pas encore ordonné prêtre.

Cela commença tout doucement, par des conversations à voix basse entre les évêques. La tiare devait orner la tête d'un homme fort, d'un réformateur, qui continuerait de s'élever contre la tyrannie du roi de Germanie. En effet, Henri poursuivait ses pratiques de corruption et avait, en dépit de la loi très stricte, acheté plusieurs évêchés pour y placer ses partisans. Garantir la liberté spirituelle de l'Église face à un monarque de ce caractère exigerait beaucoup de sagesse, d'expérience et de force. Il y fallait un homme audacieux jusqu'à la témérité. Les évêques tombèrent d'accord : un seul d'entre eux possédait ces qualités : Ildebrando Pierleoni. Âgé d'une cinquantaine d'années, Brando était bien plus jeune que les papes qui l'avaient précédé, ce qui représentait un atout de plus pour cet homme de belle apparence et à la virilité triomphante.

L'un des évêques de Rome se leva le premier et fit un discours bref mais enflammé en faveur de l'élection de Brando. La vague enfla rapidement et, quelques minutes plus tard, la foule endeuillée entonnait son nom et le conjurait d'accepter, dans ce lieu, à ce moment-là. « Dieu a choisi le nouveau pape », chanta-t-on dans l'église avant que les paroles ne soient reprises dans les rues de Rome. Brando était très aimé par le peuple de la ville, qui le plébiscita comme l'avaient fait les évêques.

Personne ne semblait se rappeler qu'Ildebrando Pierleoni n'avait jamais prononcé ses vœux et qu'il venait d'être élu en violation de la loi qu'il avait lui-même rédigée et fait appliquer sous le pontificat de Nicolas II.

Tous les papes depuis Pierre s'étaient donné un nouveau nom lors de leur accession au trône pontifical. Ildebrando Pierleoni n'hésita guère pour choisir le sien. En l'honneur de son oncle, le pape Grégoire VI, qui avait été son mentor, il prit le même, qui signifie « celui qui s'occupe de son troupeau ». Les politiques déchiffrèrent sans peine le message. C'était un avertissement délibérément provocateur adressé à Henri IV et à qui voudrait l'entendre : la guerre entre la couronne germanique et le pouvoir de Rome n'était pas terminée.

À la fin du mois de juin 1073, le futur pape fut ordonné prêtre et accéda à la papauté sous le nom de Grégoire VII.

Matilda et Béatrice vinrent à Rome pour assister à la cérémonie d'investiture et assurer de leur dévouement un homme qui s'était montré loyal envers le peuple de Lucques du temps de Geoffroi l'Ancien. Tandis qu'Isobel coiffait Matilda pour la cérémonie, Béatrice se chargea de lui expliquer la politique locale et les règles du protocole.

— Aujourd'hui, nous attirerons forcément l'attention, c'est la raison pour laquelle tu dois soigner ta toilette. Nous représentons le soutien de presque la moitié du territoire italien. Je suppose que nous aurons donc droit à des places d'honneur.

Matilda lissa la soie délicate et fort onéreuse de sa jupe en riant. Isobel sourit de la malice qu'elle lisait dans ses yeux.

— Les Romains se sont toujours méfiés des Toscans, et ils se sont toujours crus supérieurs à nous, dit Matilda. Pire encore, ici, les femmes n'ont jamais exercé aucune autorité. J'aurai donc le plus grand plaisir à leur montrer à quoi ressemble une comtesse toscane. Pourvu qu'ils nous mettent au premier rang... Nous pourrons parader devant les nobles romains et tous les scandaliser.

Matilda de Toscane avait vingt-sept ans, et comptait parmi les dirigeants européens les plus puissants et les plus riches. Elle s'amusait à l'idée de secouer un peu Rome la conservatrice et la noblesse romaine en ajoutant un peu de couleur à la cérémonie. Rehausser la Toscane aux yeux de Rome, et du pape, ne pouvait que tourner à son avantage et à celui de son peuple.

Mais il n'y avait pas que le style ! Matilda était à la tête d'une armée de plus de dix mille hommes bien entraînés, capable de se mobiliser sur-le-champ, à sa demande, et sous son commandement avisé. En cas de guerre avec l'Allemagne, le soutien militaire de Matilda et le contrôle qu'elle exerçait sur le col des Apennins seraient des facteurs déterminants.

Béatrice, que les extravagances de sa fille n'amusaient pas autant qu'Isobel, en revint à des sujets d'ordre politique.

— Le nouveau pape sera beaucoup plus intéressé par ta puissance militaire que par quoi que ce soit d'autre. Notre démonstration de richesse a son importance, mais souviens-toi des enjeux, et ne te perds pas dans les frivolités.

— Évidemment, mère.

Béatrice traitait toujours Matilda comme une enfant, alors qu'elle gouvernait la moitié de l'Italie et avait mené ses troupes à la bataille. Matilda avait appris depuis longtemps à hocher la tête en signe d'obéissance, quitte à agir par la suite selon sa volonté.

Mais, se disait-elle, sa mère avait peut-être raison. Après tout, ce pape était un noble romain. Il était sans doute aussi conservateur que ses concitoyens.

Le nouveau pontife recevait le même genre d'instructions dans ses appartements. Ses conseillers parcouraient la liste des invités et la commentaient pour lui.

— Matilda, comtesse de Toscane. Vous avez certainement entendu parler d'elle. C'est une femme qui… Disons… qu'elle surprend.

Grégoire se montra curieux de la femme qui était devenue une légende, presque un mythe, en Italie du Nord. Sa richesse, sa puissance, son apparence et surtout son comportement, totalement inhabituel pour un seigneur féodal, plus encore pour une femme, enflammaient les imaginations.

— Je me moque de ses habitudes scandaleuses. En revanche, sa puissance militaire m'intéresse. Ainsi que ses territoires, hautement stratégiques. Assurez-vous qu'elle ait une place d'honneur, mieux vaut qu'elle soit bien disposée à notre égard.

Il l'avait rencontrée une fois, alors qu'elle n'était encore qu'une enfant. C'était désormais une femme mariée, même si on disait qu'elle ne reconnaissait guère l'autorité de son époux, le duc de Lorraine. Il devrait tirer ce point au clair avec elle.

— Geoffroi de Lorraine est le caniche d'Henri, il est dangereux. (Grégoire pensait tout haut.) Il faut que je connaisse la position de la comtesse à son égard. Aujourd'hui même. En cas de guerre, son soutien sera déterminant.

Grégoire menait une lutte officieuse contre Henri depuis le jour de son couronnement, à l'âge de quinze ans. Les tensions entre le trône sacré et le trône séculier, l'Église contre la couronne de Germanie, étaient en passe de devenir critiques. Le nouveau pape était bien décidé à asseoir l'autonomie de la papauté, alors qu'Henri voulait affirmer son autorité sur Rome en se faisait appeler Saint Empereur romain. Il ne pouvait y avoir ni terrain d'entente ni compromis.

— Dans l'affaire qui nous intéresse, nous avons tout à gagner du fait que Matilda ne soit pas une bonne épouse chrétienne. Si ses actes nous aident à sauver l'Église des griffes d'Henri, je suis certain que Dieu lui pardonnera ses errements, quels qu'ils soient. Les fins que nous poursuivons justifient tous les moyens.

En gravissant les marches de l'autel pour prendre sa place, Grégoire se retourna pour jeter un long regard sur les évêques, les nobles et ses partisans qui assistaient à la cérémonie. Il émanait de lui une force et une confiance peu communes en ce jour qui marquait l'apogée de sa carrière politique. C'était le point d'orgue de longues années d'exil et de travail au service de la papauté. Rien, se disait-il, ne pouvait rivaliser avec le sentiment qu'il éprouvait en s'élevant ainsi vers son nouveau statut : celui de plus grand chef spirituel du monde.

Puis il baissa les yeux.

Et aperçut, au premier rang de l'assistance, un spectacle qui le tétanisa. Matilda de Toscane, assise à côté de sa mère, dans un nuage de soie bleue. Des rangs de perles étaient tressés dans son extraordinaire chevelure, à peine recouverte d'un voile arachnéen retenu par une couronne en or incrustée de fleurs de lys en pierres précieuses. Sa gorge resplendissait sous ses bijoux ; elle lui coupa littéralement le souffle. Cette vision le troubla au point que, pour préserver sa concentration, le nouveau pape fut obligé de détourner le regard en acceptant la clé de saint Pierre, symbole de son nouvel état.

Grégoire ne fut pas le seul à être troublé ce jour-là. La comtesse de Canossa, duchesse de Lorraine et de Toscane, ne fit pas le moindre geste durant toute la cérémonie, incapable de quitter des yeux l'homme puissant et charismatique qui coiffait la tiare. Certes, il en imposait, et il était fort séduisant, mais ce qui sidérait Matilda était d'un autre ordre. Cet homme, elle l'avait déjà vu. Elle l'avait vu dans sa vision, au centre du labyrinthe, juste avant de quitter Orval.

Béatrice de Lorraine était une femme sage et expérimentée. Et elle savait voir. Le brûlant échange silencieux entre sa fille et le nouveau pape durant la cérémonie d'investiture ne lui avait pas échappé. Elle saurait en profiter. Une alliance entre la Sainte Église romaine et la puissante Toscane constituerait une force que rien ne saurait arrêter. Ainsi lorsque vint l'heure de leur audience avec le pape se déclara-t-elle fatiguée et demanda-t-elle à Matilda de s'y rendre seule. C'était une femme mariée, une comtesse de naissance : elle n'avait pas besoin d'un chaperon en la présence du Saint-Père.

Matilda n'attendit qu'un court instant dans la salle d'audience avant que Grégoire ne se présentât. Elle pria pour qu'il n'entendît pas les battements de son cœur, qui résonnaient en elle comme dix tambours de guerre. Grégoire lui tendit la main et elle s'inclina profondément pour baiser l'anneau papal. Puis, se relevant, elle s'efforça de maîtriser sa voix.

— Je suis venue affirmer la loyauté de la Toscane envers saint Pierre. Vous pouvez compter sur mon soutien et sur celui de mon peuple pour toutes les causes protégeant les enseignements de Notre-Seigneur, que nos communautés partagent. Vous avez été choisi par Dieu pour devenir le premier apôtre de son Église, nous vous sommes acquis.

Grégoire, impressionné par la force de sa déclaration, la remercia de son allégeance et l'invita à s'asseoir. Après quelques banalités, la santé de sa mère et ses salutations à transmettre à l'évêque Anselmo, le pape stupéfia Matilda en lui posant abruptement la plus scandaleuse des questions :

— J'ai cru comprendre que vous avez été élevée selon les principes des anciennes hérésies encore en cours à Lucques. Que dois-je en penser ?

Piégée, Matilda ne dit rien. Elle avait cru que cet homme, qui avait soutenu Alexandre, serait un allié, mais elle s'était peut-être trompée. Elle réfléchissait à une manière de lui répondre sans prendre de risques. Mais ce fut inutile, car le pape poursuivit sans attendre :

— Ma question n'est pas destinée à vous mettre mal à l'aise. Je voulais que vous sachiez dès notre première rencontre que je sais qui vous êtes et d'où vous venez. Je suis le pape, élu par le clergé et par le peuple parce que je suis bien instruit des problèmes auxquels mon Église est confrontée. Vous ne pouvez vous étonner que je sois au courant des rumeurs d'hérésie qui courent en Toscane.

Matilda acquiesça sans un mot. Grégoire lui adressa un franc sourire. Il ne désirait manifestement pas ajouter à son trouble.

— Vous n'avez rien à craindre de moi, Matilda de Canossa. Je ne suis pas né dans la prêtrise, je ne souffre d'aucun des préjugés des esprits étroits qui m'ont précédé. J'aime me considérer comme un homme qui apprendra toute la signification du mot chrétien. Je n'atteindrai pas mon but en me contentant de répéter les croyances généralement admises, mais en étudiant les documents et les traditions existants. Mon grand-père était juif, ce qui élargit mon point de vue sur les religions et plus encore mon désir d'apprendre. Certains m'approuveront, d'autres me mépriseront. On m'a dit que les traditions toscanes, qui scandalisent parfois, sont lourdes de secrets qui s'enracinent dans les premiers temps de la chrétienté. Et qui datent même de Notre-Seigneur Jésus-Christ et de sa famille. Quelle sorte de chef spirituel serais-je si je négligeais ces traditions et ces enseignements ? J'ai passé assez de temps à Lucques, avec les deux Anselmo, pour comprendre que le christianisme a été fondé sur plusieurs strates. Pour ceux qui ont des oreilles pour entendre et des yeux pour voir, c'est bien ça ? Ainsi donc, Matilda, nous avons à parler de bien des choses, si vous le souhaitez, bien sûr.

Les paroles de Matilda franchirent difficilement sa gorge nouée. Elle se sentait en terrain instable.

— Seriez-vous en train de me demander de vous instruire des enseignements de l'Ordre ? demanda-t-elle à voix basse.

— Si vous le souhaitez.

Elle hocha la tête, bien consciente de la situation délicate dans laquelle elle se trouvait. Était-il possible que le pape en personne lui demandât de lui dispenser un enseignement hérétique ?

Le chapelain fit son entrée, pour annoncer au souverain pontife que son rendez-vous suivant l'attendait et que cette audience devait prendre fin. Dès que le prêtre sortit de la pièce, Grégoire prit la main de Matilda et la porta à ses lèvres. Ce faisant, il remarqua sa bague et en profita pour retenir sa main dans la sienne.

— Que symbolise cette bague ?

Matilda lui sourit, recouvrant la maîtrise d'elle-même pour la première fois de cette longue et éprouvante journée.

— Je ne peux pas encore vous le dire. Mais cela fera partie de votre... instruction.

— Je vois ! Eh bien, j'attendrai ce moment avec impatience. Commençons le plus tôt possible. Demain, par exemple ?

— Demain.

Matilda se retira sur une profonde révérence et un très féminin froufrou de soie. Il la regarda partir, étonné de l'émotion qui l'étreignait. L'homme que l'on connaissait désormais sous le nom de Grégoire VII, le souverain pontife qui instaurerait le célibat des prêtres dès les premiers temps de son mandat, venait de céder son cœur, et peut-être son esprit, à la belle et remarquable comtesse de Toscane.

Matilda n'avait guère l'habitude de laisser libre cours à ses sentiments.

Isobel, stupéfaite et un peu inquiète, écoutait le flot de paroles qui coulait des lèvres de sa fille adoptive à la suite de son deuxième rendez-vous avec Grégoire VII. Le nouveau pape avait convoqué Matilda après le banquet d'investiture, pour discuter de la stratégie à adopter afin de résoudre le problème crucial que lui avait légué le pape Alexandre II. Juste avant sa mort, ce dernier avait excommunié cinq des évêques germains d'Henri, et avait contesté au roi le droit de vendre ces offices. Henri risquait d'être lui-même excommunié s'il n'obéissait pas au décret papal et ne déposait pas ses évêques au plus vite. Il s'agissait d'une véritable déclaration de guerre, et Grégoire n'avait aucune intention de reculer. Il voulait s'assurer du soutien de Matilda, si cela s'avérait nécessaire.

La rencontre se déroula comme un jeu entre deux esprits supérieurs, et comme un pas de deux où l'intensité le disputait à l'intelligence. L'un et l'autre étaient capables de s'entretenir de sujets graves et hautement politiques en laissant de côté leur surnaturelle attirance réciproque. Ils s'étaient écoutés attentivement, avaient comparé leurs approches et leurs stratégies, et les avaient trouvées toutes parfaitement compatibles, à un point qui les étonna eux-mêmes. La discussion avait été passionnante, et exaltante. Leur double présence dans une pièce dégageait d'indomptables forces de la nature, comme si des étoiles entraient en collision pour créer la plus brillante des lumières.

À la fin de la réunion, Grégoire avait rappelé à Matilda sa promesse : commencer dès le lendemain de l'initier aux mystères qu'enseignait l'Ordre depuis le Ier siècle. C'était la raison de son extrême agitation et de sa consternation.

— Oh! Isobel! il est aussi sage que Salomon, et aussi magnifique. En sa présence, j'ai eu l'impression d'être Makeda, la reine de Saba. Ce sentiment, tu me l'avais décrit, mais je ne croyais pas que je le vivrais un jour, dans mon cœur. Que dois-je faire? Ce qu'il me demande est scandaleux, mais c'est aussi merveilleux. Puis-je l'instruire de ces choses? Oserai-je le faire?

— Que te dit ton cœur, mon enfant? Et ton esprit?

— Que je dois avoir confiance en cet homme. Et même plus.

— Plus?

— Je suis incapable de l'expliquer, Issy. Quand je l'ai vu, je l'ai reconnu. Je l'avais rencontré, dans une de mes visions. Mais il y avait autre chose. J'ai été envahie par la joie. Et quand il m'a regardée… j'ai cru qu'un poignard me perçait le cœur. Cela n'a duré qu'une seconde, devant toute la cour et le concile de Latran, mais on aurait dit qu'il n'y avait que lui et moi dans la salle. Comment est-ce possible? Mais à cet instant, j'ai su… J'ai su.

Matilda s'interrompit, submergée par l'intensité de ce qu'elle avait alors ressenti. Cette émotion ressemblait à de la folie. Elle n'avait jamais rien connu de tel. C'était terrible, magnifique et paralysant. Isobel dut l'inciter à poursuivre.

— Continue, Tilda.

— J'ai su que je l'avais déjà aimé auparavant. En une seconde, j'ai compris les paroles des prophétesses et les poèmes de Maximinus. « Je t'ai aimée dans le passé, je t'aime aujourd'hui, t'aimerai encore dans l'avenir. » C'est très étrange, et pourtant si éternel. Et je crois qu'il ressent la même chose. Je l'ai bien vu, à sa façon de me regarder. Il sait, lui aussi, que le destin est en marche. Et il n'en a pas peur. Mais moi, oui.

Matilda arpentait la pièce à grands pas. Il lui était déjà difficile de rester assise en temps normal, mais cela lui était impossible dans son état d'agitation.

— C'est terrifiant ! Ça ne se contrôle pas ! Je me suis battue sur le champ de bataille, Isobel, j'ai affronté les guerriers les plus farouches, épée à la main, mais je n'ai jamais eu peur comme aujourd'hui. Je n'arrive plus à respirer. Aide-moi, Issy.

— Je ne peux t'aider que d'une façon, mon enfant chérie. En te disant que ce que tu éprouves, pour terrifiant, pour bouleversant, pour submergeant que ce soit, est le plus précieux des cadeaux de Dieu. J'ai toujours su que ton tour viendrait, et que ce serait alors d'une puissance inégalée. Que cet amour changerait peut-être le monde, comme celui de Véronique et de Prétorius, ou même de Salomon et de la reine de Saba. Mais je n'avais pas prévu…

— Prévu quoi ?

— Que l'homme qui t'était destiné, celui du grand amour de la prophétie, serait le pape en personne !

Isobel s'interrompit pour réfléchir au meilleur conseil à donner à son enfant adorée.

— Tilda, il faudra faire extrêmement attention. Vous avez tous les deux trop à perdre d'une indiscrétion. Mais je crois que vous avez plus encore à perdre si vous vous refusez à votre destin, car c'est Dieu qui l'inspire. Inutile d'être prophète pour savoir que vous aurez à relever de nombreux défis et que cet amour n'ira pas sans épreuves. Personne ne devra être au courant, et vous devrez toujours cacher l'intimité que vous partagez.

— Mais on n'a encore rien partagé de tel !

— Pas encore, mon enfant. Pas encore. Mais vous ne pourrez y échapper. N'oublie pas que cette intimité, si elle est découverte, sera jugée condamnable et même criminelle. Vous avez de puissants ennemis, ils en profiteraient pour vous abattre tous les deux. Fais ce que tu veux, fais ce que tu dois, mais dans la discrétion. Il est le pape, tu es une femme mariée. À cela, on ne peut rien.

— Si, je peux divorcer.

— Légalement, peut-être. Mais l'Église n'accepte pas le divorce, et un pape ne peut que respecter cet interdit, surtout ce pape-là, élu pour la fermeté des réformes qu'il préconise. D'ailleurs, ton divorce ne ferait qu'attirer l'attention sur votre relation. Vous seriez tous les deux pris dans le piège que tu aurais toi-même posé. Mais, si c'est le grand amour dont il est question dans la prophétie, je suis confiante. L'amour se joue des lois humaines, car il est la loi de Dieu. C'est l'union sacrée, qui transcende toutes les règles. C'est tout ce que tu as besoin de savoir. Tiens-toi au plus simple des enseignements du Chemin : l'amour est le vainqueur.

Chapitre 11

Mantoue

Octobre 1073

Matilda était malheureuse. Elle ne pouvait se concentrer sur aucune des activités qui l'occupaient d'ordinaire. Cela faisait des semaines qu'elle ne dormait ni ne mangeait convenablement, sans personne avec qui partager ses tourments. Isobel était à Lucques, pour voir Anselmo et le Maître. Quant à Béatrice, excellente conseillère en matière de stratégie politique, elle n'était pas le genre de femme à discuter de problèmes sentimentaux avec sa fille.

Elle errait seule aux abords de la forêt et sursauta lorsque Conn apparut soudain derrière elle.

— Tu devrais être armée, pour te promener dans la forêt sans escorte.

— Si j'étais armée, tu serais blessé, et nous serions en train d'étancher ton sang.

— Dans ce cas, j'aurais été heureux d'avoir bien rempli ma mission. Que fais-tu, toute seule, à bouder ?

— Je ne boude pas.

— Je vois, en effet.

Matilda soupira. Mentir à Conn était aussi inutile que de mentir à Isobel. Ils la connaissaient mieux qu'elle ne se connaissait elle-même.

— Cela fait six mois que je n'ai pas de nouvelles du Saint-Père, gémit-elle.

— Et de Grégoire non plus...

— Que veux-tu dire ?

— Ce n'est pas le pape, qui te manque, c'est l'homme.

— Exactement ! Et j'ai honte de moi.

— Tu n'as aucune raison d'avoir honte, tu es amoureuse, voilà tout. À ma connaissance, c'est un sacrement, aux yeux de l'Ordre.

— Il m'a oubliée, Conn. Et ça me tue. C'est impossible que quelque chose soit si magnifique et si horrible à la fois.

— Tu crois vraiment qu'il t'a oubliée ? C'est plutôt toi qui occultes un détail. Il est le pape, Tilda. *Le pape*. Le chef spirituel du monde.

— Grand merci de me le rappeler, grinça Matilda. Tu t'imagines sans doute que ça ne m'obsède pas jour et nuit...

Agacé, Conn trouva cependant la force de garder son calme.

— As-tu envie de m'écouter, ou préfères-tu t'apitoyer sur ton sort, toute seule dans ton coin ?

— Tu parleras de toute façon, que je le veuille ou non... Alors, je t'écoute, en espérant que tu n'ajouteras pas à ma tristesse.

— Tu as de la chance. Je vais te raconter une histoire qui va te plaire. Celle de la princesse Niamh aux cheveux d'or et du prince poète appelé Oisin.

Il prononça les deux noms à l'irlandaise, Nive et Eushin, sachant que cela ferait plaisir à Matilda, qui adorait les accents lyriques de la langue celte. Conn lui récitait parfois des poèmes dédiés à Easa dans sa langue maternelle.

— La princesse était la ravissante et charmante fille de Mannaman Mac Lir, le dieu de la Mer. Elle habitait une de ses îles occidentales, Tir n'Og, qui signifie le pays des jeunes. La mère de Niamh était la reine d'un pays enchanté. Niamh, fille de deux immortels, n'avait pas la moindre goutte de sang humain dans les veines. Son père lui interdisait de quitter son île, car, si elle tombait amoureuse d'un humain, les conséquences seraient dramatiques.

« Mais la belle Niamh connaissait si bien les légendaires héros et poètes d'Irlande, qu'elle mourait d'envie de découvrir ce monde de ses yeux. Elle adorait l'histoire de Fianna, la bande de guerriers qui défendait les innocents et protégeait les faibles. Au sein de Fianna, il y avait un prince appelé Oisin, réputé pour sa chevalerie, son courage à la bataille et ses talents de poète et de musicien. Aucun être pareil n'habitait son île, et Niamh était émerveillée à l'idée que les humains pouvaient exceller en amour et à la guerre. Rien de tel n'existait dans son monde enchanté, où il n'y avait pas de guerre et donc pas de guerriers. La princesse harcela tellement son père – et nous savons de quoi les jeunes filles sont capables quand elles veulent quelque chose – que le roi de la mer céda. Il permit à Niamh d'enfourcher son cheval blanc, un animal magique capable de chevaucher les vagues et de galoper sur terre, et lui recommanda de ne pas se montrer ni d'entrer en contact avec les humains. Niamh accepta et entama son voyage sur les eaux.

« La princesse était une gentille fille, qui n'avait aucune intention de désobéir à son père. Mais, en pleine forêt, elle croisa un groupe d'hommes. Ils étaient jeunes et vigoureux, pleins de vitalité ; ces hommes étaient les fameux guerriers de Fianna. À l'abri derrière les arbres, Niamh les écouta se féliciter de leur victoire sur un tyran qui terrorisait la gent féminine d'un village. Chacun de ces hommes était remarquable, mais l'un d'eux se détachait du groupe. Niamh fut frappée par sa beauté, ses cheveux bouclés couleur noisette et ses yeux bleu saphir. Le jeune homme avait une harpe en bois de chêne, et il se mit à jouer. Tel Orphée, ce barde incarnait la musique et la poésie. Niamh comprit que c'était le fameux Oisin. Son transport était tel qu'elle glissa et tomba de cheval. Le bruit alerta les hommes, qui se précipitèrent vers la jeune femme, armes à la main. Le prince poète l'atteignit le premier ; Oisin la sauva, car tel était son destin.

« N'oublie pas que Niamh était non seulement d'une grande beauté, avec des cheveux d'or et des yeux couleur de la mer, mais aussi une immortelle au charme magique. Aucun mortel ne pouvait l'apercevoir sans y succomber sur-le-champ. Sitôt que leurs regards se croisèrent se noua entre eux un lien indestructible. Ils ne s'oublieraient jamais. Hélas, ils venaient de mondes différents. Oisin supplia Niamh de rester avec lui, mais elle ne pouvait pas décevoir son père, ni manquer à ses devoirs de princesse la plus aimée de son royaume. Elle lui répondit donc tristement : " Ton monde n'est pas le mien. Mon monde n'est pas le tien. "

« Puis elle remonta à cheval pour rentrer chez elle.

" Emmène-moi, supplia Oisin, désespéré de voir cette créature sublime le quitter. "

« Mais Niamh refusa, car elle l'aimait trop : si Oisin la suivait, il ne pourrait plus jamais retourner dans son monde. En effet, lorsqu'un mortel s'aventure dans les profondeurs des mondes enchantés, tout retour lui est interdit.

« Ainsi Niamh le laissa-t-elle dans la forêt, au milieu des siens, avec sa musique et sa poésie. Elle avait le cœur lourd, mais elle ne pouvait lui demander d'abandonner la vie exemplaire qu'il menait là, pas plus qu'elle ne pouvait demeurer à ses côtés. Oisin se languissait de tristesse. Il rêvait chaque nuit de la princesse. Il interrogea ses frères d'armes : " Que feriez-vous à ma place ? " leur demanda-t-il. Tous, sans exception, déclarèrent qu'ils avaient trouvé la belle Niamh irrésistible, et lui conseillèrent de partir à sa recherche. " Mais je ne peux pas ! Si j'entre dans le monde de cette femme, je ne pourrai plus jamais revenir dans celui-ci, dans ce pays que j'aime, où sont mes amis et où je suis considéré comme le prince de mon peuple. Je ne peux renoncer à tout cela. Le risque est trop grand. "

« Pendant toute une année, Oisin essaya d'oublier Niamh, sans succès. Elle hantait ses rêves et sa mémoire. Le jour anniversaire de leur rencontre, il se rendit au bord de la mer et composa une chanson pour invoquer le grand dieu Mannaman Mac Lir. Lorsque le dieu parut, Oisin lui déclara qu'il désirait épouser sa fille et lui en demanda humblement l'autorisation. Mannaman tint à prévenir le jeune homme : s'il faisait le voyage sur le dos du cheval blanc, il ne reverrait jamais son pays ni ses amis. Oisin se sentait-il capable d'oublier son passé et de vivre heureux à jamais avec son immortelle bien-aimée ? Car, en l'épousant et en consommant l'union sacrée, lui aussi deviendrait immortel.

Conn interrompit son histoire, pour aider Matilda à constater les similitudes avec la sienne.

— Je suis flattée que tu me considères comme aussi séduisante que la fameuse Niamh…, commenta-t-elle.

— Ne te fais aucune illusion, petite sœur. Tu es aussi irrésistible, et aussi dangereuse. Surtout pour un homme qui risque son pontificat. Donc, en ce moment, Grégoire se débat intérieurement : doit-il enfourcher le cheval blanc et céder au baiser immortel d'une telle femme ? S'il se décide, il sait qu'il ne retrouvera jamais son ancien monde. Voilà pourquoi tu n'as pas de nouvelles, Matilda. Il lutte avec un démon puissant, le démon de sa propre immortalité, et tout ce qu'elle entraîne.

Matilda réfléchit à ses paroles. Curieusement, elle se sentait mieux. Les histoires de Conn avaient toujours le don de l'apaiser. Puis elle posa une dernière question :

— Comment finit ton histoire ?

— Oisin monte sur le cheval, épouse Niamh et découvre que le monde enchanté est encore plus merveilleux qu'il ne s'y attendait et que l'amour de son immortelle épouse est si tendre et si inventif qu'il ne s'ennuie jamais. Niamh et lui ont un fils, Oscar, humain et immortel à la fois. Il peut voyager d'un monde à l'autre et jouir de ce que chacun offre de meilleur. Ses parents s'en réjouissent. C'est une fin heureuse, sœur.

Conn s'abstint de lui dire que la légende avait en fait deux fins, au choix du conteur. La seconde était loin d'être aussi optimiste. Mais raconter des histoires engage la responsabilité du conteur.

— Une fin heureuse t'attend toi aussi, si tu as la patience de Niamh, et même, permets-moi de te le dire, son absence d'égoïsme, car elle laisse Oisin maître de sa décision. Moi, je suis prêt à parier tout ce que j'ai jamais possédé que le jour viendra où ta présence lui manquera si cruellement, au-delà de toute raison, qu'il enfourchera le cheval blanc pour chevaucher sur les eaux.

Au sein du hieros gamos, *l'union sacrée des amants, Dieu est présent dans la chambre nuptiale. Afin que l'union soit bénie, il faut qu'elle exprime la confiance et la conscience.*

Les amants se rejoignent et unissent leur chair. Ils ne font plus qu'un. Hors de la chambre nuptiale, ils vivront selon leur amour.

Dans sa forme sanctifiée, l'amour prend six aspects :

Agape : un amour nourri par la joie de l'autre et envers le monde, la forme la plus pure de l'expression spirituelle. Le baiser sacré qui englobe la conscience.

Philia : un amour qui est d'abord amitié et respect, sœur épouse et frère époux, et également l'amour pour les parents et pour les compagnons sincères. Le baiser sacré qui englobe la confiance.

Charis : un amour que définissent la grâce, la dévotion et la reconnaissance pour la présence de Dieu dans la chambre nuptiale. Un amour qui est celui de votre père et de votre mère sur la terre comme au ciel.

Eunoia : un amour qui inspire une compassion profonde et un engagement au service du peuple de Dieu. Ici réside l'amour pour la communauté et la charité.

Storge : un amour pur, empreint de tendresse et d'empathie. Ici réside l'amour pour les enfants.

Éros : une fête des sens où les âmes s'unissent. Ici réside la forme sanctifiée du hieros gamos.

Toutes ténèbres sont dissipées par la lumière de l'amour sous un de ses aspects. Quand tous sont présents sur terre, il n'y a plus de ténèbres.

L'amour est vainqueur.

À toi, qui as des oreilles pour entendre.

**D'après le Livre de l'Amour
tel que rapporté dans le Libro Rosso.**

Fiano, nord de Rome

Juin 1074

Lorsqu'il s'agissait de Matilda, Conn se trompait rarement.

Il se passerait une année entière avant que la comtesse pût commencer d'instruire Grégoire des enseignements du Chemin de l'Amour. Le climat politique conflictuel qui suivit immédiatement l'investiture les obligea tous deux à se concentrer sur leur rôle de chefs civils et militaires. Rien n'aurait su les distraire de la protection de la papauté. Le roi germain Henri IV refusa de déposer ses évêques et de reconnaître leur excommunication, comme l'exigeait Rome. La tension monta d'un cran. Matilda respecta la parole qu'elle avait donnée à Grégoire, ce qui accentua encore la colère de son mari. Geoffroi, bien qu'inféodé à Henri, continuait de revendiquer ses droits sur la Toscane. La guerre entre mari et femme fut plus acharnée que toute autre en Europe. Mais Matilda était en Toscane, et Geoffroi n'y était pas. Matilda régnait sur les cœurs et les épées des populations des Apennins ; Geoffroi, non.

Le tour sanglant que prit la rébellion saxonne contre Henri, sur ses propres terres, contraignit la Germanie à rechercher une humiliante réconciliation avec Rome. Ayant épuisé toutes ses ressources, il n'eut d'autre choix que de faire serment d'allégeance au pape Grégoire VII en novembre 1073. Il implora le pardon pour ses errements et jura de respecter les réformes de l'Église que le pape promulguerait. Même si Grégoire espérait que cette trêve serait durable, il connaissait trop Henri et ne doutait pas de sa duplicité. Ce n'étaient certes que des paroles, mais qui contraindraient peut-être le roi germain à les respecter pendant une période minimale. Le roi germain s'étant soumis, Geoffroi était obligé de montrer profil bas. Il laissa Matilda tranquille et ne s'occupa plus que de la Lorraine et de ses provinces du Nord.

Après plusieurs mois de silence, le pape se mit à écrire régulièrement à Matilda. Leur correspondance s'étala sur six mois. Elle ne fit qu'accroître leur affection mutuelle, malgré la distance, ou peut-être à cause de la distance. Par nature, ces lettres étaient publiques, et les effusions soigneusement dissimulées. Matilda parlait de son grand et éternel amour pour saint Pierre, et Grégoire, plus emphatique encore, de sa fille en le Christ, pour qui il éprouvait de l'amour. Ces expressions allaient bien au-delà des limites de l'amour filial. Il finit par la supplier de revenir à Rome.

« Nous devons absolument nous entretenir à nouveau, car je tiens à votre avis de fille et de sœur de saint Pierre. Je vous en prie, ne me faites pas attendre plus longtemps. »

Matilda, aussi désireuse que lui de « s'entretenir à nouveau », se mit en route sans tarder et s'installa dans une villa privée de Fiano, à l'extérieur de Rome, avec Béatrice et Isobel comme chaperons.

Les lieux que Grégoire avait fait aménager pour leurs rendez-vous étaient magnifiques. Luxueusement meublées et tendues de précieuses étoffes d'Orient, les pièces étaient dignes de la réunion de Salomon et de la reine de Saba. C'était une manœuvre de séduction intelligente, car, même s'il ignorait beaucoup des enseignements de l'Ordre si chers à Matilda, il savait qu'ils trouvaient leur fondement et leur origine dans l'union légendaire de ce roi et de cette reine extraordinaires.

Matilda ne ménagea pas non plus ses effets. L'inégalable Isobel avait passé des heures à l'apprêter jusqu'à ce qu'elle incarnât le mystère même de la féminité. La comtesse se présenta dans les appartements du pape dans un tourbillon de soies turquoise sur un corsage brodé de pierres précieuses au décolleté profond, faussement dissimulé par un voile arachnéen, pareil à celui qui recouvrait sa chevelure, brossée et totalement dénouée pour l'occasion. Des perles et des aigues-marines se mêlaient à de souples boucles, qui ornaient ses oreilles. Myrrhe, encens, essence de rose et nard de Terre sainte parfumaient sa peau. Cette coûteuse et très ancienne préparation trouvait sa source dans le Cantique des cantiques. La future épousée en était ointe des pieds à la tête avant le *hieros gamos*, l'union sacrée des amants.

Le spectacle réduisit Grégoire au silence. Cette femme hantait littéralement ses pensées depuis un an, et l'avait presque rendu fou, et pourtant elle était plus splendide encore qu'il ne l'avait imaginé. Il baisa sa main, elle baisa son anneau, et ils s'assirent à distance respectable l'un de l'autre.

Elle commença, comme il s'en doutait, par la légende de Salomon et de la reine de Saba, les prémisses de l'enseignement de l'union sacrée.

Grégoire connaissait bien sûr le chapitre 10 du Premier Livre des Rois, concernant l'arrivée de la reine à Jérusalem. Mais la suite de l'histoire racontée selon l'Ordre le stupéfia. La similitude des situations, deux grands chefs se reconnaissant en esprit et en cœur, était manifeste.

Il décida de la mettre immédiatement au défi, pour voir comment elle défendrait la pierre angulaire de son enseignement.

— D'où vient cette version de l'histoire? Il n'est dit nulle part dans les écritures que Salomon et la reine de Saba furent ainsi liés.

Matilda avait étudié ces textes sa vie durant, et les connaissait désormais aussi bien que tous les grands maîtres de l'Ordre. Sa réponse fut immédiate :

— Le Premier Livre des Rois, chapitre 10, versets 2 et 3. « Elle arriva à Jérusalem avec une suite fort nombreuse, et avec des chameaux portant des aromates, de l'or en très grande quantité, et des pierres précieuses. Elle se rendit auprès de Salomon, et elle lui dit tout ce qu'elle avait dans le cœur. Salomon répondit à toutes ses questions, et il n'y eut *rien* que le roi ne sût lui expliquer. » Le mot *rien* est souligné. Il signifie que Salomon, le plus sage et le plus grand des rois, ne cache rien à cette femme. Cela suppose une grande intimité, comme le fait qu'elle confie tout ce qu'elle a dans le cœur. Aucune reine en mission auprès d'un souverain étranger ne s'ouvrirait ainsi s'il n'y avait entre eux ce que je crois être de la passion.

Les ressemblances flottaient lourdement dans l'atmosphère, mais le jeu les amusait beaucoup trop pour qu'ils y mettent un terme par une approche plus directe.

— Peut-être, pourtant nous ne disposons pas d'une biographie aussi complète que celle que vous prétendez avoir.

— L'histoire est préservée dans le Libro Rosso, où sont transcrites et transmises les traditions des nôtres. Et le Livre de l'Amour, que nous a laissé l'apôtre Philippe, fait également référence à l'intimité de Salomon et de la reine.

— Ce n'est pas une preuve.

— Je ne m'aventurerai pas à donner une leçon de foi au souverain pontife en personne. Néanmoins je dirai que pour ce genre de choses, la seule preuve réside en notre cœur. Le papier et l'encre ne donnent pas la vérité. Mais notre cœur, oui. Seul notre cœur nous dicte de croire dans votre Bible, ou dans mon Livre. Tout homme, toute femme doit choisir sa foi.

Il céda à son éloquence.

— Je suis impatient de voir ce livre et de comprendre son influence sur votre foi.

— Et moi, je suis impatiente de vous le montrer. Il vous faudra venir à Lucques, quand vous aurez le temps, et nous pourrons alors parcourir le Libro Rosso ensemble.

Ensuite, elle lui parla de la version de l'Ancien Testament du Cantique des cantiques et de son interprétation, absolument fidèle, par le livre sacré de l'Ordre. Dans les études bibliques, on omettait souvent de considérer ce poème ouvertement érotique comme faisant partie des Écritures. L'Église soutenait que le Cantique des cantiques supposé écrit par Salomon et retranscrit au vᵉ siècle avant Jésus-Christ était une allégorie à la gloire de l'amour de Dieu. Matilda affirmait qu'il avait été écrit en hommage à l'union sacrée et que la reine l'avait inspiré à Salomon. D'ailleurs, lui fit-elle remarquer, dans la Bible, le poème est précédé de la mention : « Le Cantique des cantiques, qui est à Salomon. »

Ils poursuivirent leur argumentation, et Matilda fit montre d'une science aussi vaste que celle du plus érudit des ecclésiastiques.

— Pourquoi faut-il choisir entre les deux versions ? L'Église a tendance à être trop réductrice dans ses interprétations. Ou le Cantique est à la gloire de l'amour de Dieu et de l'Église, et il est divin, ou il parle de l'amour humain, qui serait donc profane. Mais Jésus ne dit pas cela, dans le Livre de l'Amour. Il dit que les deux versions sont vraies et qu'elles doivent l'être. Que c'est grâce à l'amour humain que nous trouvons Dieu. Que Dieu est dans la chambre nuptiale et qu'en s'unissant les amants le découvrent. Pourquoi une chose si belle ne pourrait être vraie ?

— Alors, dites-moi, Matilda... Avez-vous trouvé Dieu dans la chambre nuptiale ?

La question si directe et si intime de Grégoire la laissa un instant sans voix. Il ne s'était jamais aventuré sur ces territoires jusqu'à présent. Elle choisit de répondre à sa manière, honnêtement :

— J'ai été contrainte au mariage avec un homme qui n'était pas mon bien-aimé, qui ne pourrait jamais l'être. Qui ne pouvait même pas être mon ami. Tel est le sort de beaucoup de femmes : ne jamais connaître l'amour et être privées de ce chemin vers l'amour de Dieu. Les mariages forcés sont un crime contre l'enseignement de l'amour. Il n'y eut jamais dans mon lit conjugal ni confiance ni conscience, les deux conditions de l'union sacrée. Alors, pour répondre à votre question : non, je n'ai pas trouvé Dieu dans la chambre nuptiale.

— Ainsi vous trouvez-vous face à une contradiction, n'est-ce pas ? Vous ne connaissez pas l'union, qui est le sacrement suprême de votre peuple. Spirituellement, vous n'êtes donc pas complète. Mais rechercher cette union hors du mariage serait un adultère, un péché cardinal. Comment surmontez-vous ce paradoxe ?

Matilda y avait longuement réfléchi, et sa réponse était prête.

— L'adultère, tel que vous le concevez, est en effet un péché aux yeux de l'Église catholique. Mais il est envisagé différemment dans le Livre de l'Amour. Selon nos textes sacrés, est adultère une union contre la volonté de l'un ou de l'autre, ou qui ne répond pas aux exigences de confiance et de conscience. Ainsi, la plupart des mariages forcés, où les femmes sont contraintes de céder leur corps, sont adultères. Et pourtant admis par l'Église et par les lois humaines.

« Comment un véritable amour pourrait-il être adultère s'il est un cadeau de Notre Père qui est au ciel ? Salomon et la reine de Saba n'étaient pas mariés ensemble, et lui l'était à d'autres, pourtant, on ne les a jamais traités d'adultères. Parce que leur amour était la loi suprême. Comment deux âmes que Dieu lie pour l'éternité pourraient-elles commettre un péché en unissant leur chair sur cette terre ? Ceux que Dieu a réunis, nul homme ne les séparera. Je vous affirme que la loi de l'amour défie la loi humaine si et quand il le faut. Chaque fois que Geoffroi m'a touchée, c'était un adultère.

« Mais enlacer l'autre moitié de mon âme, me fondre à elle dans l'union de nos corps... voilà un sacrement sans péché, que je suis prête à défendre devant Dieu lui-même, au jour du Jugement dernier.

Matilda regardait le pape sans ciller. Un silence s'installa, qu'elle choisit de rompre en abordant un sujet moins périlleux.

— Les six expressions de l'amour sont dans le Cantique des cantiques. Jésus les a soulignées plus tard dans son Évangile, notre écriture la plus sacrée.

Matilda releva fièrement la tête en prononçant ce possessif.

— L'une de ces expressions est Éros, son intense expression physique. L'union sacrée.

Grégoire poursuivit le débat avec le soulagement d'être en terrain connu.

— Une fois encore, vous affirmez que le poème s'adresse au corps. Les érudits disent le contraire. Ils soutiennent que le Cantique ne parle pas d'amour physique.

Matilda, sur le point de répondre, se retint quelques instants. Puis elle se pencha en avant, et laissa des vagues cuivrées caresser sa peau de porcelaine. Ses yeux bleu-vert étincelaient. Elle entreprit de réciter le poème d'une voix basse et rauque, sans le quitter un instant des yeux.

— Combien délicieux est ton amour, plus délicieux que le vin

Sur tes lèvres, ma promise, je goûte le miel.

Le miel et le lait

Sont sous ta langue.

Puis, dans le geste le plus audacieux de sa vie audacieuse, elle se leva de son banc et franchit la distance qui la séparait du Saint-Père. Elle s'agenouilla à ses pieds et poursuivit sa récitation, lentement, en le regardant toujours dans les yeux. Du bout des doigts, elle écarta le voile qui recouvrait ses cheveux.

— Je goûte le miel et le suc du miel,

Je bois mon vin et mon lait,

Je dors mais mon cœur est éveillé,

J'entends ma bien-aimée qui frappe ;

Ouvre-moi, mon amour,

Ma parfaite colombe.

Avec une grâce inouïe, elle se défit des voiles qui recouvraient ses seins gonflés et lui laissa voir sa chair crémeuse et ses tétons rosés. Il la regardait, immobile, tandis que le poème coulait de ses lèvres et qu'elle caressait ses cuisses du bout de ses doigts.

— Chaque nuit dans ma couche

Je cherche celui que mon cœur adore ;

Mon bien-aimé a passé la main par la fenêtre,

Et mes entrailles se sont émues pour lui.

Je me suis levée pour ouvrir à mon bien-aimé…

Elle se pencha plus encore sur lui et posa sa joue sur une de ses cuisses tandis que ses doigts s'attardaient sur l'autre. Elle finit le poème, le souffle court, au plus près de sa virilité.

— ... Et de mes mains a dégoutté la myrrhe,
De mes doigts, la myrrhe
Répandue sur la poignée du verrou.

Il y eut un éclair de triomphe dans les yeux de Matilda lorsqu'elle constata la gêne de Grégoire, sa fascination et sa passion. Jamais les écritures n'avaient déployé une telle séduction.

— Alors, dit-elle en se relevant sur les genoux pour le regarder face à face, ce poème vous semble-t-il toujours écrit à la gloire de la chasteté de l'Église ?

— Je me rends, murmura-t-il, sa bouche près de celle de Matilda. Ils restèrent ainsi un long moment, à respirer ensemble dans cette intimité interdite. Tous deux en viendraient à savourer chacune des secondes où ils seraient seuls et pourraient se rapprocher de la sorte, mais attendre était une torture exquise. Lorsque leurs lèvres se joignirent enfin, ce fut le prélude sensuel et délicieux à l'accomplissement de leur union. Ils passèrent les heures suivantes enlacés, emprisonnés dans la magie de la fusion entre la force masculine et la douceur féminine.

Ils n'étaient plus deux, mais un seul. Et ceux que Dieu a réunis, que nul homme ne les sépare.

Ils s'étaient unis en confiance et en conscience, l'expression parfaite du *hieros gamos*. Les amants des écritures s'étaient rencontrés, une fois encore.

Selon l'exemple de Salomon et de la reine de Saba, ils demeurèrent ensemble, à peine dérangés, pendant presque une semaine. Dans le sanctuaire de la chambre, Matilda initia son amant aux secrets les plus intimes du *hieros gamos*, tels que l'Ordre les avait conservés. Les femmes se les transmettaient depuis des milliers d'années, afin d'offrir à leurs amants non initiés une extase inimaginable. Matilda en avait été instruite, mais elle n'en avait jamais fait l'expérience. Une fois mis en pratique, ces secrets changeaient de manière indélébile l'existence des hommes et des femmes.

Lorsqu'elle les avait transmis à Matilda, Isobel avait d'abord ri, avant de se désoler pour tous ceux qui ne sauraient jamais à quelle jouissance permettait d'accéder l'union divine.

— Sais-tu, Matilda, qu'aucun homme de toute l'histoire de l'Ordre n'a jamais quitté sa bien-aimée ? Comment le pourrait-il, après avoir goûté aux délices du *hieros gamos* ? Aucune femme ne le conduirait à la même extase. Son désir pour sa bien-aimée croît avec le temps, et il lui reste à jamais fidèle. Cela aussi est un cadeau de Dieu.

Isobel avait repris son sérieux pour déplorer que la majorité des humains se soit égarée hors du chemin de l'union divine. Elle redoutait les temps où les secrets seraient totalement perdus, car, même dans les écritures canoniques, les préceptes étaient détournés de toute implication physique afin d'éradiquer la nature sensuelle du cadeau magnifique que Jésus avait voulu partager avec ses frères humains.

Le pape Grégoire VII n'était pas un homme superficiel. Son attirance pour Matilda n'était pas due à sa seule beauté, ni aux avantages qu'il pouvait retirer de sa position. Il était profondément amoureux de cette femme, que, croyait-il, Dieu avait créée pour lui. Pendant ses jours et ses nuits avec la glorieuse comtesse, il avait vécu une véritable expérience mystique et avait approché Dieu comme jamais auparavant. Désormais, il était obsédé par le désir de tout savoir sur les débuts de la chrétienté. Il avait été nommé pape en tant que réformateur, déterminé à ce que l'Église redevînt le lieu du sacré et des enseignements du Christ. Matilda lui avait permis d'entrevoir que la vérité n'était peut-être pas encore à sa portée.

— Je ne suis pas devenu pape parce que j'étais un saint homme, Tilda, lui confia-t-il en dînant lors de leur dernière soirée à Fiano. Mais parce que je suis un homme pragmatique, un politique soucieux de l'avenir de Rome et de l'Église. Néanmoins, et je le pense très sincèrement, j'espère devenir un saint homme grâce à la place que j'occupe. Comment ? En exaltant Jésus-Christ.

Or plus j'étudie avec toi, plus je me demande ce que signifie en vérité exalter Jésus-Christ.

« Est-ce possible, je me le demande, que l'Église garde la puissance et les structures propres à exercer son influence sur un troupeau qui couvre toute l'Europe et même au-delà, en lui donnant pour base l'amour dont tu parles ? Je n'y crois hélas pas. L'amour n'obéit pas à la raison, Matilda, il ne connaît ni loi, ni stratégie, ni logique, excepté les siennes. L'amour ne se contrôle pas, ne s'administre pas, ne se réglemente pas. Il ne se taxe pas, non plus. J'ai interdit l'amour au sein du clergé, j'ai interdit le mariage des prêtres, pour protéger l'Église en tant qu'institution, comme j'ai prêté serment de le faire. Je m'en tiens à ces lois, pour le plus grand bien de mon Église.

« Mais que signifie "le plus grand bien de mon Église" si ce que je protège va contre la vraie nature des enseignements de Notre-Seigneur ? Voilà les épreuves que j'affronte, des épreuves pour ma foi et pour ma liberté de pensée. J'aurai besoin de toi, aussi souvent que possible, pour naviguer en ces territoires inexplorés. Dieu nous a mis dans cette situation, et il nous y a mis ensemble. Nous sommes en mesure de changer le cours de l'histoire, de préserver la force de l'Église, de nous assurer que le Christ reste au centre de la vie des nôtres. J'ignore sous quelle forme, car peut-être ne sera-t-il pas possible d'intégrer ton Chemin dans le monde tel que nous le connaissons. Mais nous ferons ce que nous pourrons pour en protéger l'existence, en approfondissant cette idée de l'amour.

Matilda le mit au défi, comme elle ferait désormais en toute occasion.

— Quand tu te seras familiarisé avec le merveilleux pouvoir du Chemin de l'Amour, tu verras les choses différemment. Le Chemin appartient à tous, Grégoire, de même que le royaume de Dieu. Les riches et les pauvres, les hommes et les femmes, les humbles et les nobles. Il est assez fort pour subir les épreuves. Assez fort pour apporter la paix au monde.

Grégoire réfléchit. En lui combattaient le politicien subtil et pragmatique et le poète récemment éveillé.

— L'amour. Il est singulièrement compliqué, surtout lorsque s'y mêlent les affaires d'état. Il est bouleversant, magnifique. Mais je n'en ai aucune expérience. Voilà pourquoi je dois te poser cette question avant que tu ne partes pour la Toscane. Me jureras-tu de me tenir la main ? de me guider de ton mieux, afin que je n'affaiblisse pas l'Église, qui affronte de graves menaces, tout en préservant ces traditions auxquelles tu crois du plus profond de ton cœur ?

Elle saisit la main de son bien-aimé, la garda dans la sienne et répondit simplement, en un serment qu'elle ne trahirait jamais :

— *Semper*. Toujours.

Rome

De nos jours

Main dans la main, Maureen et Bérenger se promenaient lentement dans l'église San Pietro in Vincoli. L'arrivée de Sinclair à Rome avait surpris Maureen, mais, lorsqu'elle put constater qu'il était allé se réconcilier avec Peter avant même de la prévenir de sa présence, elle en ressentit un grand soulagement. C'était le geste d'un homme véritable, un geste d'humilité et de responsabilité.

Ils avaient dîné ensemble le soir précédent et elle en avait profité pour le mettre au courant de ses découvertes au sujet de Matilda. Puis elle avait mentionné l'homme à la capuche qui surveillait sa fenêtre.

— J'ai couru à votre chambre, mais vous n'étiez pas là, et le temps que je revienne, il était parti.

Bérenger, inquiet, l'avait écoutée attentivement.

— Vous ne sortirez plus dans Rome sans que l'un de nous vous accompagne, conclut-il.

Pendant le repas, Maureen prit plaisir à se remémorer toutes les raisons qu'elle avait d'adorer cet homme.

Parler avec lui équivalait à rentrer chez soi. Il la comprenait, il lui ressemblait. Et maintenant, il venait d'endosser le rôle de garde du corps. Désormais, quand elle visitait des lieux importants de la vie de Matilda, il l'accompagnait. Pour son plus grand plaisir.

Dans l'église, Maureen lui raconta la première rencontre de Grégoire et de Matilda.

— Ce fut un véritable coup de foudre, réciproque.

— Un coup de foudre, vraiment ? L'amour n'est-il pas plutôt une reconnaissance ? Si nous ressentons si rapidement de l'amour, n'est-ce pas parce que nous reconnaissons quelqu'un que nous avons aimé dans le passé ? que nous sommes destinés à aimer à nouveau ? Cette attirance immédiate n'est-elle pas la conscience d'avoir trouvé la moitié de notre âme ?

Maureen réfléchit à ces paroles tout en déambulant dans l'église bondée de touristes venus admirer la statue de Moïse par Michel-Ange. Ils jetaient des pièces de monnaie dans un boîtier électrique et la statue s'illuminait pendant quelques minutes. L'œuvre d'art avait été maintes fois restaurée et transformée depuis l'élection-surprise de Grégoire VII.

— Peut-être, dit-elle enfin. Ce serait alors une version de « le temps revient ».

— Mais encore ?

— Ces couples dont parle l'Ordre, Véronique et Prétorius par exemple, reconstituent-ils des modèles du passé ? Easa et Magdalène ? Ou Salomon et la reine de Saba ? C'est ce que croyait Matilda en ce qui les concernait, Grégoire et elle. Faut-il prendre cela à la lettre, ou revivaient-ils une relation archétypale ? Je ne sais pas. Je me débats avec tous ces concepts.

Il la regarda, intrigué. Pourquoi les êtres humains trouvaient-ils cette idée d'amour éternel si inimaginable ? Cela lui semblait si simple, à lui ! Et si magnifique. Il ne répondit pas, préférant garder ses intimes convictions pour le moment où elle serait prête. Il devait gagner sa confiance pour que la licorne reste dans le jardin de son plein gré.

Ils sortirent de l'église après s'être recueillis devant les reliques qui avaient donné son nom à l'église.

En descendant les marches du parvis, Maureen continua sur le même sujet :

— Que se passe-t-il quand ce n'est pas réciproque ?

— Que voulez-vous dire ?

— Dans le cas de Matilda et de Grégoire, ils ont tous les deux ressenti la même attirance. Est-ce toujours le cas, pour les amours prédestinées ? Ou l'un des deux est-il le premier ?

— À mon avis, dit Bérenger sans hésiter une seconde, il arrive souvent que l'un soit le premier. Il lui suffit alors d'attendre. Ce n'est qu'une affaire de patience, qui met l'amour à l'épreuve.

Absorbés par leur conversation, ils déambulaient lentement dans les rues du centre historique.

— Ce doit être dur, répondit Maureen, pour celui qui sait. Comme si l'un s'était éveillé et que l'autre dormait encore.

— Sans aucun doute ! On dit à juste titre que l'ignorance est une bénédiction. On erre dans la vie, avec l'illusion de la maîtriser. Pourtant, lorsque l'on s'éveille, que l'on comprend que notre destin est d'obéir à la volonté de Dieu… ce n'est pas toujours une bénédiction, n'est-ce pas ? Mais peut-être Dieu veut-il que nous ayons cette patience, et que nous réveillions doucement l'endormi.

Maureen s'immobilisa.

— Que se passe-t-il ?

Bérenger s'inquiétait. Était-il allé trop loin ? L'allusion était-elle trop personnelle ? Il soupira de soulagement lorsqu'elle reprit la parole avec sa vivacité coutumière.

— C'est ce que vous avez dit… Réveiller doucement l'endormi. Comme dans les contes de fées… La Belle au bois dormant est réveillée, Blanche-Neige est réveillée. De quelque chose qui est appelé sommeil mortel. Et comment les réveille-t-on ?

— Par un baiser.

— Par le baiser du véritable amour. C'est ainsi qu'il s'appelle dans les versions les plus anciennes de ces contes. Un baiser sacré, un baiser qui unit les âmes.

Quant au sommeil mortel, il représente l'état de l'âme avant qu'elle ne soit éclairée.

— Une allégorie, donc, poursuivit Bérenger. Un enseignement sacré, dissimulé en pleine lumière, et transmis de façon qu'il ne se perde jamais.

— Et transmis de telle façon que les enfants le comprennent dès leur plus jeune âge. Croyez-vous que cela soit possible ? Vous m'avez appris que tout est lié, et que la vérité est partout, si nous voulons bien ouvrir les yeux. Se pourrait-il que les contes destinés à nos enfants chéris renferment les secrets du Livre de l'Amour ? que chaque fois que nous leur racontons une histoire, nous leur transmettions la parole de Jésus ? et peut-être même, si l'on remonte encore plus loin dans le temps, la rencontre entre Salomon et la reine de Saba ?

— Vous êtes un génie, ma chère amie ! Je n'y avais jamais pensé ! Nous savons pourtant que les cathares commençaient très tôt l'enseignement de leurs enfants. Isobel a fait de même avec Matilda. Et si telle était la raison d'être des contes ? éduquer nos enfants tout en stimulant leur imagination ? Quand on raconte une histoire à un enfant avant qu'il ne s'endorme, elle fait son chemin dans son subconscient. C'est une interprétation passionnante.

— Et la version masculine existe aussi ! Le prince transformé en crapaud, que la princesse aime sincèrement, en dépit de son apparence. Elle le reconnaît ! Et, d'un baiser, elle lui redonne son allure de prince. Dans la Belle et la Bête, Belle devine le prince sous les traits du monstre et lui sauve la vie en l'embrassant. C'est évident !

— Évidemment…, acquiesça Bérenger.

Il était dévoré par l'envie de lui apprendre le grand secret qu'elle avait encore à découvrir, qui expliquait pourquoi, dans les contes, le bien-aimé était toujours un prince. Mais elle n'était pas encore prête. Et il ne voulait pas la brusquer. Il préféra aborder un autre aspect de la question.

— Vous venez de soulever quelque chose d'important.

— Quoi donc?

— Au sujet des versions masculine et féminine. Là où est la vérité, il y a toujours équilibre. S'il existe une prophétie concernant une femme, il y en a une autre, au sujet d'un homme. C'est de l'alchimie, mais aussi de la physique. Les contraires s'attirent. Toute action suscite une réaction. C'est vrai pour Newton comme pour Marie Madeleine. Ordre mental et ordre sensible, terre et eau, masculin et féminin, conscience et subconscient.

— Prince et crapaud.

Elle lui souriait avec une rare insouciance, et peut-être autre chose encore. Il mourait d'envie de l'embrasser, là, dans les rues de Rome. Mais il se retint. Ils venaient de s'entendre sur la sainteté du baiser. Ils ne pouvaient en échanger un qui ne réponde pas à cette exigence. Mieux valait attendre le moment parfait, et qu'ils soient tous les deux prêts à s'unir en partageant leur force et leur souffle.

Jusque-là, il profiterait de sa présence. Malgré les défis qu'ils auraient encore à affronter, il songea qu'ils avaient beaucoup plus de chance que certains des couples pré-destinés qui les avaient précédés.

Il n'était pas pape. Elle n'était pas mariée à un infâme bossu. Les auspices étaient prometteurs.

Cité du Vatican

De nos jours

Le père Girolamo DiPazzi compulsait la liste. Elle était incomplète. Il y manquait un certain nombre de femmes qui remplissaient les critères voulus et il faudrait qu'il consulte ses notes. Hélas! sa mémoire n'était plus aussi fidèle qu'autrefois. Dans le temps, il aurait récité la liste par cœur. Mais cela n'avait pas d'importance. Il recense-rait toutes ces femmes dont beaucoup étaient reconnues comme saintes ou martyres, avec les détails nécessaires, y compris leur date de naissance exacte et les circonstances souvent tragiques de leur mort.

Il dressa une dernière liste, par ordre chronologique.

Sarah-Tamar, 1er siècle, années de naissance et de mort inconnues, cause de la mort inconnue.

Marguerite d'Antioche, année de naissance inconnue, morte en 304, torturée et décapitée.

Lucie, née en 284, morte en 304, exposée dans un bordel, yeux arrachés et décapitée.

Catherine d'Alexandrie, née en 287, morte en 305, torturée et décapitée.

Modesta, IVe siècle, décapitée et jetée dans un puits à Chartres.

Barbara, née et morte au IVe siècle, décapitée. Apocryphe ?

Ursule, née et morte au IVe siècle, massacrée avec mille vierges. Apocryphe ?

Godelieve de Flandres, née en 1046 ?, morte en 1070, étranglée et jetée dans un puits.

Matilda de Toscane, née en 1046, morte en 1115, de complications de la goutte.

Catherine de Sienne, née en 1347, morte en 1380 d'une attaque, à l'âge de trente-trois ans.

Jeanne d'Arc, née en 1412, morte en 1431, violée et brûlée vive.

Lucrèce Donati, née en 1455 ?, année de mort inconnue, de causes naturelles.

Giovanna Albizzi, née en 1465 ?, morte en 1489 ? en couches.

Thérèse d'Avilá, née en 1515, morte en 1582, d'une maladie inconnue.

Germaine de Pibrac, née en 1579, morte en 1601, empoisonnée.

Marguerite Luti (la Fornarina), XVIe siècle, dates exactes inconnues, empoisonnée ?

Lucia dos Santos, née en 1907, morte en 2005, de causes naturelles.

Heureux d'avoir un point de départ, il ajouta un dernier nom. Cette femme était particulière, elle avait accompli ce qu'aucune des autres n'avait réussi, et il espérait comprendre comment et pourquoi.

Maureen Pascal

Peut-être ne fallait-il pas chercher dans le passé. Peut-être que tout ce dont il avait besoin se trouvait à Rome, en ce moment même.

Chapitre 12

Rome

Mars 1075

Matilda était de retour à Rome, plus heureuse que jamais d'être avec son bien-aimé. Le deuxième synode de la papauté de Grégoire venait de se terminer. Il avait présenté ses propositions au monde. Les *Dictatus papae*, comme on appellerait par la suite les réformes grégoriennes, étaient le fruit des jours et des nuits qu'avaient passés ensemble ces deux âmes déterminées à réformer l'Église et à la protéger contre ses ennemis les plus dangereux.

Ce document ne ressemblait à aucun autre. Il était radical, audacieux et très réfléchi. Le pape Grégoire osa libérer l'Église et les fidèles de toute allégeance à un quelconque pouvoir séculier. L'Église était déclarée seul arbitre de la justice sur terre, au sein de laquelle tous les hommes et tous les peuples étaient égaux aux yeux de Dieu. Le décret spécifiait que cette loi d'égalité, telle que prônée par Jésus-Christ, s'appliquerait à tous, y compris aux femmes, aux esclaves et aux rois. Nul n'était meilleur ou pire que son voisin; nul n'avait plus ou moins de valeur aux yeux de Dieu que son prochain. Ce texte était proprement révolutionnaire.

Pour ceux qui avaient des yeux pour voir, l'influence de Matilda était évidente.

Dans cette société nouvelle, le féodalisme, fondement du continent européen, était inéluctablement condamné. Seul le pape représentait la justice. Pour renforcer la position de l'Église placée sous l'autorité de son défenseur, il fut décrété que le pape était infaillible.

Pour les chefs politiques européens, c'était scandaleux. Ils perdaient tout pouvoir; Rome était libérée de toute influence séculière et notamment de celle d'Henri. Rome et le pape, au centre de l'univers, détenaient tous les pouvoirs.

Grégoire ne s'en contenta pas. Des rumeurs couraient sur la nature de ses relations avec la comtesse de Canossa, qui n'était guère appréciée par les grandes familles de Rome. Les partisans du Saint-Père et de Matilda démentirent et dénoncèrent chantage et jalousie. Cela suffit pendant quelque temps au peuple de Rome, enclin à soutenir son pape charismatique. Mais Grégoire était bien décidé à faire taire ces bruits avant qu'ils ne lui nuisent. Il choisit d'attaquer au lieu de se défendre et, par décret, alourdit le châtiment des prêtres qui ne respecteraient pas le célibat et la chasteté. Ils seraient immédiatement démis de leurs fonctions. Il exigea de ses évêques qu'ils prêchassent la nécessaire pureté des corps et des âmes. Et renforça les lois qui interdisaient aux prêtres de se trouver en situation d'être seuls en la compagnie d'une femme.

Il donna tant d'ampleur à ces lois que personne n'osa plus attaquer le pape sur le non-respect de son célibat. Aucun homme ne pouvait avoir l'audace de promulguer de telles règles et de les violer lui-même. Les rumeurs se turent.

Mais ce que les peuples d'Europe négligèrent de prendre en compte, c'était que Grégoire n'était pas un homme comme les autres. Ni un prêtre comme les autres. Il était le pape et, en tant que tel, soumis à la seule loi de Dieu. Par la grâce de ses propres lois, et de celles de la femme qu'il aimait et avec qui il partageait son lit, il était infaillible.

— Les serments d'Henri ne valent rien! C'est un roi sans honneur, donc ce n'est pas un roi!

Matilda arpentait les salles de réception de l'Isola Tiberina, la villa fortifiée des bords du Tibre où elle résidait lors de ses séjours à Rome. Henri venait de trahir Grégoire. À la tête de ses troupes germaniques, et malgré la résistance de la Lorraine, il avait défait les Saxons le 9 juin 1075, à la bataille de Herenberg, après des années de guerre. Cette victoire décisive et le soutien sur lequel il pouvait désormais compter dans les territoires du Nord décuplèrent son orgueil et son ambition. Henri décida de combattre Grégoire. Depuis la promulgation des décrets, trois mois auparavant, Henri et ses évêques germains et lombards ne décoléraient pas. À leurs yeux, ce pape était un dangereux rebelle. Comment un homme osait-il se prétendre au-dessus du roi ?

Le roi germain avait rongé son frein, mais les vents soufflaient désormais en direction de la Germanie. Il commença par redonner leurs prérogatives aux évêques excommuniés, qui achetèrent fort cher leur nouveau statut. Teobaldo, le plus radical des adversaires de Grégoire, était désormais évêque de Milan, et en position de soulever la Lombardie contre l'autorité papale. Henri s'était ainsi rendu coupable de simonie, le commerce des biens d'Église, et d'investiture laïque, deux interdits fondamentaux décrétés par Grégoire.

La guerre était déclarée.

Conn suivait Matilda des yeux. Ils devaient retourner immédiatement en Toscane, il fallait qu'elle le comprît, malgré ce qu'il lui en coûtait de quitter Rome et Grégoire.

— Henri n'est pas notre seul problème, Matilda. Geoffroi a envoyé une nouvelle lettre. Il revendique ses droits sur la Toscane, et sur toi. Henri lui a proposé son aide militaire. Ce que tu viens de faire à Montecatini a rendu fou le Bossu. Ça, plus tout le reste.

Le mois précédent, Matilda avait offert ses riches propriétés de Montecatini à Anselmo de Lucques, pour le compte de l'Ordre. Ces terres, héritages de son père Boniface, lui appartenaient et elle estimait qu'elle avait le droit d'en disposer à sa guise. Mais, selon les lois décrétées par le roi germain, Geoffroi avait seul la haute main sur les terres de Toscane. Le pape avait évidemment approuvé Matilda et refusé d'écouter les protestations du duc de Lorraine.

En dépit de ses tares, Geoffroi de Lorraine n'était pas un complet imbécile. Il était au courant des bruits qui couraient sur l'intimité de son épouse avec le souverain pontife. Il se permit même, au cours de la campagne contre les Saxons, de gloser avec lubricité sur la démoniaque tentatrice aux cheveux rouges qui avait corrompu le pape lui-même. L'offense de Montecatini porta un coup fatal à la santé mentale de Geoffroi, déjà fragilisée dès lors qu'il s'agissait de Matilda.

— Il ne me fait pas peur, Conn. Je montrerai sa lettre à Grégoire ce soir, il me conseillera sur l'attitude à adopter.

— Nous n'avons pas le temps, Matilda, répliqua le géant celte, exaspéré. Tu dois partir aujourd'hui même. Si le Bossu arrive en Toscane avant toi, personne ne peut dire ce qui se passera.

— Arduino est sur place. Ma mère aussi.

— Ils ne sont pas la Toscane. Toi, tu l'es. Ton peuple aura besoin que tu sois présente, avec lui, quand les rumeurs commenceront à courir.

— Quelles rumeurs ? Les mêmes que d'ordinaire ? Plus personne n'y croit. Grégoire y a mis fin.

— Matilda, dit le géant en se levant et en prenant une longue inspiration, Geoffroi et ce diable de roi ont entrepris de te détruire. Il faut que tu l'admettes. Ils ont lancé une campagne contre toi et contre ta réputation. Je voulais t'épargner, parce que je te connais très bien. Je sais que, malgré ta force apparente, tu vas être cruellement blessée par ce que je vais t'apprendre.

— Parle, dit Matilda en s'immobilisant.

— En Lorraine, on dit que tu as tué ton enfant. Et il y a d'autres rumeurs aussi. Tu sais que quand cela commence, cela ne s'arrête pas. Elles sont ridicules, évidemment, ce sont de stupides superstitions répandues par des ignorants. Mais elles sont dangereuses. Tu aurais sacrifié ta fille sur l'autel du diable, en échange du pouvoir et de la richesse. Tu entretiendrais d'ailleurs une

296

relation obscène avec le diable, et personne ne se prive d'en donner les détails. Selon une autre version, tu aurais étouffé ton enfant à sa naissance, sous les yeux de ton mari, pour l'effrayer et obtenir sa soumission à ta volonté. Là aussi, le diable t'aurait aidée. D'après moi, c'est la rumeur que répand Geoffroi, pour s'attirer les sympathies. Le peuple de Lorraine réclame ton sang de sorcière.

Matilda se laissa tomber sur un siège. Conn avait raison, des rumeurs si odieuses la blessaient. Pourquoi Dieu lui avait-il donné tant de responsabilités, de même que son habileté dans le maniement des armes, sans lui accorder plus de résistance à ses émotions? Toute sa vie, elle en souffrirait en silence, notamment pendant ses nuits trop souvent sans sommeil.

Conn savait comment réconforter sa protégée quand elle se sentait vaincue. Détourner son attention des affaires privées pour lui faire embrasser une juste cause lui redonnait toujours courage.

— L'humanité souffre depuis trop longtemps de ce dénigrement des femmes, Matilda, on noircit leur réputation, pour les diminuer. C'est une guerre sale, petite sœur. Les femmes puissantes ont toujours représenté une menace pour les hommes de faible volonté. Tu dois combattre comme l'a fait Boadicée, et adopter son cri de guerre.

Matilda leva les yeux sur lui. Elle n'avait pas encore recouvré son énergie et sa témérité, mais elle luttait pour avoir la force d'accomplir son devoir. Elle se leva et lui tendit la main.

— La Vérité contre le monde, déclara-t-elle.

Il baisa sa main et la prit dans ses bras.

— Voilà qui est bien dit. « La Vérité contre le monde ». Viens, petite sœur. Allons en Toscane, pour chasser le Bossu et les vipères germaniques.

Le 8 décembre 1075, le pape Grégoire VII tira une salve contre le roi Henri IV. Le jour de la fête de l'Immaculée Conception, il accusa publiquement Henri de mensonges et de crimes et exigea qu'il modifiât son comportement et se repentît, faute de quoi il serait excommunié. C'était la première fois dans l'Histoire qu'un monarque était menacé d'excommunication, et la nouvelle ébranla l'Europe.

Henri répondit de la seule façon qu'il connaissait : par la violence. Il acheta à prix d'or les services de la famille Cenci, de Rome, rivale de longue date des Pierleoni. Les Cenci engagèrent des mercenaires qui s'introduisent dans l'église Santa Maria Maggiore durant la messe la veille de Noël. Au moment où les fidèles s'approchaient de l'autel pour recevoir la communion des mains du souverain pontife, un des mercenaires sortit du rang et poignarda le pape. Blessé et inconscient, Grégoire fut traîné hors de la cathédrale et enfermé dans une tour appartenant aux Cenci.

On ne sut jamais pourquoi ses assassins potentiels n'achevèrent pas Grégoire sur-le-champ. On dit que, dans leur hâte à mettre au point ce diabolique enlèvement, les commanditaires ne donnèrent pas d'ordres assez précis sur le sort à réserver au prisonnier. Aucun des protagonistes ne voulait tacher ses mains du sang du pontife si ce n'était pas exactement ce que le roi avait demandé et payé. On se contenta donc de le retenir prisonnier durant la nuit.

Le peuple de Rome, scandalisé que l'on eût fait couler sur l'autel le sang de son pape bien-aimé, se révolta le matin de Noël. Une foule dirigée par les Pierleoni envahit le palais des Cenci et libéra le souverain pontife avant de jeter les Cenci hors des murs de la ville.

Grégoire rentra chez lui, à Latran, où il fut soigné; sa blessure à la tête guérit. Il réclama alors une plume et de l'encre pour écrire à sa bien-aimée afin qu'elle ne s'inquiétât pas inutilement.

Matilda traversa la Toscane à bride abattue. Sa mère était tombée gravement malade à Pise, où elle réglait des questions administratives, et sa fille priait pour qu'elle ne mourût pas avant qu'elle ne la rejoignît.

À son arrivée, Béatrice était vivante, mais inconsciente. Selon les médecins, elle alternait entre conscience et inconscience, selon sa fièvre. Comme elle dormait profondément, Matilda eut le temps de s'occuper des questions qui pesaient si lourdement sur son cœur.

Elle avait reçu le message de Grégoire au moment de partir pour Pise. Le pape la rassurait sur son état, mais ne dissimulait rien de la violence de l'agression dont il avait été victime. Comme elle aurait voulu être près de lui, le voir et le toucher ! Mais l'état de sa mère lui interdisait de repartir. Elle lui répondit en des termes prudents et exprima son amour de façon qu'on ne pût s'en servir contre eux si le message était lu par des légats ou, pire, s'il tombait entre des mains ennemies.

« Saint-Père bien-aimé,

« Je suis horrifiée par les souffrances qu'on vous a fait subir, mais je remercie Dieu d'avoir épargné l'apôtre qu'il a choisi.

« Je donnerais tout pour vous rejoindre à Rome, en fille et en servante bien-aimée, mais je dois rester au chevet de ma mère mourante. Je vous supplie de bien vouloir intercéder pour elle auprès de Dieu par vos ardentes prières.

« Bien qu'une grande distance nous sépare, sachez que rien, ni tribulations, ni angoisse, ni faim, ni danger, ni persécution, ni épée, ni mort, ni vie, ne m'éloignera jamais de mon amour pour saint Pierre. »

Grégoire saurait lire entre ces lignes. Sa dernière phrase au sujet de son éternel amour pour saint Pierre se référait à un précepte du Livre de l'Amour. Les amants ne sont jamais séparés par l'espace ou le temps, car leurs âmes sont réunies pour toujours.

Grégoire lui répondit sans son habituelle prudence. Était-ce à cause de sa blessure à la tête, ou simplement par lassitude d'avoir toujours à dissimuler ? Toujours est-il qu'il manifesta son désir qu'ils abandonnassent tous deux leurs responsabilités et trouvassent refuge en un lieu où ils n'auraient pas à se cacher. Il acheva sa missive par une citation du Cantique des cantiques, des mots qui les condamneraient sans appel s'ils tombaient entre de mauvaises mains.

« J'attendrai dans la souffrance de revoir la chair de ma colombe, ma parfaite, et qu'elle s'ouvrît à moi. J'attendrai jusqu'à ce que l'éternité nous réunît, que tu sois à moi pour toujours sous le regard de Dieu.

« Je t'attends. »

Le pape Grégoire VII choisissait soigneusement ses messagers, mais il ne pouvait prévoir que le plus fidèle d'entre eux tomberait dans un piège tendu par le duc de Lorraine et que son innocente gorge serait tranchée pour un malheureux morceau de papier.

La lettre passionnée du pape ne parvint jamais entre les mains de Matilda. Mais elle tomba entre celles de son époux.

Conn était persuadé que Geoffroi, s'il n'en était pas l'instigateur, avait pour le moins été utilisé dans cette tentative d'assassinat du pape. Matilda était de son avis.

— Évidemment, c'était Geoffroi ! puisque ce fut un échec ! Dieu merci, ce fut un échec ! Oh ! Conn, qu'aurais-je fait ? Perdre Grégoire et ma mère, en même temps ! Comment aurais-je survécu ?

— Dieu prend soin des siens, Matilda. Grégoire est sain et sauf.

Elle hocha la tête, tellement troublée par les événements qu'elle ne s'aperçut même pas que Conn avait cité un des enseignements de l'Ordre.

Malgré les indices évidents qui désignaient le roi et le duc comme les responsables de la tentative de meurtre du pape, Henri n'avait pas renoncé. Il fit savoir que la cour royale de Germanie instruirait le procès du pontife et prouverait aux souverains européens que

Grégoire devait être déposé. La date du procès fut fixée au 24 juillet 1076 et les seigneurs européens furent invités à y assister en la ville de Worms, afin de trouver vengeance contre l'outrecuidant qui se voulait l'unique maître du monde.

Synode de Worms
Germanie

24 janvier 1076

Les évêques de Germanie avaient parlé.

Grégoire VII était accusé de multiples crimes contre les peuples d'Europe et leurs souverains légitimes, des pétitions avaient été rédigées à la hâte et signées afin d'étayer légalement sa culpabilité. La loi promulguée par Grégoire lui-même fut utilisée contre lui. Il avait volé le trône de saint Pierre en se faisant élire illégalement, et non par le collège de cardinaux qu'il avait institué pour ce faire. Il fut condamné pour l'arrogance avec laquelle il privait les évêques de leurs droits et de leur influence, et pour s'être déclaré lui-même unique détenteur du pouvoir sacré.

Pendant la séance d'exposition des preuves, en présence du roi, le Bossu au visage cramoisi fit irruption dans la salle, un document serré dans le poing.

— Je viens ajouter une accusation contre ce démon qui ment à toute l'Europe et prétend être le pape.

Henri IV, juché sur son trône, jouissait intensément de la situation. Il adorait ce genre de drame haut en couleur, et il savait que ce que Geoffroi allait présenter était la meilleure et la plus sérieuse des accusations.

— Entrez, mon bon duc. On me dit que vous avez une plainte personnelle à déposer contre l'usurpateur. Je me trompe ?

— Non, Votre Grâce.

— Parlez donc sans crainte devant ce concile.

— J'accuse cet homme d'adultère.

La voix du Bossu enfla à la mesure de l'offense, et résonna entre les murs de pierre de la salle du tribunal. Elle forcit encore quand il prononça ses derniers mots :

— Avec mon épouse.

Le tumulte s'empara de la salle. Chacun avait entendu les rumeurs sur la relation entre Matilda et le pape, mais personne ne s'attendait à une accusation d'adultère portée par le mari de la pécheresse.

— Et quelle preuve de cette offense détenez-vous, seigneur Geoffroi ?

— Cette lettre, s'écria le duc de Lorraine en brandissant le document, écrite de la main de l'usurpateur, et envoyée à ma femme le jour de la Saint-Stéphane. Les mots qu'il emploie confirment leur débauche et leur obscène alliance.

Henri se lécha les lèvres de plaisir, et ordonna à Geoffroi de lire la missive incriminée. Ce dernier fit la grimace. C'était déjà difficile de se proclamer cocufié devant ses pairs, mais, s'il fallait en outre faire une lecture publique de la lettre de l'amant de sa femme, ce serait trop d'humiliation.

— Je préfère l'ajouter au dossier de l'accusation, et que les membres du concile la découvrent par eux-mêmes.

Le roi tendit alors la main et arracha la lettre des mains du Bossu.

— C'est moi, alors, qui la lirai.

Il commença sa lecture jusqu'à une phrase sur laquelle il s'attarda, tout à sa satisfaction maligne.

— « J'attendrai dans la souffrance de revoir la chair de ma colombe, ma parfaite, et qu'elle s'ouvre à moi. »

Un silence de mort s'abattit sur l'assemblée. Henri le rompit, en s'adressant au duc de Lorraine :

— Mon bon duc, je suis désolé que vous ayez à admettre que votre femme est une putain, mais je vous suis très reconnaissant d'avoir remis cette preuve entre nos mains. L'Europe entière partage ma gratitude. Est-il

302

clair pour chacun de nous que cette lettre, ajoutée aux nombreuses relations qui nous ont été transmises au sujet des transports sexuels entre le pape et la putain épouse de cet homme, est une preuve suffisante de leur comportement criminel ? Si personne ne s'y oppose, j'accuse officiellement le pape Grégoire VII et la comtesse Matilda de Canossa d'adultère.

**

Grégoire reçut l'acte d'accusation ainsi rédigé par Henri :

« Une grave accusation portée contre toi entache l'Église tout entière, celle de vivre dans une trop grande familiarité avec une femme qui est mariée à un autre homme. »

Le roi ne se contenta pas de cela. Il laissa libre cours à sa misogynie en condamnant l'estime de Grégoire pour les femmes en général.

« À notre connaissance, et à ta grande honte et à la grande honte de l'Église, tous les décrets que tu as promulgués ont été inspirés par des femmes, de telle façon qu'aujourd'hui des femmes gouvernent notre Église. »

Que Grégoire se soit fréquemment entretenu non seulement avec Matilda, mais aussi avec la femme avisée qu'était Béatrice alimentait la colère de nombreux hommes d'église, qui considéraient que Paul n'avait jamais été plus divinement inspiré que lorsqu'il écrivit sa première lettre à Timothée : « Je ne tolérerai pas qu'une femme enseigne, ni qu'elle exerce une autorité sur un homme. Seul le silence convient aux femmes. » La mère d'Henri, désormais sa plus farouche ennemie, était elle aussi devenue une conseillère et une alliée du pape. Lorsque le roi germain parlait de ces trois femmes, il les nommait « la non sainte trinité ». En fin de compte, ce fut l'influence des femmes sur le pape qui persuada les évêques de signer la demande de déposition. Ils considéraient que l'immixtion de femmes dans les affaires d'état était plus scandaleuse et impardonnable que l'adultère.

Henri signa toutes les accusations, ainsi que le jugement stipulant que le pape avait été déposé. Il sommait Grégoire d'abdiquer.

« Moi, Henri, roi légitime de par l'ordination de Dieu, à Ildebrando Pierleoni, faux prêtre et usurpateur du trône papal. Moi, Henri, roi par la grâce de Dieu, et tous mes évêques, nous te disons : abdique, abdique, et sois damné pour l'éternité. »

Ildebrando Pierleoni n'était pas devenu le pape le plus puissant de l'Histoire en cédant à la volonté de tels hommes. Il savait ce qui se tramait à Worms mais fit mine de l'ignorer jusqu'à ce que les évêques germains présentassent officiellement leurs accusations. Ils le firent lors du troisième synode de sa papauté, en février 1076, auquel assistaient deux cents évêques et membres de la noblesse venus de France et d'Italie. Aucun des évêques germains n'eut le courage ou l'audace d'être présent ni de formuler les accusations en personne. La tâche fut dévolue à un prêtre obscur qui avait sans doute tiré la plus courte paille et qui ne s'embarrassa pas de diplomatie. Devant le concile, il se contenta de déclarer :

— Le roi et les évêques vous ordonnent d'abdiquer ce trône dont vous n'êtes pas digne.

Grégoire, accoutumé de longue date aux coups de théâtre de la papauté, exprima sa sympathie pour le malheureux, manifestement mal informé, que le sort avait désigné pour formuler de si grotesques accusations contre le pape. Il se lança dans un éloquent discours et cita les écritures de manière fort érudite, persuadant ainsi chacun dans l'assistance qu'il était bien le grand dirigeant qu'ils croyaient. À la fin de son allocution, le pauvre prêtre tremblait de tous ses membres à l'idée du sort que lui réserveraient les évêques présents, soutiens inconditionnels du pape. À l'unanimité, il fut décidé d'excommunier Henri IV, roi de Germanie.

Grégoire attendit le 22 février 1076, jour de la fête de saint Pierre, pour donner plus de poids encore à sa proclamation :

« Je dénie au roi Henri, fils de l'empereur Henri, qui s'est rebellé contre l'Église avec une audace à ce jour inégalée, son gouvernement des royaumes de Germanie et d'Italie, je libère tous les chrétiens de leurs éventuels serments d'allégeance et j'interdis à tous de le servir en tant que roi. »

Pour la première fois dans l'Histoire, on lançait l'anathème contre un monarque légitime et régnant. La nouvelle provoqua un choc violent dans toute la chrétienté. Désormais, il suffisait d'attendre pour savoir qui était le plus puissant, du roi qui avait déposé le pape ou du pape qui avait excommunié le roi. Le résultat final dépendait d'un facteur crucial et fort intéressant : les terres et territoires qui séparaient ces ennemis irréductibles, gages de la victoire militaire, appartenaient en principe à Geoffroi de Lorraine, mais étaient entièrement contrôlés par Matilda de Toscane.

Pise

Février 1076

Habituée aux avanies que lui infligeait Geoffroi le Bossu, Matilda ignora l'accusation d'adultère comme les autres. Elle avait compris que les mesures radicales prises par Grégoire et la publicité qu'il avait donnée à l'excommunication d'Henri avaient notamment pour but de distraire l'attention et de la protéger. Pour l'instant, il lui donnait le temps de s'occuper de sa mère mourante, ainsi que de veiller à ce que son armée fût en ordre de marche au cas où Henri essaierait de franchir les Alpes et de traverser ses terres jusqu'à Rome. Elle ne l'autoriserait certes pas, mais l'armée germanique était puissante et ne serait pas facile à vaincre si Henri y jetait toutes ses forces. Elle avait envoyé des messagers à Arduino, qui commandait les troupes, et elle était certaine qu'il avait la situation bien en main, comme à l'accoutumée.

Malgré sa confiance et son attitude bravache, Matilda était inquiète ; elle n'avait presque pas dormi de la nuit, et avait passé des heures avec Conn, à envisager les différentes stratégies. On murmurait que Geoffroi retournait en Lorraine pour réunir ses troupes et envahir la Toscane afin de revendiquer ses droits et de réclamer vengeance. Matilda faisait l'objet d'une accusation d'adultère officielle, signée du roi en personne ; son mari était en droit de la faire enfermer dans un couvent. En l'écartant de son chemin, il pourrait autoriser les troupes d'Henri à franchir le col des Apennins, à conquérir Rome et à installer sur le trône pontifical un homme à lui.

Matilda sortit se promener, dans l'espoir que la fraîcheur de ce matin d'hiver lui éclaircirait les idées. Elle avait passé quelque temps avec sa mère et avait réussi, profitant d'un de ses rares moments de conscience, à lui faire avaler plusieurs gorgées de bouillon. Mais cet effort, pour minime qu'il fût, avait épuisé Béatrice, qui s'était rendormie.

Un petit groupe d'hommes entourait Conn, qui sellait son cheval. Ils n'avaient pas été choisis au hasard, car c'étaient les plus hardis de la garde personnelle de Matilda, ceux que l'on avait surnommés les « Incorrigibles » et qu'elle appréciait très modérément. Matilda avait imposé des règles strictes à ses armées et les faisait appliquer sans concession. Elle ne tolérait ni pillage ni massacre systématique, et faisait observer à la lettre les lois de la guerre. Parmi ces « Incorrigibles » comptaient des hommes dont elle avait condamné certains actes et qu'elle avait même menacés de renvoyer pour violence excessive. Conn l'avait persuadée de ne pas se les aliéner, car ils lui étaient entièrement dévoués, comme leurs pères l'avaient été à Boniface. Parfois, avait-il affirmé, il était nécessaire pour un chef d'avoir de tels hommes à disposition. Il avait pris la responsabilité de leur comportement et garanti qu'ils ne se livreraient pas au pillage ni au massacre d'innocents, en aucune circonstance. Matilda avait cédé de mauvais gré. Mais elle savait qu'elle devait laisser Conn agir à sa guise pour remplir ses devoirs, et gardait toute confiance en son jugement.

Elle s'approcha cependant du groupe.

— Où allez-vous ?

Conn était en train de fixer une hache à double tranchant au flanc de son cheval. Manifestement, il ne partait pas délivrer un message de paix.

— Il y a des affaires dont je dois m'occuper, répondit-il.

— Quel genre d'affaires ?

— Des affaires qui me concernent.

Il ne cédait pas de terrain. Elle non plus. Conn décida de changer de sujet.

— Comment va ta mère, ce matin ?

Matilda feignit une révérence.

— Mille mercis de vous enquérir de sa santé, mon bon seigneur.

Puis elle cessa de jouer.

— Conn, dis-moi où tu vas.

— Tu n'as aucun besoin de le savoir. Cesse de poser la question. Je ne te le dirai pas. Et si je ne te le dis pas, tu n'es pas responsable. Tu comprends ?

— Je comprends surtout le genre d'hommes que tu emmènes.

— Ce sont des hommes loyaux, qui n'ont rien à perdre et qui ignorent la peur.

Matilda, exaspérée, essaya de le faire céder en faisant appel au caractère protecteur de son ami.

— Tu m'effraies !

— Rien ne t'effraie, répliqua Conn, qui n'était pas dupe de son jeu.

— Si, toi. En ce moment même.

Le géant celte posa ses mains sur les épaules de Matilda.

— Tilda, s'il y a une personne au monde dont tu n'as rien à craindre, c'est moi. Dieu m'a confié la mission de te protéger contre toute menace. Tu me crois ?

— Bien sûr.

— Alors, prie pour que je revienne sain et sauf. Et tiens-toi tranquille jusqu'à mon retour.

Il l'embrassa sur le front et ébouriffa ses cheveux, comme il le faisait depuis son adolescence.

Matilda le regarda partir, suivi de sa bande d'« Incorrigibles », armée jusqu'aux dents. Elle secoua la tête. Ces hommes étaient capables de tout.

Anvers, Belgique

26 février 1076

Les hommes de Conn franchirent les Alpes au galop pour arriver en Flandres avant les soldats de Lorraine. Geoffroi et ses troupes retournaient à Verdun, persuadés d'avoir remporté une victoire à Worms. Les Incorrigibles les suivaient à distance, profitant de la forêt pour ne pas être vus. Quand les hommes de Geoffroi eurent installé leur campement pour la nuit, les guerriers de Conn les imitèrent. Malgré leur proximité, les arbres touffus les dissimulaient parfaitement.

Ils avaient projeté d'attaquer à l'aube et de faire croire que le duc avait été victime de bandits de grand chemin. Ce n'était pas vraiment honorable de prendre par surprise des soldats endormis, Conn le reconnaissait. Mais les enjeux étaient tels, notamment le sort de la Toscane et la sécurité de Matilda, qu'il fit taire ses scrupules. Si Matilda avait été au courant de son plan, elle ne l'aurait jamais autorisé à le mettre en œuvre. Malgré sa force de caractère, elle était davantage une mystique qu'une guerrière. Seuls ses amis les plus intimes savaient que les batailles la rendaient malade pendant des jours entiers et provoquaient d'affreux cauchemars. Elle combattait parce qu'il le fallait, non par plaisir.

Les soldats lorrains étaient plus nombreux et avaient l'avantage d'être en terrain connu. En outre, il faisait un froid glacial qui handicapait les Italiens : il leur serait difficile de manier leurs armes avec des mains gelées alors que les Lorrains étaient habitués à ce climat. Il fallait donc adopter une tactique propre à équilibrer les forces et à réduire les risques. Il avait imaginé celle-ci, et priait pour son succès.

Convaincre les Incorrigibles de l'accompagner avait été un jeu d'enfant, surtout après qu'il leur eut raconté en détail, inventant lorsque c'était nécessaire, les affreuses exactions sexuelles que Geoffroi avait fait subir à Matilda contre sa volonté. Les Incorrigibles, horrifiés, avaient tout de suite accepté de la venger de ce monstre.

Umberto, le plus âgé de la bande, avait commencé sa carrière de mercenaire sous Boniface, au sein des troupes qui avaient réprimé la piraterie. Cette nuit-là, il montait la garde au plus près du campement du duc. Umberto n'était certes pas un sentimental, mais il éprouvait une certaine affection pour la petite fille chérie de Boniface, et il partageait avec les soldats de la troupe un code de l'honneur très spécifique. Il haïssait le Bossu, comme la majorité des hommes de Matilda, car il représentait une menace pour leur petite comtesse et considérait le peuple toscan comme des pions tout justes bons à satisfaire les caprices du roi de Germanie. Et, en cet instant, il le haïssait encore plus à cause de ses pieds gelés.

Il perçut un mouvement dans le campement lorrain, saisit sa longue épée à double tranchant et s'avança, aussi silencieux qu'une créature de la forêt.

Il n'en croyait pas ses yeux. Geoffroi venait dans sa direction. Le Bossu l'avait-il vu ? Non, l'homme était sans arme. Que faisait-il donc ?... Évidemment ! Quelle autre raison aurait-il de s'aventurer dans la forêt glaciale au milieu de la nuit, sinon satisfaire un besoin naturel ?

Umberto s'immobilisa. Le grand Boniface lui avait appris beaucoup de choses, et notamment que, lorsqu'on est moins nombreux que l'adversaire, il faut profiter de toutes les occasions qui se présentent. La survie avant tout, et la fin justifie les moyens. Il avait aussi retenu une autre des leçons de Boniface : quiconque menaçait sa petite fille devait être éliminé.

Échauffé par les récits de Conn sur les dépravations du Bossu, Umberto décida que cet homme n'avait pas droit à une noble fin. Il murmura « Pour Boniface et Matilda » et se rua sur le Bossu, qu'il transperça de son épée. La lame lui déchira les intestins, ne lui laissant ni le temps ni la capacité de crier. Umberto retira sa lame du corps gisant et courut jusqu'au campement prévenir Conn que les hommes devaient déguerpir à l'instant même. Il leur expliquerait plus tard ce qu'il avait fait. Pas très élégant, certes, mais il avait éliminé la cible sans risquer la vie d'un seul des leurs au combat.

La douloureuse agonie du Bossu dura plusieurs jours. Son horrible exécution eut un effet bénéfique inattendu pour son épouse. Toute l'Europe savait désormais que quiconque s'en prenait à Matilda de Toscane risquait sa vie. Même un roi sous protection n'échappait pas à la rage de ses partisans. Les hommes d'Italie, impressionnés par cette démonstration de force, n'en devinrent que plus enclins à soutenir Matilda et le prouvèrent militairement.

Pour Henri, c'était un mauvais présage.

Au début de la semaine sainte de l'an de grâce 1076, Henri reçut la sentence d'excommunication. Elle n'étonna personne et les Germains avaient planifié leur réponse au soi-disant pape : en persévérant dans les attaques contre Grégoire sur les bases des conclusions du synode de Worms, Henri pensait conserver le soutien des seigneurs féodaux germaniques. Mais ces derniers se méfiaient du caractère cupide et narcissique du roi, sans même mentionner les rumeurs qui circulaient quant à ses sombres penchants personnels. De plus, les seigneurs étaient superstitieux, et déposer un pape qui avait déjà été sauvé par Dieu de la colère d'une foule les mettait fort mal à l'aise.

Le plus proche des « conseillers spirituels » d'Henri, l'évêque William d'Utrecht, se chargea de la première salve le dimanche de Pâques. Après avoir célébré la messe de la Résurrection, il se lança dans une violente diatribe contre le soi-disant pape. Il insista sur la légitimité divine d'Henri, afin d'y asseoir la foi du peuple. Si Henri était le roi voulu par Dieu, ce pape qui se considérait comme le maître du monde ne pouvait être qu'un imposteur, dont il fallait se débarrasser.

Ce sermon prêtait à controverse, et le jour était mal choisi. En cette fête sainte entre toutes, le peuple germanique n'était pas enclin à entendre de telles attaques contre le Saint-Père sur terre. Scandalisé par le discours de leur évêque, les nobles d'Utrecht décidèrent de se réunir en conseil dès le lendemain afin d'envisager la conduite à tenir. Cette réunion n'eut jamais lieu. Au matin, en se réveillant, les citoyens d'Utrecht découvrirent que leur cathédrale avait brûlé de fond en comble pendant la nuit la plus sainte de l'année. La cause de l'incendie ne fut jamais connue. Cet événement fut considéré par le peuple comme un avertissement envoyé par Dieu pour lui montrer qu'il s'engageait dans une mauvaise voie en déposant le pape qu'Il avait choisi.

L'évêque William ne battit pas sa coulpe pour autant. Avec le soutien du roi, il poursuivit ses invectives contre le pontife. Il accusa ses partisans d'avoir mis le feu à l'église pour susciter le genre de peur superstitieuse qui commençait de poindre en Germanie. Trois mois après le catastrophique incendie, William délivra un nouveau sermon enflammé pour se rallier d'autres membres du clergé européen. Il ne connaîtrait jamais l'impact de son discours. L'évêque William se coucha ce soir-là en parfaite santé, mais il mourut dans son sommeil.

La situation d'Henri devint vite critique. La mort soudaine de son meilleur allié spirituel, un mois après la destruction de la cathédrale, c'en était trop pour le peuple. Il croyait aux paroles de l'évêque. Dieu avait parlé, en effet, mais il s'était prononcé contre le roi et en faveur du pape.

Et ce pape, fin politique, n'était pas homme à laisser passer une si miraculeuse occasion. Sans perdre un instant, il lança une vaste campagne contre la réputation du roi, avec l'aide de Matilda. La duchesse suivit l'exemple de la reine guerrière Boadicée, qui avait vaincu Rome en diffusant la vérité sur ses ennemis. Des pamphlets sur les méfaits d'Henri circulèrent en Italie et en Germanie.

Par écrit, le pape ne faisait allusion qu'à de « mauvaises actions » ou à des « actes déshonorants » d'une « méchanceté inouïe », sans entrer dans les détails. La réputation d'Henri était telle que la tactique de Grégoire et de Matilda fut payante. Chacun spécula à loisir.

L'ambiguïté se révéla plus qu'efficace.

Inquiets, les seigneurs germains et leurs vassaux, échauffés par l'ingénieuse propagande distillée par Grégoire et Matilda, exigèrent que le roi fît amende honorable devant le pape. Le monarque excommunié disposait d'un délai d'un an après l'anathème pour se repentir de ses faiblesses et prêter un nouveau serment d'allégeance au Saint-Père. Henri entreprit tout ce qui était en son pouvoir pour se rallier des partisans, mais le sinistre meurtre de Geoffroi le Bossu planait comme une ombre sur les seigneurs féodaux germains. Personne n'était disposé à connaître un sort si affreux, surtout pour un roi que Dieu considérait peut-être comme un monstre.

Pise

Avril 1076

— Je n'ai jamais été pour toi une mère comme Isobel.

Béatrice peinait à articuler, elle était mourante. Elle agonisait douloureusement depuis des mois, et la mère comme la fille savaient que, désormais, l'issue était proche. Toutes deux avaient des choses à se dire avant l'inéluctable.

— Ne dites pas cela, mère, murmura Matilda tout en lui essuyant le front avec une serviette mouillée. Vous avez été ma meilleure amie, mon conseiller le plus avisé. Je n'aurais rien fait sans votre aide.

Matilda sanglotait, elle ne pouvait plus retenir ses larmes, malgré ses efforts.

— Je veux... que tu saches... je t'aime infiniment. Et... je suis désolée de... des fois où je... de ce malheureux mariage... que je t'ai forcée à...

Matilda hocha la tête. Elle n'ignorait pas ce que cette décision avait coûté à sa mère, ni qu'elle l'avait amèrement regrettée pendant des années. Béatrice n'avait pas encore appris la nouvelle de la mort du Bossu. Matilda avait jugé préférable de ne pas la lui annoncer, afin que la mourante n'eût pas à craindre qu'on pût les en blâmer.

Béatrice délirait. Elle ne reprit conscience que quelques brefs instants durant la journée. À la fin de l'après-midi, elle se redressa et saisit la main de Matilda.

— Je le vois, Tilda.

— Qui, mère ?

— Ton père. Oh ! comme je l'ai aimé ! comme je l'aime encore !

Elle cessa de parler, perdue dans sa contemplation intérieure. Un sourire passa sur ses lèvres.

— Il est fier de toi. Notre fille. Qu'il regarde de sa place, près de Dieu. Et... je vais le rejoindre, maintenant.

Béatrice fit appel aux quelques forces qui lui restaient pour serrer la main de sa fille.

— Il t'aime, Matilda. Et moi aussi, je t'aime. Je t'aime.

La voix de Béatrice s'éteignit sur ces mots d'amour pour les êtres qui avaient le plus compté dans sa vie mouvementée : son époux et sa fille. Son sourire s'épanouit encore avant qu'elle ne fermât les yeux pour toujours. Béatrice de Lorraine avait quitté ce monde pour rejoindre celui où l'attendait son véritable amour, afin qu'ils soient ensemble pour l'éternité, dans les bras de Dieu.

Chapitre 13

Rome

Septembre 1076

Matilda arpentait sa chambre à coucher de l'Isola Tiberina, la tour fortifiée qui était devenue son paradis romain. De sa fenêtre, elle admira le soleil qui se levait, et le Tibre qui coulait comme une artère vitale à travers la ville et ses environs. Grégoire dormait encore, ou du moins le croyait-elle.

— Comme tu es agitée, ma Matilda !

Matilda dormait fort peu, et d'un sommeil troublé, comme le découvrait Grégoire durant les rares nuits qu'ils passaient ensemble. Et dès qu'elle était réveillée, elle ne pouvait s'empêcher de bouger. C'était sa nature, depuis l'enfance. Il y avait trop de choses à accomplir, trop de sujets de réflexion, et trop de responsabilités écrasantes envers son peuple et ses territoires.

Matilda vint vers lui en souriant, le visage empreint de douceur, mais aussi de tristesse.

— Dieu m'a comblée de bien des bénédictions, dit-elle, mais pas de la paix.

— De quoi t'inquiètes-tu, ce matin ?

— C'est Godefroi, le neveu du Bossu, Godefroi de Bouillon. J'ai entendu dire qu'il allait profiter de l'assassinat de son oncle pour faire valoir ses droits d'héritier sur mes biens. Les hommes ne cesseront-ils jamais d'essayer de s'emparer de ce qui m'appartient ?

— Pourquoi ne m'en as-tu pas parlé plus tôt ?

— Parce que cela fait des mois que nous ne nous sommes vus. Je n'allais pas gâcher notre première nuit à discuter stratégie. Nous avions des choses plus importantes à faire.

Grégoire se releva, appuyé sur un coude, et la contempla. Ils avaient passé une nuit magnifique, et il n'était pas disposé à la laisser s'achever si vite. Une journée entière s'ouvrait devant eux, car on ne l'attendait pas à Latran avant le soir.

— Cesse de t'inquiéter, mon amour. Henri est piégé, et il le sait. Les seigneurs et les évêques exigent qu'il fasse la paix avec moi. Godefroi ne pourra rien revendiquer sans leur soutien, qu'il n'aura pas. J'enverrai dès aujourd'hui un message à l'évêque de Verdun, afin qu'il prenne sous sa garde tes biens en Lorraine. Considère que c'est chose faite.

Henri était en position de grande faiblesse depuis que la noblesse germanique s'était réunie à Tribur et avait décidé de maintenir la sentence de déposition portée contre lui et de lui choisir un successeur sur le trône. Comme les nobles n'avaient pas réussi à se mettre d'accord sur un nom, Henri était toujours roi. Mais la noblesse avait exigé que le roi en place fît la paix avec le pape et lui jurât allégeance. Il avait jusqu'au 22 février, date anniversaire de la sentence d'excommunication, pour s'exécuter.

Grégoire avait raison. À ce moment-là, la comtesse n'avait rien à craindre.

Le généreux soleil romain illuminait les cheveux dénoués de Matilda. Une fois encore, Grégoire admira la vision qui s'offrait à ses yeux. Il souleva le couvre-lit et l'invita à le rejoindre dans le lit.

— Viens, ma colombe. Je vais m'efforcer de te donner la paix à laquelle tu aspires.

Elle s'approcha et se laissa envelopper par la chaleur de son amour pendant toute la matinée et une partie de l'après-midi.

Lorsque sonna l'heure du départ, Matilda était moins malheureuse que d'ordinaire. Grégoire lui avait fait une merveilleuse promesse : il viendrait passer Noël avec elle, en la ville de Lucques si chère à son cœur.

Lucques

Veille de Noël 1076

L'ancienne chapelle souterraine, lieu sacré de l'Ordre depuis des siècles, était illuminée par plusieurs dizaines de bougies de cire. Les murs tapissés d'étoffes nouées de rubans étaient décorés de branches de pin et de fleurs d'hiver. Anselmo, le respecté évêque de Lucques, prit la main d'Isobel dans la sienne et tous deux se placèrent de part et d'autre de l'autel.

Grégoire et Matilda étaient debout, face à face et mains enlacées ; le Maître se tenait derrière l'autel, le Libro Rosso ouvert à la page du Livre de l'Amour. Il lisait, bien qu'il en connût chaque mot par cœur depuis plus d'années qu'il ne pouvait s'en souvenir.

Grégoire avait passé la semaine à étudier avec le Maître. Ils travaillaient parfois seuls, parfois avec Matilda, pour préparer l'événement de ce jour. Grégoire avait dévoré les enseignements du Libro Rosso, impatient de tout savoir sur l'histoire de l'extraordinaire petit cahier rouge. Il avait notamment étudié attentivement les passages qui lui avaient été remis pour qu'il s'en imprégnât avant ce grand jour. Il récita passionnément le poème de Maximinus, les yeux plongés dans ceux de sa bien-aimée.

— Je t'ai aimée dans le passé
Je t'aime aujourd'hui
T'aimerai encore dans l'avenir
Le temps revient.

Les larmes ruisselaient sur le visage de Matilda tandis qu'elle répétait les mêmes mots d'une voix réduite à un murmure par l'émotion. Ce poème était particulièrement sacré pour elle. Elle le récitait depuis qu'elle savait parler. Mais, lorsqu'il était dit pour le bien-aimé, son impact était exceptionnel, et bouleversant.

Lorsqu'ils eurent prononcé leur serment, le Maître s'avança vers eux avec une fine cordelière de soie, terminée d'une sorte de pompon à chaque extrémité. Il en entoura doucement les poignets des amants et la noua pour symboliser l'union de ce couple telle que Dieu l'avait voulue à l'aube des temps. Tandis que le Maître les bénissait avec la main, Isobel commença de chanter la chanson d'amour française que Matilda adorait.

— Il y a longtemps que je t'aime
Jamais je ne t'oublierai.

Lorsque Isobel eut terminé son chant, la Maître détacha la cordelière et invita le couple à échanger les cadeaux traditionnels, des petits miroirs dorés, en récitant les préceptes sacrés.

— Dans votre reflet, vous trouverez ce que vous cherchez. Vous êtes devenus Un, vous trouverez Dieu réfléchi dans les yeux de votre bien-aimé, et votre bien-aimé se réfléchira dans vos yeux.

Le Maître conclut la cérémonie par les beaux mots du Livre de l'Amour, que l'on trouve aussi dans l'Évangile de Matthieu :

— « Vous n'êtes plus deux, mais un seul esprit et une seule chair. Ceux que Dieu a réunis, que nul ne les sépare. »

Il se tourna vers Grégoire.

— L'époux peut maintenant donner à l'épouse le baiser sacré qui unit les âmes.

Grégoire, les larmes aux yeux, avança vers Matilda et la prit dans ses bras. Dans ce lieu dissimulé, où les véritables paroles du Seigneur étaient protégées et vénérées depuis leur arrivée sur le sol italien, le pape venait d'être saintement et secrètement marié à la femme qu'il aimait.

La femme la plus puissante d'Europe, et peut-être même du monde, était désormais l'épouse du pontife. Nul autre que les présents ne connaîtrait jamais cette union : Anselmo, le Maître, Isobel, eux deux et l'enfant qui grandissait dans le ventre de Matilda, conçu en confiance et en conscience lorsque leurs parents s'étaient aimés trois mois plus tôt, à Rome.

Pour Matilda, c'était l'époque la plus heureuse de sa vie. Deux semaines durant, Grégoire et elle menèrent une vie de couple normale dans les locaux de l'Ordre, à Lucques. Pour la première fois, ils ne devaient pas feindre. Ils fêtèrent la naissance de Jésus à l'abri du monde extérieur, avec leurs frères et sœurs du Chemin. Là, ils purent faire semblant, pour si peu de temps que ce fût, d'être un couple de jeunes mariés ordinaire qui vivait dans un monde de liberté.

Grégoire étudiait avec acharnement les préceptes du Livre de l'Amour, délivrés par Jésus lui-même. L'homme de cœur les comprenait dans leur totalité, et l'érudit était étonné par leur logique. Au regard des textes canoniques, il n'y avait presque rien qui pût être lu comme une hérésie. En fait, la prétendue hérésie de ces préceptes n'avait rien à voir avec les écritures, elle avait été forgée par les traditions humaines d'un millier d'années, y compris celles qu'il venait lui-même de promulguer. Lui, le pape en personne, affrontait une terrible vérité : ce que préconisait aujourd'hui l'Église était le contraire des premiers enseignements chrétiens. Cette idée le hantait. Et il craignait de ne pas réussir à imaginer l'utopie d'un monde gouverné par l'amour. Pourtant, grâce à Matilda, il y croyait désormais. Pouvait-il démanteler la structure actuelle de l'église, balayer des années de culture et de tradition, et créer un nouveau modèle fondé sur l'amour ? Une tâche certes magnifique, mais impossible.

Pourtant, Matilda ne reculait pas, et travaillait chaque jour avec lui. *Solvitur ambulando*, lui dit-elle en l'initiant à la rencontre avec la volonté de Dieu au cœur du labyrinthe. Elle lui lut la légende du labyrinthe, telle que rapportée dans le Libro Rosso, et ils discutèrent longuement des applications allégoriques et des similitudes avec leur histoire.

Après l'une de leurs séances de travail, au cours de laquelle Grégoire s'était montré particulièrement inspiré, il demanda à Matilda de le mettre en présence du Volto Santo. La comtesse s'assura qu'ils auraient la cathédrale San Martino pour eux seuls, et qu'ils n'y seraient pas dérangés.

Agenouillé devant la statue de Nicodème, Grégoire jura de protéger l'Église au mieux de ses capacités et en harmonie avec les enseignements du Chemin. Il savait que ce serait une gageure, mais il était sincère, au nom de son amour et au nom de Dieu. Il comprenait qu'il avait été mis dans cette situation de pouvoir inégalé dans ce but, et qu'il devait trouver le moyen de réussir. Ce serait difficile, des ennemis l'attendraient à chaque tournant, mais sa bien-aimée lui renouvela sa promesse de l'accompagner à chaque étape, de l'inspirer, de combattre avec lui et de l'aimer tout au long du chemin. *Semper*. Toujours.

Matilda avait fait son premier serment en ce même lieu, à l'âge de six ans. Elle avait tenu parole, de façon spectaculaire, comme elle le ferait tout au long de sa vie.

Le jour de la Saint-Stéphane, à l'aube, Anselmo, Isobel et le Maître escortèrent Grégoire et Matilda jusqu'au portique de la cathédrale de San Martino, pour leur présenter le cadeau que leur avaient préparé les membres de l'Ordre. Un labyrinthe parfait avait été peint en rouge profond sur le pilier ouest de la façade, flanqué d'une inscription :

VOICI LE LABYRINTHE QUE CONÇUT DÉDALE LE CRÉTOIS
ET DONT NUL NE PEUT SORTIR APRÈS Y ÊTRE ENTRÉ.
SEUL THÉSÉE Y PARVINT
GRÂCE AU FIL D'ARIANE.

Au centre du labyrinthe avaient été gravés les derniers mots :

ET GRÂCE À L'AMOUR.

Anselmo leur expliqua qu'il avait conçu le projet avec l'aide du Maître et d'Isobel pour commémorer le serment de Grégoire à Matilda et à l'Ordre afin que perdurent la mémoire de Grégoire et ses promesses, à lui-même, aux autres et à Dieu. La légende d'Ariane et de Thésée était une allégorie simple et claire, destinée à ceux qui avaient des yeux pour voir et des oreilles pour entendre. Car, dans ce cas-là, Grégoire était Thésée, le héros qui échapperait aux ténèbres de la corruption et de la politique de l'Église, grâce au fil salvateur tendu par Matilda/Ariane ; ce nouveau Thésée verrait la lumière et sauverait son peuple, prouvant une fois encore que le temps revient.

Un siècle plus tard, en l'an 1200, un sculpteur de Lucques graverait dans la pierre les couleurs évanescentes de la peinture, en souvenir éternel du mariage secret de Grégoire et de Matilda.

GRÂCE À L'AMOUR.

Un messager mit un terme à l'idyllique lune de miel de Matilda et de Grégoire. Henri IV traversait les Alpes et se dirigeait vers la Toscane. Il était disposé à reconnaître le Saint-Père et à lui prêter allégeance.

La forteresse de Canossa, imprenable et bien protégée, fut choisie pour recevoir Henri. Sur l'insistance de Conn, Grégoire et Matilda traversèrent Florence sous la protection d'une importante escorte. Les Toscans étaient bien décidés à assurer la sécurité de leur pape et de leur comtesse, qui ne devaient en aucun cas risquer de tomber dans une embuscade.

Bien que la faiblesse de la position du roi rendît une trahison improbable, le cousin de Matilda était trop versatile pour qu'on pût en écarter la menace.

Canossa

Janvier 1077

Si le roi Henri IV s'était attendu à être traité en souverain et immédiatement admis en présence du pontife, il fut amèrement déçu. Grégoire VII connaissait les règles du jeu du pouvoir, et il tenait à établir d'emblée sa position d'autorité. Il refusa de rencontrer Henri et ne donna aucune indication sur le moment où il changerait éventuellement d'avis. Le roi était accompagné d'une importante escorte de seigneurs et d'évêques qui espéraient rentrer dans les faveurs du pape en demandant pardon de leur défection lors du synode de Worms. Grégoire connaissait les noms de tous ceux qui avaient pris parti contre lui, et contre Matilda, et les avait dénoncés haut et fort. Il n'avait aucune envie de se montrer clément.

Henri avait amené un formidable allié, qui n'accepterait pas d'être ignoré. Hugh, évêque de Cluny, et parrain d'Henri, était le chef spirituel incontesté du clergé germanique. Mais Grégoire ne se laissa pas impressionner par cette démonstration de force. Il était le pape, et Hugh, seulement un abbé. Matilda proposa de sortir de cette impasse en organisant une réunion entre elle, son cousin et l'abbé de Cluny en sa forteresse de Bianello, dans les environs de Canossa. La comtesse de Toscane, cette femme intelligente, audacieuse et accomplie, connaissait assez son cousin pour savoir qu'on ne pouvait lui faire confiance. Pourtant, lorsqu'il s'approcha d'elle en suppliant sa « bien-aimée et généreuse cousine » de plaider sa cause auprès de Grégoire, elle se radoucit. En dépit de son expérience des armes et de la politique, Matilda était une disciple du Chemin de l'Amour et elle croyait au pouvoir du pardon. Ainsi connut-elle son premier désaccord sérieux avec Grégoire.

— Je n'arrive pas à croire que tu te laisses influencer par ses supplications.

Grégoire était à la fenêtre de leur chambre de Canossa et contemplait les montagnes recouvertes de neige. Il essayait de maîtriser sa colère, mais il ne pouvait comprendre qu'une femme d'une telle intelligence se laissât duper si facilement.

Matilda marchait de long en large.

— Je ne suis pas une idiote, Grégoire. Nul ne connaît mieux Henri que moi !

— Ta condition te trouble peut-être l'esprit, alors. C'est sans doute la raison pour laquelle les femmes ne gouvernent pas.

Matilda se figea. Enceinte de trois mois, elle dissimulait aisément son état sous les amples robes que l'on portait alors. Mais Grégoire ne l'oubliait pas une minute, et c'était pour lui une source permanente d'inquiétude. Les responsabilités s'accumulaient sur ses épaules, et il en payait le prix. Il vit Matilda blêmir et regretta immédiatement ses propos. Il s'approcha d'elle et lui prit les mains.

— Pardonne-moi, Tilda. C'était injuste. Et faux.

Elle ne s'écarta pas de lui, sans pour autant se blottir dans ses bras. Elle avait les larmes aux yeux, mais refusait de les laisser couler, et ce fut d'une voix calme qu'elle choisit de soutenir son point de vue.

— Si les femmes gouvernaient, il y aurait peut-être moins de guerres, moins de morts, moins de destruction. Les enseignements de Lucques ne t'ont pas fait comprendre cela ? Que la perte du principe féminin est la cause de toute cette dévastation ? L'équilibre a été détruit avec la Chute de l'Homme, et au moment où les femmes ont été déshéritées et privées de pouvoir. Quand tout ce qu'il y a de pur et de puissant dans la sagesse des femmes a été écarté pour que l'humanité devienne l'esclave de la volonté de puissance, sans rien pour la tempérer. Même des hommes comme toi, des hommes de cœur et d'esprit, en viennent souvent à ne pas surmonter leurs penchants naturels. Et la nature masculine est de chercher le pouvoir et de faire la guerre si ce dernier est menacé ou contesté. Notre nature est différente. Elle nous incite à vouloir la médiation et la paix, plutôt que la mort. Et, oui, tandis que je suis ici devant toi, enceinte de ton enfant, je veux qu'il, ou elle, naisse dans un monde de paix et de prospérité. Si tu considères que c'est une faiblesse, tant pis. Dieu m'a placée dans ma condition ici et maintenant. Et je veux que s'achèvent des souffrances inutiles.

Grégoire était trop énervé pour écouter attentivement ces paroles qui résonnaient comme des reproches.

— J'essaie de te protéger, de protéger notre enfant et peut-être toute l'Italie contre Henri. Après tout ce qu'il t'a fait subir, je n'arrive pas à admettre que tu lui accordes ton pardon si facilement.

Elle n'était plus capable de rester calme.

— Je refuse d'être une hypocrite, Grégoire. Jésus nous apprend le pardon, qui fait partie du Chemin qu'on m'a enseigné, et que je suis. Alors, si un homme professe repentance et demande le pardon, qui suis-je pour juger de sa sincérité ? Dieu seul en est juge.

— Je suis le pape ! s'exclama Grégoire. Il entre dans mes obligations de représenter la volonté de Dieu sur la terre. Ainsi ai-je jugé que le repentir d'Henri était une imposture. Dis-lui de retourner en Germanie et de s'en remettre à son peuple. Je sais que Rudolf le Souabe est disposé à monter sur le trône si je n'accorde pas mon pardon à Henri. Et je ne l'accorde pas.

Matilda était déchirée. Son caractère farouche lui donnait envie de quitter la pièce immédiatement, laissant Grégoire à son arrogance. Mais elle l'aimait, plus que tout, et savait qu'il lui appartenait, en tant que son alliée, de l'aider à surmonter des défis d'ordre spirituel. D'ailleurs, ne venait-elle pas de souligner que les femmes privilégiaient la diplomatie et la médiation ? Elle réussit à lui répondre sans animosité :

— Que veux-tu que je fasse, mon amour ? Je dois donner une réponse à l'abbé Hugh, je ne peux pas seulement lui dire de renvoyer Henri en Allemagne. Que devrait-il faire, pour prouver son repentir ?

Grégoire réfléchit. Instinctivement, il avait envie de lui répondre que rien ne le ferait changer d'avis. Mais, en la regardant, il se radoucit. De larges cernes bleuâtres se creusaient sous ses yeux, elle semblait terriblement fragile. L'épreuve était très dure pour elle aussi.

— Dis qu'Henri devra faire acte de contrition devant les citoyens de Canossa. Je veux qu'il se présente en chemise de bure de pénitent, qu'il s'agenouille dans la neige devant les remparts, sans aucun signe visible de royauté, et qu'il supplie comme le plus humble des pèlerins d'être admis en ma présence. Qu'il se présente ainsi demain, et j'envisagerai de l'entendre.

Matilda accepta cette concession. Ce n'était pas idéal, mais toujours mieux qu'un refus catégorique. Elle quitta Grégoire pour s'enquérir d'un messager qui transmettrait les conditions du pape. Cette nuit-là, elle ne retourna pas dans leur chambre et dormit avec Isobel.

L'aube était grise et glaciale, les vents froids et le ciel menaçant. Henri IV approchait des grilles de Canossa, en compagnie d'autres pénitents conduits par l'abbé de Cluny.

Hugh, sa crosse à la main, entonnait des prières de repentance en gravissant le long et sinueux sentier qui menait à la forteresse de Matilda. Juste derrière lui se tenait le roi humilié, vêtu du cilice, une chemise en étoffe grossière et en poil de chèvre faite pour irriter la peau, la lacérer, et causer d'affreuses démangeaisons pour mortifier la chair. En signe supplémentaire de repentir, Henri allait pieds nus sur le sol glacé et rocailleux, suivi par la troupe d'évêques et de nobles qui avaient eu l'arrogance d'attaquer Grégoire lors du synode de Worms, pareillement vêtus.

Les citoyens de Canossa et des environs s'étaient massés sur leur passage, pour assister au spectacle. Ils huaient le cortège, et jetaient des légumes pourris à la face du tyran qui avait eu la prétention de se prendre pour leur souverain. D'autres observaient en silence, stupéfaits, ou conscients, peut-être, d'être les témoins d'un événement qui marquerait l'Histoire.

En arrivant aux grilles, le roi s'avança, frappa et demanda à entrer. Le discours qu'il avait préparé résonna dans l'air glacé.

— Je demande audience au Saint-Père. Je viens en pénitent, pour déclarer mon repentir de mes péchés contre lui et contre l'église qu'il représente. Je viens humblement, en tant qu'homme et en tant que roi, quérir sa bénédiction et son pardon.

Du sommet d'une tour, un légat fit connaître à tous la réponse du pape.

— Le Saint-Père rejette ta supplique. Il considère que tu n'as pas encore prouvé la sincérité de ton repentir.

Un silence accueillit cette sentence. Était-il possible que le pape refusât de recevoir le roi qui s'était humilié de telle façon? Henri consulta l'abbé Hugh, qui formula sa réponse :

— Le roi s'est humilié devant Dieu et devant son saint représentant sur terre. Ne voyez-vous pas comme il saigne pour témoigner de son repentir? Le Saint-Père n'aura-t-il pas la bonté de l'entendre prier pour son pardon et faire serment d'obéissance?

Henri avait les pieds en lambeaux et le sang coulait sur ses bras et son torse, déchirés par la terrible chemise. Le spectacle était impressionnant. Mais le légat se contenta de répéter le message du pape et disparut, laissant le roi et l'abbé les plus éminents d'Europe derrière les grilles, sous la neige qui commençait à tomber.

Matilda était hors d'elle. Elle ne pouvait croire que Grégoire se montrât si intraitable. Henri s'était certes conduit honteusement, mais il avait témoigné son repentir aux yeux de tous. Il s'était humilié comme aucun roi de l'Histoire ne l'avait fait avant lui, et, malgré cela, Grégoire ne l'admettait pas en sa présence. Le pape n'écoutait personne, pas même sa bien-aimée. Elle ne lui en parlait plus, car la conversation tournait vite à la dispute.

Matilda avait demandé conseil à Isobel, mais elle ressentait le besoin de prendre l'avis d'un homme et se mit en quête de Conn, qu'elle trouva aux écuries. Il parut mécontent de la voir en cet endroit.

— Que fais-tu ici? On grelotte!

— J'ai besoin de toi.

— Alors, rentrons, petite sœur. Je sais de quoi il s'agit et je vais te raconter une histoire qui t'intéressera.

Il l'entraîna jusqu'à une pièce proche de la cuisine où brûlait un bon feu, spécialement aménagée par le grand-père de Matilda pour y tenir des réunions en hiver. Matilda se réchauffa les mains devant les flammes et s'assit sur un banc contre le mur en poussant un grand soupir.

— Oh! Conn! que dois-je faire? Il se conduit comme un tyran!

— Vraiment? dit Conn en haussant les épaules.

Matilda était sidérée; elle avait supposé que son ami soutiendrait son point de vue.

— Évidemment! Ne pas recevoir Henri, après ses actes publics de repentir? C'est une honte!

— Non. C'est une démonstration de force. Respecte-la, et laisse-le tranquille.

— Tu es sérieux?

— Oui, je suis sérieux.

— Mais…

— Il n'y a pas de mais! Grégoire connaît parfaitement Henri. Il sait qu'il ne changera pas. Cet homme est un monstre qui porte couronne. Ne sous-estime jamais sa capacité de nuisance. C'est moi, cette fois, qui t'en supplie. Ton abominable cousin a su trouver les mots pour adoucir ton cœur, mais tu ne dois rien oublier de son passé et de ses actes. L'homme est dangereux, le roi l'est plus encore. C'est ton ennemi le plus mortel. Tu ne le comprends donc pas? Fais-moi confiance, Matilda, si furieuse que tu sois contre Grégoire, c'est toi qu'il protège, plus que lui-même.

Matilda prit le temps de réfléchir. Elle voulait tant croire à la sincérité du repentir d'Henri!

— Tu penses vraiment qu'un homme mauvais ne peut pas changer?

— Pas celui-là. Oui, je le crois. À ce propos, je vais te raconter mon histoire.

Matilda se prépara à écouter le géant qui possédait un réel talent de conteur.

— Quand j'étais étudiant à l'école de Chartres…

— Chartres ? Matilda sursauta en entendant le nom de la ville sainte, dont Conn refusait toujours de parler.

Il la gronda.

— Tout à l'heure. Ne m'interromps pas. Chartres attirait des érudits venus de toute l'Europe, et j'ai eu la chance de passer pas mal de temps avec un homme venu de l'Orient. Un maître soufi. C'est lui qui m'a raconté cette histoire, l'histoire du scorpion et du crapaud.

« Le crapaud était une douce créature qui n'avait que des amis dans la mare où il nageait paisiblement. Un jour, il entendit qu'on l'appelait du bord de l'étang. "Gentil crapaud, viens un peu ici !"

« Le crapaud nagea vers la rive et vit que c'était un scorpion qui l'appelait. N'oublie pas la nature confiante du crapaud, qui était une créature aimable, mais pas idiote. Il savait que le scorpion était un animal dangereux à la piqûre imprévisible et mortelle. Il se tint donc à distance et l'interrogea courtoisement : "Que puis-je faire pour toi, frère scorpion ? — Il faut que je traverse l'étang, et en faire le tour me demanderait beaucoup de temps. Veux-tu me porter de l'autre côté sur ton dos ? Ça ne te prendra qu'un instant. On me dit que tu es gentil et serviable, et j'espère que tu m'accorderas cette faveur."

« Le petit crapaud était face à un dilemme. De nature, il était en effet enclin à accorder toute l'assistance qu'on requérait de lui, mais il avait peur de la mauvaise réputation du scorpion.

« "Frère scorpion, répondit-il franchement, j'aimerais beaucoup t'aider, mais on connaît ta nature capricieuse et tes piqûres mortelles. Que se passera-t-il si je te prends sur mon dos pour te faire traverser ? Si tu me piquais, je mourrais, et je n'ai pas envie de mourir."

« Le scorpion éclata de rire. "Mais c'est ridicule, frère crapaud ! Réfléchis à ce que tu viens de dire ! Si je te piquais au milieu de l'étang, tu coulerais, et je me noierais moi aussi. Je n'ai aucune envie de te tuer ni de me détruire. Alors, pourquoi ferais-je une telle bêtise ? J'ai juste besoin de passer de l'autre côté. Je t'en prie, frère."

« Convaincu, le crapaud prit le scorpion sur son dos et nagea. Lorsqu'ils furent arrivés au milieu de l'étang, le crapaud ressentit une douleur intense. "Oh! mais qu'est-ce que c'est que ça? cria-t-il. — Je t'ai piqué. Je suis désolé."

« Incrédule, le crapaud sentait le venin annihiler ses forces. Il demanda au scorpion pourquoi il les avait ainsi tous deux condamnés à la noyade.

« Le scorpion soupira. Juste avant de couler inexorablement, il s'expliqua de manière très simple : "Je n'ai pas pu m'en empêcher. C'est ma nature."

Conn donna à Matilda le temps de s'imprégner de la morale de l'histoire avant de poursuivre.

— Tu vois, petite sœur, le plus important, dans cette fable, est de comprendre une chose : quand le scorpion déclare au crapaud qu'il ne veut pas lui faire de mal, il est sincère. Sur le moment. Mais sa nature a été plus forte, comme toujours, et il n'a pas pu la retenir.

— C'est vrai, dit Matilda en soupirant, Henri est un scorpion.

— Eh oui! Aujourd'hui, il se repent peut-être sincèrement, mais ne crois pas un instant qu'il ait surmonté sa nature. Une dernière chose, Matilda...

— Oui?

— L'ultime morale à tirer de cette fable : le crapaud est aussi responsable que le scorpion. Il connaissait la nature du scorpion, et son instinct lui dictait de ne pas lui faire confiance. Mais il n'a pas cru à sa propre sagesse.

— Que cherches-tu à me dire?

— Ne sois pas un crapaud, petite sœur. Ne sois pas un crapaud.

Le groupe de Germains campa devant les grilles du château. Trois jours durant, Henri et sa troupe renouvelèrent leur pénitence. À l'aube du quatrième jour, le légat vint annoncer que la pénitence avait été acceptée et que le roi serait admis en présence du Saint-Père.

Ni Henri ni l'Histoire ne sauraient jamais le rôle que joua Matilda dans ce dernier acte. La comtesse de

Canossa ne voulait certes pas renouveler l'erreur du crapaud de la fable, mais elle était terrifiée à l'idée que son royal cousin mourût de froid au pied de sa forteresse. C'était intolérable. C'était inhumain et cela allait à l'encontre de toutes ses convictions religieuses et personnelles. De plus, cela n'aiderait pas Grégoire à renforcer l'Église, en tout cas pas une église d'amour et de compassion. Elle craignait qu'on ne le considérât désormais comme un homme dur, tyrannique et incapable de pardon. Même les citoyens de Canossa, tout loyaux qu'ils étaient, commençaient de renâcler devant le spectacle de ce roi qui dépérissait de faim et de froid. Le monarque ainsi déchu ne demandait qu'à être reçu par le pape, afin de supplier pour le pardon de ses fautes. L'obstination de Grégoire allait lui nuire.

Avant de se retirer, le troisième soir, Matilda mit Grégoire devant un ultimatum plus que douloureux pour elle. Certes, elle l'aimait au-delà de toute raison, mais son devoir suprême était sa mission, et la promesse faite à Dieu de vivre selon les enseignements de celui qu'on appelait le Prince de la Paix. Pour s'y conformer, Matilda ne pouvait assister sans réagir à la perpétuation de cette humiliation. Ou Grégoire recevait le roi, ou elle quittait Canossa. Elle ne participerait pas plus avant à des actes qu'elle jugeait contraires à la volonté de Dieu et aux préceptes de son fils.

La détermination de Matilda stupéfia le pape, mais il refusa de se plier. Ce ne fut qu'en l'entendant donner des ordres pour préparer son départ qu'il comprit qu'elle était sérieuse. Grégoire en conclut qu'il devait adoucir sa position pour sauver ce qu'il avait de plus cher.

L'intensité de la passion qui les avait attirés l'un vers l'autre dès leur première rencontre allait plus d'une fois les mettre à dure épreuve. Deux esprits et deux intelligences d'une telle force ne peuvent s'attendre à vivre en harmonie en toute circonstance. Il fallait qu'ils l'admettent. Canossa, en cet hiver 1077, leur en procura l'occasion.

Le 28 janvier, en fin d'après-midi, le roi Henri IV fut admis en la présence de Grégoire VII et de Matilda, assise à côté de lui. Hâve et les chairs lacérées, il avait piètre apparence. Le spectacle qu'il offrait, prosterné, les larmes aux yeux, était celui d'un homme brisé et entièrement soumis. Matilda en eut pitié, bien qu'il fût, en fait, victime de sa propre nature. S'il était en cette position, à demi sourd et désespéré, le visage contre la pierre du sol, suppliant un homme qu'il haïssait de lui accorder son pardon, il ne pouvait blâmer que ses propres vices.

Grégoire pardonna à l'homme, mais pas au roi. La sentence d'excommunication fut levée et Henri autorisé à communier dans la petite chapelle de la forteresse. On l'accueillit ensuite à Canossa, on le nourrit, et on mit à sa disposition une chambre où il pourrait reprendre des forces après sa terrible épreuve.

Henri demeura à Canossa assez longtemps pour observer sa cousine et la façon dont elle dirigeait son domaine. Chaque jour, il lui demandait audience pendant des heures. Matilda ne lui faisait pas confiance, mais, dans son espoir sincère de réconciliation, elle lui accordait généreusement son temps. Apparemment, son cousin était décidé à devenir un grand roi : il sollicitait ses conseils, afin de gouverner de manière juste. Les peuples d'Italie du Nord adoraient Matilda, et il affirma qu'il suivrait désormais son exemple, afin de regagner l'affection de ses sujets. Peut-être, déclara-t-il, étant cousins et se connaissant depuis l'enfance, pourraient-ils oublier leurs différences et devenir tous les deux de grands dirigeants vivant en harmonie.

Et peut-être le scorpion laisserait-il le crapaud traverser tranquillement l'étang.

Pendant le temps qu'il passa à Canossa, l'âme empoisonnée d'Henri subit une violente transformation, mais pas dans le sens qu'espérait Matilda. L'humiliation qu'il avait subie de la part de Grégoire le brûlait de l'intérieur. La conflagration détruisit à jamais le semblant d'humanité qui avait peut-être existé un jour dans son esprit tourmenté. En outre, il observa l'influence sur le pape de sa prostituée de cousine. Une sorcière dans son genre était capable de manipuler n'importe quel homme en déployant ses vils attraits féminins. Cela ne pouvait être que Matilda qui avait exigé qu'Henri restât dans la neige pendant trois jours. Elle paierait pour ce qu'elle lui avait fait, comme le soi-disant pape. Mais il veillerait très personnellement au sort de sa cousine.

Rien ne lui ferait plus de mal que de voir détruite sa chère Toscane, et son peuple, qui apprendrait ce qu'il en coûtait d'être loyal à un démon. Il commencerait peut-être par Lucques. Ou bien Mantoue, où elle avait passé son enfance. Il ferait en sorte que souffrent en premier ses deux lieux préférés.

Pendant son voyage de retour, le roi Henri observa soigneusement les régions qu'il traversait et commença d'élaborer son plan. En Lombardie, il fit une halte pour rencontrer les nobles schismatiques opposés à Grégoire. Quelques jours à peine après l'obtention de son pardon, Henri était redevenu le plus farouche ennemi du pape et la Némésis de la comtesse de Toscane.

Après tout, c'était sa nature.

Salut, Marie.

Ton nom est sanctifié. Il a plusieurs sources, appartient à de nombreuses traditions, et en toutes celles qui renferment les graines de la connaissance et de la vérité, il est sacré. De par le monde, on dit tantôt Mary, Maria, Myriam, Maura, Miriamme.

En Égypte, on te nomme Meryam, et ce fut le nom de la sœur de Moïse et Aaron. Ici, il vient du mot mer, qui signifie amour. Ainsi Marie est-elle celle qui est chérie. Ou bien-aimée. On donne ce nom à des filles choisies par Dieu pour connaître une destinée divine en raison de leur naissance, de leur famille ou des prophéties qui les entourent.

On a dit que sous la forme Miryam, le prénom mêle plusieurs mots pour signifier « la myrrhe de la mer » ou, parfois, « la maîtresse de la mer ».

Ce prénom parfait recèle un autre grand secret. Il mêle les traditions égyptienne et hébraïque. Mer, le mot égyptien pour l'amour, et Yam, abréviation de Yahveh en hébreu. Ainsi le prénom signifie-t-il « celle qui est aimée de Dieu ».

À l'époque de Notre-Seigneur et ensuite, ce prénom était souvent donné à la majorité, comme un titre offert à une fille qui avait prouvé sa qualité et sa nature particulières. Devenir une Marie était une bénédiction.

L'histoire du prénom sacré telle que rapportée dans le Libro Rosso.

Chapitre 14

Congrégation de la Sainte-Apparition
Cité du Vatican

De nos jours

Peter accompagna Maureen et Bérenger jusqu'à la salle du Vatican où se tenait la réunion publique mensuelle de la congrégation de la Sainte-Apparition, où Maggie Cusack, sa gouvernante et membre fidèle de la congrégation, donnait une conférence sur Notre-Dame du Silence, qui était apparue dans le village de Knock, en Irlande, au XIXᵉ siècle. La vieille dame s'y préparait depuis des semaines et avait maintes fois sollicité les conseils de Peter, qui était né à Galway, à quelques kilomètres de Knock. Maureen et lui s'y étaient d'ailleurs rendus à plusieurs reprises en pèlerinage.

Pour sa part, Bérenger était captivé par le concept de la congrégation et curieux d'assister à l'une de ses réunions. S'il s'attendait à quelque chose ressemblant de près ou de loin à une société secrète comme il en pullulait au Moyen Âge et à la Renaissance, il serait cruellement déçu. La version du XXIᵉ siècle tenait plutôt de la réunion de patronage : de charmantes vieilles dames offraient aux arrivants des biscuits faits maison et des dépliants relatant l'histoire de la congrégation. Rien de mystérieux, rien de secret... Quelques prêtres et les familles des pâtissières composaient l'assistance. Peter, très étonné, remarqua la présence discrète de Marcelo Barberini, au fond de la salle. Chacun prit place et le père Girolamo DiPazzi monta sur l'estrade pour présenter Maggie Cusack, que l'on applaudit poliment lorsqu'elle le rejoignit pour raconter le miracle de Knock.

Knock, comté de Mayo, Irlande

21 août 1879

C'était un village minuscule dans le sud-est du comté, dépourvu de tout intérêt, et dont même le nom dénotait un manque d'imagination total : *Cnoc*, « colline » en irlandais, en l'honneur sans doute du lieu venté où était perché le bourg. En fait de colline, il s'agissait plutôt d'un vallon. La raison pour laquelle Notre-Dame choisit cet endroit pour y apparaître demeure un mystère.

À moins de remonter quelque mille trois cents ans en arrière, quand saint Patrick en personne y eut une vision et décréta que le lieu était béni, et qu'il deviendrait un jour un site de dévotion visité et vénéré par les pèlerins du monde entier. Désormais, la « colline » était sacrée.

En 1859, récemment achevée et fort banale, l'église de Knock fut dédiée à saint Jean Baptiste. L'Irlande sortait à peine de la grande famine et de la dépression, qui avaient tué un bon tiers de la population. Les seigneurs anglais profitaient de la pauvreté extrême pour évincer les paysans, confisquer leurs propriétés et les terres cultivées par les fermiers irlandais depuis les Celtes. De nombreuses familles se retrouvèrent donc jetées à la rue, abandonnées à un destin fatal par des nobles anglais indifférents à leur sort.

Ce fut en 1867, durant cette sinistre période, qu'un saint homme, le père Cavanaugh, s'installa à Knock. Aux pires jours de la famine, il s'était dépensé sans compter pour venir en aide aux plus pauvres. Il avait vendu tous ses biens, y compris un beau cheval et la montre que lui avait offerte son père, afin de se procurer l'argent nécessaire pour nourrir les enfants de la paroisse. Mais il avait aussi persuadé ses paroissiens qu'ils ne seraient jamais pauvres tant qu'ils garderaient la foi. Le prêtre devint le cœur et l'âme de Knock. Les habitants et ceux des paroisses alentour l'aimaient infiniment.

Au début du mois d'août 1879, un violent orage endommagea l'église, éventra le toit et détruisit les statues de la Vierge Marie et de saint Joseph qui se trouvaient à l'intérieur. À sa manière, patiemment et méticuleusement, le père Cavanaugh répara le toit et commanda deux autres statues. Hélas! elles furent brisées au cours du trajet entre Dublin et Knock. Le prêtre crut y reconnaître l'action des forces du mal. Il n'en pria que plus ardemment pour la délivrance de Knock, et commanda deux nouvelles statues, qui arrivèrent intactes et furent installées dans l'église.

Le lendemain soir, il y eut un nouvel orage. La gouvernante du prêtre, la demoiselle Mary McLoughlin, quitta le presbytère pour rendre visite à des amis, la famille Byrne, qui habitait à l'autre bout du village. En passant devant l'église, elle vit trois étranges statues qui semblaient étinceler sous la pluie. Interloquée, elle s'arrêta. Le père Cavanaugh aurait-il commandé encore plus de statues pour remplacer celles qui avaient été abîmées? Curieux! Il ne lui en avait jamais parlé, alors qu'il lui disait tout. D'ailleurs, depuis que les premières avaient été détruites, c'était pour ainsi dire leur unique sujet de conversation. Et, la veille, elle l'avait aidé à installer les statues dans l'église. D'où sortaient donc celles-ci, et pourquoi étaient-elles sous la pluie?

Les Byrne étaient des paroissiens d'une grande dévotion, très fiers d'être chargés de l'entretien de l'église. Lorsque la gouvernante du prêtre arriva chez eux, on la fit entrer pour qu'elle se séchât au coin du feu et on lui offrit une tasse de thé. Margaret, la fille des Byrne, une adolescente, confia alors à Mary qu'elle venait d'aller fermer l'église et qu'elle avait remarqué une lumière bizarre du côté de l'aile sud. Ce détail l'avait étonnée, mais elle avait supposé que c'était un effet d'optique provoqué par la pluie.

Une autre paroissienne, miss Carty, passa chez les Byrne peu après. Elle aussi avait vu les statues et la lumière. Elle était inquiète. Le curé en avait-il acheté d'autres? Avec la famine et la pauvreté, il y avait peut-être un meilleur usage à faire des fonds dont il disposait. N'était-ce pas frivole, et irresponsable, d'ajouter des statues à l'extérieur de l'église? En outre, cela ne ressemblait guère au prêtre, si humain, qui avait tant donné à son troupeau. La gouvernante la rassura. Le père Cavanaugh n'aurait jamais fait une chose pareille.

Toutes les trois ayant observé des faits étranges, elles décidèrent donc d'enquêter. Elles sortirent sous la pluie battante, et ralentirent près de l'église, en apercevant les étranges statues.

— Quand le père Cavanaugh a-t-il mis ces statues dehors? demanda miss Carty.

— Il ne les y a pas mises, répondit la gouvernante. J'en suis certaine. C'est bien ce que je ne comprends pas.

Elles regardèrent plus attentivement, continuèrent à regarder, pour identifier les saints représentés.

— Elles bougent! s'écria Margaret Byrne. Ce ne sont pas des statues! Regardez!

Et, en effet, il ne s'agissait pas de statues. À gauche, un vieil homme à la barbe grise; à droite, un jeune homme aux longs cheveux, et au centre, une figure féminine auréolée d'une lumière blanche incandescente, qui flottait au-dessus de l'herbe. Les trois femmes reconnurent instantanément la Vierge Marie et déclarèrent par la suite qu'elles étaient presque sûres que les deux hommes étaient saint Joseph et saint Jean l'Évangéliste. Lorsqu'on les interrogea, elles ne purent expliquer comment ni pourquoi elles avaient identifié les personnages, sinon par l'âge des deux hommes.

Margaret Byrne courut jusque chez elle pour prévenir les siens qu'un miracle se produisait à l'église. Toute la famille la suivit et assista à l'apparition des trois personnages sacrés. En tout, quatorze personnes témoignèrent du miracle : six femmes, trois hommes et cinq enfants, dont trois adolescentes.

Tous parlèrent de la lumière magique, d'abord dorée, puis blanche, qui éclairait la façade de l'église. Chaque témoin avait distingué les trois personnages, mais les détails différaient. Une femme déclara avoir vu un agneau sur l'autel, tourné vers l'ouest, ce qu'elle considérait comme important. Elle y avait reconnu l'agneau pascal. Plusieurs autres mentionnèrent des anges voletant sur le site ou planant sur l'agneau et sur une grande croix.

La Vierge portait une robe d'un blanc éblouissant, comme tissée d'argent liquide et une couronne étincelante au milieu de laquelle se détachait une rose rouge sang. Elle tendait les mains, raconta l'un des témoins, tel un prêtre qui dit la messe. Elle regardait le ciel, comme si elle priait, certains prétendirent même qu'elle semblait prêcher. Cependant, la Vierge n'entra pas en contact avec la population. Elle ne parla pas, ne révéla aucun secret.

Tous les témoins s'accordaient sur l'identité de Joseph, en raison de la barbe grise et peut-être aussi parce que sa statue se trouvait dans l'église, à côté de celle de Marie. Le jeune homme portait un habit d'évêque et une mitre, alors que Marie et Joseph étaient vêtus comme au Ier siècle. Jean tenait dans la main gauche un très grand livre et tendait son bras droit, comme s'il prêchait. La très grande taille du livre fut soulignée par plusieurs témoins.

Mary McLoughlin retourna en hâte au presbytère pour prévenir le curé, qui n'en fit aucun cas. Sans doute, dit-il, avaient-ils tous été trompés par des reflets de l'eau sur les vitraux. Sa vie durant, il regretterait sa réaction, et sa décision de ne pas aller voir les personnages de ses propres yeux, car Knock devint un site légendaire des apparitions de la Vierge.

Patrick avait donc eu raison, comme tous les grands saints. Les pèlerins affluèrent en nombre à Knock, car c'était l'une des dernières apparitions authentifiées. Le pape Jean-Paul II se rendit à Knock en 1979, pour le centième anniversaire de l'apparition, et il offrit au village une rose d'or, en commémoration. Il fallut construire un aéroport international pour accueillir la foule de pèlerins. Aujourd'hui, plus d'un million de personnes par an se rendent à Knock, pour célébrer l'apparition de la Vierge.

Après la conférence, Maureen resta silencieuse, ce qui était inhabituel chez elle. Bérenger et Peter marchaient à ses côtés dans les rues qui menaient au centre-ville.

— À quoi pensez-vous? finit par demander Sinclair.

Maureen haussa les épaules. Maggie était adorable, et sincère, mais quelque chose dans cette histoire la turlupinait. En fait, même lorsqu'elle s'était rendue à Knock, dans son enfance, elle y avait trouvé quelque chose de gênant, de trop commercial. Les boutiques de souvenirs abondaient, proposaient des bouteilles en plastique remplies d'eau bénite et autres babioles du même genre, ce que Maureen avait jugé très peu spirituel. Mais autre chose la tracassait.

— Eh bien... ça fait beaucoup de suppositions, non? Les apparitions ne se sont pas présentées en disant : « Salut, je suis la Vierge Marie et voici mon mari Joseph et mon ami Jean l'Évangéliste. » Les habitants de Knock, des catholiques traditionnels et conservateurs, ont évidemment supposé que c'étaient eux, parce que cela entrait dans leur cadre de références.

— Où veux-tu en venir? lui demanda Peter.

— Et s'ils avaient vu autre chose? Si toutes ces apparitions en Europe, une très belle femme qui se montre aux enfants et leur révèle des secrets, n'étaient pas ce que l'on croit? Et s'il s'agissait d'une autre Marie? À Knock, des témoins ont dit qu'elle avait l'air de prêcher. Or la Vierge ne prêche pas, contrairement à la tradition de Marie Madeleine. Et le personnage supposé être Jean, sans doute en raison du grand livre à partir duquel il prêche... C'est son Évangile, donc c'est l'évangéliste. Vraiment? Pourquoi alors est-il habillé en évêque, et non comme on le représente d'ordinaire ? Ça pourrait être quelqu'un d'autre… Ou quelqu'un qui incarne une autre tradition. Et si ces trois personnages n'étaient pas ceux que l'on a supposé ?

— Et alors ? fit Peter.

— Je ne sais pas. En revanche, ce que je sais, c'est qu'on a délibérément occulté la vérité des origines du christianisme. Et je me demande si Dieu ne fait pas ces miracles pour attirer notre attention sur cette vérité. Mais je suis peut-être impliquée depuis trop longtemps dans ces histoires et je vois des complots partout. Demeure que je m'interroge : et si ces apparitions de la Vierge n'étaient pas ce qu'on croit ?

— C'est une hypothèse intéressante, rétorqua Bérenger, mais qui soulève une autre question : pourquoi ces apparitions seraient-elles survenues en Irlande du Nord, au XIXᵉ siècle, dans une région rurale dévastée par la famine, où personne ne pouvait posséder les références pour appréhender ce qui se passait ?

— Peut-être, répondit Maureen après avoir réfléchi un instant, parce que le message ne leur était pas destiné…

— Je ne te suis plus.

— Peut-être que le message nous était destiné. À une époque où nous pourrions le comprendre.

— Mais pourquoi ? interrogea Bérenger.

— Tu ne trouves pas que c'est de l'arrogance ? renchérit Peter. Croire que ces événements se sont produits à notre bénéfice ?

— Je ne parle pas de nous en particulier ! Mais de quiconque serait motivé, et inspiré par ces indices. Comme nous le sommes. De tels recoupements ne doivent pas être ignorés.

— Pour ceux qui ont des oreilles pour entendre et des yeux pour voir, railla Peter.

— Maggie a parlé de saint Patrick, qui aurait déclaré que Knock était un lieu sacré. Que savez-vous de votre saint patron ?

Peter, passionné par la tradition irlandaise de Patrick, s'empressa de répondre à la curiosité de Bérenger.

— Patrick a réussi le miracle de convertir les païens irlandais au christianisme sans verser une goutte de sang. Il a parlé, il a convaincu.

— Et d'où pensez-vous qu'il tenait cette méthode ?

Maureen ne voyait pas encore précisément où Bérenger voulait en venir, mais elle l'écoutait avec attention.

— Du Prince de la Paix, qui était son ancêtre, poursuivit Bérenger. Patrick était le petit-neveu de saint Martin de Tours, le Français dont on retrouve la trace dans toute l'histoire de la lignée. Je me suis penché de très près sur cette généalogie, et je peux affirmer, presque à coup sûr, qu'il descendait de Sarah-Tamar.

— San Martino ! s'exclama Maureen, surexcitée. Comme s'appelait l'église que Matilda a fait construire pour la Sainte Face.

— Et c'est un Irlandais qui l'a bâtie ! poursuivit Peter. Saint Finnian, un disciple de Patrick. Vous rappelez-vous qui succéda à Patrick ? Sainte Brigitte, une femme remarquable, et très puissante, l'une des grandes inspiratrices du début du christianisme.

Maureen voyait les pièces du puzzle s'assembler.

— Patrick est donc un descendant direct de Jésus et de Marie Madeleine. Il sait que Knock est un lieu sacré parce qu'il a eu une vision. Lui succède une femme puissante, qui est aussi une prophétesse. Serions-nous en train de dire que l'Église irlandaise a été fondée par les nôtres ? par des hérétiques ?

— Cela mérite d'être envisagé, répliqua Bérenger. Cette fameuse nuit, certains témoins ont peut-être vu quelque chose de très différent, quelque chose que l'Église, pour des raisons évidentes, n'a pas voulu consigner.

— Une vision destinée à ceux qui ont des yeux pour voir ? demanda Peter. Pensez-vous qu'il aurait pu rester des hérétiques dans le comté de Mayo, au XIXe siècle ?

— On ne peut pas écarter cette hypothèse, répondit Sinclair.

Maureen acquiesça. Ils poursuivirent leur chemin et traversèrent le Tibre sur le gigantesque pont qui relie le Vatican à la ville de Rome. Le clair de lune nimbait d'une douce lumière les anges majestueux sculptés par le Bernin.

— Quelque chose m'a toujours fascinée, à propos des apparitions de Marie. La plupart d'entre elles sont destinées à des enfants. N'est-ce pas, Peter ? À des innocents, à de très jeunes et très pauvres enfants... Et elle leur révèle des secrets, non ?

— En effet, répondit Peter. Ajoutons que Marie apparaît le plus souvent lors de périodes difficiles. Knock ? Après la grande famine. La Salette, en France ? Au moment où le pays tente de guérir les plaies de la Révolution. Fátima, au Portugal ? Dans le contexte de la Première Guerre mondiale. La Vierge s'adresse alors à des enfants et leur transmet les secrets de la foi. Cela se passe toujours ainsi, sauf à Knock, où Marie ne parle pas. Peut-être parce que ce sont des adultes qui la voient. Ainsi l'a-t-on appelée Notre-Dame du Silence.

— Il y a autre chose d'unique à Knock, me semble-t-il, reprit Bérenger. Marie n'est pas seule ; et ses compagnons tiennent une place aussi importante qu'elle.

— C'est vrai, dit Peter.

— Que savons-nous des secrets que Marie révèle aux enfants ? demanda Maureen. Sont-ils jamais rendus publics, Peter ?

— Parfois, comme à Fátima, par exemple. Avec le temps, on finit par les connaître. Mais d'autres enfants ont refusé de parler, et ont emporté leurs secrets dans la tombe.

— Mais pourquoi ? insista Maureen. Cela pourrait-il être parce que Marie leur annonce quelque chose qui leur fait si peur qu'ils refusent de le partager ? Quelque chose de... d'hérétique ?

Plus il passait de temps avec Maureen et plus Bérenger constatait leur extraordinaire communion de pensée. Ce fut lui qui enchaîna :

— Vous pensez que la Vierge apparaît aux enfants pour leur dire que les véritables enseignements de son fils ne sont pas respectés ?

— En effet, ça pourrait être ça !

— Nous n'avons aucun moyen de le savoir, n'est-ce pas ? dit Peter. J'avoue n'avoir jamais envisagé cette éventualité, et n'être pas enclin à le faire aujourd'hui. Il me semble plutôt que ce sont de magnifiques expériences religieuses, accordées à de vrais croyants en des époques où la foi était vitale pour leurs communautés. Les enfants voient la Vierge Marie parce qu'ils sont aussi purs qu'elle. Je n'imagine rien d'autre.

Maureen était trop fatiguée pour s'entêter à donner aux apparitions de la Vierge Marie une autre signification que celle qui leur était d'ordinaire attribuée. Elle avait simplement éprouvé le besoin de poser ces questions à haute voix. Le fait que Knock soit devenu le centre du catholicisme conservateur en Irlande l'intéressait. Y étaient nés les courants antiavortement et homophobes, et ils y prospéraient. Ce serait amusant que ces apparitions, utilisées dans un contexte d'intolérance, soient en réalité de nature hérétique. Cela valait la peine d'y penser, mais ce n'était qu'un des nombreux sujets de réflexion de Maureen, entraînée comme elle l'était dans un voyage complexe et imprévisible.

Ils dînèrent ensemble piazza della Rotonda, mais Maureen se mêla rarement à la conversation. Elle finit par avouer qu'elle avait besoin de quelques heures de solitude pour faire le point. Quelque chose, qu'elle n'arrivait pas à identifier, la tracassait. Il lui fallait du temps pour essayer de comprendre de quoi il s'agissait.

En arrivant dans sa chambre, elle se brancha sur Internet pour en savoir plus sur les apparitions de la Vierge, sans objectif précis, et sans comprendre pourquoi ce sujet lui semblait soudain si important. Mais elle avait appris à se fier à son instinct. Quelque chose lui sauterait peut-être aux yeux.

Peter avait raison. À l'exception de Knock, toutes les apparitions avaient des points communs : elles étaient destinées à des enfants pauvres et analphabètes, auxquels étaient révélés des secrets qu'ils devaient soit garder pour eux à jamais, soit partager avec le monde à des moments précis. L'Église avait-elle censuré ces « secrets » ? Les avait-elle fabriqués ? Certains des témoignages étaient rédigés en un langage fleuri et précieux, que ces enfants n'auraient en aucun cas pu maîtriser.

Une jeune visionnaire française, du village de La Salette, près de la frontière suisse, était une bergère de quinze ans. Mélanie Calvat était si pauvre que ses parents l'avaient envoyée mendier dans les rues à l'âge de trois ans. Malgré son manque total d'éducation, son récit de sa vision correspondait en tous points aux canons.

La très Sainte Vierge était revêtue d'une étincelante étoffe couleur d'argent, presque intangible, comme faite de gloire et de lumière, scintillante, éblouissante. Et qui ne se compare à rien de ce que l'on peut voir en ce monde. Son tablier brillait comme plusieurs soleils, d'une insoutenable beauté, de même que la couronne de roses posée sur sa tête. La très Sainte Vierge était grande et bien proportionnée. Elle semblait si légère qu'un souffle d'air aurait pu la balayer, mais elle se tenait immobile, dans un équilibre parfait. Son expression était majestueuse, sa voix était douce, enchanteresse, et ravissait l'entendement.

Maureen réfléchissait. Elle ne connaissait aucune fille de quinze ans du XXIᵉ siècle qui utilise un tel vocabulaire, ou s'exprime dans un tel style. Il était impensable qu'une jeune illettrée soit prononcé de telles paroles en 1851. On aurait juré un communiqué de presse émanant du Vatican.

Une phrase au sujet du deuxième « secret » retint son attention dans le témoignage de Mélanie.

Puis la Vierge Marie me donna la règle d'un nouvel ordre religieux. Quand elle me l'eut donnée, elle continua de parler.

Maureen chercha d'autres déclarations sur ce nouvel ordre religieux, mais n'en trouva pas. Le Vatican, apparemment, ne s'était absolument pas penché sur la question. La Vierge aurait-elle fait allusion à l'ordre du Saint-Sépulcre ? Ce nouvel ordre religieux était-il évoqué en référence aux véritables enseignements de son fils – et de l'épouse de celui-ci ?

Elle découvrit un autre élément : chacun des « secrets » révélés au cours des apparitions soulevait une contradiction ou une objection. Parfois les enfants revenaient sur leurs déclarations, d'autres refusaient de parler des révélations que Marie leur aurait faites.

D'autres encore n'étaient jamais autorisés à parler.

La plus célèbre et la plus âgée de ces enfants était Lucia dos Santos, à qui la Vierge apparut plusieurs fois aux environs du village portugais de Fátima. Lucia était une fillette très particulière, dont les parents disaient qu'elle possédait quelque chose de magique. En raison de sa grande religiosité, elle fit sa première communion à l'âge de six ans, après avoir très souvent instruit les autres enfants de la nature de Dieu. Elle avait dix ans lorsqu'elle bénéficia, avec ses cousins Jacinta et Francisco, de la première apparition de la Vierge, dans un champ près de chez elle, le 13 mai 1917. Plus tard, Lucia emploierait, pour décrire sa vision, des termes semblables à ceux du Livre des Révélations, au chapitre 12. « Une figure immense apparut dans le ciel, une femme vêtue de soleil. » L'apparition se présenta comme Notre-Dame du Rosaire et insista sur l'importance de la récitation quotidienne du rosaire. Elle expliqua aux enfants que c'était la clé du salut personnel, mais aussi de la paix du monde. De mai à octobre, Notre-Dame apparut le 13 de chaque mois, à la même heure.

Plus de soixante-dix mille personnes furent témoins de la dernière apparition, le 13 octobre 1917. La journée était pluvieuse, mais, à l'heure de l'apparition, le soleil perça les nuages et balaya le ciel en de larges allers et retours. Cette manifestation astronomique stupéfiante prit au Portugal le nom de Miracle du Soleil et convertit en un instant de nombreux sceptiques. Fátima est devenue la plus célèbre des apparitions de la Vierge à cause de ce soleil dansant et du nombre important de témoins.

Notre-Dame confia aux enfants trois secrets qui ne furent pas tout de suite communiqués publiquement. Les enfants et leurs guides spirituels les conservèrent jalousement durant plusieurs années. Les cousins de Fátima, comme beaucoup d'autres enfants, moururent peu après de l'épidémie de grippe qui ravagea la péninsule Ibérique.

Lucia dos Santos était désormais la seule survivante à connaître la vérité sur les secrets communiqués par la Vierge Marie. Elle se confina dans de nombreux couvents avant de prendre le voile dans l'ordre des Carmélites et de faire vœu de silence. Ce mutisme intriguait Maureen. Non seulement Lucia était soumise à la discipline de son ordre, mais encore le Vatican lui avait ordonné de ne parler à personne des apparitions sans l'autorisation expresse du Saint-Siège. Les contraintes qui lui étaient imposées se resserrèrent encore avec le temps : elle n'eut bientôt plus le droit de recevoir la moindre visite sans l'assentiment de l'Église, qui refusa même à son propre confesseur de continuer de la voir. Au cours des dernières années de sa vie, seuls le pape Jean-Paul II et le cardinal Ratzinger étaient en droit d'autoriser une visite ou de se rendre auprès de Lucia, qui vivait désormais dans le plus strict confinement. Bien que l'Église ait prétendu que Lucia était un membre vénéré de la communauté, elle mourut en 2005 des suites d'une infection pulmonaire due à l'humidité et au froid de sa cellule.

Immédiatement après sa mort, le cardinal Ratzinger, à la tête de l'Inquisition désormais connue sous l'appellation politiquement correcte de Congrégation pour la doctrine de la foi, publia un décret pour que la cellule de Lucia soit scellée, comme si elle était une scène de crime. En effet, on prétendait que Lucia avait eu des visions tout au long de sa vie, et qu'elle n'avait jamais cessé d'écrire à ce sujet. Apparemment, l'Église ne voulait pas prendre le risque que la visionnaire ait éventuellement caché certains récits de ses expériences dans sa cellule. Seul le pape, son grand inquisiteur et le concile de prêtres chargés de l'étude des saintes apparitions eurent accès à la cellule. Un certain nombre de livres se prétendant les Mémoires de Lucia furent publiés mais toujours sous la direction de l'Église. Comme on pouvait s'y attendre, les secrets de Fátima qui furent révélés concernaient la conversion du monde au catholicisme, en commençant par la Russie, et la préservation de la foi sous ses aspects les plus traditionnels et conservateurs.

L'écran de l'ordinateur de Maureen s'embua tandis que les larmes ruisselaient sur son visage. Le destin de la jeune fille la touchait profondément. Elle y décelait une injustice criante. Lucia dos Santos avait assisté à la plus célèbre des apparitions miraculeuses de l'Histoire, elle était sans aucun doute d'une haute spiritualité, et une visionnaire, mais elle avait été emprisonnée pendant soixante-dix-huit ans par l'institution qui prétendait la vénérer, sans même le réconfort d'une cellule décente où dormir.

Le cri de guerre de Boadicée, « La Vérité contre le monde », hantait la jeune journaliste. Il ne pouvait exister qu'une seule raison d'empêcher une telle femme de parler, de la priver de ses amis, de sa famille et même de son confesseur : on craignait ce qu'elle pourrait dire. Et ce « on » était évidemment la hiérarchie catholique. De quoi l'Église avait-elle si peur pour que le pape Jean-Paul II et son bras droit le cardinal Ratzinger, qui lui succéderait sous le nom de Benoît XVI, se soient transformés en geôliers ? La vérité qu'elle aurait pu révéler contredisait-elle les récits habilement fabriqués des apparitions de Fátima ? Ou était-ce quelque chose de plus important encore, et d'extrêmement dangereux et scandaleux pour l'Église, qui aurait été révélé à la fillette ?

Lucia avait-elle vraiment continué d'avoir des visions ?

On ne le saurait jamais. Lucia dos Santos avait été convenablement muselée, il ne restait de son histoire que la version aseptisée façonnée par ses geôliers. La vérité ne saurait contrevenir aux intérêts politiques ou économiques de l'église. Depuis toujours. Et peut-être à jamais, songea Maureen.

Un détail de la vie de Lucia la frappa au moment où elle allait cesser ses recherches. Elle comprenait désormais pourquoi l'Église l'avait considérée comme un grand danger.

Selon les documents portugais, la date de naissance de Lucia dos Santos était le 22 mars 1907.

Lucia était une Élue.

Congrégation de la Sainte-Apparition
Cité du Vatican

De nos jours

— Parlez-moi de Lucia dos Santos, s'il vous plaît.

Le père Girolamo DiPazzi avait été agréablement surpris lorsqu'il avait su que Maureen Pascal souhaitait le rencontrer le plus vite possible.

— Ah! je vois que notre petite conférence sur Knock a attiré votre attention sur les apparitions de la Vierge Marie. Pourquoi vous intéressez-vous spécifiquement à Lucia?

— C'est à vous de me le dire, répondit froidement Maureen.

— Vous avez bien travaillé, et vite. Je vois qu'il n'y a pas de raisons de jouer au chat et à la souris. Je vais donc être franc avec vous. J'ai connu Lucia dos Santos.

Maureen savait que le père DiPazzi était un spécialiste des apparitions de Notre-Dame, mais elle n'avait pas supposé qu'il ait rencontré personnellement la visionnaire portugaise.

— Vous souvenez-vous de notre discussion au sujet de votre rêve? Je savais, avant que vous n'en parliez, que le livre que tenait Notre-Seigneur irradiait d'une lumière bleue, et vous m'avez demandé comment je l'avais deviné.

Maureen hocha la tête.

— Je le savais parce que Lucia avait fait le même rêve.

— Alors… il y a une relation entre nous! En plus de la date de naissance.

— Oui, en effet. Lucia fut une des plus remarquables visionnaires de tous les temps. Vos similitudes vous honorent.

Maureen, très touchée, ne put que hocher la tête.

— Mais alors, demanda-t-elle quand elle recouvra la parole, si vous la considérez comme une grande visionnaire, pourquoi l'avoir contrainte au silence pendant si longtemps? Pourquoi l'avoir autant maltraitée?

— Sa vie n'a pas été aussi dure que vous semblez le croire. Lucia n'était pas une femme comme vous. C'est vous, en fait, qui êtes une exception. Savez-vous que la plupart des femmes qui ont connu de telles expériences étaient absolument incapables de vivre une vie normale ? Elles entraient au couvent volontairement, pour y trouver refuge. Afin qu'on prenne soin d'elles, car elles ne savaient pas se débrouiller au quotidien. Lucia n'a pas vécu longtemps dans le monde, elle avait besoin de solitude. Elle la réclamait. Je vous assure qu'elle ne manquait de rien.

Maureen avait mille questions à lui poser, mais elle savait qu'elle devait soigneusement peser ses mots.

— Parmi les secrets que Marie lui a révélés, y en avait-il un qui concernait le Livre de l'Amour ?

Le vieux prêtre répondit fermement, mais sans agressivité :

— Vous vous aventurez en des territoires dont je ne suis pas autorisé à discuter. Avec personne. Pour l'instant, contentez-vous de savoir que Lucia a fait les mêmes rêves que vous. Et priez. Vous avez beaucoup en commun avec Lucia, et ce qu'elle a apporté à l'Église est considérable. Elle a inspiré beaucoup de fidèles, elle continue de le faire. Regardez les choses d'un autre point de vue. Intéressez-vous aux aspects bénéfiques de son héritage, et cessez d'y chercher le mal. C'est ce qu'elle souhaiterait que vous fassiez, si elle était avec nous. De cela, je suis certain.

Peter et Maureen regagnèrent leur hôtel à pied, en discutant des révélations du père DiPazzi. Ils avaient rendez-vous avec Bérenger pour finir de lire l'autobiographie de Matilda.

Maureen passa dans sa chambre pour prendre son ordinateur portable et son carnet de notes. Elle ouvrit l'armoire pour en sortir la sacoche en cuir où elle les rangeait.

Elle n'y était plus. Son ordinateur et son calepin avaient disparu.

C'en était trop pour les nerfs de Maureen, durement éprouvés par les événements des dernières semaines.

Elle se laissa tomber au bord du lit, et leva sur Peter des yeux brûlants de larmes.

— Et maintenant, que va-t-il m'arriver ? Je crois que je ne supporterai rien de plus !

— Respire, Maureen, la rassura Peter en posant une main sur son épaule. Respire ! C'est terrible, mais ce n'est pas la pire chose qui te soit arrivée. Et tu as résisté.

— J'essaie, Peter. Mais ça devient de plus en plus difficile. À Orval, j'ai été terrorisée. Et maintenant ça ! Je ne me sens pas en sécurité. En fait, je me débats avec le sentiment de n'avoir plus aucun contrôle sur ma vie.

— C'est faux ; tu as ton libre arbitre.

— Je n'en suis plus si sûre.

— Mais si, voyons ! Tu es à Rome, tu cherches des indices, et la vérité sur le Livre de l'Amour. À mon avis, c'est exactement ce que Dieu souhaite que tu fasses. Mais c'est ton choix. Ta volonté. Tu peux conseiller à Dieu de se trouver une autre interprète, prendre ton passeport et le premier vol pour Los Angeles. Tu peux te retirer de toute cette histoire au moment que tu choisiras. Il te suffit de le décider. Voilà ce que signifie ton libre arbitre.

Épuisée, Maureen répondit sèchement :

— Et « le temps revient » ? Qu'est-ce que j'en fais ? Si c'est ma mission, si c'est le contrat que j'ai à respecter, je ne peux pas lui tourner le dos, même si j'en meurs d'envie.

Peter éleva la voix à son tour. Lui aussi ressentait de la colère, et de la frustration. Cela faisait deux ans qu'elles montaient en lui. Il fallait qu'elles s'expriment enfin.

— Pourquoi crois-tu que ces mots, « le temps revient », soient nécessaires ? Parce que les êtres humains ne comprennent pas. Si chacun accomplissait ce pour quoi il est ici, le temps n'aurait pas à revenir. Mais nous en sommes incapables. Nous ne pouvons pas obéir, ni respecter le projet de Dieu, si simple pourtant, parce que nos défauts humains se mettent en travers : l'égoïsme, la colère, l'envie, la cupidité. Voilà ce que Jésus essayait de nous dire. Voici son véritable message : que tout est très simple, qu'il s'agit d'amour, de foi, de communauté. Un point c'est tout. Sais-tu ce que j'ai appris de plus important depuis que je suis prêtre ? la seule sagesse qui compte ? C'est que tu peux jeter la Bible tout entière aux orties si tu gardes en mémoire les paroles de Jésus, telles que les rapporte Matthieu : « Tu aimeras le Seigneur, ton Dieu, de tout ton cœur, de toute ton âme, et de toute ta pensée. C'est le premier et le plus grand commandement. » Et voici le second, qui lui est semblable : « Tu aimeras ton prochain comme toi-même. » De ces deux commandements dépendent toute la loi et les prophètes. Et voilà ! c'est tout. C'est tout ce que tu as besoin de savoir. Même si on me jetait dehors du Vatican pour oser proférer que tout réside dans ces quelques phrases et que le reste n'est destiné qu'à obscurcir le message.

Peter reprit son souffle, mais il n'en avait pas terminé, loin de là.

— C'est facile à comprendre, non ? Mais les humains ont tout embrouillé pendant deux mille ans, ils ont justifié les pires massacres, au nom de Notre-Seigneur, uniquement parce qu'ils sont incapables de vivre selon ces deux commandements de base. Dieu est donc obligé de continuer d'envoyer sur la terre des âmes qu'Il croit susceptibles de nous rappeler que vivre, c'est simplement aimer. Mais le libre arbitre nous fiche dedans chaque fois. Chaque fois. Et nous ne pouvons pas créer le paradis sur terre avec quelques personnes de bonne foi. Il faudrait entraîner le monde entier. C'est une tâche impossible, ridicule, mais Dieu pense que nous pouvons y arriver, donc, nous persévérons. Et tu dois continuer à chercher, et à écrire. C'est ton contrat. C'est ta mission. C'est peut-être même ta promesse. Pourtant, les respecter ou non dépend de ta volonté.

Maureen l'écoutait attentivement. Il parlait vrai. Mais elle était exténuée. Ce dont elle avait réellement besoin, désormais, c'était quelqu'un comme Tammy, une amie qui la laisserait pleurer sur son épaule et qui ne lui répéterait pas que sa mission était de sauver le monde. Parce qu'elle n'était pas à la hauteur de la tâche. En tout cas, pas ce soir-là.

— Parfois, je me sens... tellement... instrumentalisée.

— Vraiment? Comme c'est tragique! Dieu t'a choisie pour une tâche si particulière que Son propre fils te parle dans tes rêves, et tu te sens instrumentalisée; des miracles se produisent autour de toi, des choses tombent littéralement du ciel pour te procurer ce dont tu as besoin, et tu te sens instrumentalisée... Ton travail change le cours de vies humaines, en sauve peut-être, et tu refuses de te compliquer l'existence même si c'est pour le bien de l'humanité, parce que tu te préoccupes trop de ta petite personne. Assez, Maureen! Je suis navré de te voir dans cet état, mais il faut que tu surmontes cette faiblesse. On doit se remettre au boulot.

Peter se tut, et attendit. Il avait pris un risque calculé. Parfois, ce genre de discours faisait réagir sa cousine dans le bon sens. D'autres fois, elle pleurait encore plus fort, ou lui jetait n'importe quoi à la tête et ne lui adressait plus la parole pendant des semaines.

Maureen se redressa et se passa la main dans les cheveux. Manifestement, elle essayait de reprendre le contrôle d'elle-même et de se concentrer sur la tâche qui leur était assignée.

— Bon. Disons que certains d'entre nous ont une promesse à tenir. À qui l'avons-nous faite? Et quand? Easa en parle dans mes rêves. « Suis la voie qui a été tracée pour toi, et tu trouveras ce que tu cherches. Ensuite, tu le partageras avec le monde et tu tiendras la promesse que tu as faite. » Mais à qui? À Dieu? À nous-mêmes? Est-ce qu'on forme une sorte de club, au paradis, et on se retrouve de temps en temps sur terre? Honnêtement, je ne comprends pas.

— Je n'ai pas de réponse, Maureen. C'est une question de foi. On croit ou on ne croit pas. Peut-être faudra-t-il que nous trouvions le Livre de l'Amour pour comprendre vraiment de quoi il s'agit.

En voyant les yeux cernés et la mine défaite de sa cousine, il se sentait coupable de la bousculer. Le fardeau était lourd à porter; à sa place, beaucoup auraient déjà abandonné.

— Depuis quand n'as-tu pas dormi au moins quelques heures d'affilée?

— Je ne sais plus.

— Ton cerveau a besoin de repos, Maureen.

— Je déteste prendre des somnifères, ils me brouillent l'esprit.

— As-tu essayé de prier?

— Comment n'y aurais-je pas pensé? railla Maureen.

— Demande, et tu recevras. N'oublie pas que tu es en ligne directe avec ceux qui ont des oreilles pour entendre. Et maintenant, je rentre chez moi; et ne reviendrai demain que si tu me dis que tu as vraiment essayé de dormir et de te mettre en règle avec Dieu. Ça te va, comme motivation?

— Ce n'est pas une motivation, c'est du chantage! Mais je suis trop fatiguée pour discuter avec toi. Alors, d'accord, je te le promets.

Fidèle à sa parole, Maureen s'agenouilla au pied de son lit, comme lorsqu'elle était enfant, et pria Easa de lui venir en aide et qu'elle puisse se reposer. Elle se sentait ingrate, car il lui avait déjà accordé bien des faveurs, mais aussi de lourdes responsabilités. Elle avait simplement besoin de dormir un peu mieux et de se savoir protégée.

Puis elle récita le *Notre-Père* en s'efforçant de respecter la règle de la rose à six pétales.

— Que Ta volonté soit faite, murmura-t-elle. Je le pense vraiment. Et je Te demande pardon.

Puis elle se coucha et s'autorisa enfin à pleurer tout son soûl. Une litanie de souffrances s'écoula avec ses larmes. Toutes les émotions et les peurs qu'elle ne pouvait montrer à la face du monde, ni même à ses proches. Surtout pas à ses proches. Ils la voulaient forte, ils comptaient sur elle. Elle était l'Élue, comme Matilda, et ne pouvait se permettre de douter.

Et il y avait cette terrible solitude! Elle avait beau être aimée et entourée, personne ne partageait ses expériences, personne ne portait le poids des responsabilités qui lui incombaient, ni des questions sur le rôle qui semblait lui être assigné. Elle se trouvait au cœur d'un paradoxe : pour avoir ses visions et y croire, il lui fallait être ouverte et sensible, vulnérable. Mais, en ce siècle cynique et matérialiste, elle avait besoin d'une force immense pour y faire face.

Elle ne s'apitoyait pas vraiment sur elle-même, mais elle aurait tant voulu qu'il existe une personne au monde au moins qui comprenne ce qu'elle vivait. Plus elle entrait dans l'histoire de Matilda et plus elle savait qu'elles étaient sœurs, dans le temps et dans l'espace. Mais, hélas ! Matilda était morte depuis mille ans...

Après avoir pleuré toutes les larmes de son corps, Maureen se sentit soulagée, et fatiguée. Elle se tourna sur le côté, et, pour la première fois depuis des années, sombra dans un sommeil profond et paisible jusqu'à ce que l'aube se lève sur Rome.

Le père Girolamo DiPazzi était perplexe. Il n'avait pas prévu ce rendez-vous avec Maureen et ne s'attendait pas qu'elle en arrive si rapidement à ces conclusions. Soit elle était la plus douée des visionnaires qu'il ait rencontrées, soit elle jouissait d'une remarquable assistance divine. Les deux hypothèses l'intéressaient tout autant.

Il prit la clé qui pendait à son cou et ouvrit le tiroir de son bureau pour en extraire le manuscrit prophétique qu'il entreprit de feuilleter une fois de plus, la main sur le précieux reliquaire.

Canossa

Janvier 1077

Suite au pénible spectacle de la pénitence d'Henri, il fallait du temps à Matilda et à Grégoire pour que se dissipent les nuages sur leur amour et ce fut Dieu qui leur en offrit l'occasion. Un hiver trop sévère empêcha le pape de rejoindre Rome, qui resta près de six mois en Toscane auprès de sa bien-aimée, enceinte de plusieurs mois.

Ainsi le moine bénédictin Donizone put-il écrire, au sujet du séjour de Matilda et Grégoire à Canossa :

« Comme Marthe servait Jésus, telle Marie assise à ses pieds, Matilda écoutait avidement chacune des paroles du pape. »

Ils vécurent à Canossa comme mari et femme, car seuls étaient présents les serviteurs les plus fidèles de Matilda, tous membres de l'Ordre, et qui avaient juré de garder le secret sur l'épouse et l'enfant du pape.

Contrairement à sa première expérience de la maternité, Matilda se sentait heureuse et en sécurité. De plus, elle était éperdument amoureuse du père de son bébé, qui, selon le Livre de l'Amour, avait été conçu de manière immaculée. Isobel la délivrerait, et la jeune femme n'avait aucune inquiétude pour elle ou son enfant. Grégoire passait beaucoup de temps dans la chapelle, où Conn lui rendait de fréquentes visites. Tous deux priaient avec ferveur pour que l'accouchement de Matilda se passât au mieux.

L'enfant naquit rapidement et sans trop de souffrances pour la mère. Il était de petite taille, mais parfaitement proportionné, et l'ardeur de ses cris témoignait de la bonne santé de ses poumons. Matilda sanglota de soulagement en prenant le bébé contre son sein. Elle était infiniment reconnaissante au Seigneur, et si heureuse qu'elle ne pensait plus à l'avenir. Pourtant, elle savait qu'elle ne pourrait jamais faire savoir au monde que cet enfant était le sien, car le monde devait ignorer à jamais que ce petit garçon était le fils de Grégoire VII.

Matilda souleva le bébé devant son visage. Elle eut un sursaut en repensant à la petite fille qu'elle avait ainsi regardée dans les yeux et nommée Béatrice Magdalène juste avant sa mort.

Était-il possible que ce fût le même esprit, et que ces yeux, les vitrines de l'âme, fussent ceux de son premier enfant, de retour devant elle afin de trouver la paix ?

Le temps revient.

Grégoire et Matilda appelèrent leur fils Guidone, et demeurèrent auprès de lui jusqu'au départ de Grégoire pour Rome. Lorsque Matilda dut le rejoindre pour mettre en œuvre les projets qu'ils avaient élaborés à Canossa, elle confia son fils aux moines de San Benedetto, qui sauraient l'élever selon les traditions de l'Ordre. Si elle ne pouvait le revendiquer comme sien, il lui était au moins possible de le dédier à Dieu.

Chapitre 15

Rome

Octobre 1077

Le roi Henri IV demeura en Lombardie pendant des mois, afin de saper la position de Grégoire. Il avait de nombreux problèmes personnels à résoudre, car les ducs qui l'avaient sommé de se soumettre au pape étaient sidérés par la rapidité avec laquelle il était capable de renverser ses alliances : un tel roi n'avait pas d'honneur. Ainsi les ducs rebelles élirent-ils comme nouveau monarque Rudolf le Souabe. Les territoires germains se scindèrent entre les partisans d'Henri et ceux de Rudolf ; il s'ensuivit une sanglante guerre civile, durant laquelle Henri poursuivit ses attaques contre Grégoire et Matilda.

Ces derniers avaient passé des mois à imaginer une stratégie qui empêcherait Henri d'invoquer la loi salique pour priver Matilda de son héritage. Comme son père avant lui, Henri pouvait revendiquer toute la Toscane, qui faisait partie des territoires germains. Il pouvait aussi décider de la donner à Godefroi de Bouillon, l'héritier légitime du Bossu, en échange de sa loyauté et d'une large part du tribut qui serait exigé des Toscans. Dans un cas comme dans l'autre, la Germanie et l'Italie entreraient en guerre ; dans un cas comme dans l'autre, les conséquences seraient catastrophiques pour Grégoire et Matilda.

Accompagnée d'une escorte et de Conn, la comtesse approchait de Rome. Le Celte se méfiait des réactions populaires à l'égard de sa protégée, et tenait à rester à son côté. La longue absence de Grégoire avait sapé sa popularité tant parmi les cardinaux que parmi les nobles familles romaines qui l'avaient soutenu. Tous en blâmaient Matilda, et Conn s'inquiétait d'éventuelles représailles.

— Jusqu'à maintenant, tout est calme, dit-il.

— Oui, grâce à Dieu. Conn, nous y arriverons. La déclaration que je m'apprête à faire devrait nous valoir l'allégeance des Romains, une fois encore.

— Es-tu certaine de le vouloir, Tilda? Tu cours un risque important.

Matilda s'inquiétait elle aussi, sa décision la rendait nerveuse, mais elle était déterminée.

— C'est un risque que je suis prête à courir, pour le salut de Grégoire. Rien au monde ne compte plus pour moi que lui. Pas même la Toscane.

Conn hocha la tête sans rien dire. Que cela lui plût ou non, il savait que Matilda disait vrai.

Ainsi la comtesse de Toscane entra-t-elle dans Rome, déterminée à sauver son héritage, à renforcer la position de Grégoire et celle de l'Église qu'ils souhaitaient réformer, et à en finir une fois pour toutes avec Henri.

Au palais de Latran, Matilda de Canossa, revêtue d'une robe de velours rouge bordée d'hermine et portant sa couronne dorée ornée de fleurs de lys au-dessus de son lourd voile de soie, s'apprêtait à faire sa déclaration. Elle semblait plus riche et plus puissante qu'une impératrice régnante. Les scribes et les artistes n'auraient de cesse de gloser pour la postérité sur sa magnificence en ce jour où elle s'adressa aux nobles familles romaines.

— Moi, Matilda, comtesse de Toscane par la grâce du Dieu qui est, pour le salut de mon âme, fais don de tous mes biens sur cette terre, hérités ou acquis, à saint Pierre, représenté ici-bas par le pape Grégoire VII. Je donne tout ce qui m'appartient au Saint-Siège au nom de mon Seigneur Jésus-Christ.

Un silence écrasant s'abattit sur l'assistance à la suite de la proclamation de Matilda. Était-ce possible? La comtesse de Toscane, la femme la plus puissante d'Europe, abandonnait-elle toutes ses possessions à l'Église? Venait-elle d'annoncer que ses terres, près d'un tiers de l'Italie, étaient désormais sous le contrôle absolu de Grégoire VII?

C'était scandaleux, inouï, et formidablement intelligent. D'un seul geste, Matilda protégeait la Toscane, renforçait la papauté et Rome tout entière, et réduisait considérablement les possibilités de revendication d'Henri. Les nobles familles romaines et les cardinaux, plus qu'impressionnés par cette manifestation de générosité et de loyauté, en conclurent que, pour avoir inspiré une telle donation, Grégoire était un homme honorable et béni, bien digne de la tiare. Quant à Matilda, elle sauvait Rome. Latran retentit de cris d'enthousiasme :

— Que Dieu bénisse la comtesse Matilda ! Longue vie à Matilda !

Matilda s'installa à Rome durant trois ans, afin d'être près de son bien-aimé et de résoudre les questions relatives à l'administration de ses territoires par l'Église. Le monastère de San Benedetto, centre de l'Ordre où serait élevé son fils, fit l'objet d'une stipulation particulière : il serait protégé par la papauté à perpétuité. Tant qu'elle demeura à Rome, Matilda et le pape furent inséparables. Grâce à sa générosité envers l'Église, nul ne se risquait à la critique. On acceptait sa présence, même si on ne l'approuvait pas toujours.

Donizone put écrire, en parlant de ces trois années : « La sage comtesse gardait au cœur chaque parole de cet homme béni, comme la reine de Saba conservait en le sien celles de Salomon. »

Quant à Matilda, il ne lui en coûta rien de céder ses biens à Grégoire. N'était-il pas son mari ?

Pour seule réplique à la décision de Matilda de donner la Toscane, qu'il considérait comme sienne, au pape, Henri tenta une fois de plus de faire déposer Grégoire. Il alla plus loin que jamais, et nomma un antipape à sa place : Guiberto, archevêque de Ravenne, qui avait déjà servi le père d'Henri, fut élu par les évêques schismatiques germains.

Grégoire excommunia le roi pour la seconde fois, et fit de même pour Guiberto, également pour la seconde fois. Les lignes de front étaient dessinées, Henri ne pouvait que partir en guerre. Le conflit était désormais hautement personnel et le roi décida de poignarder sa cousine dans le dos en s'emparant du lieu le plus sacré de son peuple, Lucques. Ce faisant, il s'en prenait à la fois à Matilda et à Grégoire, en démettant l'évêque Anselmo et en confisquant des propriétés de l'Ordre. Heureusement, le Maître et les anciens de l'Ordre purent emporter le Libro Rosso jusqu'à San Benedetto Po, où ils se rendirent sous escorte armée. Mais Lucques fit sécession, exigea de Matilda son indépendance et se rangea derrière l'antipape et les seigneurs lombards schismatiques partisans d'Henri. Matilda eut le cœur brisé, mais guère le temps de s'appesantir, car Henri s'acharnait de plus belle sur la Toscane et la papauté.

Elle avait toutes les raisons de s'inquiéter. Le don de ses biens la protégeait contre Henri, mais uniquement tant que le pape lui laissait toute latitude pour gouverner comme elle l'entendait. Si Grégoire était remplacé par l'antipape, elle perdrait tout ce pour quoi sa famille et elle avaient lutté. La position d'Henri se renforçait, car les ducs du nord de l'Italie se ralliaient à l'antipape dans l'espoir d'éviter l'invasion des armées germaniques.

Lors de l'équinoxe de printemps de l'an 1081, Matilda ne célébra pas son anniversaire comme à l'accoutumée.

Les nouvelles étaient mauvaises. Henri avait traversé les Alpes et se dirigeait vers les Apennins à la tête d'une armée d'invasion. Il venait réclamer la Toscane.

Matilda et Grégoire avaient passé la nuit dans la tour d'Isola Tiberina, à envisager les options qui s'offraient à eux. La comtesse n'avait pas le choix : elle devait retourner en Toscane immédiatement et défendre son territoire. La tâche serait difficile, parce que le roi germain disposait d'une armée puissante et qu'il avait, en quatre ans, décimé les forces de Matilda.

— Je ne sais pas quand nous nous reverrons, ma colombe, dit Grégoire en la prenant dans ses bras.

Il lui caressa la joue et les cheveux de ses longs doigts, comme s'il voulait en mémoriser les contours et les parfums.

— Dieu t'envoie en Toscane, et je ne peux quitter Rome, où je dois défendre ma position. Nous ne pouvons qu'accéder à Sa volonté, bien entendu, mais, cette fois, je ne la comprends pas.

Les larmes aux yeux, Matilda prit ses mains dans les siennes.

— La volonté de Dieu doit être faite, Grégoire. Toujours. Un jour, nous comprendrons. Notre amour est mis à l'épreuve, comme celui de Salomon et de la reine de Saba. Nos devoirs nous imposent une séparation, mais nos âmes ne seront jamais séparées, comme elles ne l'ont jamais été depuis l'aube des temps. Et ceux que Dieu a réunis...

— ... que nul homme ne les sépare, acheva Grégoire.

Dès son retour en Toscane, Matilda voulut offrir une œuvre d'art à Grégoire. Elle fit venir son fils à Canossa. C'était un petit garçon de quatre ans, aux boucles sombres et aux yeux gris, le portrait craché de son père. Un des moines de San Benedetto, très habile enlumineur, exécuta leur portrait. L'œuvre devant être offerte au pape, il fallait en dissimuler le véritable sujet. Matilda se revêtit donc des soies bleu azur qu'elle arborait toujours en public et dissimula ses cheveux sous un voile surmonté de la couronne aux cinq bijoux identiques à ceux que l'on pouvait voir sur la couverture du Libro Rosso. Avec l'enfant sur les genoux, le tableau apparaissait comme une représentation classique de la Vierge à l'Enfant, malgré le sceau de la forteresse de Canossa peint en haut du parchemin et la colombe planant sur la mère et l'enfant.

Ce tableau, innocent pour tout œil étranger, serait pour le pape l'image adorée de son épouse et de son enfant.

La destinée est de chercher. La destination est de trouver.
Celui qui cherche doit persévérer jusqu'à ce qu'il trouve, car cette quête est une tâche sacrée, menant à l'accomplissement des hommes et des femmes. Qu'arriverait-il si nous cessions tous de chercher Dieu ? Le monde s'obscurcirait et nous ne pourrions plus comprendre la lumière.
Mais ceux qui savent qu'ils doivent chercher ont déjà trouvé Dieu.
L'avoir trouvé apporte une tristesse : savoir que tout ce en quoi nous avons cru hors de l'amour de Dieu est une illusion.
L'avoir trouvé apporte un miracle : savoir que le monde créé par Sa divine volonté est plus beau et plus parfait que nous ne pouvions l'imaginer.

D'après le Livre de l'Amour
tel que rapporté dans le Libro Rosso.

Rome

De nos jours

— Guidone..., souffla Maureen, mentionnant pour la première fois le prénom de l'enfant de Matilda.

Bérenger étala sur le bureau les copies du document qu'il avait reçu au château, l'arbre généalogique qui commençait par un enfant nommé Guidone, né à Mantoue en 1077.

— Maintenant, je comprends, dit-il. Quand j'ai reçu ce document, j'ai essayé de savoir en quoi Michel-Ange était concerné par tout cela, et j'ai trouvé plusieurs références selon lesquelles il aurait toujours affirmé descendre de Matilda de Toscane. Cette revendication était contestée par l'Histoire, puisque officiellement Matilda n'eut jamais qu'un enfant, une fillette qui mourut à la naissance. Michel-Ange refusa de s'expliquer, et se contenta d'affirmer de plus belle que la comtesse de Canossa était son ancêtre.

— Donc, il savait, intervint Maureen. Il était au courant pour Matilda et Grégoire, et pour Guidone.

— L'art sauve le monde, reprit Bérenger. Voilà de quoi explorer avec un autre œil les œuvres qu'il a créées, non ?

Maureen donna un coup de coude à Peter, qui était assis près d'elle.

— Comme la somptueuse *pietà* de Saint-Pierre, n'est-ce pas ? Qui, manifestement, ne représente pas une mère et son enfant.

— Tu marques un point, concéda Peter. Mais tu comprends bien que cela soulève plus de questions que cela n'apporte de réponses...

— Comme toujours, sourit Maureen.

La discussion s'arrêta là, car la police se présenta pour rédiger son rapport sur le vol qui avait eu lieu dans la chambre de Maureen. Aux yeux de la loi, ce n'était qu'un banal cambriolage, mais Bérenger et Peter étaient persuadés que quelqu'un avait voulu s'emparer du carnet de la journaliste.

Cette dernière ne savait quoi en penser. Ce vol la désespérait, car elle avait perdu la trace écrite de ses rêves et de ses réflexions.

Exténuée, Maureen décida de se coucher tôt. En s'assoupissant, elle repensa à sa sœur en esprit, Lucia dos Santos. Si elle avait espéré un sommeil sans rêves, elle allait être déçue.

Il était minuit, les rue de Knock étaient désertes, le brouillard recouvrait toutes choses d'un voile gris, les magasins de souvenirs avaient fermé leurs portes depuis longtemps. Maureen marchait en direction de l'église Saint-Jean-Baptiste, dont le clocher brillait au clair de lune. Une lumière incandescente resplendit du côté gauche du mur.

Les personnages apparurent l'un après l'autre. Le premier, le vieil homme, ressemblait exactement à la description qu'en avaient donnée les villageois. Il se dégageait de sa présence une impression de force, plus paternelle que patriarcale. Il désigna l'autre côté du mur de ses deux mains, comme s'il créait une nouvelle image à partir de son rayonnement. Le deuxième à apparaître fut le jeune homme que les villageois avaient identifié comme Jean Baptiste. Il portait les cheveux longs, signe de jeunesse pour les artistes de la Renaissance. Une force différente émanait de lui. Il prêchait. Maureen n'entendait pas ce qu'il disait, mais son expression l'émouvait profondément. Le livre qu'il lisait, et qu'il tenait d'une seule main, était gigantesque, mais son poids ne semblait en rien gêner le jeune homme. Il était recouvert d'une sorte de cuir rouge foncé, gravé de lettres d'or. Maureen s'apprêtait à l'examiner de plus près quand un éclat de lumière resplendit au centre du mur.

Les deux hommes se retournèrent et firent un signe à l'apparition qui émergeait avec une grâce infinie. C'était la plus belle femme que Maureen ait jamais vue. Sa robe était d'argent liquide, ornée de lys blancs et de roses rouges, un halo d'étoiles éclatantes entourait sa tête. Éthérée, angélique, elle flottait au-dessus des autres personnages, et, à l'instar du jeune homme, elle prêchait. Tout, dans son attitude, démontrait une autorité absolue et une grande intensité. Soudain, elle regarda Maureen dans les yeux et lui parla distinctement :

364

— Je ne suis pas celle que tu crois.

Puis elle sourit, regarda tour à tour Maureen, le jeune homme et le vieil homme, et leur tendit les bras. Tandis que ses deux compagnons s'approchaient d'elle, la lumière brilla encore plus intensément et les trois personnages resplendirent, ensemble, pour l'éternité.

Rome était plongée dans la nuit lorsque Maureen s'éveilla dans une obscurité qui tranchait avec les flots de lumière de son rêve. Elle alluma sa lampe de chevet et chercha instinctivement son calepin avant de se rappeler qu'on le lui avait volé. Elle sortit de son lit, prit une bouteille d'eau dans le minibar et s'installa au bureau pour griffonner sur le bloc de l'hôtel.

« Je ne suis pas celle que tu crois. »

Alors, qui était-elle ?

Maureen alla ouvrir la fenêtre qui donnait sur la piazza della Rotonda. La lune, presque pleine, éclipsait la lumière des lampadaires, la ravissante fontaine gargouillait doucement, et Maureen écoutait son charmant bruissement lorsque son regard tomba sur l'obélisque rapporté d'Égypte pour orner un temple dédié à Isis. Isis, considérée par les Égyptiens comme la dame de tous les mystères, la mère des dieux, Isis, que les Romains et les Égyptiens nommaient la reine des cieux.

La reine des cieux. Ce terme avait été utilisé pour définir plusieurs entités spirituelles féminines. Isis, la Vierge Marie, Inana la Sumérienne, Ishtar la Mésopotamienne, Asherah l'Hébraïque, et même Marie Madeleine, pour les hérétiques français.

S'il y avait une reine des cieux, il fallait qu'il y ait un roi. Un mari et une femme. Des égaux ?

Maureen se remémora son rêve, et l'ordre d'apparition des personnages, qui avait sûrement un sens.

D'abord le Père.

Puis le Fils.

Et enfin le personnage féminin, éthéré, d'une telle radiance que même en rêve ses pieds n'effleuraient pas le sol.

Le Saint-Esprit.

Ainsi donc, ce qu'avaient vu les villageois de Knock, et qu'ils avaient identifié comme la Vierge Marie, son mari et Jean Baptiste, représentait en réalité la Sainte-Trinité.

Et, au sein de cette Trinité, en son centre, le Saint-Esprit. Un personnage féminin.

Elle téléphona à Peter à une heure décente. Il était réveillé, et son rêve le passionna.

— A-t-on jamais considéré le Saint-Esprit comme féminin, Peter? Pour nous, c'est un nom masculin, par définition.

Le prêtre l'informa que dans certaines traditions, considérées comme hérétiques, pour ne pas dire délirantes, le Saint-Esprit était un principe féminin.

— En grec, on utilise le mot *pneuma*, qui est neutre. Mais on y associe le masculin. Pourtant, certains prétendent que c'est différent dans d'autres langues, notamment en hébreu et en araméen. Et en syrien, je crois.

— Et la colombe? poursuivit Maureen. Dans les œuvres d'art, le Saint-Esprit prend souvent la forme d'une colombe. La colombe est féminine.

— Si on représente le Saint-Esprit par une colombe, c'est parce qu'il en est apparu une lors du baptême de Jésus, sur le Jourdain. Mais tu as raison, le symbolisme a pu être féminin, à certaines époques. Pour les gnostiques, le Saint-Esprit est Sophia, l'entité qui incarne la sagesse féminine, une sorte de déesse, parfois représentée par une colombe.

— Comme dans le Cantique des cantiques?... Ma colombe, ma parfaite? Tu crois qu'il y a un rapport? Que le Cantique parle de l'union de Dieu et de sa contrepartie, appelons-la sa femme puisqu'il n'y a pas de meilleur terme?

Il n'était que sept heures et demie du matin. Peter avait la tête qui tournait.

— Donne-moi quelques heures pour regarder certaines traductions. Je te rejoindrai à l'heure du déjeuner.

Fidèle à sa parole, Peter frappa à midi à la porte de la chambre de Maureen. Il portait plusieurs dossiers, qu'ils étalèrent sur le bureau et sur le lit. Avant de s'y plonger, Maureen interrogea Peter sur la prière du *Je vous salue Marie*, qu'on trouvait pour la première fois dans l'Évangile de Luc, au chapitre 1. Mais elle voulait en savoir plus à propos de Luc.

— Nous savons que Luc a fondé l'ordre du Saint-Sépulcre, n'est-ce pas ? Il s'agit donc de découvrir ses motivations. Le nom de Marie n'est pas cité dans le Nouveau Testament. Il a été ajouté par la suite. La prière qu'a récitée l'ange Gabriel était : « Salut à toi, pleine de grâce, le Seigneur est avec toi, sois bénie entre toutes les femmes. »

— Exactement, acquiesça Maureen. La prière s'adresse à la mère de Jésus. Mais peut-être pas à elle seule, peut-être à toutes les femmes choisies pour incarner cet aspect de Dieu. À toutes les femmes qui donnent la vie dans la vérité et la conscience, qui conçoivent dans l'amour et dans la foi. Ce qui signifie, dans l'acceptation du Livre de l'Amour, une immaculée conception.

— Creusons un peu, continua Peter, et commençons par le canon traditionnel. J'ai choisi en premier une des traductions universellement reconnues. Écoute. l'Évangile de Jean : « En mon nom, le Père enverra le Consolateur, qui est le Saint-Esprit. Il vous apprendra toutes choses, il vous rappellera, etc. » Et maintenant, regarde ceci : c'est une traduction de l'araméen, qui correspond aux manuscrits découverts au monastère de Sainte-Catherine, dans le Sinaï. Ces textes sont antérieurs aux textes grecs.

Maureen lut à haute voix la traduction ancienne :

— « Mais Elle, l'Esprit, le Paraclet, mon père l'enverra en mon nom, et elle vous apprendra toutes choses. Elle vous rappellera ce que je vous ai dit. »

La jeune femme se laissa tomber sur le lit.

— C'est féminin, sans aucun doute! Et le Paraclet, qu'est-ce que c'est exactement?

— On le traduit en général par Consolateur, ou Conseiller. Mais je trouve plus juste de dire « celui qui intercède ». Donc, le Paraclet serait celui qui intercède entre les humains et leur divin père.

— Un rôle très féminin, et très maternel, non?

— En effet. D'ailleurs, dans l'Ancien Testament, il y a un Consolateur. Isaï compare Yahveh à une mère qui console ses enfants. Et plus d'une fois il parle de Dieu dans un rôle de mère, Dieu comme une femme en travail, Dieu comme une mère qui donne la vie et protège ses enfants. En hébreu, l'équivalent du Saint-Esprit se dit *ruach*, qui est soit masculin, soit féminin. En araméen, c'est *ruacha*, et, cette fois, c'est un mot féminin, sans aucun doute. Mais continuons à comparer les traductions. Voici maintenant une citation de Paul, même si je sais que tu ne l'aimes pas trop. Dans la traduction traditionnelle, on peut lire : « L'Esprit lui-même témoigne que nous sommes les enfants de Dieu. » Et maintenant, lis l'araméen, dit-il en tendant un feuillet à Maureen, qui s'exécuta.

— « Elle, la Ruacha, témoigne que nous sommes les enfants de Dieu. »

— Et pour terminer, dit Peter, regarde cet extrait de l'Évangile de Philippe, qui nous intéresse particulièrement pour notre recherche du Livre de l'Amour :

« Certains disent que Marie était imprégnée de la grâce du Saint-Esprit.

« Mais ils ne savent pas ce qu'ils disent.

« Comment le féminin peut-il imprégner le féminin? »

Peter et Maureen se regardèrent pendant quelques instants. Le passage était lumineux. Maureen finit par rompre le silence.

— Nous sommes devant quelque chose que nous ne soupçonnions pas, Peter. J'ai toujours cru qu'il s'agissait de rendre justice à Marie Madeleine, de faire comprendre l'importance de son rôle, en tant que femme de Jésus, en tant que son successeur, qui a apporté le christianisme en Europe. Et ce n'était déjà pas mal.

— Mais...

— Mais il s'agit peut-être de tout autre chose, d'encore plus essentiel.

— Continue !

— Peut-être Marie Madeleine n'est-elle pas seulement la femme humaine de Jésus, mais également sa femme divine. Il est Dieu et elle est la bien-aimée de Dieu, son autre moitié. Sur la terre comme au ciel.

— Tu veux parler de l'aspect féminin du divin ?

— Oui. Mais pas comme dans les traditions païennes, où la déesse est une entité inférieure. Elle serait un des aspects de Dieu. Son égale. Le visage féminin de Dieu, si tu préfères, qui complète sa moitié masculine. Représentée ici sous la forme du Saint-Esprit.

Peter réfléchissait intensément. Il fouilla dans ses notes.

— Je vais te lire quelque chose de très intéressant : « On a parfois supposé que *Ya-hu*, qui signifie parfaite colombe, était une déesse ancienne, épouse de Dieu, qui lui s'appelait El. Et que le nom que l'on a finalement donné à Dieu est une contraction des deux noms, devenue en fin de compte un nom masculin. » Il y a bien d'autres théories sur l'origine du nom de Yahveh, soyons justes. Et les érudits n'ont pas choisi celle-ci, inutile de te le dire.

— Je m'aperçois depuis quelque temps que ma préférence va d'ordinaire aux théories rejetées par les érudits, dit Maureen en riant. Louis Carpentier, un auteur français ésotérique, a écrit que lorsque l'Histoire et la tradition se contredisent, l'Histoire a toujours tort. Et je suis de son avis. Les traditions qui ont perduré en France et en Italie pendant des milliers d'années me semblent plus dignes de foi que les principes académiques destinés à soutenir les pouvoirs en place, en faisant abstraction de la vérité.

La jeune femme se leva pour ouvrir la fenêtre et laisser entrer l'air du printemps. À sa droite, elle voyait une église dédiée à Marie Madeleine ; à sa gauche, une autre église, consacrée à la Vierge Marie et construite sur les ruines d'un temple dédié à la déesse de la Raison, Minerve pour les Romains, également connue sous le nom de Sophia, la Dame de la Divine Sagesse. Et juste devant elle se dressait l'obélisque d'Isis.

— Notre-Dame, dit-elle soudain.

— Notre-Dame de Paris ? interrogea Peter.

— Non. Notre-Dame, la nôtre. Depuis deux ans, je cherche à prouver que toutes les églises françaises dédiées à Notre-Dame étaient en fait consacrées à Marie Madeleine, n'est-ce pas ?

Peter hocha la tête. Il avait aidé Maureen dans ses enquêtes et tous deux savaient désormais que beaucoup des églises dédiées à Notre-Dame, ainsi que toutes celles qui renfermaient des statues de la Vierge Noire, étaient liées à l'hérésie.

— Mais ce n'est peut-être pas tout ! Si ces Notre-Dame, que ce soient Madeleine ou la Vierge, Isis ou Minerve, ou encore Sophia, n'étaient qu'une seule et même preuve de l'existence d'un aspect féminin de Dieu ? Qu'importe le nom qu'on lui donne, ou sous quels cieux elle se trouve...

Un coup frappé à la porte les interrompit. La réceptionniste, Lara, apportait à Maureen une lettre qu'elle imaginait en relation avec la disparition de son sac et de son ordinateur. Maureen la remercia, et retourna auprès de Peter pour ouvrir le pli. Elle reconnut immédiatement le papier à lettres, celui du message au mystérieux monogramme « Salut, Ichtys ! ».

Genèse 1, 26
Genèse 3, 22
Amor vincit omnia
Destino

— Regarde le numéro de la deuxième référence, Peter ! 3, 22, le 22 mars !

C'était la première chose que Peter avait notée. Depuis que Maureen lui avait raconté son rêve de la nuit précédente, il était obsédé par la « coïncidence » entre la date de naissance de Maureen et celle de Lucia dos Santos.

— Oui, j'ai remarqué.

— Tu connais ce verset ?

— Je ne pourrais pas te réciter la Genèse par cœur, mais je sais que le chapitre 1 est consacré à la Création et le 3, à l'expulsion du jardin d'Éden. J'ai une bible avec moi. Regardons déjà cette version, quitte à étudier les traductions plus anciennes par la suite.

— Alors, commence par le premier chapitre.

Peter le trouva rapidement :

— « Et Dieu dit : "Faisons l'homme selon notre image, à notre ressemblance ; et qu'il domine sur les poissons de la mer et sur les volatiles des cieux et sur les bêtes, et sur toutes les bêtes rampantes qui rampent sur la terre." »

Puis il feuilleta la bible jusqu'à la deuxième référence.

— Ce verset suit le moment où Adam et Ève partagent le fruit défendu. « L'Éternel Dieu dit : "Voici, l'homme est devenu comme l'un de nous, pour la connaissance du bien et du mal. Empêchons-le maintenant d'avancer sa main, de prendre de l'arbre de vie, d'en manger, et de vivre éternellement." »

Maureen rit de bon cœur.

— Je ne sais pas qui est ce Destino, mais je le remercie pour son aide !

— Que veux-tu dire ?

— Dans ces deux passages, Dieu est au pluriel. « Faisons l'homme selon notre image, à notre ressemblance. » « L'homme est devenu comme l'un de nous. » J'avais l'intention de rechercher ce genre de citations, et voilà qu'on me les apporte !

Cette simultanéité n'était pas du goût de Peter, qui craignait que le pourvoyeur ne soit aussi celui qui avait menacé sa cousine.

— Montre-moi la lettre, dit-il.

Avant de lui tendre la feuille, Maureen lut à haute voix la phrase latine.

— *Amor vincit omnia...* L'amour est toujours vainqueur. Comme le dit Matilda dans ses Mémoires. Mais... n'est-ce pas du Virgile ? Jésus citerait un poète latin ? Faut-il croire cela ? Ça me semble un peu énorme...

— Pas tant que ça ! rétorqua Peter, à la grande surprise de Maureen. Je sais, je suis censé représenter la voix de la raison, mais c'est passionnant! Si Jésus a reçu une éducation classique, il a pu entendre parler de Virgile, qui vivait une génération seulement avant lui. On dit souvent que Virgile prédit l'arrivée de Jésus, dans la IVe Églogue notamment, qui annonce la naissance d'un enfant exceptionnel. Faut-il y voir une prophétie messianique? Cependant, cette phrase « L'amour est toujours vainqueur », est universelle, archétypale, pour toutes les générations.

— Ce qui nous ramène au « le temps revient ».

Songeuse, elle s'attarda sur la signature.

— Destino! Cela veut bien dire destin, ou destinée, n'est-ce pas Peter?

— Oui, mais également destination.

Maureen n'eut pas le temps de s'appesantir sur cette nouvelle corrélation avec son rêve. Le téléphone sonna.

Le père Girolamo DiPazzi demandait à voir Maureen d'urgence.

Cité du Vatican

De nos jours

— Connaissez-vous ceci?

Maureen regarda le manuscrit jauni que lui désignait le vieux prêtre et répondit par un signe de tête négatif.

— Regardez de plus près, reprit-il en lui tendant un feuillet. Prenez, et dites-moi ce que vous en pensez.

Maureen sursauta légèrement en saisissant le papier, qui semblait dégager un pouvoir, un mystérieux pouvoir.

— Mais c'est en français! Je ne connais pas assez la langue.

— Aucune importance. Il ne s'agit pas de traduire exactement, mais de ressentir. Essayez.

— Le temps revient, dit doucement Maureen en lisant le premier vers.

— Cela vous dit quelque chose, n'est-ce pas?

Maureen était convaincue d'avoir entre les mains un passage du Libro Rosso, ou pour le moins une ancienne traduction du texte. Mais elle ne pouvait le dire au prêtre, car il aurait alors fallu reconnaître qu'elle possédait le manuscrit de Matilda, et il n'en était pas question. Peter avait beau dire que l'on pouvait se fier au père Girolamo DiPazzi, Maureen n'avait confiance en personne au Vatican. De plus, le prêtre avait insisté pour la voir seule, ce qui l'inquiétait.

— C'est... de la poésie?

Le vieil homme s'efforça de ne pas manifester son irritation.

— Ce sont des prophéties, Maureen.

Les mains tremblantes, Maureen aurait voulu crier : « Oui, je sais! » Elle savait exactement de quoi il s'agissait et qui en était l'auteur.

— Choisi... dit-elle en marmonnant le mot français. Ça parle de choix, et d'amour, souvent. Je connais ce mot-là. Mais c'est tout ce que je comprends, je suis désolée.

— Prenez votre temps, mon enfant, dit le prêtre en lui tapotant la main. Je n'avais pas du tout l'intention de vous brusquer. Tenez, regardez ceci, ajouta-t-il en lui tendant un autre feuillet.

La première phrase était une dédicace au pape Urbain VIII, qu'elle déchiffra sans difficulté. Mais elle s'interrompit brutalement en lisant la ligne suivante : « Les Prophéties de Nostradamus ».

— Nostradamus? demanda Maureen, hésitante.

— Oui, elles ont été attribuées à ce célèbre Français.

Maureen ne pouvait pas laisser entendre qu'elle savait que ces prophéties n'étaient pas du médecin français qui vivait en Provence au XVIe siècle. Mais elle n'eut pas à le faire.

— Pourtant, comme vous le savez, poursuivit Girolamo en lui adressant un clin d'œil complice, ce n'est pas ce fameux Français qui les a rédigées. Réfléchissons encore. Que vous inspirent ces mots, « les prophéties de Nostradamus »?

Il prononça le nom en détachant les syllabes de façon délibérée. Maureen sursauta.

Caché en pleine lumière. Nostra Damus. Notre-Dame. Les prophéties de Notre-Dame.

En traversant la place Saint-Pierre, Maureen appela Tammy sur son portable.

— Nous devons des excuses à Nostradamus, lui dit-elle. Nous le traitions de plagiaire, alors qu'il préservait les prophéties pour les générations à venir. À l'époque de l'Inquisition, il ne pouvait pas annoncer tranquillement qu'il s'agissait des prophéties de la fille de Jésus ! Il les a donc cachées en pleine lumière, à l'abri du nom que sa famille avait délibérément choisi en se convertissant à un Ordre particulier de la chrétienté. Un Ordre avec un O majuscule.

Elle aperçut Peter, qui venait vers elle. Il fallait mettre fin à la conversation.

— Je te rappellerai, Tammy, et je te raconterai en détail.

Le père Girolamo DiPazzi était enchanté. Il savait que Maureen ne lui disait pas tout, mais il avait observé sa réaction. Il aurait la patience nécessaire pour que la jeune femme, si avide de connaissance, se tourne vers lui.

Salerne

1085

Grégoire VII était mourant.

Les dernières années de sa vie avaient mis sa foi à rude épreuve. Si Matilda avait été près de lui, il aurait supporté son sort. Mais ils ne s'étaient pas vus depuis tant d'années. Comme c'était étrange ! Durant leur dernière nuit ensemble, à Rome, ils avaient tous deux conscience qu'ils se séparaient pour toujours. Le tableau que Matilda lui avait fait parvenir de Toscane était sa façon à elle de reconnaître qu'ils ne se verraient plus de leur vivant, en ce temps et en ces lieux. Matilda, la reine guerrière, était aussi une remarquable mystique, dotée de prescience.

Certes leurs âmes étaient jointes pour l'éternité et Matilda s'était montrée la plus fidèle des alliés. Lorsqu'Henri IV avait marché sur Rome, elle avait envoyé tous les hommes dont elle disposait, vendu tout ce qui lui appartenait et engagé des mercenaires venus de toute l'Europe. Elle avait même fait fondre ses bijoux, ne gardant que la bague qui lui avait été offerte pour son seizième anniversaire, et dépouillé ses monastères et ses églises de tous leurs trésors pour soutenir la cause du pape. En deux ans, la comtesse avait sacrifié l'ensemble de ce qui lui appartenait pour défendre l'homme qu'elle aimait et leur cause. Mais cela n'avait pas suffi, et elle avait le cœur brisé.

À l'issue de longs et sanglants combats, Henri avait réussi à déposer le pape et à installer une marionnette de son choix sur le trône pontifical. Rome était en proie au chaos. Grégoire fut contraint à l'exil en la ville de Salerne, où sa famille possédait une propriété, et chercha le soutien de ses alliés normands. Mais Henri régnait désormais d'une main de fer sur son fief italien. Grégoire était incapable d'écrire à sa bien-aimée, il ne pouvait sauver Rome et l'Église du tyran qui se prétendait roi. Il avait perdu toute volonté de continuer et une grave maladie le rongeait.

Il fit venir l'un de ses rares hommes de confiance et lui demanda d'écrire une lettre, et de faire le vœu de la remettre à sa destinataire, avec le seul trésor qui lui restât, une bague en or avec une intaille de saint Pierre. Que ce messager fût courageux et loyal, tel fut le dernier cadeau que reçut sur cette terre le pape Grégoire VII avant de rendre son dernier soupir, le 25 mai 1085.

Ses ultimes paroles, consignées par un scribe, furent : « J'ai aimé la justice et haï l'iniquité. Donc, je meurs en exil. »

Canossa

Juin 1085

Ce fut Conn qui annonça la mort de Grégoire à Matilda. Elle n'en fut pas surprise, elle l'avait sentie, au jour et à l'heure près.

— On ne perd pas la moitié de son âme sans en avoir conscience dans tout son corps. Je le pleure depuis des semaines, bien avant que l'on soit au courant à Canossa.

Conn hocha la tête. Il avait été longtemps absent, pour affronter de nombreux conflits militaires, et regrettait de ne pas avoir été près d'elle pour lui apporter un peu de réconfort. Matilda se comportait en reine, qui a perdu son roi mais qui sait qu'elle a envers son peuple des obligations auxquelles elle ne peut se soustraire.

— Un messager a apporté un paquet pour toi, Tilda. Il vient de Salerne.

C'était miraculeux ! Traverser Rome et la Toscane en ces temps troublés était presque impossible. Il avait sûrement fallu une intervention divine pour que le messager de Grégoire arrivât sain et sauf. Elle prit le paquet des mains de Conn et l'ouvrit lentement, en remerciant le ciel pour cet ultime instant en compagnie de son bien-aimé.

Dans le colis, elle trouva le tableau d'elle et de son fils qu'elle avait fait parvenir à Grégoire des années auparavant. Et une lettre, dans laquelle Matilda s'abîma.

« Ma bien-aimée, ma parfaite, ma colombe,

« Comme tu me manques, comme j'ai souffert d'être loin de toi durant cette terrible période ! Dieu nous a imposé de nombreuses épreuves, mais nulle n'a été plus difficile pour moi que de ne pouvoir te dire à quel point m'ont comblé ta fidélité, tes dons et tes sacrifices à notre cause, à notre vision de l'amour et de l'égalité. Je sais le tribut que toi et ton peuple avez payé. Je prie plusieurs fois par jour pour que Dieu prenne soin de toi et que ta foi t'apporte la paix.

« Mon temps sur cette terre s'achève ; quand tu recevras cette lettre, j'aurai sans doute rejoint ton père et ta mère au ciel. Avant de mourir, je tiens à te rendre ce portrait, pour la simple raison qu'il m'a aidé à survivre pendant mon exil. L'image de ta force, la promesse que représente Guidone m'ont donné de l'espoir quand il ne m'en restait plus aucun, grâce au souvenir de ta beauté et de la nature sacrée de notre amour. Ce portrait est mon bien le plus cher, je ne veux pas qu'il se perde. Toi, tu sauras ce qu'il a signifié pour mon cœur et mon esprit durant les années où je l'ai possédé.

« Pour toi, mon amour, voici mes derniers mots : ne pleure pas mon départ. Fête-le. Car, désormais, je serai près de toi chaque jour, sans que rien ni personne sur cette terre ne puisse m'en empêcher. Et je lutterai à tes côtés pour la vérité et la justice.

« *Semper.* Toujours. »

Conn était resté près de Matilda pendant qu'elle lisait. Lorsqu'il vit que son corps entier se convulsait, il s'écarta, sachant qu'il lui fallait être seule pour laisser libre cours à son chagrin. En s'éloignant, il entendit les sanglots déchirants qui résonnèrent sur les vieilles pierres de la forteresse. Jamais, de toute son aventureuse vie, Conn n'avait entendu quelque chose d'aussi bouleversant que les dernières larmes de Matilda.

Je te le dis, en vérité, il n'y a que deux commandements destinés aux hommes et aux femmes de tous les temps :

Aime Dieu, ton Créateur qui est au ciel, de tout ton cœur et de toute ton âme.

Aime ton prochain comme toi-même, et sache que tout homme, toute femme est ton prochain et qu'en l'aimant tu aimes Dieu. Tant d'humains parcourent la terre dans la quête de Dieu, sans comprendre qu'ils le regardent en face chaque jour de leur vie, car le divin est en chacun de nous.

Si l'humanité obéissait à ces deux commandements, il n'y aurait ni guerres, ni injustice, ni souffrance. Ce ne sont pas des lois de sacrifice, mais des lois d'amour.

Comme elle est simple, la volonté de Dieu !

À toi, qui as des oreilles pour entendre.

**D'après le Livre de l'Amour
tel que rapporté dans le Libro Rosso.**

Chapitre 16

Mantoue

1091

L'odeur métallique du sang emplissait les narines de Matilda. Elle évitait de respirer, pour ne pas s'effondrer. Les troupes d'Henri avaient décimé presque toute la Toscane ; elles avaient volé, ravagé, brûlé avec une violence inouïe. La ville d'enfance de Matilda était dévastée, méconnaissable. Le sang ruisselait dans les rues et les dépouilles de ses chers Toscans étaient exposées, mutilées, devant les ruines fumantes de leurs demeures ; par familles entières, des grands-parents aux nourrissons, ils étaient devenus les symboles de la haine furieuse d'Henri, bien décidé à faire de la dernière place forte de Matilda la victime ultime de sa déloyauté envers le roi.

Si elle nourrissait encore le moindre doute, ce qu'elle allait voir le dissiperait à coup sûr.

Escortés par une petite troupe de leurs hommes les plus valeureux, Matilda et Conn arpentaient les rues de la ville, à la recherche d'éventuels survivants. Ils approchaient d'une grande propriété, au fermage élevé, que Matilda connaissait. Elle appartenait à l'une de ses cousines éloignées, une Lorraine nommée Margarethe, que Matilda, trop souvent éloignée par ses devoirs, n'avait pas pris le temps de connaître assez. Elle le regrettait en ce jour, constatant qu'on profitait trop rarement des occasions d'amour ou d'amitié qui se présentaient.

Sa cousine et son époux avaient été de fidèles soutiens, comme Béatrice n'avait manqué de le lui dire durant des années. En se rapprochant de la demeure, Matilda se remémorait les paroles de sa mère, au sujet de la loyauté des amis. Curieusement, Henri et ses troupes n'avaient pas incendié la maison. La porte était enfoncée, les traces de vandalisme et de vol étaient manifestes, mais les murs étaient intacts, ce qui étonnait Matilda. Pourquoi la demeure avait-elle été épargnée? Elle voulut y entrer, dans l'espoir d'y trouver un signe de vie. Conn, toujours soucieux de sa sécurité, insista pour la précéder.

Même pour Conn, guerrier endurci, le spectacle était insoutenable. Deux femmes, apparemment Margarethe et sa fille, étaient attachées comme du bétail, nues, la gorge tranchée. Les deux victimes, dont la plus jeune ne paraissait guère avoir eu plus de dix ou onze ans, étaient violemment contusionnées au niveau des hanches, ce qui portait un abominable et silencieux témoignage du sort que leur avaient fait subir des hommes qui avaient perdu leur humanité. Conn se retourna pour empêcher Matilda d'entrer, mais il était trop tard. Le souffle court, les yeux fixés sur le carnage, elle sanglotait ouvertement. En dépit de son angoisse, ou peut-être à cause d'elle, elle ne manqua pas de remarquer que les deux malheureuses avaient les cheveux roux.

— Prie avec moi, Conn. Prions pour nos sœurs, pour que leur âme repose en paix dans les cieux et qu'elle ne connaisse plus jamais de souffrances.

Conn hocha la tête, mais la voix qui s'éleva n'était pas la sienne; elle était basse, rauque, et provenait d'un coin sombre.

— Moi, je prierai avec vous.

Matilda sursauta; par réflexe, Conn mit la main à son épée, mais aucun des deux ne fit le moindre pas.

Un homme surgit de l'obscurité, courbé, brisé. Un homme qui avait été le fier et fort seigneur du domaine, mais que la violence infligée à sa famille avait détruit.

En regardant ses yeux, Matilda comprit que son esprit était aussi ravagé que son corps. Ou, plus exactement, en regardant l'un de ses yeux, car l'autre avait été énucléé par un poignard germain.

**

L'homme, Ugo Manfredi, fut porté jusqu'à Canossa sur une litière et les cadavres des deux femmes, enveloppés dans un linceul, emportés sur un chariot, pour être enterrés de façon décente. Matilda s'occupa elle-même d'Ugo, de son corps blessé comme de son esprit. En reprenant peu à peu des forces, il raconta le cauchemar qu'il avait vécu aux mains des soldats d'Henri.

Les hommes avaient encerclé la demeure et enfoncé la porte à coups de pied. Il n'avait pas eu le temps de mettre sa famille en sécurité. Les femmes s'étaient cachées sous des matelas, mais un homme les avait aperçues dans un champ, la veille, et il s'évertuait à les trouver, car il se souvenait d'elles, à cause de la couleur inhabituelle de leur chevelure, et parce que leur chef attribuait une récompense à ceux d'entre eux qui fournissaient ce genre de trophées. Ugo rappela à Matilda que sa femme était une Bouillon et que son père était venu en Toscane au service de Boniface, alors qu'elle n'était qu'une enfant. Matilda l'écoutait, horrifiée.

Ugo avait été fait prisonnier le premier. On le somma de déclarer sa loyauté, soit à la putain toscane, soit au roi de droit divin Henri. Ugo était un vrai Toscan, et n'aurait jamais commis un parjure, ni surtout renié la femme qui avait assuré paix et prospérité à son pays, à l'instar de son père. Il déclara donc que sa loyauté allait à Matilda, conscient de la mort qui l'attendait. Mais ils ne le tuèrent pas. Ils le rouèrent de coups, et le laissèrent vivant. Ce qu'il regretta par la suite. Ugo s'interrompit plusieurs fois, submergé par l'horreur indicible de ce qu'il avait vécu.

Lorsque sa femme et sa fille eurent été découvertes, elles furent déshabillées et attachées, puis le chef de la troupe vint les inspecter. Ce dernier, d'un rang manifestement élevé, demanda aux deux femmes de prêter serment d'allégeance à Henri. Mais la femme d'Ugo se considérait comme une loyale parente de la bienfaisante comtesse. Elle refusa de jurer, imitée par sa fille. Les larmes ruisselèrent sur les joues du malheureux au souvenir du courage de la petite fille revendiquant sa fidélité à Matilda.

Le chef fit son affaire, puis les jeta en pâture à ses hommes, au nombre de quinze. Tous n'avaient pas envie de violer les femmes, mais le chef insista. Manifestement terrorisés par leur chef, les soldats obéirent. Pendant tout ce temps, Ugo fut contraint de rester dans la pièce et d'assister au supplice de sa femme et de sa fille.

Dieu, dans sa pitié, fit que les deux femmes perdirent connaissance bien avant d'avoir la gorge tranchée. Ugo était certain que sa fille était morte sous les coups des viols répétés, car le chef avait parlé d'emmener la fillette pour la soirée, mais avait changé d'avis après l'avoir examinée. Il ordonna de saigner les deux femmes comme des cochons, et de marquer Ugo de telle façon qu'il témoignât à la face du monde de ce qu'il en coûtait d'être fidèle à Matilda.

L'infâme s'était dressé devant Ugo, lui avait craché au visage et déclaré :

— Je te laisse la vie afin que tu délivres un message à ma garce de cousine. Dis à la putain de Toscane que je saccagerai toutes les villes qu'elle dit lui appartenir, et toutes les femmes qui lui sont fidèles. Jusqu'à ce qu'elle rampe à mes genoux pour implorer mon pardon. C'est la seule raison pour laquelle je ne te coupe pas la langue, traître.

Puis le chef impérial qui avait violé et tué la famille Manfredi ordonna à ses hommes d'éborgner Ugo et sortit de la demeure, avide de nouveaux carnages.

Sa cible suivante était tout aussi personnelle et il se réjouissait de la mettre à sac en personne : il s'agissait du monastère de San Benedetto Po, le sanctuaire de Matilda, son Orval du Sud et un monument à la gloire de la famille de Boniface. Le lui arracher serait doux comme le miel.

Quelque mille ans avant la naissance de Notre-Seigneur, il y avait en France une gravure représentant une femme berçant un enfant. Les païens de ces lieux avaient reçu une grande prophétie, une révélation apportée par les druides : une jeune femme parfaite donnerait naissance à un Dieu, et ce Dieu apporterait la lumière et la vérité au monde. Ces païens étaient les Carnutes, qui donnèrent leur nom à la ville qui fut alors fondée : Chartres.

On attribuait à la sculpture, gravée dans le tronc creux d'un poirier, au sommet d'un petit monticule considéré comme sacré, des pouvoirs magiques. Ce monticule s'élevait au-dessus de ce que les Carnutes appelaient la wouivre, un puissant courant d'énergie purificatrice qui sourdait ici même des profondeurs de la terre. Pour les Carnutes, la wouivre était l'artère vitale du sang qui irriguait la planète. On venait alors de toute l'Europe pour sentir passer dans ses veines le courant qui stimulait la part divine de tout homme et de toute femme. L'expérience était inexplicable, mais inoubliable. L'esprit s'éveillait, et les êtres humains s'accomplissaient en leur destin d'anthropos.

Accentuant encore la sainteté du lieu, un puits aux profondeurs insondables s'enfonçait dans la terre, empli des eaux de la Femme qui était la Terre. La Sainte Mère de Tout ce qui Est était ici vénérée depuis aussi longtemps que l'on pût s'en souvenir de mémoire d'homme. Pour les Carnutes, elle s'appelait Belusama, l'épouse et l'égale de Dieu – nommé Belen. Son nom était une référence à l'équinoxe de printemps, lorsque la durée du jour et celle de la nuit sont exactement les mêmes, lorsque le jour et la nuit vivent en totale harmonie.

Belen avait à ses côtés une sœur épouse, sœur parce qu'elle était l'autre moitié de son âme, épouse parce qu'elle était sa bien-aimée. Belusama. Belen, disait-on, régnait sur le ciel et sur l'air, et Belusama sur la terre et sur la mer. Le dieu du Ciel couvrait la déesse terre en une naturelle et *parfaite union. Ensemble, ils formaient le tout. Des terres leur étaient dédiées, nombreuses, et il faut savoir que la région où est située Chartres et où sourdait la wouivre magique porta longtemps le nom de l'épouse de Dieu. Dans les temps anciens, on l'appela Belusama, puis la Belusa et elle en vint, avec l'évolution de la langue, à prendre son nom d'aujourd'hui, la Beauce. Ainsi dans l'étymologie ancienne appelait-on Chartres « la terre sacrée des Carnutes qui vivaient dans la région sacrée de la Mère de Tout ce qui Est, la Beauce ».*

La gravure dans le poirier sacré représentait-elle Belusama, la parfaite épouse de Dieu qui créerait une nouvelle vie sous la forme d'un enfant humain ? Cela sans doute, et autre chose encore. Elle représentait le divin principe féminin en création, et le représentera toujours.

Elle est le visage féminin de Dieu.

La légende de la terre sacrée de Chartres et la Beauce
telle que rapportée dans le Libro Rosso.

Canossa

1091

Le Libro Rosso était à l'abri à Canossa ; le Maître se trouvait également en sécurité à San Benedetto Po et s'occupait de l'éducation du fils de Matilda quand Henri avait entamé sa marche sur Mantoue. Les membres de l'Ordre eurent le temps de préserver ce qui restait de leurs objets les plus précieux, ceux qui n'avaient pas été fondus et vendus pour financer la défense de feu Grégoire VII. L'enfant de Matilda et plusieurs des frères trouvèrent refuge dans les collines au sud de Florence, où un nouvel ordre avait été fondé des décennies auparavant par un saint moine du nom de Giovanni Gualberto. L'ordre, appelé Vallombrosa, était constitué de bénédictins de stricte obédience reconnus par l'abbé de Cluny comme les plus saints des frères. Ainsi, Henri n'osa pas s'en prendre à eux et le monastère de Vallombrosa, déclaré territoire neutre, devint le refuge des frères de Matilda.

Vallombrosa acquerrait par la suite les biens de la Santa Trinita, le monastère de Florence où Matilda avait été instruite des enseignements de l'Ordre. Quatre siècles plus tard, l'importance du soutien financier de la comtesse et des enseignements sacrés de l'Ordre apparaîtrait en pleine lumière, car le mouvement de la Renaissance allait voir le jour dans le sein de la Santa Trinita.

Matilda avait passé la matinée à rédiger à l'attention de la Santa Trinita un document légal qui garantirait la survie financière de l'Ordre de Rome au cas où elle viendrait à mourir. Elle avait mobilisé pour ce faire toutes ses connaissances en matière juridique, et s'en trouvait épuisée. Mais elle n'avait guère le temps de se reposer alors que son peuple et ses territoires étaient en grand danger, et, sitôt l'encre sèche, elle posa sa plume et s'en fut à la recherche de Conn pour envisager les stratégies militaires possibles. Henri IV avait dévasté San Benedetto Po, et mis à sac toute la ville de Mantoue. Il ne leur restait que Canossa, dont il fallait assurer la sécurité.

Un soldat dit à Matilda qu'il avait vu Conn s'éloigner en direction de la chapelle. Elle se fit la remarque que son ami y passait de plus en plus de temps depuis les massacres de Mantoue, et partit le rejoindre.

Conn était agenouillé devant le Libro Rosso, avec le Maître. Elle attendit sans faire de bruit devant la porte ouverte et entra lorsque les deux hommes se relevèrent.

Le Maître devait désormais être très vieux, mais il n'y paraissait guère. Un peu fatigué, certes, mais en très bonne forme physique pour un homme de son âge. Quant à son esprit, il n'avait rien perdu de sa vivacité.

— Entre, ma chère enfant, entre.

Matilda plia le genou devant la statue de Jésus-Christ et de sa bien-aimée Marie Madeleine avant de déposer un baiser sur la cicatrice du Maître. Puis elle regarda Conn, qui avait l'air d'un enfant pris en faute.

— Les deux hommes que j'aime le plus, dit Matilda en souriant, avant de poursuivre, laissant poindre sa curiosité : Mais que peuvent-ils bien faire ensemble ?

Le Maître regarda Conn, qui devint aussi rouge que les cheveux de Matilda.

— Avant de t'annoncer la décision qu'a prise le Maître, et moi aussi, il faut que je te raconte une histoire, petite sœur.

C'était tout à fait Conn, de raconter des histoires aux moments les plus cruciaux. Cette réponse n'étonna guère Matilda, bien qu'elle soupçonnât que cette histoire serait différente de toutes les autres. Le Maître les laissa seuls dans la chapelle.

Après plus de vingt années de loyaux services, Conn des Cent Batailles, du nom de l'antique guerrier celte, allait enfin raconter à Matilda l'histoire de son voyage jusqu'en Toscane.

Conn, né et baptisé sous le nom de Conchobar Padraic McMahon, vit le jour dans la province de Connacht et quitta l'Irlande à l'âge de quinze ans après une invasion nordique qui décima son village.

Trois ans plus tôt, il était entré volontairement dans un monastère où il se consacrait à l'étude de la langue et de la religion. C'était sa raison de vivre et, comme il était l'un des sept fils de la famille, son père avait vu d'un très bon œil sa vocation de moine : cela faisait une bouche de moins à nourrir. Au moment de l'invasion nordique, Conn était en mission quelque part dans le Nord, afin de rapporter l'encre et les parchemins dont les novices avaient besoin pour leur travail d'enluminure. Il était donc absent lorsque éclata le violent orage porté par les Scandinaves.

Presque tous les Vikings avaient été jetés hors d'Irlande par le grand roi Brian Boru, en 1041, mais les impitoyables guerriers venus du nord s'abattaient encore parfois sur certaines régions, notamment au bord des fleuves, qui offraient d'excellentes possibilités de fuite à leurs navires. Ce fut lors d'un de ces raids le long de la Shannon que la ville natale de Conn fut mise à sac, et la majorité de ses habitants fut massacré, y compris ses parents, et ses sœurs et frères.

Le monastère où vivait Conn fut également pillé et réduit en cendres. Les moines, qui étaient devenus sa deuxième famille, furent taillés en pièces. Désormais, Conn était orphelin, et ne put soutenir plus longtemps le spectacle de son village dévasté et du monastère incendié. De ses propres mains, il enterra sa famille et les moines, puis décida de quitter l'Irlande. Lui qui ne rêvait que de solitude et de connaissance n'était pas homme à demeurer dans un pays où se déchaînaient sporadiquement de telles violences.

En se remémorant les années heureuses passées au monastère, Conn se souvint d'un moine venu de Gaule, l'homme le plus savant et le plus sage qu'il eût jamais rencontré, doux et aimable comme l'étaient rarement les érudits. Conn avait aimé tous les moines de son monastère, même le père abbé, qui le battait lorsqu'il le surprenait plongé dans les récits de la mythologie païenne celte de la bibliothèque. Mais ce moine franc était le premier saint homme qu'il eût connu. Il lui avait affirmé ne pas avoir de nom et lui avait parlé de son éducation reçue à Chartres, où se trouvait une école unique dans le monde. Durant de longues nuits, tandis que les moines dormaient depuis longtemps, Conn avait écouté les discours manifestement hérétiques du Franc, sans être pour autant choqué par les opinions de l'étranger. Il était fasciné, et reconnaissait une sorte de vérité dans les révélations surprenantes du savant.

Le visiteur parla à Conn d'un nommé Fulbert, l'évêque de Chartres et l'inspirateur de la grande école liée à la cathédrale. Lorsque celle-ci avait été entièrement détruite par un incendie, peut-être criminel, Fulbert l'avait reconstruite dans un pur style roman. Pour ce faire, il avait engagé les meilleurs ouvriers et leur avait demandé d'apporter tous leurs soins à la crypte sacrée, sous la cathédrale. Elle abritait un puits que l'on disait le plus saint de la planète, ainsi que la gravure de Notre-

Dame dans le tronc du poirier sacré, que l'on appelait désormais Notre-Dame de Sous la Terre.

Le moine franc l'entretint des enseignements des Grecs, notamment Platon et Socrate, et d'une méthode appelée la dialectique, l'un des arts libéraux reconnus. La dialectique consistait à discuter en opposant des arguments qui amenaient les hommes à réfléchir et à analyser la proposition et la contre-proposition. Grâce à cette méthode, le plus doué des étudiants de Fulbert, Bérengar de Tours, prendrait sans doute la suite de Fulbert lorsque celui-ci disparaîtrait. Cet homme allait devenir célèbre dans l'Histoire par son incessante bataille avec l'Église; il s'opposait à la doctrine de la transsubstantiation, selon laquelle le pain et le vin de l'Eucharistie devenaient le corps et le sang du Christ après leur consécration. Il prétendait que le processus en question était purement spirituel et non physique, et s'appuyait sur les premiers Pères de l'Église et sur un mystérieux texte pour accréditer sa croyance.

Ce document, que le Franc nommait le Livre de l'Amour, obséda littéralement Conn. Le moine murmura à Conn que ce livre était de la main de Notre-Seigneur en personne et qu'il avait été apporté en Gaule par Marie Madeleine, après la Crucifixion. Ses descendants l'avaient jalousement préservé pendant un millénaire. Mais le climat religieux avait changé, il était devenu moins tolérant, plus dogmatique, et ces enseignements secrets étaient soudain apparus comme un danger. Les disciples du Livre de l'Amour, de purs chrétiens connus sous le nom de cathares, furent contraints de se cacher et de trouver des moyens clandestins de poursuivre leurs enseignements. Cette hérésie survécut en Beauce grâce au néoplatonicisme et à la renaissance de la philosophie grecque. Les principes controversés du christianisme des débuts furent habillés du manteau de la pensée grecque pour être enseignés comme une connaissance et non une hérésie.

Ce fut au cours de l'un de ces dialogues que Bérengar de Tours avança pour la première fois son opinion sur la transsubstantiation. Pour l'expliquer à Conn, le Franc lui récita un passage du Livre de l'Amour :

« Qu'est ma chair ? Ma chair est le Verbe, la Vérité du discours.

Qu'est mon sang ? Mon sang est le Souffle, l'exaltation de l'esprit qui anime la chair.

Celui qui reçoit le Verbe et le Souffle mangera, boira,
Car le pain est ma chair et c'est le Verbe de Vérité ;
Car le vin est mon sang et c'est le Souffle de l'Esprit. »

Conn, touché par ces versets certes hérétiques, mais magnifiques, comprit soudain que Jésus parlait peut-être de la chair et du sang, du pain et du vin, en tant que métaphores.

Par contre, l'Église n'y voyait rien de magnifique. L'indignation venue de Gaule et de Rome faillit détruire Bérengar de Tours, qui fut emprisonné par le roi pour hérésie et passa le reste de sa vie à lutter contre les autorités ecclésiastiques.

Conn rêvait du jour où il pourrait rencontrer des hommes comme celui-là, qui prenait tous les risques au nom de la vérité et de la sagesse. Il avait fait le vœu de se rendre un jour à Chartres, et c'est ce qu'il décida de faire après le massacre des siens perpétré par les Vikings. Peut-être trouverait-il dans cette école la paix à laquelle il aspirait.

Le jeune homme prit la route du sud et vendit les encres et papiers à un monastère de Tralee pour payer sa traversée jusqu'en Gaule. Ensuite, il irait à Chartres, à pied s'il le fallait. Il pria Dieu de le pardonner d'avoir utilisé les biens du monastère et jura de faire de bonnes actions, en signe de repentance. C'est ainsi qu'il parvint sur le pas de la porte de la cathédrale de Fulbert, reconstruite depuis peu à la suite de l'incendie qui avait ravagé l'édifice originel du IXe siècle, lui-même bâti sur un site considéré comme sacré depuis des milliers d'années.

Conn étudia à Chartres pendant près de dix ans jusqu'à devenir un spécialiste du néoplatonicisme, de la langue et de la philosophie grecques, de tous les aspects de la théorie et de la doctrine religieuses et de l'histoire de l'Europe. Mais ce fut l'hérésie qui s'empara de son esprit et y prit racine. Les enseignements du Livre de l'Amour devinrent la raison d'être de Conn. Ils n'étaient pas destinés à tous, et faisaient partie de la mystérieuse école rattachée à celle, plus classique, de la cathédrale. Pour y être admis, il fallait s'en montrer digne par de bonnes actions et un ardent désir de sagesse. Conn, élève exceptionnellement doué, devint un maître en la matière en un temps record.

Apprendre les mystérieuses voies du labyrinthe était essentiel au sein de l'école. Conn en parcourait les onze cycles chaque jour, avant de commencer à étudier. À cette époque, le labyrinthe ne se trouvait pas dans l'enceinte de la cathédrale, mais dans un jardin, et était construit en pierre, selon le dessin tracé par Salomon. Les initiés priaient en son centre. Ce fut en ce lieu, à l'ombre de la cathédrale, que Conn eut la vision qui allait bouleverser le cours de sa vie.

Michel Archange, le messager de la lumière triomphant de l'obscurité, portait sa flamboyante épée de vérité et de justice tandis qu'il flottait au-dessus du labyrinthe et de Conn. L'ange lui dit son nom, Miche El, celui qui est semblable à Dieu. Puis Conn vit une petite fille de dix ou onze ans, aux cheveux roux et à l'énergie vitale extraordinaire, agressée par des forces inconnues. Michel brandit son épée pour disperser les ténèbres qui menaçaient la fillette. Puis il se tourna vers Conn et s'adressa à lui :

— Écoute ta promesse. Tu protégeras cette enfant, la fille de Dieu, par-dessus tout et aussi longtemps que ce sera nécessaire. Tu deviendras son frère et son chevalier protecteur ; tu seras pour elle ce que je suis pour toi, un ange de lumière qui vainc les ténèbres. Ne t'y trompe pas, c'est le combat du bien contre le mal, et tu seras appelé à combattre le mal.

« Cette enfant t'attend en Toscane. Rends-toi à Florence, où vit le duc de Lorraine, et viendra le jour où tu seras appelé pour lutter contre le mal.

Conn était stupéfait. La vision était si claire, le message si pur, qu'il ne pouvait qu'obéir. Il avait consacré dix années de sa vie à l'étude de la spiritualité dans l'attente de recevoir un tel signe. Mais il n'était pas fait pour une vie de guerrier, pas lui ! Bien que de haute stature et athlétique, il n'avait aucune envie de devenir soldat. Pourquoi Dieu ne lui permettait-il pas de rester à Chartres, et d'enseigner le jour venu ? Pourquoi était-ce son seul désir, si ce n'était pas sa destinée ? Selon le Livre de l'Amour, les aspirations humaines ne devaient rien au hasard, elles étaient le reflet de l'âme et rappelaient à chacun qu'il avait à accomplir sa promesse. Lui qui rêvait de paix et de solitude, on lui annonçait qu'il devrait faire la guerre ? alors qu'il aimait Chartres de tout son cœur et ne souhaitait rien d'autre que de vivre et mourir à l'ombre de la cathédrale bénie et de son école de la sagesse ?

Conn mettrait plusieurs années avant de trouver la réponse à ces questions. En vérité, cela faisait partie des enseignements, car il est vrai que l'on découvre souvent le sens et les raisons de certaines choses longtemps après leur avènement.

C'était sa promesse, il la tiendrait. Mais avant de devenir le valeureux chevalier qui défendrait la princesse, il devait apprendre les arts de la guerre. Ainsi devint-il un mercenaire, afin d'acquérir le savoir et l'expérience des plus grands capitaines du continent. Après avoir gagné le surnom de Conn des Cent Batailles, il estima qu'il était prêt à se mettre au service de Matilda, à Florence, où il s'engagea auprès du duc Godefroi. Il surveilla de loin la petite comtesse, jusqu'au jour où le duc vint lui demander de devenir son maître d'armes.

Son récit achevé, Conn sanglotait. Il dit à Matilda combien il l'aimait, qu'elle était sa sœur de cœur et d'esprit et que la défendre était la tâche la plus sacrée et la plus honorable dont il eût pu rêver. Puis il continua son récit, et elle comprit pourquoi il pleurait.

Conn allait la quitter pour entamer la deuxième phase de sa destinée et concrétiser son rêve le plus précieux. Il retournait à Chartres, et emmenait le Maître avec lui. Ensemble, ils mettraient le Libro Rosso en lieu sûr, hors de portée d'Henri pour toujours.

En l'honneur des traditions de Lucques concernant le Volto Santo, on construisit pour le Libro Rosso un chariot en tous points identique à celui sur lequel la Sainte Face avait traversé l'Italie. Matilda offrit les deux bœufs blancs qui tireraient le chariot où seraient déposés l'Arche de la nouvelle alliance et son précieux contenu. Les voyageurs auraient à affronter maints périls en traversant ces régions du Nord ravagées par la guerre. L'Arche fut recouverte d'une simple caisse en bois, afin d'en dissimuler les dorures et les pierres précieuses. Une cache fut aménagée dans le chariot, sous un faux plancher, afin d'y dissimuler le Libro Rosso, et une autre « relique » fut inventée : un artiste peignit une copie du voile de Véronique, de sorte qu'apparût en filigrane sur la soie blanche le visage du Christ, et elle fut placée dans l'Arche. Au cas où ils seraient arrêtés par des troupes germaniques, ils raconteraient l'histoire du voile sacré et prétendraient qu'ils l'emporteraient hors d'Italie pour le mettre à l'abri à l'abbaye de Cluny. En dépit de leur barbarie, il était improbable que des soldats germains agressassent des moines transportant une si sainte relique. En outre, ils quittaient l'Italie, ils n'y entraient pas.

Pour donner la dernière touche à son apparence de moine, Conn se rasa la tête. Lorsque Matilda le vit ainsi, elle comprit qu'il partait, et se jeta dans ses bras en pleurant. Conn lui caressa les cheveux et lui fredonna une chanson en celte, pour la dernière fois.

— Je ne te quitte que provisoirement, petite sœur. Rappelle-toi, le temps revient, et tu sais que les familles d'esprit ne sont jamais séparées. Nous nous reverrons bientôt, à la grâce de Dieu. Ne t'inquiète pas, tu seras bien protégée. Arduino est meilleur stratège que je ne l'ai jamais été, et le plus grand capitaine de toute l'Italie. Si quelqu'un peut t'aider à reprendre les terres qu'Henri t'a volées, c'est lui. Et tu as un nouveau chien de garde, désormais, n'est-ce pas ?

Conn parlait d'Ugo Manfredi, le mari de la cousine de Matilda. Une fois guéri, Ugo avait passé beaucoup de temps avec Conn. Sa vie de fermier l'avait aguerri. Et il était intelligent. Une telle combinaison faisait de lui un excellent guerrier, sans peur, car il n'avait plus rien à perdre. Et il était entièrement dévoué à la comtesse toscane, qui avait de ses mains pansé son œil meurtri.

Matilda n'en voulait pas à Conn, bien au contraire ; elle était heureuse que le Libro Rosso et le Maître jouissent de la meilleure des protections. Elle tendit un petit paquet à Conn.

— Emporte-la avec toi. Elle m'accompagne depuis que je suis née, j'ai toujours senti qu'elle me protégeait. Maintenant, elle vous protégera tous les deux.

Conn ôta le tissu qui recouvrait la ravissante petite statue de sainte Modesta. Les larmes aux yeux, il murmura :

— Modesta. Nous rentrons tous les deux chez nous.

Matilda prit la main libre du géant celte et récita le poème sacré dédié à toutes les formes de l'amour :

— Je t'ai aimé dans le passé
Je t'aime aujourd'hui
T'aimerai encore dans l'avenir
Le temps revient.

Il le reprit avec elle, et ils le récitèrent ensemble, pour la dernière fois de leur vie sur cette terre, en pleurant à chaudes larmes.

Chapitre 17

Cité du Vatican

De nos jours

Désormais, lorsqu'elle entrait dans la basilique, Maureen avait un but : rendre hommage à une femme dont elle avait entendu parler ici pour la première fois et qu'elle avait l'impression de connaître de façon personnelle, la miraculeuse, l'exaltante, l'immense comtesse toscane, Matilda de Canossa.

L'autobiographie de Matilda s'achevait avec le départ de Conn et du Maître pour Chartres. Ensuite, il semblait qu'elle avait perdu tout intérêt pour les détails de sa vie. Grégoire était mort, son guide spirituel et son meilleur ami se trouvaient en France, Anselmo était mort, lui aussi, et Isobel dirigeait l'Ordre à Lucques. Elle continua cependant de combattre Henri, au nom de la Toscane et surtout pour soustraire le trône pontifical à l'influence séculière. Elle le fit parce qu'elle avait pris un engagement, vis-à-vis de Dieu, d'elle-même et de son peuple.

Il y avait dans le journal de Matilda quelques notules sur des événements, telle celle qui retint l'attention de Peter.

« Une lettre de Patricio. Il quitte Orval et se rend à Chartres. »

La raison de ce départ n'était pas évoquée, mais il était bien évident que la Lorraine était devenue un séjour périlleux pour les alliés de la comtesse.

Peter se lança dans une recherche sur la vie ultérieure de Matilda, afin de satisfaire la curiosité de Maureen pour la comtesse toscane. Elle voulait absolument savoir si justice avait enfin été rendue à cette femme d'exception, et Peter fut heureux de lui apprendre qu'elle avait finalement gagné sa guerre contre Henri, dont l'épouse et le fils rejoignirent le camp de Matilda pour échapper à la tyrannie du roi. Ce dernier avait exercé de telles violences à l'encontre de sa femme qu'elle fit appel à la justice pour obtenir réparation. Selon certains documents, la reine Adélaïde, une princesse d'origine russe, avait demandé asile à Matilda pour ne plus avoir à subir les abominables penchants sexuels d'Henri, dont des orgies et des messes noires.

Cet aspect de la vie de Matilda frappa Maureen. La comtesse était une icône des droits de la femme, des siècles avant que le terme n'existe. Elle avait sans doute été la première femme à exiger un contrat de mariage préalable à l'union, et la première aussi à accueillir une épouse victime de violences conjugales et à la protéger, même contre un roi.

Lentement, soigneusement, selon la stratégie d'un maître des échecs, Matilda reconstruisit la Toscane. Avec le temps, elle recouvra sa puissance et sa richesse et s'attaqua alors aux possessions italiennes d'Henri. Durant l'automne 1092, revêtue de sa légendaire armure de cuivre, Matilda conduisit son armée contre les troupes de son cousin, qui occupaient depuis trop longtemps la région de Canossa. Selon les documents historiques, elle fit montre d'une stratégie militaire d'une grande ingéniosité. Avec Ugo Manfredi et Arduino della Paluda, elle défit les Germains. Après avoir récupéré leur base d'opérations, les Toscans ne mirent que trois années à éliminer toute présence germanique des anciens territoires de Matilda, qui régna sans opposition durant le reste de sa longue vie.

Elle était désormais en mesure de soutenir la cause du nouveau pape, entièrement dévoué à la mémoire de

Grégoire, ardent défenseur de l'indépendance de Rome et farouche opposant à l'ingérence royale dans les questions d'ordre spirituel. Sa vie durant, elle entretint de cordiales relations avec ce pape, nommé Pascal II.

Pascal... Maureen remarqua bien entendu la similarité entre leurs deux noms. Décidément, cette histoire regorgeait de connexions inattendues.

Ainsi, se disait Maureen en approchant de la tombe de Matilda, cette femme magnifique était-elle représentée avec la tiare papale et les clés de saint Pierre, car elle avait gouverné en compagnie de son bien-aimé. Ensemble, ils représentaient Salomon et la reine de Saba, peut-être Jésus et Marie Madeleine, El et Asherah. Ils étaient l'incarnation de leur saint concept : « Le temps revient. »

Le Bernin, le grand maître du baroque à qui s'adressa Michel-Ange, le descendant de Matilda, le savait. Il créa la somptueuse sculpture pour que subsiste la vérité, dans le marbre, pour ceux qui ont des yeux pour voir.

L'art sauvera le monde.

Maureen caressait le marbre froid, en étudiant une scène de la vie de Matilda gravée sur le devant de la tombe. Auparavant, cela n'aurait pas eu de sens pour elle. On voyait la comtesse de Canossa et Henri à ses pieds, implorant son pardon. Le pape Grégoire VII occupait le centre de la scène, et Matilda se tenait auprès de lui comme elle l'avait toujours fait au cours de leur vie mouvementée.

L'histoire de Matilda captivait Maureen, car elle était, sous bien des aspects, la première femme moderne.

Surtout, elle avait toujours tenu ses promesses, n'avait jamais cessé de lutter pour les réformes que Grégoire avait essayé d'imposer. Mille ans plus tard, ces réformes connues sous le qualificatif de grégoriennes étaient considérées comme fondamentales pour l'Église.

Elle avait consacré sa vie au peuple de Toscane, à sa prospérité, avait bâti et restauré des lieux de connaissance dans toute l'Italie, avait réussi à faire canoniser le bon Anselmo, et avait lancé la construction de ponts et de somptueux édifices, décorés par des artistes de peintures, de mosaïques et de sculptures ; en fait, elle avait été la première mécène de Toscane, préfigurant ainsi les protecteurs des arts de la Renaissance. En outre, Matilda avait insisté pour que les artistes signent leurs œuvres, car elle pensait que la postérité devait se souvenir du nom de ceux qui avaient créé tant de beauté.

À Lucques, elle avait imaginé et financé un pont sur le Serchio, qui faciliterait les voyages et le commerce. Elle l'avait appelé ponte della Magdalena et il était bien digne du nom de la grande dame et de son héritage. Il était formé de demi-cercles qui semblaient émerger du fleuve. Si on le regardait de loin, les demi-cercles se reflétaient dans l'eau pour former des cercles parfaits.

Et Matilda de Canossa n'avait jamais cessé d'enseigner le Chemin de l'Amour. Elle avait initié son peuple à la tolérance et à l'égalité, à une époque où ces mots n'existaient pas. Elle était un personnage épique, unique.

Elle était, tout simplement, Matilda, par la grâce du Dieu qui est.

Lorsque le premier homme, Adam, agonisait, il pria l'archange Michel de lui rendre visite sur son lit de mort. Michel, dont le nom signifie Celui qui est semblable à Dieu, accéda à son désir et déclara qu'il était disposé à satisfaire sa dernière volonté. Adam demanda que lui fût donnée une graine de l'arbre de vie, symbole de la sainte mère Asherah, afin de posséder toute sa sagesse et de connaître les réponses aux mystères de la vie sur terre avant de la quitter ; et peut-être, mais peut-être seulement, ses propriétés divines le sauveraient.

Michel exauça son vœu et posa une graine directement dans la bouche d'Adam. Mais, en l'avalant, le premier homme trépassa. Au lieu de le sauver, l'arbre de vie l'avait tué. C'était trop de connaissances pour un seul homme. Adam fut enterré, et, au printemps suivant, une jeune pousse d'arbre fendit la terre et émergea de la graine qui se trouvait dans sa bouche ; l'arbre grandit et prospéra pendant plusieurs siècles avant d'être abattu à coups de hache par des hommes ignorants qui ne croyaient ni en son pouvoir ni en sa sainteté. Le bois de l'arbre servit à construire un pont qui enjamberait les eaux et permettrait d'atteindre Jérusalem.

En se rendant pour la première fois au royaume de Salomon, Makeda, reine de Saba, traversa ce pont au dernier jour de son voyage. On dit qu'elle s'aperçut immédiatement que ce pont avait été construit avec un bois spécial. Le bois l'appela, et lui déclara qu'il avait été l'arbre de vie, avant que des hommes dépourvus de sagesse ne le détruisissent. La beauté d'Asherah, qui avait été un élément vital et vivant de cette terre, avait été saccagée par des ignorants.

La reine de Saba s'agenouilla et vénéra ce bois; elle comprenait qu'il avait été dotée d'un don divin. Mais sa tristesse devant une telle perte était si lourde qu'elle se mit à pleurer. Lorsque ses larmes tombèrent sur le bois, la sagesse si longtemps enfermée lui fut accordée et elle eut une vision envoyée par Dieu qui lui annonça la venue d'un nouvel Ordre, d'une nouvelle alliance et d'un nouveau Messie, issu de la lignée de David et de Salomon. Le monde en serait changé. Hélas! sa vision comportait une part de tragique. Le Messie de lumière serait tué à cause de ses belles croyances, sur le bois même sur lequel elle était agenouillée.

Lors de son union avec Salomon, Makeda lui raconta sa vision. Il s'en alarma et crut que Dieu la lui avait envoyée pour qu'ils prissent des précautions afin de sauver le descendant de la prophétie. Il fit détruire le pont, et le bois fut enterré à l'extérieur de Jérusalem. Salomon, dans sa foi, espérait que, une fois rendu à la terre, l'arbre de vie prospérerait à nouveau. Si cela ne se produisait pas, peut-être éliminerait-il ainsi la possibilité qu'il fût utilisé pour détruire le futur saint homme. Ainsi en alla-t-il, et le bois resta sous terre pendant quatorze générations.

Durant le règne de Ponce Pilate, le bois fut découvert par hasard par des soldats qui creusaient des tombes destinées aux juifs insurgés. Les soldats rapportèrent le bois à Jérusalem, et on s'en servit pour fabriquer la croix sur laquelle Notre-Seigneur connut son fatal destin.

Le destin d'un homme ne peut être évité, lorsqu'il est écrit dans les étoiles.

On dit aussi que l'endroit où Salomon et la reine de Saba se rencontrèrent pour la première fois deviendrait le lieu exact du Saint-Sépulcre. On pourrait croire qu'il y a sur cette terre des endroits prédestinés, choisis par Dieu.

À toi, qui as des oreilles pour entendre.

La légende de la vraie Croix, première partie, telle que rapportée dans le Libro Rosso.

Rome

De nos jours

Bérenger et Maureen se dirigeaient vers leur hôtel, main dans la main. Le Panthéon étincelait sous les projecteurs, la fontaine bruissait doucement, des vendeurs ambulants proposaient des jouets animés et des souvenirs bon marché aux touristes que n'avaient pas effrayés les prix exorbitants des médiocres restaurants de la piazza. Maureen avait vite appris qu'il suffisait de s'écarter de quelques pas des lieux les plus célèbres de Rome pour déguster une cuisine délicieuse, sans le prix à payer pour la vue sur les monuments. Ce soir-là, ils avaient dîné sur une piazza tranquille, dédiée à Marie Madeleine. Un magnifique portrait de leur Dame se dressait au coin de la place, enchâssé dans un camée.

La piazza du Panthéon était aussi animée en cette belle nuit de printemps que le sont la place de l'Opéra à Paris ou Times Square à New York. Ils trouvèrent le calme dans le hall de leur hôtel, où le portier interpella Maureen, pour lui remettre un paquet déposé à son intention quelques instants plus tôt, de la taille d'une boîte à chaussures et enveloppé de papier d'emballage.

Méfiant, Bérenger interrogea le portier :

— Avez-vous vu la personne qui l'a apporté ?

— C'était un coursier. J'ai signé le reçu.

Maureen le remercia et prit le colis, espérant qu'il renfermait au moins son précieux carnet de notes, car, pour l'ordinateur, il était trop petit. En attendant l'ascenseur, la journaliste et Sinclair l'examinèrent. Un mot était griffonné à la main sur le papier kraft : DESTINO.

— Mais qui est ce type, bon sang ? s'exclama Bérenger, qui n'aimait pas la tournure que prenait l'énigme, même s'il ne voulait pas inquiéter Maureen.

Bérenger était un homme habitué aux responsabilités et à la prise de décision. Ce jeu, dont il ne contrôlait ni les règles ni les joueurs, l'agaçait prodigieusement.

— Il en sait trop sur nos allées et venues. Il connaît votre histoire. Il sait aussi des choses sur moi, manifestement. Et...

— Et il sait de quoi je rêve ! Comment est-ce possible ?

Ils posèrent le colis sur le lit et s'assirent de part et d'autre pour l'ouvrir. En écartant le papier d'emballage, Maureen laissa échapper un petit cri.

Elle s'était coupé le doigt avec le papier et elle saignait. Et sa douleur était complètement disproportionnée avec l'insignifiance de la coupure. Elle se leva pour aller se laver les mains et maintint une serviette sur l'entaille jusqu'à ce que le sang cesse de couler. Elle retourna ensuite près de Bérenger, pour finir d'ouvrir le paquet. Il embrassa doucement son doigt, et vérifia que la coupure n'était pas trop profonde.

À l'intérieur, il y avait deux autres boîtes, plus petites, et adressées l'une à Maureen et l'autre à Bérenger.

— Ouvrez d'abord la vôtre, dit Maureen à Bérenger en lui tendant celle qui portait son nom, de la taille d'un écrin à bijou.

L'étui renfermait en effet quelque chose de précieux : un petit reliquaire en argent, ovale, dont le haut glissait tel un couvercle, et qui portait l'empreinte d'un sceau si ancien et si abîmé qu'il était impossible de deviner ce que représentait l'image. On distinguait cependant de minuscules étoiles, visibles dans une sorte de cercle.

Bien que plus petit que l'ongle du pouce de Maureen, le couvercle de l'écrin était très détaillé et très bien

conservé : c'était une miniature de la scène de la Crucifixion. Devant la croix, Marie Madeleine, agenouillée,
ses longs cheveux défaits, s'accrochait aux pieds de son
bien-aimé agonisant. Le seul autre élément était un
temple à colonnes de style grec, perché au sommet de la
colline. Il ressemblait à l'Acropole d'Athènes, le temple
élevé à la gloire de la force et de la sagesse féminines.

Bérenger le reconnut immédiatement.

— C'est le temple qui symbolise l'élément Sophia dans
la spiritualité, dit-il. La connaissance féminine divine.
Les artistes affiliés à la lignée l'ajoutaient à leurs tableaux
de Marie Madeleine, pour signifier qu'elle était la gardienne du savoir, comme l'ont été depuis des siècles les
sociétés secrètes de notre tradition. Les temples dédiés
à Sophia sont faciles à reconnaître, car leur toit est rond,
pour symboliser les courbes féminines.

Maureen hocha la tête. Au cours de ses recherches,
elle avait vu de nombreuses représentations italiennes
de la Crucifixion aux configurations similaires. Certains
artistes peignaient le temple en ruine pour symboliser la
perte de la sagesse féminine divine dans la spiritualité
de leur époque.

Bérenger retourna l'écrin, pour en extraire la relique
elle-même, minuscule, presque invisible, mais bien présente : un éclat de bois, maintenu en place par une sorte
de résine, et incrusté au centre d'une fleur dorée. Un
tout petit morceau de papier portait une inscription,
d'une écriture malhabile : *V. Croise.*

Ils connaissaient tous les deux cette abréviation, et
relevèrent ensemble la tête pour dire d'une même voix :

— La vraie Croix.

En temps normal, et même jusqu'à la semaine précédente, Bérenger Sinclair aurait haussé les épaules devant

une prétendue relique de la vraie Croix, de provenance inconnue. Mais les derniers événements récents et la présence de Maureen à Rome avaient gommé son scepticisme. De plus, la taille minuscule de la relique plaidait en sa faveur. Si un faussaire l'avait fabriquée pour la vendre, il l'aurait rendue visible à l'œil nu.

Soudain, Maureen sursauta.

— Qu'y a-t-il ?

Le reliquaire, qu'elle tenait dans sa main ouverte, était tombé sur le lit. Bérenger se pencha pour le prendre

— Sentez, dit Maureen.

— Il est chaud ! s'exclama Bérenger.

Maureen hocha la tête. Le métal s'était réchauffé peu à peu au contact de sa paume, jusqu'à devenir si brûlant qu'elle l'avait lâché.

Il refroidissait progressivement. Bérenger le remit dans la boîte.

— Bérenger... Regardez... Ma coupure. Elle a disparu !

Elle avait pris le reliquaire de sa main blessée, et lui montra son doigt. La coupure d'un centimètre de long, qu'ils avaient tous les deux vue de leurs yeux, avait disparu.

Bérenger ne dit rien. Puis il saisit le feuillet de papier à lettres qui leur était devenu familier, au mystérieux monogramme, un A majuscule entrelacé à un E à l'envers, et lut à haute voix ce qui était inscrit :

Ceci appartint un jour à un autre Prince Poète, le plus grand qui ait jamais vécu. Tu es chargé de revêtir sa cape. Fais-le de ton mieux, et Dieu te récompensera comme l'a promis la prophétie.

Amor vincit omnia,
Destino

Pour la première fois depuis qu'elle le connaissait, Maureen vit Bérenger en total désarroi. Il était livide et paraissait hanté.

Elle lui prit doucement la main.

— Que se passe-t-il ?

Il se baissa et baisa les doigts de Maureen pour atté-nuer le coup qu'allait porter son refus de répondre.

— Il y a quelque chose qu'il faut que je vous dise. Mais je ne peux pas encore le faire. Regardons l'autre objet contenu dans cette boîte de Pandore.

Maureen prit sur elle de ne pas insister afin de res-pecter la volonté de Bérenger. De plus, elle aussi était curieuse de voir ce que contenait le paquet qui lui était destiné et en sortit un deuxième écrin, plus grand, et tapissé d'un satin bleu indigo où reposait un ancien médaillon de cuivre martelé. Bérenger l'identifia sans hésiter.

— C'est le labyrinthe de la cathédrale de Chartres.

Au verso était gravée une phrase en français :

Marie a choisi la meilleure part, et personne ne la lui enlèvera.

— Luc, 10, 22, reconnut Maureen sans hésiter. Tous les disciples de Marie Madeleine connaissaient ce pas-sage par cœur. Marthe se plaint d'avoir à accomplir toutes les tâches domestiques, alors que Marie reste assise aux pieds de Jésus, et l'écoute. Jésus répond alors par cette phrase énigmatique.

« Mais qu'est-ce que cela signifie ? s'étonna Maureen. Ce ne peut pas être à interpréter à la lettre, n'est-ce pas ?

— Sûrement pas ! C'est inscrit au verso du labyrinthe de Chartres, et en français. Lisez la suite.

— « Le Livre de l'Amour est à la cathédrale de Chartres. Telles sont ta destinée et ta destination, le 21 juin. Fenêtre 10. »

Maureen ne tenta pas de dissimuler le choc qu'elle ressentit alors. La suite de cette révélation était encore plus troublante.

Suis le chemin qui a été tracé pour toi, et tu trouveras ce que tu cherches. Ensuite, tu le partageras avec le reste du monde pour accomplir ta promesse. Notre vérité est restée trop longtemps dans les ténèbres.

Amor vincit omnia,
Destino

C'étaient les mêmes paroles que lui avait adressées Jésus dans ses rêves sur le Livre de l'Amour. L'auteur de cette lettre, Destino, était-il un messager de la divine providence ou le voleur qui lui avait dérobé son ordinateur et son calepin, et s'en servait pour la bouleverser?

Après le sacrifice de Notre-Seigneur sur la croix, en le Sombre Jour du Crâne, Joseph d'Arimathie, Luc et Nicodème réunirent tous les objets reliés à son destin. Les bras de la croix, les clous, les épines et l'inscription de Ponce Pilate furent remisés dans la propriété de Nicodème, à la garde de l'ordre du Saint-Sépulcre qui les dissimula dans une grotte souterraine. Après la Résurrection, le linceul sacré qui avait enveloppé le corps de Jésus fut également caché par l'Ordre dans cette même grotte, scellée par des blocs de roche si lourds qu'il fallait quatre hommes forts pour les ébranler. Le pouvoir de ces reliques était tellement intense que ne pouvaient y être exposés n'importe quel homme ou n'importe quelle femme.

Les plus sacrées de toutes étaient les bras de la croix, car le bois renfermait toute l'histoire de notre peuple. Il incarnait l'esprit d'Asherah et symbolisait la persécution de tous ceux qui voudraient réinstaurer son règne et celui de la vérité, venue à nous sous la forme de Notre-Seigneur, pour nous montrer le Chemin de l'Amour, qui est le Chemin de El et Asherah.

Seuls les membres de l'Ordre, la famille et les disciples de toujours avaient accès aux reliques une fois par an, en commémoration du sacrifice de Notre-Seigneur, du jour du Vendredi saint au jour béni de la Résurrection.

Lorsque saint Luc se rendit en Italie, il dressa une carte pour les frères de l'ordre du Saint-Sépulcre en Calabre, afin qu'ils connussent le lieu exact de la cache des reliques. Jérusalem était en proie au désordre, et Luc craignait que les reliques ne fussent en danger, ou oubliées par les générations futures si les survivants de l'Ordre étaient contraints à l'exil. En fait, en l'an 70, le vil Titus détruisit le Temple de Jérusalem et s'efforça d'éradiquer tant les juifs que les premiers chrétiens. Certains fuirent pour sauver leur vie, d'autres moururent au combat, et les reliques furent abandonnées.

Deux siècles plus tard, la carte dressée par saint Luc fut offerte à la mère de l'empereur Constantin en signe de reconnaissance pour sa générosité et son soutien à l'Ordre. Sainte Hélène enrôla un groupe de nobles guerriers et de convertis pour entreprendre un voyage en Terre sainte afin d'y retrouver les trésors de notre peuple. Grâce à la carte de Luc, et au grand X gravé à l'extérieur, les membres de l'expédition purent localiser la grotte qui renfermait le trésor. Le X est depuis utilisé pour marquer les lieux du trésor qui apporte la lumière. En plus des reliques de la Passion, ils trouvèrent la crèche qui avait abrité le Seigneur et Sa sainte fille lorsqu'ils étaient enfants.

Les reliques sacrées furent transportées à Rome où la grande dame les mit à l'abri. Cependant, en l'honneur de ceux qui les avaient préservées, des morceaux de la Croix furent offerts aux dirigeants de l'ordre du Saint-Sépulcre de Lucques, de Rome et de Calabre. Ce sont les objets les plus saints et les plus puissants de l'histoire de l'humanité. Les bois de la croix furent divisés en minuscules éclats et remis aux familles d'Italie qui perpétuaient les enseignements du Chemin. Ces fragments renfermaient la sagesse d'Asherah, le souffle d'Adam, les larmes de la reine de Saba et le sang de Notre-Seigneur.

Les non-croyants mettront en doute l'authenticité de telles reliques, mais ceux qui connaîtront le bonheur de prendre en main le plus infime fragment de la vraie Croix n'oublieront jamais cette sainte occasion. Car il possède de miraculeux pouvoirs de guérison, et ne doit être placé qu'entre les mains de qui en est digne.

À toi, qui as des oreilles pour entendre.

La légende de la vraie Croix, deuxième partie, telle que rapportée dans le Libro Rosso.

Chapitre 18

Cité du Vatican

De nos jours

Maggie Cusack interrompit le travail de Peter pour lui apporter un paquet, déposé à son intention par un coursier qui avait insisté sur l'urgence de le lui remettre. Elle quitta la pièce en secouant la tête. Il n'y avait pas d'adresse d'expéditeur, mais un simple nom, Destino.

Peter déballa le paquet sans savoir que Maureen et Bérenger, sur l'autre rive du Tibre, avaient eux aussi reçu leur cadeau. Peter découvrit une petite statue de madone à l'enfant en bois très sombre. Bien que de facture assez rudimentaire, la madone siégeait sur un trône, couronnée, avec une attitude autoritaire. Elle tenait dans sa main droite le globe symbolisant la domination de la terre. L'enfant bénissait de la main. Sur le socle de la statuette était inscrit « Notre-Dame de Montserrat », et au dos on pouvait lire la devise latine : *Nigra sum sed formosa.*

Peter reconnut le vers chanté par la reine de Saba dans le Cantique des cantiques : « Je suis noire, mais je suis belle », qui justifiait l'adoration de la Vierge noire qui se perpétuait dans toute l'Europe.

La carte qu'il déchiffra ensuite ne contenait qu'une seule ligne de texte :

POURQUOI ÊTES-VOUS DEVENU JÉSUITE ?

Peter réfléchit quelques instants à la question posée. Non pas : Pourquoi êtes-vous devenu prêtre, mais : Pourquoi êtes-vous devenu jésuite ? Et cette madone était particulière. C'était la madone de Montserrat, un monastère perché dans les montagnes au nord de Barcelone où Peter s'était rendu plusieurs fois. Comme beaucoup de frères, il avait emprunté le funiculaire pour gravir la rude pente menant au monastère. Les membres de son ordre considéraient le lieu comme sacré, pour plusieurs raisons. La principale était que le fondateur de l'ordre des Jésuites, Ignace de Loyola, avait eu la révélation de la foi ici même, et sous le regard de cette Vierge noire.

Je suis noire, mais je suis aimable, ô filles de Jérusalem.
Ainsi chante la Sulamite dans le Cantique des cantiques. Car elle est la fiancée du printemps, la représentante humaine de la grâce d'Asherah. Elle partage ses secrets avec les femmes de Jérusalem et les accueille. Celles qui entrent deviennent des prêtresses de la tradition nazaréenne, c'est-à-dire la tradition cachée. On les désigne du nom sacré de Marie. La plus parfaite de ces femmes, en sagesse et en grâce, reçoit le titre de Magdalène, et les autres Marie la vénéreront.
Le noir est la couleur de sa sagesse, car elle a été obscurcie et cachée sous un voile, rendue invisible aux non-initiés.
Un jardin clos, telle est ma sœur, mon épouse.
Une source tarie, une fontaine scellée.
Ma bien-aimée est la Madone noire, la dame cachée. Mais elle a choisi la meilleure part, elle est l'incarnation de

la compassion, elle est la Consolation. Mon épouse est enfermée dans ce jardin clos, sa source de sagesse est scellée par les hommes ignorants au cœur détourné de l'Esprit-Saint, de la colombe sacrée. Tant qu'elle ne sera pas libérée, il n'y aura pas de paix sur terre.

Telle est l'Apocalypsia qui approche, et qui dit, littéralement, le dévoilement de l'épouse. Pour être sauvés, nous devons en comprendre le sens, et souhaiter sa venue.

Le voile doit être levé et le visage de l'épouse révélé. Car elle est Asherah, la bien-aimée de El, qui revient à travers les temps sous différentes formes, pour s'unir à son époux. Elle est Saba, elle est Marie Madeleine, et elle est toutes les femmes qui défendent l'harmonie dans l'union entre le masculin et le féminin, sur la terre comme au ciel.

> Ô toi, ma colombe qui es dans les fentes de la roche
> Qui es cachée au plus haut des montagnes,
> Laisse-moi te voir, laisse-moi t'entendre
> Car ta voix est douce et ta beauté délicieuse.

Il appartient aux hommes qui veulent servir Dieu de tout leur cœur, de toute leur âme et de tout leur esprit de soulever ce voile. Il nous appartient de permettre à l'Épouse de faire entendre sa voix, qui est la mélodie de l'union, et de montrer sa beauté. Nous devons nous éveiller dans notre corps terrestre, car en ce corps tout existe. Que l'Épouse nous éclaire et partage avec nous sa sagesse.

> Je dormais, mais mon cœur était éveillé;
> J'ai entendu la voix de ma bien-aimée, qui frappait.
> Ouvre-moi, ma sœur, mon amour, ma colombe, ma parfaite.

Le Cantique des cantiques, le présent que nous firent Salomon et Saba, est le salut de l'humanité. Il exalte la réunion de Notre Père et Notre Mère au ciel grâce à l'union de leurs enfants sur terre. Il renferme les précieux germes de la sagesse et de l'amour.

Ma bien-aimée est à moi, et je suis à elle.
Elle a choisi la meilleure part
Et personne ne la lui enlèvera.

Le chant de Salomon et de la reine de Saba
tiré du Livre de l'Amour
tel que rapporté dans le Libro Rosso.

Rome

De nos jours

À cette heure, bien après minuit, la piazza della Rotonda avait recouvré sa tranquillité. Les marchands ambulants avaient remballé leurs marchandises et les touristes regagné leurs chambres d'hôtel. De temps en temps, quelques couples de jeunes gens traversaient la place mais le calme régnait. Bérenger et Maureen s'étaient assis sur le bord de la fontaine, au clair de lune, tournant le dos à l'obélisque. Bérenger avait choisi ce lieu et ce moment pour s'expliquer.

— Qu'avons-nous appris en cheminant sur le sentier magique où nous guide Magdalène? Beaucoup de choses, certes, mais la plus importante, à mes yeux, est l'harmonie, ou l'équilibre.

Maureen l'écoutait attentivement.

— Réfléchissez-y un instant. Sarah-Tamar, la parfaite fille de deux êtres parfaits, nous a légué une prophétie que vous connaissez bien, et qui fait partie de votre vie. Des femmes surgiront dans le cours de l'Histoire pour perpétuer la vérité de notre peuple. C'est la légende de l'Élue, qui intègre la philosophie du temps qui revient. Maintenant, permettez-moi de vous poser une question. S'il existe une telle prophétie concernant les femmes, que devrait-il y avoir pour assurer l'équilibre?

Maureen n'avait pas besoin d'y réfléchir. Elle était parvenue à la même conclusion, mais désirait l'entendre de sa bouche.

— Il devrait y avoir la même prophétie concernant un homme, dont la tâche serait la même.

Bérenger lui sourit. Il n'était pas étonné de sa réponse.

— En effet, dit-il. On l'appelle la prophétie du Prince Poète, et elle émane aussi de Sarah-Tamar.

— Voulez-vous me la réciter ?

Il hocha la tête, inspira profondément et la déclama de sa voix aux intonations écossaises. Maureen en eut des frissons dans le dos.

— Le Fils de l'Homme choisira
Le temps du retour du Prince Poète.
Lui, qui est l'esprit de la terre et des eaux,
Né du royaume complexe de la chèvre de mer
Et de la lignée des bénis.
Lui qui engloutira l'influence de Mars
Et exaltera l'influence de Vénus
Pour incarner la victoire de la grâce sur la violence.
Lui, qui inspirera les cœurs et les esprits
Pour éclairer le sentier divin
Et montrer le Chemin.
Tel est son destin, et aussi de connaître un grand amour.

Bérenger regarda Maureen dans les yeux en récitant le dernier vers et tous deux terminèrent la récitation de la prophétie à l'unisson :

— À toi, qui as des oreilles pour entendre.

Ils se laissèrent un instant envelopper par le silence, puis Maureen l'interrogea sur la chèvre de mer.

— Le Capricorne, expliqua Bérenger. Ce n'est pas une vulgaire chèvre, comme peuvent l'imaginer ceux qui ne connaissent pas grand-chose à l'astrologie, mais une créature mythique, l'esprit de la terre et des eaux.

— La version masculine de la sirène ? La sirène est l'un des symboles d'Asherah, elle est devenue celui de la lignée.

— Exactement ! La prophétie précise aussi d'autres éléments astrologiques. Une prédominance des planètes dans les signes de terre et d'eau. Comme l'Élue, le Prince

Poète doit répondre à certains critères de naissance et de sang.

Très émue par l'impact de cette révélation, Maureen ne put que murmurer :

— Vous répondez à tous ces critères, n'est-ce pas ?

— En effet.

— Et je suppose que, comme l'Élue, vous avez été précédé par des frères qui ont accompli leur promesse. Dans son petit mot, Destino prétend que votre relique de la vraie Croix a appartenu au plus grand des Princes Poètes.

— C'est exact. Et je me demande duquel il veut parler. Je parierais pour René d'Anjou, qui fut roi de Naples et de Jérusalem, ainsi que comte de Provence. Il est connu dans l'Histoire sous le nom du « bon roi René », la quintessence du prince des contes de fées, le mentor et le bienfaiteur de Jeanne d'Arc. Et sa fille, Marguerite d'Anjou, fut une Élue, ainsi qu'une femme très puissante. Elle est devenue reine d'Angleterre, et le principal soutien des Lancaster durant la guerre des Roses.

— Vraiment ? Il y aurait donc eu deux Élues à la même époque ? Jeanne et Marguerite ? Quelle chance a eu ce roi René !

Bérenger éclata de rire.

— C'est vrai ! Et je voudrais souligner un autre aspect : chaque Prince Poète de la prophétie a été entouré de femmes de tête, qui ont modifié son point de vue et le cours de sa vie.

— Cela voudrait dire que les Élues et les Princes Poètes vivent toujours à la même époque ?

— On dirait bien ! Néanmoins, leurs relations sont de divers ordres : ils peuvent être père et fille, frère et sœur ou sans liens de parenté, bien que de même inspiration spirituelle. Mais les plus légendaires sont des amants. Et je pense que ce n'est pas un hasard. Dieu nous montre à sa façon que l'amour divin peut prendre différentes formes. Ce qui compte, c'est la famille d'esprit.

— Qui est, je suppose, indispensable pour accomplir les tâches et les promesses ?

— En effet. Et, au xve siècle, les tâches étaient nombreuses. C'est une grande période historique, une période où s'est incarné le concept de « Le temps revient ». Dieu ne voulait courir aucun risque !

— Qui fut le Prince Poète de l'époque ?

— Laurent de Médicis, le mécène de la Renaissance.

— Vraiment ? Je n'aurais jamais imaginé qu'il était des nôtres !

— Il fallait qu'il le soit, pour inspirer des hommes comme Botticelli ou Michel-Ange ! Mais j'avoue que j'en sais beaucoup plus sur la branche française de la famille. Destino nous en apprendra peut-être davantage, puisque, apparemment, nous le rencontrerons, lui ou quelqu'un d'autre, le jour du solstice d'été.

Ils en avaient discuté avec Peter, et s'étaient mis d'accord pour aller ensemble à Chartres et pour demander à Tammy et à Roland de les y rejoindre. S'ils étaient tous réunis, les risques que surviennent de malheureux événements seraient moindres. Leur nombre garantirait leur sécurité. Car Bérenger Sinclair n'oubliait pas que ce Destino imitait sa façon d'agir. N'avait-il pas, deux ans auparavant, donné rendez-vous à Maureen dans une église parisienne, à la même date ? Quelle que soit son identité, Destino en savait long sur leur histoire, et c'était aussi intrigant qu'inquiétant.

— Pourquoi ne m'avez-vous pas parlé plus tôt de cette prophétie vous concernant ?

— J'attendais que le moment soit venu. Destino m'a forcé la main. Mais je suis heureux qu'il l'ait fait. Et que vous soyez au courant me soulage. Je n'ai plus ce triste sentiment de vous cacher quelque chose.

Maureen, très remuée, n'arrivait pas à parler. Ses yeux pleins de larmes étincelaient telles des émeraudes sous le clair de lune.

Bérenger prit ses deux mains et les caressa doucement.

— Donc, ma chère Élue... je veux que vous sachiez que je comprends tout ce que vous ressentez, et tout ce que vous êtes. Je sais ce que c'est de vivre dans l'ombre d'une si puissante prophétie.

— Quand avez-vous su, pour le Prince Poète ?

— Je l'ai toujours su. Et j'ai été traité en trésor vivant dès l'enfance, notamment par mon grand-père. C'est pourquoi j'ai passé tellement de temps en France, alors que mes frères et sœurs restaient en Écosse. Alistair m'a surveillé de près jusqu'au jour de sa mort, pour voir ce que j'accomplirais, et si je remplirais ma promesse.

— Il devait être très fier de vous.

— Je ne sais pas ! Je n'ai jamais fait grand-chose, de son vivant. Et aujourd'hui encore, je ne sais pas précisément ce qu'on attend de moi. Mais, depuis notre rencontre, il m'arrive de penser que je serai peut-être capable d'accomplir ma destinée.

Bérenger s'interrompit un instant, bouleversé comme il ne l'avait jamais été et submergé par un mélange d'émotions. Quand il se fut ressaisi, il poursuivit :

— Je sais, Maureen, vous devez penser que je vous bouscule, mais il faut que vous sachiez pourquoi. En temps normal, je suis un homme très prudent, et circonspect. Mais, avec vous, cela m'est impossible. Quand je vous regarde, quand je vois ce qu'il y a dans vos yeux, je contemple celle que j'ai attendue si longtemps. Dans cette vie, et les autres. Cela fait peut-être des centaines ou des milliers d'années que je vous attends, vous, et vous seule. Et c'est une certitude absolue.

Ce fut à travers ses larmes que Maureen répondit d'une voix étranglée.

— Je suis désolée. Je vous impose des épreuves difficiles alors que vous avez été si patient avec moi. Et... je crois que j'ai dormi pendant très longtemps.

Il prit doucement le menton de Maureen dans sa main et leva vers lui son visage.

— Il est temps de vous éveiller, ma Belle au bois dormant. Ma colombe.

Ils étaient au-delà des mots. Maureen se pencha vers lui, pour accepter son baiser. Au milieu de cette piazza, protégés par la fontaine d'Isis, ces amants de la prophétie et des écritures s'abîmèrent dans la chaleur de la *nashakh*, le baiser sacré. Leurs âmes se confondirent tandis que se mêlaient leurs souffles. Ils n'étaient plus deux ; ils n'étaient plus qu'Un.

Ils n'auraient pu trouver un lieu plus approprié que la Ville éternelle pour cet apogée...

***

Le lendemain matin, Peter se leva tôt pour affronter la journée qui l'attendait. Il savait où ses pas le mèneraient, même s'il ne savait pas pourquoi. Il se rendrait à l'église de Saint-Ignace, située à quelques centaines de mètres à peine de l'hôtel de Maureen. Curieusement, il éprouvait la sensation qu'il y trouverait quelques réponses.

Le prêtre avait passé presque toute la nuit à faire des recherches sur Montserrat, et sur la Vierge noire. Ce qu'il avait découvert était troublant, et prouvait qu'un changement de perspective modifiait le sens des connaissances que l'on possédait depuis toujours. C'était à la fois intéressant et déconcertant. Il se souvenait très bien de nombreux détails sur Montserrat, qui ne l'avaient en rien frappé par le passé. Alors qu'aujourd'hui...

À l'instar de Chartres, Montserrat avait été un lieu de culte bien avant la chrétienté. Les peuples de l'Antiquité lui reconnaissaient un pouvoir extraordinaire. Depuis l'époque des premiers chrétiens, c'était devenu un site religieux dédié à Marie, et le monastère érigé sur les lieux avait pris le nom de Sainte-Marie. Le plus étonnant, pour Peter, fut d'apprendre que, selon la légende, Marie en personne y aurait accompli de nombreux miracles. Or nulle part dans l'histoire du christianisme on ne trouvait la moindre allusion à un séjour de la mère de Jésus en Espagne; tandis que la légende regorgeait de traces de Marie Madeleine en cette contrée, qui se trouvait au sud du pays de l'hérésie. Peter ne pouvait en tirer qu'une seule conclusion. Les miracles dont on avait gardé la trace à Montserrat étaient l'œuvre de Marie Madeleine. Le lieu et le monastère lui étaient consacrés, et c'était son image qui était gravée dans le bois.

Au Moyen Âge, le monastère était un centre de formation et d'éducation pour les fils de grandes familles de France et d'Italie, ainsi qu'un centre culturel où se rendaient fréquemment les rois et les membres de l'aristocratie. Peter avait consulté les noms qui étaient inscrits dans les archives du monastère : d'une part, ils constituaient l'élite européenne ; d'autre part, les familles en question étaient toutes liées aux plus célèbres des clans hérétiques de l'époque. Depuis deux ans qu'il travaillait sur le sujet, il avait appris à les reconnaître.

On parlait souvent de Montserrat comme du mont du Graal et, selon certaines légendes, le château du Graal de l'épopée de Perceval était situé sur ces pics abrupts et désolés. Cette affiliation au Graal, et la notion que le vase contenant le sang du Christ était une métaphore de l'épouse du Christ et de ses enfants accréditaient la thèse selon laquelle Montserrat était resté un lieu sacré pour les descendants de Marie Madeleine et les adeptes de son enseignement. *Leur* enseignement. Mieux encore : on mentionnait, en parlant de Montserrat, un fameux livre rouge, que l'on nommait alors *Llibre Vermell*, un recueil de chants sacrés écrit en 1399 et relié en rouge foncé quelques siècles plus tard, afin de le protéger. L'histoire lui attribue une origine légendaire : celle d'un livre mystérieux conservé à Montserrat et connu des seuls initiés.

Une ancienne statue de Notre-Dame de Montserrat, appelée par les gens de la région « la Morenita », la brunette, était au cœur de la légende. Alors que les documents officiels la dataient du XIIᵉ siècle, on prétendait en Catalogne que cette sculpture de Notre-Dame avait été créée au Iᵉʳ siècle, par Nicodème ou par saint Luc, et que le monastère avait été érigé autour, car la statue était si lourde que même plusieurs hommes ne pouvaient la déplacer. À l'instar de l'œuvre d'art préférée de Matilda, le Volto Santo, Notre-Dame de Montserrat avait élu domicile et refusait obstinément d'en changer.

Une autre similitude entre la Sainte Face de Lucques et Notre-Dame de Montserrat frappa Peter. L'Église niait leur authenticité et affirmait qu'elles étaient des copies d'œuvres du Moyen Âge. Cela, sans la moindre preuve de ce qu'elle avançait. À l'époque de Matilda, par exemple, on avait considéré le Volto Santo comme une œuvre originale. Si ce n'était pas le cas, qu'était-il advenu de l'original ? Pourquoi n'avait-on aucune trace du scandale que cela aurait provoqué si le Volto Santo avait été retiré de Lucques, le site choisi par Dieu pour y reposer à jamais ? De l'avis de Peter, cela paraissait peu probable et le Volto Santo de Lucques était l'authentique œuvre de Nicodème. Il commençait à penser la même chose au sujet de Notre-Dame de Montserrat.

Mais pourquoi ? Pourquoi l'Église ne voulait-elle pas que les fidèles considèrent ces œuvres comme originales ? Leur valeur symbolique n'en aurait été que plus grande. Cela pouvait-il concerner aussi le suaire de Turin ? Quels pouvaient être les motifs qui incitaient l'Église à faire croire à tous que ces reliques n'étaient que des copies ?

Peter s'était récemment rendu à l'église des Saintes-Marches, ainsi nommée en référence aux vingt-huit marches de marbre que Jésus dut gravir pour parvenir au tribunal de Ponce Pilate, et que l'impératrice Hélène avait apportées à Rome. Le père Healy était monté à genoux, comme cela est exigé des fidèles, afin de contempler les trésors qui l'attendaient au sommet, et notamment une peinture de Notre-Seigneur, attribuée à saint Luc, mais souvent appelée *acheiropoieton*, qui signifie « qui n'est pas de la main de l'homme », car guidée par la main de l'ange.

Le dernier pape à avoir exposé ce tableau avant sa restauration était Léon X, le fils du mécène de la Renaissance Laurent de Médicis. Après la mort de ce pape, le tableau avait disparu pendant des siècles. Lorsqu'il fut à nouveau présenté au public, des fragments de l'œuvre étaient recouverts d'argent et de pierres précieuses, comme pour dissimuler un certain nombre de détails. En fait, il ne restait de visible que le visage de Jésus. Cette œuvre comportait-elle des éléments insupportables pour l'Église officielle ? Celle-ci aurait-elle prétendu que le tableau avait été réalisé par un artiste inconnu pour éviter que les fidèles ne s'interrogent ? Pourtant, Peter savait d'expérience que les fidèles posaient rarement des questions à leur hiérarchie religieuse, même les plus justifiées. S'ils l'avaient fait, s'ils avaient exigé des réponses, l'Église ne serait sans doute pas plongée dans un tel scandale à l'aube du XXIᵉ siècle.

Les mesures de sécurité entourant le tableau dépassaient tout ce que Peter avait vu à Rome : l'œuvre était protégée par une cage de verre pare-balles et grillagée, à plus de cinq mètres du public. Et pourtant, aux yeux de l'Église, ce n'était qu'une copie sans valeur.

Intrigué, Peter avait dressé la liste des œuvres qu'il considérait personnellement comme authentiques, mais que l'Église ne reconnaissait pas comme telles, et il avait découvert un lien. Toutes étaient reliées à l'ordre du Saint-Sépulcre, à Nicodème ou à Luc. Cela signifiait-il que ces œuvres étaient rattachées également au Livre de l'Amour ?

Peter se débattait avec ces idées en marchant vers deux églises importantes de l'ordre des Jésuites. La plus grande et la plus connue, la Gésu, était le quartier général de l'ordre depuis des siècles. On disait que Michel-Ange, très impressionné par la force de la conversion d'Ignace de Loyola, avait offert d'en concevoir gratuitement le plan. Désormais instruit de la lignée de Michel-Ange, Peter se demandait s'il n'y avait pas entre l'artiste et le fondateur de son ordre des liens qu'il ignorait. Des liens qui pourraient par exemple s'articuler autour du Livre de l'Amour.

Quant à l'église vers laquelle il se dirigeait, Sant' Ignazio, c'était le lieu de travail des Jésuites, comme l'avait été dans le passé l'université pontificale grégorienne, la plus ancienne des universités du monde, ainsi nommée en l'honneur du pape Grégoire XIII qui en avait financé la construction. Mais Peter se souvint qu'un de ses supérieurs lui avait un jour confié que ce nom faisait également référence au grand réformateur Grégoire VII. Le pape de Matilda.

Peter entra dans l'église et s'avança jusqu'au lieu qui rendait le monument unique : un disque d'or au sol, d'où l'on pouvait apprécier ce qui semblait être un superbe dôme recouvert de fresques. Mais ce dôme n'était qu'une illusion d'optique, peint par un jésuite de l'époque baroque, Andrea Pozzo, maîtrisant parfaitement la technique du trompe-l'œil. Selon la légende, les habitants du quartier ne voulaient pas d'un dôme qui leur ôterait la lumière du soleil, et les frères jésuites durent en imaginer un faux. Loin de s'irriter de cette exigence, ils la prirent comme un défi et créèrent quelque chose d'inouï. Lorsqu'on se tenait sur le disque d'or, il était presque impossible de déceler l'illusion de la perspective.

— Que de mystères recèle l'Église, n'est-ce pas ?

Peter sursauta et se retourna pour connaître l'auteur de cette observation, qui rejoignait si bien ses propres questionnements des deux dernières années. C'était le cardinal Barberini, un des prêtres membres du comité d'Arques. Ce dernier mit un doigt sur ses lèvres et entraîna Peter vers un prie-Dieu.

— Êtes-vous Destino ? lui demanda Peter.

— Non. Pas le moins du monde.

— Destino est-il un jésuite ? continua Peter.

— Destino n'entre dans aucune catégorie connue. Mais nous verrons cela plus tard. Je suis venu vous dire pourquoi, outre les raisons que vous connaissez, vous êtes devenu jésuite.

Peter se trouvait dans une étrange situation. Un membre de haut rang dans la hiérarchie ecclésiastique l'avait manifestement suivi. Barberini savait beaucoup de choses. DeCaro prétendait qu'il était un allié, mais son attitude était plus que curieuse. Peter serait-il surveillé ? Il le soupçonnait, certes, mais cela le confirmait. DeCaro l'était-il, lui aussi ? Les factions les plus conservatrices du Vatican étaient en conflit ouvert avec les positions progressistes de Tomas, notamment en ce qui concernait Marie Madeleine, mais y avait-il plus grave ?

Apparemment, Barberini lisait à livre ouvert dans les pensées de Peter.

— Vous allez devoir me faire confiance jusqu'à ce que je puisse vous en dire davantage, mon fils. Pour le moment, je suis venu vous parler de notre fondateur, le très saint Ignace de Loyola.

La réponse immédiate de Peter à la question : « Pourquoi êtes-vous devenu jésuite ? » avait été : le savoir. Les Jésuites étaient les meilleurs des éducateurs et sa passion avait toujours été d'étudier l'histoire de la religion, les langues et la sagesse anciennes. Peter adorait enseigner, et cette mission lui manquait terriblement depuis qu'il était en poste à Rome pour participer au comité sur Marie Madeleine. La biographie d'Ignace de Loyola, un pilier de l'enseignement religieux et humaniste, n'avait guère de secrets pour lui : basque d'origine, il était né la veille de Noël de l'an 1491 dans une famille du nord de l'Espagne qui comptait déjà douze enfants. Bien que de petite noblesse, il eut cependant de quoi mener la vie d'un jeune oisif de son temps, joueur et débauché, avant d'entrer dans l'armée à l'âge de trente ans.

Ignace fut blessé au cours de la bataille de Pampelune. Un obus lui brisa une jambe, et l'autre fut abîmée par le choc. La jambe blessée fut si mal soignée qu'il fallut la recasser pour tenter de la redresser. Ces diverses opérations se déroulèrent sans anesthésie. Il finit par guérir, mais, avec une jambe plus courte que l'autre, il boita le restant de sa vie. Dès lors, il s'adonna à l'étude, et lut tous les livres disponibles au château de Loyola ; tous traitaient de sujets religieux.

Le mystère plane toujours sur ses autres lectures et sur la façon dont il se les procura, ainsi que sur une certaine femme, rousse et de sang royal, qui prit soin de lui durant sa longue convalescence. Mais, lorsqu'il eut suffisamment récupéré pour marcher à nouveau, en mars 1522, il était un autre homme, mû par une intense et fiévreuse spiritualité.

Il consacra sa première visite au monastère de Montserrat, où l'on raconte qu'il passa une nuit entière agenouillé devant l'autel de la Madone noire. Certains prétendirent qu'il y resta trois nuits, en l'honneur de la Trinité. Toujours est-il qu'il posa ensuite toutes ses armes sur l'autel et fit serment de devenir un soldat de son Chemin.

Barberini interrompit les pensées de Peter.

— Quand Loyola se rendit-il à Montserrat ?

— En mars 1522.

— Exact. À quelle date, précisément ?

— Le jour de l'Annonciation, le 25 mars.

— Faux.

Cette affirmation étonna Peter, car tout jésuite connaissait cette date.

— Il a en effet prononcé ses vœux le 25 mars, poursuivit Barberini, mais cela s'est produit après trois jours de prière et de méditation. Et le jour de son arrivée n'est pas dû au hasard.

— Un 22 mars, murmura Peter, interloqué par les implications qu'il percevait.

Barberini hocha la tête.

— Mais pourquoi ? Peter savait l'importance que les hérétiques accordaient à cette date. Mais il ne voyait pas le rapport avec Ignace.

— Avez-vous entendu parler d'un objet, peut-être un document inestimable et fort controversé, qui aurait été conservé à Montserrat ?

La question du cardinal fit à Peter l'effet d'un coup sur la tête. C'était à Montserrat qu'on trouvait la dernière trace du manuscrit authentique du Livre de l'Amour. Mais Peter n'avait jamais associé le Livre de l'Amour à Ignace de Loyola. À ses yeux, la présence de Loyola à Montserrat n'avait été qu'une coïncidence. Comment n'avait-il rien soupçonné ?

Peter acquiesça.

— La destruction des cathares à Montségur s'est déroulée le 16 mars 1244. Les quatre survivants du massacre mirent six jours à rejoindre Montserrat. Le 22 mars est la date anniversaire de leur arrivée et de la remise du saint manuscrit de Jésus-Christ au monastère. Si la retraite et l'endoctrinement d'Ignace de Loyola ont commencé en ce même jour, il y a une raison.

— Mais enfin, marmonna Peter, interloqué, essayez-vous de me dire qu'Ignace de Loyola était un hérétique ? qu'il a fondé notre ordre pour des raisons que nul n'imagine ? qu'il a... eu accès au Livre de l'Amour ?

— Il a appelé son ordre la Société de Jésus, non ? Bien sûr, cela peut vouloir dire n'importe quoi, mais ne trouvez-vous pas que ce nom manque un peu d'imagination, si on le prend au premier degré ? Supposez-vous que Loyola ait fondé un ordre religieux nouveau et révolutionnaire sans se soucier de lui donner un nom qui refléterait parfaitement ce qu'il entendait défendre ? Si l'on considère qu'il œuvrait directement à partir de l'enseignement de Notre-Seigneur, ce nom prend tout son sens, n'est-ce pas ? Et souvenez-vous des mots de son ami le plus proche, Luis Goncalves de Camara, dans ses Mémoires : « Ignace était enclin à l'amour. Mieux encore, il semblait incarner l'amour, et, de ce fait, tous l'aimaient. Chacun, dans la Société, éprouvait un grand amour pour lui, et chacun savait que cet amour était réciproque. » Bizarrement, ce n'est pas le portrait que l'Église brosse de Loyola, n'est-ce pas ?

En effet, le fondateur de l'Ordre était, selon sa réputation, taciturne, dur et austère. D'une intelligence supérieure, certes, mais lorsqu'on étudiait sa biographie, ce n'était pas le mot aimant qui venait à l'esprit. Que son meilleur ami ait insisté sur ce trait de caractère, sur son inclination à l'amour, était une réelle surprise.

— Cela voudrait dire que Loyola connaissait le Livre de l'Amour ? interrogea Peter avidement. Que le texte était resté à Montserrat jusqu'en 1522 ? Selon toutes les autres sources, il a disparu de Montserrat en 1244.

Barberini se pencha vers Peter pour lui tapoter l'épaule.

— Traverser le fleuve à pied a eu raison de mes vieux os, mon garçon. Nous devons mettre fin à cette conversation, mais je suis heureux que nous l'ayons eue. Oh !... une dernière chose...

Peter aida le vieil homme à se relever du prie-Dieu. Le cardinal se tourna vers lui.

— Le comité s'apprête à délivrer ses conclusions au sujet de l'Évangile de Marie Madeleine. Cela aura lieu la semaine prochaine. Mais vous devez aller en France avec votre cousine, et Tomas et moi vous tiendrons au courant des événements. Le comité authentifiera l'Évangile d'Arques et le rendra public, selon ce qu'on m'a annoncé. Maureen sera vengée. Et vous aussi. Mais il y a plus important : l'histoire de Notre-Dame sera enfin rapportée dans sa vérité et dans sa totalité, si Dieu le veut.

— Si Dieu le veut, murmura Peter tandis que le vieux cardinal sortait de l'église d'un pas lent.

Chapitre 19

Chartres

De nos jours

La cathédrale de Chartres, grâce à sa situation au cœur de la vaste plaine de la Beauce et perchée au sommet d'une colline sacrée, est visible à trente kilomètres à la ronde. Le 20 juin, une voiture vint chercher Maureen, Peter et Bérenger à l'aéroport d'Orly pour les y conduire. Dès qu'ils aperçurent la cathédrale, la beauté de ce vaisseau de pierre leur coupa le souffle.

Bien qu'elle en soit encore éloignée, Maureen ressentit sa puissance au plus profond de son corps. Les deux hommes la connaissant déjà, ils étaient moins impressionnés par sa majesté.

Après s'être installés dans un charmant petit hôtel du centre-ville, ils partirent à pied vers la cathédrale, pour en apprécier une vue d'ensemble avant de localiser la fenêtre 10. Ensuite seulement se rendraient-ils au labyrinthe. Tammy et Roland, qui arrivaient du Languedoc, devaient les rejoindre en voiture.

Maureen voulut faire le tour de la cathédrale avant d'y entrer. Le monument était d'une beauté inégalée, un cadeau divin légué à l'humanité par la grâce du cœur et de l'esprit. Bérenger, qui connaissait bien la nature ésotérique de Chartres, s'improvisa guide et les entraîna vers le portail nord, dit portail des Initiés, pour leur montrer les statues des patriarches. Ce ne furent pas les sculptures magnifiques de Moïse, d'Abraham et de David qui frappèrent Maureen, mais le fait que les femmes tenaient une place prépondérante dans l'église. Certaines étaient aisément identifiables : Judith, l'héroïne de l'Ancien Testament qui sauva son peuple, Marie lors de l'Annonciation, puis avec sa cousine Élisabeth à la Visitation, Salomon et la reine de Saba, couronnés d'une sculpture du temple d'origine. D'autres, moins évidentes à reconnaître, recouvraient presque toute la façade nord.

— Il y a plusieurs centaines d'images de femmes, leur déclara Bérenger, et plus de cent soixante-dix représentent Marie la Grande, la Mère. Aucun lieu de culte au monde n'en renferme autant.

Admirative, Maureen s'arrêta devant une sublime sculpture de femme sur un pilier extérieur de la voûte, à droite de la porte. Elle était jeune et belle, et portait un livre à la main. De l'autre main, abîmée par les siècles, elle semblait faire un geste de bénédiction.

— Je savais que vous l'aimeriez, Maureen, dit Bérenger en souriant. Je l'aime aussi. Elle m'obsède depuis que je l'ai vue pour la première fois. Et maintenant que nous connaissons l'histoire de Matilda, je commence à comprendre pourquoi. Maureen, je vous présente Modesta, la sainte patronne des lieux.

Le nom de Matilda fit monter des larmes aux yeux de Maureen, qui sentait que son cœur et son esprit étaient reliés pour toujours à la comtesse toscane.

— L'histoire de Modesta est tragique, et elle est significative, poursuivit Bérenger.

Le visage ravissant et empreint de sérénité, de longs cheveux flottant sous son voile, la sainte tenait un livre dans sa main gauche.

— Beaucoup de ces personnages portent un livre, remarqua Maureen.

— Le livre symbolise le Verbe, dit Peter. Les Écritures, les Évangiles. On le trouve beaucoup dans l'art chrétien.

La jeune femme dissimula l'irritation qu'elle ressentait lorsque son cousin donnait ce genre d'explications, fruits de son éducation traditionnelle. Elle connaissait bien la symbolique classique du livre. Mais elle savait qu'il fallait désormais porter sur ces œuvres d'art un regard différent. Pouvait-il y avoir une autre raison pour que ces personnages, et surtout les femmes, tiennent un livre? Était-il possible qu'il soit une référence directe au Livre de l'Amour? Elle se détourna de Peter pour interpeller Bérenger.

— Parlez-moi de Modesta, lui demanda-t-elle.

— Selon la légende, Modesta était la virginale fille d'un gouverneur romain cruel et intolérant, Quirinus, qui fut envoyé à Chartres pour mettre fin au culte chrétien qui s'y développait. La persécution des chrétiens horrifia Modesta, une jeune personne douce et aimante, qui entreprit de les aider. Par exemple, elle les prévenait lorsque son père s'apprêtait à fondre sur un de leurs lieux de culte secrets. On dit qu'à cette époque Modesta tomba amoureuse d'un jeune homme appelé Potentian, qui la convertit au christianisme. Lorsque le gouverneur Quirinus découvrit que sa fille s'était convertie et le trahissait au bénéfice de ses frères chrétiens, il la fit torturer publiquement, afin de prouver qu'il n'aurait aucune merci. Même la fille du gouverneur n'était pas à l'abri de la colère de Rome. Elle fut décapitée, et son corps jeté au fond du puits qui se trouve dans la crypte. C'est pourquoi l'on dit souvent qu'elle est l'ange gardien de la cathédrale, et qu'elle murmure des secrets à ceux qui ont des oreilles pour entendre.

Maureen frissonna soudain.

— Que se passe-t-il? lui demanda Bérenger

— Son histoire est importante et tragique, comme vous l'avez souligné, mais je sais, avec certitude, qu'il y a quelque chose en plus. Pouvons-nous aller dans la crypte?

— Hélas non! Elle n'est pas ouverte au public, sauf pour une brève visite guidée, à onze heures, tous les matins. J'ignore pourquoi on ne peut y descendre librement, car il n'y a aucun problème de sécurité et la statue de Notre-Dame de Sous la Terre qui s'y trouve est une copie de celle qui fut détruite pendant la Révolution. Il ne s'agit donc pas non plus de protéger une précieuse relique.

Ils poursuivirent leur exploration. Maureen renonça à compter le nombre de représentations féminines à l'extérieur de la cathédrale, mais remarqua que sainte Anne, la grand-mère de Jésus, trônait en majesté à la grande porte des Initiés. Ils longèrent l'enceinte en direction de la façade sud, et purent admirer une splendide statue du Christ datant du XIIIe siècle, connue sous le nom du Christ Enseignant. Il tenait un livre dans la main gauche. Maureen jeta un coup d'œil torve à Peter mais s'abstint de tout commentaire. Ainsi le Christ lui-même portait un livre, et pourtant l'Église prétendait qu'il n'en avait jamais écrit aucun.

Maureen s'efforçait de remarquer les éléments ésotériques. Les plus belles statues étaient perchées sur des colonnes à spirales, conçues par Salomon. Il y avait également un zodiaque complet, que la jeune journaliste contempla en soupirant, car il était frustrant de disposer de si peu de temps alors qu'il faudrait sans doute des années pour apprécier les détails des façades extérieures.

— Il me semble, dit Maureen à la cantonade, que la plus grande galerie d'art du monde se trouve ici, à la disposition de tous, depuis des siècles.

Ils avaient fait le tour de l'enceinte de la cathédrale. Plusieurs mendiants se tenaient sur les marches du portail Royal. L'un d'eux chantait en français, un autre était blotti contre le portail. Bérenger distribua discrètement quelques billets dans les sébiles. Maureen l'imita. Le chanteur sortit une fleur sauvage de sa poche et la lui tendit en lui adressant un clin d'œil.

Bérenger et Maureen s'arrêtèrent devant les statues à droite du portail. Était-ce une coïncidence d'être accueillis par des sculptures de Salomon et de la reine de Saba, qui trônaient près de l'entrée principale ? Les légendaires amants semblaient ici bien représentés.

Ils se dirigèrent vers la boutique, regorgeant de livres et de reproductions, pour acheter un plan de la cathédrale afin de localiser la fenêtre 10. L'élément phare de la cathédrale semblait être le vitrail de Notre-Dame de la

Belle Verrière, la madone bleue du XIIe siècle. Toutes sortes de reproductions en étaient disponibles : cartes postales, posters ou marque-pages, sans cependant que cette omniprésence nuise à sa puissance et à sa pureté.

Maureen ne s'offusqua pas de cette commercialisation. Si ce monument à la gloire de Dieu était ouvert gratuitement au public grâce à ces ventes, il n'en demeurait pas moins un don du ciel. Peter partit à la recherche de la fenêtre 10 et laissa Maureen et Bérenger seuls devant l'un des plus grands temples de l'histoire des hommes.

Maureen y entra après avoir repris son souffle, étonnée par la sensation d'intimité qui y régnait en dépit de son immensité. Éblouie par les couleurs des vitraux qui ornaient la nef, elle était envahie par quelque chose qu'elle ne pouvait définir autrement que par le mot de sainteté. Dans son guide, elle lut le célèbre commentaire de Napoléon lorsqu'il pénétra pour la première fois dans la cathédrale : « Chartres n'est pas un lieu pour les athées. »

Il avait raison.

— Regardez derrière vous, et vers le haut, dit Bérenger.

Il désignait la fenêtre en rosace ainsi que les plus anciens vitraux de la cathédrale, qui y avaient été installés au XIIe siècle, près d'un siècle avant les autres, en même temps que la célèbre madone bleue. Ils étaient d'une beauté et d'une expressivité inégalées.

— C'est ce bleu, murmura Bérenger. Il est unique. On n'a jamais pu le reproduire ailleurs, personne n'a percé le secret des maîtres verriers. L'autre vitrail de la même époque a été restauré récemment, c'est la madone bleue. Elle est par là...

Bérenger ne put finir sa phrase, car l'expression sur le visage de Maureen le fit taire. Il comprit immédiatement. Pour contempler les vitraux, ils avaient marché entre plusieurs rangées de chaises amovibles et, en regardant par terre, la jeune femme avait constaté qu'ils se tenaient au centre du labyrinthe, ce symbole sacré créé par la foi et la sagesse de Salomon.

426

Le symbole sacré totalement occulté et endommagé par les chaises qui le recouvraient.

En proie à une subite nausée et à des vertiges, Maureen se laissa tomber sur un siège.

— Vous vous sentez bien ?

Elle hocha la tête, mais ses yeux étaient humides. Elle avait beau s'y attendre, le choc de voir le labyrinthe jonché de chaises était trop violent. Elle était indignée, furieuse.

— Comment ont-ils osé ?

Bérenger, qui avait passé une bonne partie de sa vie à se poser la même question, n'avait aucune réponse à lui fournir.

Peter approchait en brandissant son guide. Il s'arrêta lorsqu'il vit le visage de Maureen.

— Je sais, dit-il. Bien avant de connaître sa signification, j'étais moi aussi horrifié qu'on ait ainsi recouvert le labyrinthe. Mais j'ai une bonne nouvelle : j'ai trouvé la fenêtre 10.

Maureen se leva pour le suivre, soulagée d'échapper à la vision de la profanation du labyrinthe. Peter les conduisit jusqu'au transept sud et désigna la première fenêtre à droite. Le vitrail illustrait la vie de saint Apollinaire, le premier évêque de Ravenne.

— C'était un disciple de saint Pierre, à qui l'on attribue de nombreux miracles, dit Peter. Mais je ne crois pas que la vie de ce saint soit la raison de notre venue. Regardez le trou rond dans la fenêtre, ici en haut.

À travers l'orifice qui semblait avoir été délibérément percé filtrait un cercle de lumière blanche qui contrastait avec les couleurs plus foncées du vitrail.

— Vous voyez cette dalle, celle qui est scellée selon un angle différent des autres ? poursuivit Peter en leur montrant le sol, à quelques pas d'eux.

— Elle est plus claire que les autres, intervint Bérenger. On dirait que c'est fait pour attirer l'attention.

Il se pencha et passa la main sur la dalle, puis sourit.

— Il y a une pointe de cuivre enfoncée dedans. Et un X qui la signale. Vous souvenez-vous, Maureen, de notre première rencontre à Saint-Sulpice ?

La question de Bérenger était de pure rhétorique : leur rencontre avait changé leur vie, et ils ne l'oublieraient jamais, ni l'un ni l'autre. Mais en choisissant la date du solstice d'été, le 21 juin, Bérenger avait voulu prouver à Maureen l'extrême précision des architectes de Saint-Sulpice, qui avaient gravé dans le sol une ligne de cuivre qui s'illuminait au soleil en ce jour, à midi pile.

— Le même phénomène se produira ici, demain à midi. Par le trou pratiqué dans cette fenêtre, le soleil tombera sur cette dalle et sur la pointe qui y est enfoncée.

— C'est donc une célébration de la lumière, dit Maureen.

— L'Illumination, dit Peter à voix basse, pénétré par la profondeur de ce simple mot. C'est une célébration de l'Illumination qui peut survenir en ce lieu sacré.

Ils gardèrent le silence quelques instants, et partagèrent leur commune admiration pour les architectes, les maçons et les astronomes qui avaient œuvré ensemble à la création de ce phénomène huit cents ans plus tôt.

— Rien ici n'a été construit par hasard, dit enfin Maureen, songeuse. Je le sens dans ma chair.

Ils prirent place sur un banc, devant la façade nord. Le vitrail central était une représentation immense de sainte Anne, dépeinte dans le style d'une Vierge noire.

— Regardez, ça aussi, c'est intentionnel, poursuivit Maureen. Sainte Anne en madone noire, au centre de tout et présente partout dans cette cathédrale en une position de domination.

— Je n'ai pas d'explications particulières concernant la présence de sainte Anne, reprit Peter, mais je peux vous dire une chose : le style gothique est apparu peu après la mort de Matilda, autour de 1130, et on ignore son origine. On ne peut l'attribuer aux Visigoths, qui étaient des guerriers barbares sans aucun intérêt pour l'art.

Bérenger enchaîna, car il connaissait bien le sujet :

— L'expression « art gothique » est une erreur de traduction. L'expression originale définissant ce que nous appelons les cathédrales gothiques était en réalité

« argotique », du mot argot, un langage secret employé, selon le grand alchimiste Fulcanelli, « par ceux qui voulaient communiquer entre eux sans être compris des étrangers ».

— Pour ceux qui ont des oreilles pour entendre, ajouta Maureen.

— Exactement. De plus, l'argot est la langue des hors-la-loi, un qualificatif qui sied aux hérétiques de l'époque.

— Tout se met en place, intervint Peter, enthousiaste. Au XIIe siècle, soudain, plus de vingt cathédrales sont en cours de construction, et au même moment apparaissent des maçons, des mathématiciens, des architectes et des maîtres verriers qui savent exactement comment exécuter ces nouveaux chefs-d'œuvre de l'architecture, ainsi que des œuvres d'art codées.

Maureen et Bérenger écoutaient Peter avec attention, d'autant que le père Healy n'avait pas l'habitude de se laisser emporter ainsi. Il était manifeste qu'il avait beaucoup réfléchi et longuement étudié.

— Ce mouvement architectural éclôt tout à coup, et s'épanouit, continua le prêtre. Sans que personne ne comprenne comment. Personne ne sait non plus qui finança ces cathédrales, notamment celle-ci. Ce ne peut être un hasard, comme tu l'as très bien dit, Maureen. C'est l'expression d'un dessein. Et d'une volonté puissante. Mais pourquoi ? Et pourquoi ici ?

— Quelle est ta réponse, Peter ?

Il réfléchit un instant puis se tourna en souriant vers sa cousine.

— Matilda. Elle était passionnée d'architecture, la construction d'Orval et ses exigences le prouvent. Et que savons-nous du Libro Rosso ? Qu'il renfermait des plans d'architecture secrets. D'où provenaient-ils ? De Jésus. Où Jésus les avait-il trouvés ? Dans sa famille, qui se les transmettait depuis Salomon, qui en est sans doute l'auteur ; et peut-être y a-t-il travaillé avec la reine de Saba.

— Dans le récit que donne Matilda de l'histoire de Salomon et de Makeda, fit remarquer Maureen, elle insiste sur le fait que le peuple de Saba était appelé le peuple de l'architecture et que la reine avait fondé une école de sculpture sur pierre.

— Et nous venons de constater, reprit Peter, que Salomon et la reine de Saba sont omniprésents ici.

Frappé de stupeur, Bérenger l'interrompit.

— Pouvons-nous supposer que Chartres, et l'essentiel des œuvres gothiques, furent inspirés par Matilda ? Et qu'ils sont donc fondés sur les plans originaux du Temple de Salomon ?

— Tels que rapportés et préservés par l'Ordre dans le Libro Rosso ! s'exclama Maureen. Et Conn et le Maître les ont apportés à Chartres. Oh ! mon Dieu !

Peter reprit la parole. Il s'exprimait avec l'assurance de celui qui a approfondi une question et qui est parvenu à des conclusions.

— Tout concorde. Fulbert a rebâti la cathédrale après l'incendie de 1020. Mais un autre incendie, plus dévastateur encore, l'a ravagée en 1134. Tout a disparu, sauf la crypte. On ignore s'il fut accidentel ou criminel. On entreprend alors la reconstruction de la cathédrale, dans un style inconnu jusqu'alors. Et surgit ce chef-d'œuvre d'art et d'architecture sans précédent.

Soudain, Maureen se sentit coupable de l'irritation qu'elle avait ressentie envers Peter. En deux ans, son cousin avait parcouru un long chemin, et sa théorie était à la fois fort intéressante et progressiste.

— Le reconstruction commence vers 1134. Conn et le Maître sont à Chartres depuis longtemps. Nous savons que Patricio, l'architecte d'Orval, les a rejoints. Ils ont eu le temps de perfectionner les techniques et les plans, et de former une génération d'ouvriers. Puis au siècle suivant survient un autre incendie, et les nouveaux éléments sont encore plus sophistiqués dans leur ornementation.

— Évidemment, poursuivit Maureen, car les nouveaux résidents étaient devenus de véritables experts, capables d'atteindre cette perfection.

Ils poursuivirent leur déambulation jusqu'à ce que Bérenger les arrête devant le célèbre vitrail sud.

— Voici la reine de Chartres, dit-il à ses compagnons en désignant la Vierge à l'Enfant. Vous n'aurez aucun mal à comprendre pourquoi on l'appelle Notre-Dame de la Belle Verrière, n'est-ce pas ? C'est le vitrail le plus ancien de la cathédrale. Il a été créé en 1137.

La somptueuse madone, couronnée d'or et de bijoux surmontés de fleurs de lys, considérée comme le plus beau vitrail du monde, était revêtue d'une robe bleue, de ce fameux bleu de Chartres inimitable, et se détachait sur un fond rouge foncé. Aucune photographie ne pouvait lui rendre justice. Au-dessus du trône où elle était assise, on voyait un château ressemblant à une forteresse ; une gigantesque colombe, symbole du Saint-Esprit, planait sur la madone et son fils.

— La position officielle de l'Église est que cette cathédrale est dédiée à la Vierge Marie, sous différentes formes. Mais je nous crois en droit de penser qu'il y a plusieurs Marie.

— Je suis d'accord, répondit Peter à Bérenger. Mais au risque de me faire taper sur les doigts par Maureen, j'ai quelque chose à ajouter. Venez.

Peter les entraîna jusqu'à un précieux reliquaire, dans une chapelle de l'aile nord. Protégée par des panneaux de verre, une soie blanche y était exposée.

— Voici la *Sancta Camisa*, dit Peter. Le voile de la Vierge, une des reliques les plus sacrées du christianisme. Elle se trouve à Chartres depuis le IXe siècle. Tout le monde vous dira que c'est la raison pour laquelle la cathédrale est dédiée à la Vierge Marie, comme de juste.

— Je n'ai pas envie de discuter de cela pour le moment, dit Maureen, d'autant que, je l'ai dit et répété, je n'ai aucune intention de minimiser l'importance de la mère de Jésus. Je suis persuadée qu'elle a été choisie pour lui donner la vie, car elle était intelligente, forte et pure de cœur et d'esprit. Tout ce que je dis, c'est que l'histoire ne s'achève pas avec elle. Et, à en juger par toutes les représentations de sa mère dans cette cathédrale, je suppose que cela n'a pas non plus commencé avec elle. Et qu'elle, elle surtout, ne voudrait sans doute pas que nous le croyions.

*
* *

Le 21 juin de chaque année, l'archevêché de Chartres découvrait le labyrinthe. Maureen, Bérenger et Peter le savaient. Ils prirent donc leur petit déjeuner en compagnie de Tammy et de Roland, qui étaient arrivés la veille au soir, puis partirent pour la cathédrale.

En arrivant devant les marches, Maureen remarqua que le mendiant qui s'y tenait, tendant sa sébile, n'était pas présent la veille. Mais il chantait, lui aussi. En s'approchant, la jeune femme s'arrêta pour mieux entendre, puis interpella Tammy.

— Écoute!

En dépit de son apparence de vieillard, l'homme semblait relativement gaillard. Il se tenait de profil, et on aurait dit qu'il évitait délibérément de les regarder. Il chantait à voix basse, et Maureen eut un frisson en reconnaissant son accent anglais.

— Marie avait un petit agneau
À la toison blanche comme neige ;
Et là où allait Marie
L'agneau allait aussi.
Il la suivit un jour à l'école
Ce qui était défendu ;
Les enfants étaient joyeux
De voir un agneau à l'école.

La seconde strophe, que l'on chantait rarement sous les préaux, remuait Maureen depuis toujours, et elle avait compris pourquoi depuis peu.

— Pourquoi l'agneau aime tant Marie?
Demandèrent les petits enfants.
Parce que Marie aime son agneau,
répondit l'instituteur.

En chantant le dernier vers, l'homme se tourna vers Maureen qui, stupéfaite, s'immobilisa. Une cicatrice profonde barrait son visage, de la pommette jusqu'au cou.

— Destino..., murmura Maureen tandis que le vieil homme lui souriait en hochant la tête.

Les autres la rejoignirent, ayant deviné ce qui venait de se produire. Bien qu'ils aient tous de bonnes raisons de se trouver là, l'homme qui se faisait appeler Destino ne s'intéressait manifestement qu'à Maureen. Ses amis reculèrent, pour qu'ils se parlent en privé.

— J'ai tant de questions à vous poser, dit Maureen, ne sachant par où commencer.

— Nous avons le temps, madona Maureen, beaucoup de temps. Je répondrai à une seule de vos questions pour l'instant, car nous devons entrer. Nous avons quelque chose à accomplir tous ensemble, sans tarder.

Maureen remarqua son accent chantant.

— Vous êtes italien ? demanda-t-elle.

— Est-ce votre question ?

— Non !

La jeune femme avait l'impression de se trouver devant un génie, qui lui demandait si elle était bien certaine d'avoir fait le bon vœu. Elle réfléchit un instant.

— Comment connaissez-vous mes rêves ? Comment savez-vous exactement ce que me dit Easa ?

Le vieil homme haussa les épaules.

— Croyez-vous être la seule personne à qui il s'adresse ?

La réponse désorienta Maureen, qui s'attendait à autre chose.

— C'est votre réponse ?

— C'est la seule que je vous donnerai pour l'instant. Venez, mon enfant, et faites venir vos amis. Nous avons une tâche sacrée à accomplir.

Tous suivirent Destino à l'intérieur de la cathédrale, et furent surpris de constater que le labyrinthe était toujours tapissé de chaises.

— Je croyais qu'ils le découvraient pour le solstice d'été, dit Maureen.

Destino secoua tristement la tête.

— En effet, ils, je veux dire l'Église, autorisent que le labyrinthe soit entièrement visible quelques jours par an, mais ils ne le découvrent pas de leurs mains. C'est à nous que revient cette tâche. Ne le regrettez pas, c'est un devoir sacré. Vous verrez.

Destino adressa un signe à Roland, et les deux hommes commencèrent à enlever les chaises, attachées par rangées, et moins lourdes qu'elles en avaient l'air. Mais il fallait prendre beaucoup de précautions pour ne pas endommager le sol de pierre. Destino leur montra où les entreposer, derrière les prie-Dieu et le long de la nef. Deux par deux, ils s'attelèrent à la tâche : Maureen et Bérenger, Tammy et Peter, Roland et Destino. Au fur et à mesure qu'ils progressaient, un sentiment d'exaltation intense s'emparait d'eux. Ils jouaient le rôle de libérateurs et en éprouvaient une joie puissante.

C'était cathartique. Maureen s'arrêta un instant sur ce mot. Cathar- tique… Pur et purifiant, grâce aux véritables enseignements de l'amour.

— Un pour tous et tous pour un, c'est bien notre devise, n'est-ce pas ? dit Roland en souriant.

Un groupe d'étudiants venus de Belgique en pèlerinage proposèrent leur aide, et, bien vite, la même euphorie les saisit. Lorsque leur tâche fut terminée, tous étaient unis par un fort sentiment de solidarité, de communauté. Ils reculèrent pour admirer l'œuvre créée plus de huit siècles auparavant. Destino leur fit signe de laisser les étudiants parcourir les premiers le labyrinthe, car il voulait leur donner quelques détails avant qu'eux-mêmes y pénétrent.

Il les guida vers le portail ouest et s'arrêta brusquement dans l'aile de la nef pour leur désigner au sol un endroit où était encastrée une plaque de fer.

— Dame Ariane, dit-il, précisant qu'il y avait eu dans le temps un anneau de fer, puis il désigna le vitrail le plus proche de l'entrée du labyrinthe. Au XIIIe siècle, lorsque la cathédrale fut achevée, il y avait cent quatre-vingt-six vitraux. Croyez-vous que ce soit un hasard si le plus proche de l'entrée du labyrinthe raconte l'histoire de Marie Madeleine ? et si ce vitrail comporte vingt-deux panneaux ? Les vitraux sont en fait des livres, qu'il faut lire de gauche à droite et de bas en haut.

La rangée du bas était constituée de trois images d'hommes portant des jarres et versant de l'eau.

— Des porteurs d'eau? remarqua Tammy. Serait-ce une référence à l'Aquarius, le Verseau?

— Oui et non, répondit Destino. À Chartres, tout a plusieurs sens, et il y a souvent plusieurs explications possibles. Plus vous regarderez, plus vous lèverez les différents voiles posés par les hommes et les femmes qui ont bâti ce lieu. Oui, je dis bien par les femmes. Car ce lieu est un monument dédié à l'amour, un temple. Ne le sentez-vous pas? Pour le réussir, il a fallu l'équilibre, l'harmonie entre ceux qui l'ont conçu et ceux qui l'ont construit. Quant à votre question sur le Verseau, poursuivit Destino à l'intention de Tammy, je répondrai oui. Peut-être parce que nous entrons dans l'ère du Verseau. Mais réfléchissez encore.

— Selon l'Église, dit Peter qui s'était renseigné la nuit précédente en puisant dans l'abondante littérature concernant la cathédrale, ces porteurs d'eau sont les hommes qui ont aidé à bâtir la cathédrale en fournissant aux ouvriers l'eau dont ils avaient besoin, et en finançant ce vitrail.

— Oui, oui, je sais! Mais cette explication est tout à fait illogique. Les porteurs d'eau, hommes ou femmes, qui travaillaient dans les carrières, étaient les plus pauvres des habitants de la région. Ils étaient totalement ignorants de l'art, et n'avaient en aucun cas les moyens de financer un vitrail si sophistiqué. Vous êtes des chercheurs, à vous de trouver la faille dans ce raisonnement!

Il s'interrompit, et attendit patiemment, bien décidé à se taire tant que ces apprentis initiés ne se seraient pas montrés dignes de ses soins, en donnant une bonne réponse. Les cinq amis s'interrogeaient à voix haute.

— L'homme qui se trouve au milieu est immergé, fit remarquer Bérenger. C'est le courant souterrain, la connaissance cachée.

— Continuez, dit Destino.

— La wouivre, proposa Roland. L'eau représente parfois le courant tellurique qui parcourt la terre et dont la puissance est telle qu'il coule d'ici jusqu'au Languedoc.

— Oui, oui, l'encouragea Destino. Vous le verrez très bientôt, car midi approche.

— Des porteurs d'eau…, hasarda Tammy. Pourraient-ils symboliser les porteurs de la coupe ?

— … qui, dans le mouvement ésotérique, représente le Graal, compléta Maureen.

— Au sein de l'Ordre, nous appelons ce vitrail le vitrail du Graal, précisa Destino, satisfait par la proposition de Maureen. Regardez. En général, on croit que Madeleine lave les pieds du Christ avec ses larmes, et qu'elle est la pécheresse repentie de l'Évangile de Luc. Mais traiter Madeleine de pécheresse, voilà le vrai blasphème. En vérité, elle oint les pieds de Jésus d'huile, et ses cheveux dénoués signifient qu'ils se préparent pour la chambre nuptiale. C'est la première étape du *hieros gamos*, du mariage sacré, et voilà pourquoi c'est le premier vitrail de l'histoire de Madeleine.

Maureen et ses amis savaient que l'Église avait forgé cette version de l'histoire de Marie Madeleine au vie siècle, en lui attribuant le rôle de la pécheresse anonyme de l'Évangile de Luc. Mais, excepté dans l'autobiographie de Matilda, ils n'avaient jamais entendu parler de l'onction comme d'un rituel préparant à l'union sacrée.

— Le vitrail suivant montre le rôle de Marie Madeleine dans la Résurrection. Car l'amour est la clé de la vie après la mort, et, quelle que soit la forme qu'il prend, il est assez puissant pour vaincre la mort. Comme vous pouvez l'observer, elle est présente lors de la résurrection de son frère Lazare. Et surtout, elle est la première à voir Jésus se relever. Ici, il lui annonce que sa mission est de diffuser les enseignements du Chemin de l'Amour. Regardez de plus près : elle tient un rouleau, symbole de l'autorité qu'il lui a donnée, et elle s'approche des autres, pour leur transmettre les enseignements du Livre de l'Amour. Au-dessus, vous la voyez sur un bateau, en route vers la France. Le diamant central représente saint Maximin, qui établit la première église en Provence. Et maintenant, détaillez le dernier vitrail, le plus significatif : il représente la mort terrestre de Madeleine. Trois personnes la pleurent, à ses pieds : un homme d'âge mûr, une femme et un plus jeune homme. Ce sont ses enfants. Au-dessus d'elle, vous reconnaîtrez Maximinus, son compagnon de toujours, qui l'aimait plus que tout au monde ; il consulte un livre posé sur un guéridon doré. Inutile que je vous dise à quoi correspond ce livre, n'est-ce pas ? On voit aussi les saints amants, Véronique et Prétorius. Le Romain porte un vêtement de prêtre, pour signifier qu'il s'est converti au christianisme. Quant à cet autre homme, celui qui porte la croix, je vais vous dire qui il est, car vous ne pourriez le deviner. Il s'agit de l'ancien centurion romain appelé Longinus.

— Longinus Gaius ! s'exclama Peter. Celui qui a transpercé le flanc de Jésus ?

— Lui-même. Comme vos récents travaux ont dû vous le prouver, il était devenu un fervent chrétien, grâce aux soins de Marie Madeleine, qu'il servit fidèlement jusqu'à sa mort. C'est la preuve du pouvoir de rédemption de l'amour.

Destino montrait désormais le panneau supérieur : Jésus, au ciel, attendait la délivrance de Marie Madeleine.

— La voici, dit-il, son esprit est peint en blanc pour exprimer sa sainteté, et des anges l'emportent pour la réunir enfin à son bien-aimé.

Maureen était émue aux larmes devant le sublime vitrail qui illustrait une vérité qu'elle connaissait désormais. Destino posa la main sur sa tête en un geste affectueux et paternel.

— Venez, mon enfant. Nous avons rendu hommage aux dames du labyrinthe avant d'y entrer. Je pense que nous sommes maintenant prêts. Allez-y la première, nous vous suivrons. Votre créateur vous attend. *Solvitur ambulando*.

Selon Destino, il n'y avait pas de bonne ou de mauvaise façon de parcourir le labyrinthe. Chacun devait suivre son propre chemin. Mais il existait une sorte de code, consistant à laisser du temps à la personne qui vous précédait, et à s'effacer si l'on croisait quelqu'un. Chacun accomplissait son voyage, et chaque voyage se mêlait aux autres, en une danse de la communauté des esprits.

Pieds nus, car Destino lui avait conseillé d'enlever ses chaussures pour mieux sentir la pierre, Maureen entra dans le labyrinthe et commença son périple en admirant le travail des dalles. Lorsqu'elle levait les yeux, elle s'émerveillait des rais de lumière qui perçaient à travers les vitraux et illuminaient le labyrinthe, persuadée qu'ils ne devaient rien au hasard. Comme l'avaient fait remarquer de nombreux sages, rien à Chartres n'était accidentel.

La lumière intense du bleu indigo du vitrail entourait la jeune femme d'un halo magique qui lui donnait le vertige. La vue brouillée, elle aperçut néanmoins une pile de chaussures à l'entrée du labyrinthe.

Le symbolisme de ces chaussures lui alla droit au cœur. Marie Madeleine, Matilda et bien d'autres femmes dans l'Histoire avaient été laissées seules pour poursuivre leur chemin, et transmettre le message. Maureen sentait que toutes ces femmes auraient pu témoigner que ces chaussures abandonnées représentaient le plus dur des défis qu'elles avaient eu à surmonter, l'absence du bien-aimé.

Elle caressa l'amulette de cuivre qu'elle portait autour du cou, où était gravée la phrase de l'Évangile de Luc : « Marie a choisi la meilleure part et nul ne la lui enlèvera. » Était-ce donc cela, la meilleure part ? Le choix de persévérer envers et contre tout, de perpétuer les enseignements sacrés, d'être l'incarnation du Chemin ?

Elle croisa Bérenger, qui était entré à son tour dans le labyrinthe et la regardait avec tant d'amour que Maureen s'immobilisa pour songer à cette leçon que lui destinait le labyrinthe : se souvenir et se réjouir du grand amour qui lui était offert. Dans cet endroit-là, à ce moment-là, et sans crainte.

Lorsqu'elle eut atteint le cœur du labyrinthe, Maureen récita en silence le *Notre-Père* dans la rose aux six pétales, à l'instar de Matilda. Bérenger y pénétra à son tour et elle l'attendit. Il lui prit les mains et ils se contemplèrent, en ce centre du lieu sacré, sous l'éblouissante lumière qui filtrait des vitraux et dardait ses reflets indigo sur l'ancien temple de l'amour.

À midi, alors que le petit groupe de pèlerins était réuni sous la fenêtre 10 pour voir le rayon de lumière qui tomberait sur la pointe de cuivre enchâssée dans la dalle de pierre, le phénomène se produisit comme prévu.

— C'est la wouivre, dit Destino avec un sourire qui étira la cicatrice de son visage. Le cœur battant de la terre, sous nos pieds, à l'intérieur de la crypte érigée sur le monticule d'origine. Ceci, ajouta-t-il en désignant la pointe de cuivre, est la source même du courant. C'est... ce n'est rien moins que le cœur battant de la planète terre.

Sur ces paroles, il leur proposa de passer la journée du lendemain avec lui, au quartier général de l'Ordre, tout proche de Chartres, puis il les quitta. Ils étaient tous les cinq avides d'en savoir davantage sur cet homme énigmatique qui portait la cicatrice des anciens Maîtres de l'Ordre. La tradition s'était-elle perpétuée jusqu'à nos jours ? Il semblait que oui. Se l'était-il infligée lui-même ? Maureen se demandait si elle oserait lui poser cette question qui la taraudait et aiguisait encore davantage sa curiosité pour la plus ancienne des sociétés secrètes.

Chapitre 20

Chartres

De nos jours

Le téléphone portable de Peter sonna tandis qu'ils regagnaient leur hôtel à pied. Le prêtre répondit, et Maureen lut sur son visage qu'il n'était pas satisfait des nouvelles qu'on lui apprenait.

— Que se passe-t-il ? lui demanda-t-elle quand il eut terminé.

— Je ne sais quoi dire. C'était Tomas DeCaro. Il m'informe que le comité d'Arques a annoncé qu'il donnerait une conférence de presse au sujet du document sur Marie Madeleine demain matin. Nous pensons qu'il va l'authentifier.

— Mais c'est magnifique ! s'exclama Tammy.

— Vous croyez ? (Peter secoua la tête.) J'ai peur d'être optimiste. Je connais ces hommes, cela fait deux ans que je travaille avec eux, et j'ai du mal à le croire. Tomas aussi. Barberini est en France, et l'on me demande de me rendre à Paris ce soir, pour une réunion d'urgence. C'est tout ce que je sais. Mon train part dans une heure.

Après que Peter fut parti à la gare, Maureen prétexta une migraine pour se retirer dans sa chambre. Bérenger était fatigué lui aussi, et savait que Maureen avait besoin de solitude pour réfléchir aux événements de la journée, ou pour écrire. Il avait appris à la connaître, et respectait ses désirs.

La jeune femme comprit qu'elle était trop épuisée pour penser à quoi que ce soit, et s'allongea pour faire la sieste. Elle ferma les yeux et s'endormit instantanément, jusqu'à ce que la sonnerie du téléphone l'arrache au sommeil, deux heures plus tard.

— Maureen ? C'est vous ?

C'était une voix de femme, à l'accent irlandais.

— Excusez-moi de vous déranger, c'est Maggie Cusack à l'appareil.

La gouvernante de Peter ! Maureen reprit ses esprits en une fraction de seconde.

— Que se passe-t-il, Maggie ?

— Rien, rien. Le père Healy a téléphoné pour dire que vous devez vous occuper de quelque chose, de façon urgente. Il ne m'a pas expliqué grand-chose, et je n'ai pas posé de questions, vous imaginez bien.

Venez-en au fait, Maggie, au fait, la suppliait Maureen mentalement.

— Enfin, voici les directives qu'il m'a données pour vous. Allez à la porte de la crypte de la cathédrale à huit heures précises, sans rien dire à personne, même pas à lord Sinclair. Le père Healy a recommandé le secret le plus total, il a dit que vous comprendriez quand vous y seriez. Il a insisté pour que je vous convainque. Là-bas, vous rencontrerez quelqu'un, qui vous en dira plus. D'ici là, le père Healy étant en route pour Paris, vous ne pourrez pas le joindre facilement. Il m'a informée que l'authentification aurait lieu, et que c'est en rapport avec tout ça. Que vous sauriez de quoi il s'agit.

Maureen réfléchissait. C'était étrange, Peter se montrait rarement si mystérieux. Mais le coup de fil qu'il avait reçu l'avait ébranlé. S'il avait besoin de Maureen à un endroit précis à une heure précise, elle irait. Mentir à Bérenger lui posait un problème, or elle devait le retrouver à huit heures et demie pour dîner ; il faudrait qu'elle invente une excuse. Au pire, elle lui dirait la vérité, et le prierait de l'excuser. Bérenger venait du monde des sociétés secrètes, il savait mieux que personne que la discrétion était parfois indispensable.

Au bout du fil, Maggie la pressait de plus belle :

— Je vous en supplie, Maureen, ne le laissez pas tomber... C'est très important pour lui.

— C'est d'accord, Maggie, merci.

Maureen mit fin à la conversation, plus intriguée que jamais.

Elle savait qu'elle mentait très mal, et qu'elle n'y arriverait pas avec Bérenger ; Maureen appela donc Tammy et Roland dans leur chambre pour leur annoncer qu'elle restait au lit, et les retrouverait au petit déjeuner. Tammy ne parut pas entièrement convaincue, mais ne s'attarda pas au téléphone. Maureen eut l'impression que Roland et elle étaient... occupés. C'était une chance, car Tammy avait posé moins de questions que d'habitude.

L'hôtel était assez vaste pour que Maureen puisse se glisser dehors sans être vue. En gravissant la colline qui menait à la cathédrale, elle composa le numéro de Peter sur son mobile, mais ce dernier était injoignable. Elle lui laissa cependant un message.

— Salut, c'est moi. J'ai parlé à Maggie, je vais à la crypte, dévorée de curiosité. Et je meurs d'envie de savoir ce qu'il en est de l'authentification. Appelle-moi quand tu pourras.

La porte de la crypte était fermée, mais, alors qu'elle s'apprêtait à frapper, elle entendit les gonds rouillés grincer, et le battant s'entrouvrit. Tout d'abord, à la lueur des quelques bougies qui éclairaient les marches menant à la crypte, elle ne vit personne.

Puis une main s'abattit sur son épaule, elle sursauta. En se retournant, elle découvrit une silhouette cagoulée et vêtue de noir, de la tête aux pieds, qui lui faisait signe de descendre. La couleur de la capuche, bleu foncé, était la même que celle des hommes qu'elle avait vus en rêve à Orval. Ceux qui lui avaient volé son calepin et son ordinateur.

La porte extérieure claqua, elle entendit que l'on tirait un verrou. Ainsi, selon la prédiction, Maureen était enfermée dans la crypte de la cathédrale de Chartres. Cela ne pouvait signifier qu'une chose : l'agresseur était un membre de haut rang de la hiérarchie de l'Église.

— Entrez, *signorina* Pascal, lui intima une voix rocailleuse. Maureen ne voyait pas qui lui parlait. L'homme à la cagoule la poussait en avant. Puis, après une vingtaine de pas, il la força à s'arrêter, claqua des doigts, et un autre homme habillé de la même façon apparut, un lourd chandelier de fer à la main. Il se pencha pour éclairer une large citerne semi-circulaire apparemment creusée dans le mur.

L'homme qui se tenait derrière Maureen la saisit par les cheveux et poussa sa tête au-dessus du puits. La jeune femme, prise de panique, supposa qu'il allait la jeter dedans. Elle s'agrippa à la margelle et hurla. Son agresseur lâcha ses cheveux pour la bâillonner de la main, mais ne lui fit pas plus de mal.

— Le destin de Modesta. Et le vôtre, si vous ne collaborez pas totalement, dit l'homme d'une voix qu'elle reconnut immédiatement comme celle de la personne qui l'avait attaquée à Orval. Si cela s'avère nécessaire, vous imaginez bien que personne ne retrouvera jamais votre corps.

On la conduisit alors dans une vaste chapelle souterraine éclairée par des bougies. Les murs épais étaient revêtus d'ornements celtiques. À sa droite, elle entrevit une statue de Notre-Dame de Sous la Terre, que l'on n'avait pas jugé bon d'éclairer pour la circonstance. En vérité, toute la lumière était concentrée sur un autel sur lequel reposait un modeste coffre en bois. Un troisième personnage, revêtu lui aussi du même costume, se tenait à côté de l'autel. Il ôta sa capuche et s'approcha de Maureen, qui frémit à sa vue.

Girolamo DiPazzi en personne lui faisait signe de s'asseoir sur une chaise à ses côtés.

Maureen se taisait, attendant que le vieil homme prenne la parole. Son sbire se tenait toujours derrière elle, comme un rappel constant de sa captivité et du destin de Modesta.

— Dites-moi, ma chère, pourquoi êtes-vous à Chartres ?

Maureen resta muette. Sa seule défense était le silence. Ils voulaient quelque chose d'elle, et elle n'était pas disposée à le leur accorder sans contrepartie.

— Vous ne voulez pas répondre ? Peu importe. Vous êtes venue chercher le Livre de l'Amour, car quelqu'un vous a dit qu'il se trouvait ici. Et on ne vous a pas menti. Le Livre de l'Amour est bien là.

Tandis que Maureen s'efforçait de ne montrer ni son étonnement ni sa curiosité, DiPazzi poursuivit :

— Et il ne s'agit pas d'une copie. Ce n'est ni le Libro Rosso ni tout ce fatras hérétique. C'est le document original, le texte écrit de la main de Notre-Seigneur Jésus-Christ. Il est ici, parce que c'est moi qui l'ai apporté. Allons, venez, et n'essayez pas de prétendre que vous ne donneriez pas tout au monde pour voir le Livre. C'est votre destinée.

Maureen garda le silence. Même si le Livre de l'Amour se trouvait en ce lieu, même si elle pouvait le voir et le toucher, on ne la laisserait pas vivre assez longtemps pour qu'elle puisse en parler à quiconque.

Mais Girolamo DiPazzi n'était pas un imbécile. Il guettait sa proie depuis longtemps, avait consacré sa vie à étudier les Élues. Après avoir lu son calepin, il savait ce qui la motiverait : la connaissance, l'information. La vérité.

— Vous avez dû comprendre, *signorina* Pascal, que je n'ai aucune intention de vous faire du mal. Ce qui ne veut pas dire que je ne m'y résoudrai pas si cela devient nécessaire. Et vous avez sûrement compris que ces hommes, ajouta-t-il en désignant les sbires, ne reculeront devant rien si vous refusez de coopérer. Mais, en vérité, mon Église et moi avons tout à gagner de votre collaboration. Je vous propose donc un marché. Je vais vous confier un secret, un secret immense. Et je vous montrerai le trésor le plus précieux de l'histoire de l'humanité. Mais, en échange, vous ferez quelque chose pour moi.

— Que voulez-vous que je fasse ? demanda Maureen, qui affichait un calme qu'elle était loin de ressentir.

Mentalement, elle priait Easa pour qu'il la protège. Si le Livre de l'Amour se trouvait vraiment ici, sa présence lui serait bénéfique.

— D'abord, voici un indice en ce qui concerne le secret : Lucia dos Santos.

— La vérité sur Fátima ? C'est cela que vous allez me révéler ?

Il hocha la tête.

— Pourquoi ?

— Parce que...

Le père Girolamo DiPazzi s'interrompit et Maureen lut dans ses yeux plus qu'une amère détermination : une sorte de tristesse.

— Parce que j'ai besoin de votre aide, avoua-t-il enfin. Vous voulez connaître le secret de Fátima ? Le voici. La très Sainte Vierge est venue dire aux enfants de Fátima que nous, notre sainte mère l'Église, détenions le Livre de l'Amour depuis qu'Ignace de Loyola l'avait apporté à Rome en quittant Montserrat. Et c'est la vérité. Loyola nous l'a remis en échange du droit de l'étudier et de la liberté de créer un nouvel ordre, qui obéirait à ses propres règles.

Plus l'homme parlait, plus Maureen sentait s'amenuiser ses chances de survie.

— Pourtant voyez-vous, continua le prêtre, nous nous sommes heurtés à une complication inattendue. Le Livre est intact, mais contient des informations destinées seulement à ceux qui ont des oreilles pour entendre et des yeux pour voir. Notre-Seigneur a codé ses enseignements de telle façon que nos savants les plus érudits n'ont pas réussi à en percer la signification. La seule à y être parvenue est Lucia dos Santos. De façon intermittente.

— C'est donc l'une des révélations de Fátima ? On a dit à Lucia comment déchiffrer le Livre ?

— Ce n'était pas nécessaire, répondit le vieux prêtre. Ce n'est pas quelque chose que l'on peut apprendre. C'est... quelque chose que vous êtes.

— Oh ! une Élue !

— Oui. Je suis incapable de comprendre pourquoi Notre-Seigneur a confié son enseignement sacré à des femmes, mais il l'a fait.

Cette révélation stupéfia Maureen. Le Livre de l'Amour ne pouvait être déchiffré que par une femme ! En un instant, elle sut pourquoi. Jésus avait ainsi codé son enseignement afin que les femmes ne soient pas écartées des activités d'enseignement et de pouvoir. C'était à la fois magnifique et stimulant.

Le vieil homme l'étonna, il avait lu dans ses pensées.

— Je sais ce que vous imaginez, mais vous avez tort. Le Libro Rosso est une copie du Livre de l'Amour, et il est de la main d'un homme, celle de Philippe.

— Non, il n'a pas été copié, mais transcrit. Marie Madeleine, enceinte, traduisait pour lui ; elle lisait, et il écrivait sous sa dictée.

— Qu'importe, fit DiPazzi en balayant l'objection d'un revers de main. Maintenant, vous allez vous montrer obéissante, et déchiffrer le Livre pour moi. Et n'essayez plus de faire semblant, comme pour les prophéties.

— C'est pour cette raison que vous avez enfermé Lucia pendant quatre-vingts ans ?

— Oui, répondit simplement le père Girolamo DiPazzi sans le moindre embarras.

— Et, en huit décennies, vous n'avez pas obtenu tout ce que vous vouliez ?

— Elle n'y arrivait pas toujours. Et n'était pas toujours coopérative, ce qui nous a obligés à l'isoler. Les gens nés sous votre étoile sont de… fortes têtes.

— Pourquoi pensez-vous que je pourrais vous donner ce que voulez, ici et maintenant ? Et même si je le pouvais, qu'est-ce qui vous fait croire que je le ferais ?

— Parce que vous êtes aussi curieuse que nous. Dussiez-vous en mourir, vous ne résisterez pas à la possibilité de lire ce livre. Comment le pourriez-vous ? Vous êtes née pour voir ce jour.

— Et comment saurai-je que vous n'allez pas m'enfermer comme Lucia ?

— Vous n'en saurez rien. Mais c'est un risque que je vous suppose prête à courir.

— Mes amis me retrouveront, quoi que vous décidiez de faire.

— Peut-être. Néanmoins, vous avez aussi beaucoup d'ennemis. Vous avez fréquenté, de près ou de loin, des groupes fondamentalistes et des cinglés en tout genre. On vous a récemment cambriolée, et suivie. Les menaces de mort qui vous ont été adressées ont fait l'objet d'une large diffusion dans la presse. Il sera plus que facile de convaincre les autorités que l'une d'elles a été suivie d'effet. Échec et mat, *signorina*. Vous ne pouvez pas nous battre à un jeu que nous jouons mieux que personne, depuis deux millénaires. Nous disposerons de vous à notre guise, comme nous l'avons fait avec toutes celles qui vous ont précédée.

— Mais la vérité...

— La vérité? Quelle vérité?

Il semblait perdre patience, comme s'il refusait de se laisser entraîner dans une discussion avec l'ennemi.

— La vérité, poursuivit-il, en reprenant la maîtrise de la conversation, est que vous pouvez éviter le destin de Modesta. Si l'information que vous nous fournissez est valable, c'est-à-dire si elle confirme notre doctrine établie, et si vous êtes prête à en témoigner par écrit, votre sort pourra être radicalement différent.

Maureen était sans voix.

— Seriez-vous... Me proposez-vous... un marché?

En dépit de ses prétentions affichées quant à l'omnipotence de l'Église, le père DiPazzi devait faire un aveu douloureux.

— L'Église est dans une impasse. Pour la première fois, nous luttons sur un terrain qui pourrait nous être défavorable. Il s'agit d'une guerre des mots. Nous n'arrivons plus à contrôler le flux d'informations qui inonde le monde. Nous devons donc trouver de nouveaux moyens d'agir. Les jeunes vous écoutent, votre travail a été traduit en plusieurs langues. Utilisez cette influence pour confirmer notre position plutôt que pour la critiquer. Vous, vos amis et votre cousin y gagnerez tous. Songez à l'impact : vous, une hérétique, vous avez eu la révélation, et revenez à la véritable religion.

— Me demandez-vous d'écrire un livre proclamant la vérité de la doctrine de l'Église, et de renier tout ce que j'ai publié jusqu'ici? Comment pourrais-je faire une chose pareille?

— Vous vous repentirez. Vous avouerez que l'Évangile d'Arques est un faux, qui vous a servi à vous enrichir, mais que vous vous en repentez. Et nous, nous vous offrirons notre pardon, puisque vous serez revenue dans le giron de notre sainte mère l'Église.

Maureen était horrifiée. Elle se rappela la phrase de Jeanne d'Arc, accrochée dans la bibliothèque de Bérenger Sinclair : « Je préférerais mourir que de faire quelque chose que je sais être contre la volonté de Dieu. » Et penser à Bérenger lui redonna de la force.

Son silence força DiPazzi à revenir à sa tactique précédente.

— Si vous refusiez... comment savoir ce qui arriverait... À vous et à vos amis.

Il était difficile de réfléchir en présence d'hommes cagoulés, qu'elle ne voyait pas mais dont elle entendait la respiration, devant ce vieux prêtre à la voix rocailleuse et, surtout, en présence du coffre en bois posé sur l'autel. Maureen tendit la main vers le coffre.

— Le Livre est-il à l'intérieur ? Je peux le voir ?

Malgré son arrogance, son intolérance et sa malveillance, le vieil homme se croyait toujours pieux. Il s'agenouilla devant l'autel et dit une prière avant de se relever. Puis il ôta du coffre une autre boîte plus petite, incrustée de pierres précieuses, qui étincela à la lumière vacillante des bougies. Maureen ne put retenir un gémissement en la voyant. Le couvercle reproduisait la rose à six pétales, identique à celle du labyrinthe de Chartres.

DiPazzi plaça la boîte devant Maureen. La jeune femme remarqua qu'il évitait de toucher le Livre.

— Sortez-le, dit-il, et suivez votre instinct. Ou vos voix. Lucia entendait parler Notre-Dame quand elle prenait le Livre en main, mais vous réagirez peut-être autrement. Vous êtes très différentes les unes des autres. Il prononça ces dernières paroles comme s'il examinait au microscope un insecte – un insecte particulièrement nuisible et venimeux.

Sa petite taille obligea Maureen à se lever pour regarder à l'intérieur de la boîte. Elle vit une couverture banale, sans doute en peau de bête, posa la main dessus et, d'abord, ne sentit rien. Mais quand elle plaça ses paumes à plat sur le Livre, un tremblement la parcourut des mains jusqu'à son corps tout entier. Les yeux fermés, Easa apparut derrière ses paupières, de la même manière que dans ses rêves. Puis elle l'entendit, comme elle l'avait déjà entendu.

— Tu es ma fille, dont je suis satisfait. Mais tu n'as pas achevé ton travail. Écoute. Ceci est le Livre de l'Amour. Suis le chemin qui a été tracé pour toi et tu trouveras ce que tu cherches. Ensuite, tu le partageras avec le reste du monde pour accomplir ta promesse. Notre vérité est restée trop longtemps dans les ténèbres. N'aie aucune crainte, car je suis avec toi.

Toute peur quitta Maureen. Elle entendait la voix d'Easa, qui parlait rapidement.

— La peur et la foi ne peuvent exister au même endroit et en même temps. Choisis.

Maureen choisit la foi.

Elle ouvrit le Livre, sans plus se soucier des hommes cagoulés, ni du vieux prêtre. Il était écrit en grec ancien, ou en araméen, ou encore en hébreu, langues qu'elle ne comprenait pas. Mais cela ne comptait pas. Comme dans ses rêves, les pages se mirent à briller d'une lumière bleu indigo qui parut remplir la pièce et virevolter autour de la statue de Notre-Dame de Sous la Terre. Puis la lumière emplit le corps tout entier de Maureen. Elle n'avait pas besoin de lire, ni de disposer d'une traduction. Elle était le Livre, et incarnait ses enseignements.

Les visions se succédèrent à un rythme rapide. Salomon et la reine de Saba, Jésus et Marie Madeleine, sa mère Marie et sa grand-mère Anne, sa fille Sarah-Tamar. La petite fille d'Orval, l'apparition féminine du Saint-Esprit à Knock, « je ne suis pas celle que tu crois ». Et soudain, tout lui sembla clair, si clair qu'elle tomba à genoux, le Livre serré contre sa poitrine. Jésus l'avait écrit pour honorer la place des femmes dans sa vie, leur sagesse et leur grâce. C'était un tribut en l'honneur du principe divin féminin perdu, qui l'avait guidé jusqu'à la vérité : Notre Père et Notre Mère qui sont aux cieux ne font qu'un, ils nous aiment, et, quand le temps revient, nous sommes à nouveau tels que notre Créateur nous a faits, à leur image, et nous connaissons l'amour pour l'éternité.

La lumière brillait de plus en plus, Maureen voyait la pièce tournoyer autour d'elle et, le Livre toujours contre elle, la jeune femme comprenait le message que lui transmettait Easa : l'amour, et l'amour seulement, est réel. Tout le reste n'est qu'une illusion qui nous écarte de la pureté originelle. Jésus ne voulait pas d'une autre religion, il voulait que nous revendiquions la vérité que le temps avait dévoyée. Une vérité simple, belle, celle de l'amour sous toutes ses formes. Ce n'était pas une nouvelle alliance, mais l'alliance originelle, qu'il nous restituait de sa propre main, en s'en instaurant le messager.

— Le temps revient

Maureen l'entendit murmurer ces mots, qui revêtaient pour elle un nouveau sens. « Le temps revient » était la plus sainte des prophéties, car elle prédisait un second retour. Et ce retour n'était pas celui de Jésus, mais celui de son message et de ses enseignements.

— Nous sommes ceux-là mêmes que nous avons attendus, et nous l'avons toujours été. Nous sommes le second retour.

Perdue dans ses visions, Maureen comprit que cette lumière bleue qui irradiait était celle des vitraux de la cathédrale de Chartres. Elle sut que ceux qui avaient bâti ce temple à l'amour avaient eu l'occasion de la voir et qu'ils l'avaient reproduite pour qu'elle brille sur tous ceux qui y entreraient, et leur offre une infime partie de ce qu'elle ressentait en cet instant.

Mentalement, elle visualisa toutes les femmes, célèbres ou non, reproduites sur les bas-reliefs. Qu'avaient-elles en commun ?

Son esprit divagua un instant, elle revoyait la lumière filtrant à travers le vitrail bleu de Marie Madeleine lorsqu'elle parcourait le labyrinthe, elle revoyait sainte Anne, elle se revoyait parvenir au cœur du labyrinthe, là où Dieu parle à ceux qui ont des oreilles pour entendre.

— Oh ! mon doux Easa, est-ce cela que tu voulais nous dire ? Est-ce aussi simple que cela ?

Elle le contemplait, désormais, debout au centre du labyrinthe, elle regardait ses yeux aimants, et les outils du maître maçon qu'il tenait en main de façon à les réunir pour qu'ils symbolisent l'union sacrée des bien-aimés. Et, derrière lui, elle voyait la femme qu'il aimait, Marie Madeleine, ses cheveux auburn et sa beauté surnaturelle.

Une fois encore, Easa lui dit en désignant la cathédrale dans son ensemble :

— Écoute, c'est le Livre de l'Amour. Tu le partageras avec le reste du monde pour accomplir ta promesse. Notre vérité est restée trop longtemps dans les ténèbres.

Le sanglot déchirant de Maureen résonna contre les vieilles pierres de la cathédrale. Elle leva les yeux et un kaléidoscope où se mêlaient les vitraux et les couleurs s'offrit à ses yeux embués de larmes. Enfin, elle comprenait.

Le Livre de l'Amour ne se trouvait pas dans la cathédrale de Chartres. Le Libro Rosso non plus. Les enseignements les plus sacrés de la chrétienté, et peut-être de l'humanité tout entière, n'étaient pas cachés *dans* la cathédrale de Chartres.

Ils *étaient* la cathédrale de Chartres.

Les écrivains qui l'avaient célébrée au cours des siècles l'avaient souvent appelée le « livre de pierre ». Ils ne s'étaient pas trompés.

L'architecte suprême de sa vision était un homme au visage barré d'une affreuse cicatrice ; il coordonnait le travail de sculpture qui enfermerait le Livre de l'Amour dans la pierre, afin qu'en jouisse toute l'humanité. Les enseignements de l'Ordre étaient ici vivants, dans la tradition du Maître qui les y avait forgés.

Maureen était agenouillée, le Livre de l'Amour encore contre sa poitrine. Elle était encore dans la béatitude de la lumière et de sa vision, mais sentait qu'elle allait bientôt revenir dans son corps. Il fallait qu'elle trouve un moyen de sortir de là, pour annoncer au monde que le Livre de l'Amour était ici, dans ces vitraux, dans ces pierres, à la disposition de ceux qui voulaient le voir, le sentir. Et qu'il l'avait toujours été.

La sagesse la plus précieuse de l'humanité avait été cachée en pleine lumière depuis huit siècles. Et l'Église le savait. En recouvrant le labyrinthe, elle avait espéré obscurcir l'outil dont avait besoin le commun des mortels pour déchiffrer le code et lire le Livre.

Revenue à elle, Maureen constata que les hommes cagoulés avaient reculé, et semblaient regarder le sol. Elle se redressa lentement, et aperçut le père Girolamo DiPazzi, les yeux dans le vague, le visage hanté. Puis Maureen entendit encore une fois Easa, qui murmurait à son oreille :

— L'amour est toujours vainqueur.

En regardant le précieux objet entre ses mains, elle sentit son pouvoir retourner entre les pages. Puis la lumière bleue s'effaça à son tour.

Maureen considéra le vieillard qui l'avait attirée ici pour la menacer. Il l'observait, les yeux emplis de larmes. Il parvint à articuler :

— Cela n'est pas arrivé à Lucia dos Santos.

Maureen ne saurait jamais si le prêtre avait reçu personnellement la grâce de telles visions, mais, à voir son expression, son émotion, on comprenait que ce dont il venait d'être témoin l'avait transformé.

Des coups violents frappés à la porte firent sursauter chacun des protagonistes réunis dans la crypte. Une voix d'homme, étouffée par l'épaisseur des murs, criait le nom de Maureen. C'était celle de Bérenger, qui semblait prêt à enfoncer la porte de la crypte.

Les sbires consultèrent le prêtre du regard. Il secoua la tête et dit à Maureen :

— Partez.

Maureen baissa une dernière fois les yeux sur le livre miraculeux qu'elle tenait entre les mains. Le lâcher fut une gageure plus difficile à relever que tout ce qu'elle avait accompli jusque-là. Elle savait que l'avoir touché l'avait changée à jamais. À sa façon, elle était devenue, pendant ces quelques instants, l'incarnation humaine de la cathédrale de Chartres et du Livre lui-même.

Par la suite, Destino lui expliquerait que la conjonction des astres était favorable lorsqu'elle avait libéré la parole contenue dans le Livre de l'Amour. L'endroit où elle se tenait était directement sur la wouivre, le cœur battant de la planète. C'était le jour du solstice d'été, elle

avait commencé cette journée en parcourant le labyrinthe en compagnie de son bien-aimé et d'amis de sa
famille d'esprit, et, surtout, elle se trouvait à Chartres, le
temple destiné à exprimer les secrets du précieux Livre.

Maureen Pascal embrassa la reliure de l'inestimable
document créé par Jésus-Christ et le remit à sa place.
Puis elle tourna le dos au père Girolamo DiPazzi et
s'éloigna. En passant près du vieux puits, elle s'arrêta,
certaine d'entendre un murmure émaner de ses profondeurs. Une voix féminine, vaporeuse, qui disait : « Merci,
merci beaucoup », avant d'exhaler un profond soupir de
soulagement. Maureen formula une prière pour l'esprit
de Modesta, en espérant qu'elle avait trouvé le repos,
puis elle gravit les marches et ouvrit la porte à l'homme
que Dieu lui destinait depuis l'aube des temps.

Immobile, Girolamo DiPazzi regarda Maureen s'éloigner. Il ne comprendrait jamais pourquoi le Seigneur
avait choisi de révéler sa lumière à de telles femmes, ni
pourquoi il ne pouvait accéder à cet amour comme Lucia
dos Santos ou Maureen Pascal

Et, enfin, il saisissait le sens de la prophétie qui le
hantait depuis si longtemps : « Le temps revient. »

Il sortit de sa poche le reliquaire en cristal qui renfermait une mèche de cheveux de Modesta. Les siècles
n'avaient pas entamé sa lumineuse couleur dorée. Il la
considéra un instant, puis baissa la tête et sanglota.

Chapitre 21

Chartres

De nos jours

Enfin en sécurité dans sa chambre d'hôtel, Maureen s'abandonna dans les bras de Bérenger, qui la laissa pleurer tout son soûl, en lui caressant les cheveux avec tendresse.

Lorsqu'elle se redressa, il la contempla attentivement.

— Qu'y a-t-il ? lui demanda-t-elle. Je dois être affreuse.

— Oh non ! dit-il en riant. C'est même exactement le contraire. Je ne pensais pas pouvoir vous trouver plus belle que je ne le fais depuis longtemps, mais aujourd'hui, vous rayonnez.

Elle lui raconta tout ce qui s'était passé dans la crypte, en s'efforçant de trouver les mots capables de transmettre son expérience.

— J'aurais tant voulu que vous le voyiez, Bérenger. Je voudrais tellement que vous sachiez ce que l'on ressent en tenant un tel objet entre ses mains.

— Mais je le sais, murmura-t-il en la reprenant dans ses bras et en mêlant son âme à celle de Maureen en un baiser passionné.

Paris

De nos jours

Peter écoutait Marcelo Barberini et Tomas DeCaro, qui lui exposaient les pièces manquantes du puzzle. Par moments, il était stupéfait, à d'autres, il s'étonnait de ne pas avoir vu l'évidence. Le pape Urbain VIII avait été le reconstructeur de Saint-Pierre et le plus important des mécènes de Gianlorenzo Bernini, dit le Bernin. C'était lui qui avait voulu que la dépouille de Matilda de Toscane trône en cette place d'honneur au Vatican, en face du chef-d'œuvre de son descendant Michelangelo Buonarroti.

Le nom de ce pape était Maffeo Barberini. Le cardinal Barberini qui s'adressait à Peter descendait de cette même illustre famille italienne. Urbain VIII avait vécu et travaillé en tant que nonce du pape dans les provinces hérétiques françaises, il avait été élevé par les Jésuites, il avait canonisé Ignace de Loyola et son bras droit, François Xavier, en raison de ce qu'ils avaient rapporté d'Espagne. Il était en fait le premier pape qui ait connu le Livre de l'Amour.

— Urbain VIII décida de reconstruire Saint-Pierre sur le modèle de la cathédrale de Chartres. Il demanda donc au Bernin de sculpter les œuvres qui préserveraient le legs des nôtres dans l'enceinte même du Vatican.

Le cardinal poursuivit ses explications en apprenant à Peter que la légende du Libro Rosso avait obsédé le pape et qu'il en était venu à croire que Matilda de Toscane avait possédé la clé qui permettait de déverrouiller le Livre de l'Amour. Ainsi avait-il fait rapporter à Rome sa dépouille, considérée comme une relique sacrée, et l'avait-il enfouie au cœur de Saint-Pierre.

— Alors, dit Peter, il y a depuis longtemps au Vatican des gens qui savent la vérité sur le Livre de l'Amour ? et qui le protègent ?

— Qui le protègent dans la mesure de leur pouvoir, répondit tristement Barberini. Après la mort de Maffeo, ma famille a subi un long exil, car son successeur était un conservateur qui s'opposait aux véritables enseignements.

— Et il en alla de même pour mes ancêtres, renchérit DeCaro.

Peter lui sourit, car il savait que son ami était un descendant des Borgia, la famille à la réputation sulfureuse qui avait plus d'une histoire à raconter sur la vérité et le mensonge.

— Mais nous en sommes à un stade critique, poursuivit DeCaro. Ce qui va être rendu public demain nous contraindra tous à prendre des décisions radicales concernant notre avenir. Nous avons décidé de nous retrouver à Paris pour être éloignés de Rome, et en mesure, si cela s'avère nécessaire, de publier un contre-communiqué au sujet du texte d'Arques.

— Demain, tout peut arriver, renchérit Barberini. Nous devons être prêts à prendre la parole s'ils essaient encore de nier la vérité. Vous rangez-vous à nos côtés ?

— Oui, répondit Peter, qui n'avait jamais été aussi sûr de quoi que ce soit au cours de sa vie.

Il serra la main des deux hommes pour sceller sa parole, et ajouta :

— La Vérité contre le monde.

Chartres

De nos jours

La sonnerie du téléphone réveilla Maureen et Bérenger qui dormait à côté d'elle. Il était encore très tôt et la nuit, entrecoupée de révélations et d'aveux, avait été longue. Maureen avait compris que, dès qu'il avait pris connaissance de son message, Peter avait nourri de graves soupçons, et appelé Bérenger pour qu'il aille la chercher dans la crypte. Larmes, explications et excuses avaient cependant bientôt laissé place au pardon, et à l'extase de l'union sacrée.

— Maureen, branche la télévision, lui demanda Peter d'une voix pressante. On va retransmettre en direct une conférence de presse de Rome. Au sujet du document d'Arques. Prépare-toi.

— Mais à quoi ? demanda Maureen.

— Je ne sais pas exactement. Personne ne le sait. C'est justement le problème. Je te rappellerai dans quelques minutes.

Maureen tendit la télécommande à Bérenger, plus habitué qu'elle à la télévision française. Il trouva rapidement la retransmission en anglais, sur la BBC. Un journaliste racontait l'histoire de la prétendue découverte de l'Évangile d'Arques par une romancière américaine, Maureen Pascal, qui avait écrit un best-seller controversé à la fois sur les circonstances de cette trouvaille et sur l'interprétation du contenu, personnelle à l'auteur et non étayée.

Bérenger émit une protestation étouffée, mais ne dit rien. Le résumé de ce reportage tétanisait Maureen. L'Évangile, poursuivait le journaliste, avait donc été remis au Vatican, à fin d'authentification, et il avait été étudié à la loupe par des savants et des théologiens. La caméra se focalisa sur un fragment du manuscrit. Maureen saisit le bras de Bérenger.

— Tu vois ce que je vois ? lui demanda-t-elle.

Il hocha la tête, sans quitter l'écran des yeux.

— Que se passe-t-il ? Que sont-ils en train de faire ?

— Je ne sais pas, murmura la jeune femme. Mais ce qui est sûr, c'est que ce qu'ils montrent n'est pas l'Évangile d'Arques.

Même si Maureen n'était pas une spécialiste, chaque détail de sa découverte de l'Évangile perdu de Marie Madeleine, de sa perfection, était gravé à jamais dans son esprit. Et le document qui était présenté à la presse n'avait rien à voir avec celui qu'elle avait eu en main.

Le porte-parole de l'Église monta sur l'estrade et prit la parole. Partagés entre l'horreur et la stupéfaction, Maureen et Bérenger l'écoutèrent annoncer qu'ils étaient tous réunis pour authentifier ce magnifique document, et pour garantir qu'il avait été écrit par Marie Madeleine. Et que le plus extraordinaire était que ce document repprenait l'essence de l'Évangile de Jean. Marie Madeleine était donc bien une sainte, et bénie, comme l'avait toujours dit l'Église. On en détenait désormais la preuve, écrite de sa main, une preuve entièrement en accord avec les enseignements des Écritures et du Nouveau Testament tels que les comprenaient les catholiques depuis l'aube du christianisme. Il fallait en ce jour se réjouir, et écarter toutes les grotesques allégations sur Marie Madeleine qui intoxiquaient les esprits simples depuis des années. Marie Madeleine avait parlé, une fois pour toutes, et sa parole confirmait la doctrine de l'Église.

Puis des experts se relayèrent pour désigner précisément les différents points où le papyrus se révélait en totale conformité avec l'Évangile de Jean.

Maureen n'écoutait plus. C'était pire que tout ce qu'elle aurait pu imaginer. Certes, elle avait compris qu'il était fort improbable, sinon impossible, que l'Église authentifie le document de Marie Madeleine. Elle avait supposé qu'elle l'ignorerait, ou l'enterrerait, ou déclarerait qu'il s'agissait d'un faux fabriqué de toutes pièces. Mais ceci... rédiger tout un Évangile pour mentir à ce niveau, dépassait toutes ses craintes.

— Tu comprends de quoi il s'agit, n'est-ce pas ? lui demanda Bérenger. Discréditer entièrement ton travail, te faire passer pour une sale menteuse.

— Je sais. Mais en fait, ce n'est pas moi que cela concerne, ni Marie Madeleine. Il s'agit du Livre de l'Amour. Ils savent que je vais écrire à ce sujet, que je vais tenter de partager ce que je sais avec le monde, et ils doivent détruire ma crédibilité avant. Ainsi, peut-être, personne ne cherchera à connaître la vérité.

Maureen se força à respirer calmement. Elle surmonterait cette tempête aussi. Easa ne lui avait-il pas dit que la crainte et la foi ne pouvaient exister au même endroit et en même temps ? Elle choisirait la foi, comme elle l'avait toujours fait.

**
***

Maureen, Bérenger et Destino se promenaient sur les rives de l'Eure, la charmante rivière qui bordait la propriété de l'Ordre.

Destino les sermonnait gentiment.

— Cet épisode ne devrait pas vous démoraliser. Prenez-le comme la volonté de Dieu. Il est bon que l'Église n'authentifie pas l'Évangile d'Arques, comme il est bon qu'elle nie l'existence du Livre de l'Amour.

— Je ne comprends pas, dit Maureen. Comment est-ce possible de considérer ces refus comme bénéfiques ?

— Au niveau de la foi, répondit simplement Destino. Si l'Église reconnaissait la vérité des deux livres, plus personne n'aurait à se poser de questions. À s'interroger, en son cœur et en son esprit, et à choisir de croire ou non. Il n'y aurait plus de risque, plus d'avancée spirituelle d'aucune sorte, et ce serait le plus grand tort que l'on puisse infliger aux hommes. Nous voulons qu'ils pensent par eux-mêmes, qu'ils fassent leurs choix, pas qu'ils deviennent un troupeau de moutons bêlants qui croient ce qu'on leur dit de croire. Rendez grâce à Dieu pour ce jour, car il vous l'a envoyé pour une bonne raison, à vous et aux autres humains : pour mettre votre foi et la leur à l'épreuve. Ceux qui reconnaîtront la vérité en dépit de tous les obstacles seront grandement récompensés, dans leur cœur, dans leur âme et dans leur esprit.

Maureen hocha la tête, convaincue par sa sagesse. Elle savait qu'il avait raison, mais il lui faudrait du temps avant de considérer cette attitude de l'Église comme positive. Destino la regarda et agita le doigt.

— « Que Votre volonté soit faite », madona Maureen, rappelez-vous le deuxième pétale du labyrinthe. C'est cette volonté, et non la nôtre, qui est ici à l'œuvre. Acceptez, et vous trouverez la paix.

Ils poursuivirent leur promenade, et Destino leur parla de la cathédrale, de son histoire et des différentes phases de sa construction. Désignant les deux flèches qui pointaient vers le ciel, il leur demanda :

— Savez-vous pourquoi elles ne sont pas symétriques? Pensez-vous que cela ait pu se produire par accident? Certainement pas, vous êtes des initiés, et vous n'ignorez pas que chaque détail a été pensé pour être en harmonie avec les véritables enseignements. Je vais donc vous confier l'un des nombreux secrets de la cathédrale de Chartres. La flèche de gauche, dite flèche du Soleil, ou flèche de El, représente la part masculine de la création de Dieu. Elle mesure trois cent soixante-cinq pieds de haut. Chaque pied correspond à une journée de l'année solaire. La flèche de droite, dite flèche de la Lune, ou flèche d'Asherah, symbolise la part féminine du pouvoir créateur de Dieu. Elle mesure vingt-huit pieds de moins, vingt-huit symbolisant les journées du mois lunaire. En entrant dans la cathédrale par le portail Royal, vous passez entre les deux principes complémentaires de Notre Père et de Notre Mère, sur la terre comme au ciel.

Il poursuivit en leur racontant l'autre incendie qui avait ravagé la cathédrale, en 1194. Il avait été d'une telle violence que les structures avaient fondu et que les murs de pierre s'étaient effondrés. Cependant, la façade ouest avait été épargnée, ainsi que les deux flèches divines et le vitrail de la Madone bleue. Les habitants de Chartres y lurent un signe du ciel et s'employèrent à rebâtir le monument en s'appuyant sur les plans du Libro Rosso.

— Savez-vous qui est la Madone bleue? demanda Destino.

— Notre-Dame, répondit Bérenger.

— Certes. Mais laquelle?

— Cela n'a aucune importance, intervint Maureen. Elles ne font qu'une. Que ce soit la première, Asherah, Marie la mère, Marie Madeleine, Sarah-Tamar ou n'importe laquelle de leurs descendantes, elles représentent toutes l'essence féminine divine.

— Vous avez raison. Mais ma question n'était pas innocente, et je vous réserve une petite surprise. Entrez, je vais vous montrer quelque chose.

Ils suivirent Destino dans un petit bâtiment ancien qui avait fait partie du monastère érigé en ces lieux. L'intérieur était stupéfiant. Tous les murs étaient couverts du sol au plafond de tapisseries médiévales sur le thème de la licorne.

— Ce sont des copies des célèbres tapisseries ?

— Non, répondit Destino en riant. Les célèbres tapisseries sont des copies de celles-ci. Elles ont été réalisées en double, une série pour l'Ordre et l'autre pour Anne de Bretagne, qui a sa place dans notre histoire, je vous en parlerai plus tard. Nous avons de nombreuses biographies à écrire, Maureen, et, si vous acceptez de devenir le nouveau scribe de notre Ordre, vous serez occupée pour le reste de votre longue vie.

— Je m'en fais une joie, répondit chaleureusement Maureen, et ce sera un honneur.

Elle s'approcha des tapisseries pour en admirer tous les détails, émerveillée par la capacité de créer de tels motifs et de telles couleurs en tissant des fils.

— Vous les connaissez, n'est-ce pas ? demanda Destino.

— La licorne symbolise Jésus, je suppose ? dit Bérenger.

— Elle représente les véritables enseignements de Jésus, le Livre de l'Amour et le Chemin de l'Amour qui en découle. Ou du moins qui aurait dû en découler si on l'avait laissé s'épanouir. Mais on l'a chassé, et détruit, comme cela est dépeint dans les tapisseries.

Maureen l'écoutait, mais la prolifération de symboles retenait son attention. Sur la première des tapisseries, on distinguait cinq fois la lettre A et la lettre E entremêlées et reliées entre elles par une cordelette.

— Ce monogramme se trouve sur les lettres que vous nous avez envoyées ! Quelle est sa signification ?

— Vous voyez cette cordelière ? Jadis, elle servait à unir les époux avant la cérémonie nuptiale. Ce nœud est un nœud nuptial, qu'on appelle le nœud d'Isis. Quant aux lettres, il s'agit du A de Asherah et du E de El.

— Mais pourquoi le E est-il à l'envers ? demanda Maureen, passionnée par le sujet.

— Parce que chaque bien-aimé est le reflet de l'autre. Ils se renvoient leur image dans le miroir, ce qui explique pourquoi l'on offrait des petits miroirs aux futurs époux. Ce monogramme représente l'union sacrée d'Asherah et de El et nous rappelle que nous voyons toujours notre reflet dans les yeux de l'être aimé. Un sage a dit un jour que l'art sauverait le monde. Au sein de notre Ordre, nous le croyons, depuis l'époque de Nicodème et du Volto Santo. Mais il ne faut pas s'arrêter au seul symbolisme ; l'intention de l'artiste, voilà le grand secret de l'art. L'art est imprégné de l'esprit de l'artiste, ce qui permet à ce dernier de créer des chefs-d'œuvre grâce à l'amour qu'il ressent pour son sujet, et à son désir intense de le communiquer. Et les initiés le sentent. C'est pourquoi l'Église prétend que de nombreuses œuvres sont des copies. Elle ne veut pas que des gens comme vous s'attardent dans leur contemplation. Croyez-moi, le Volto Santo renferme la passion de Nicodème, sa mémoire de la Crucifixion et, surtout, la mémoire des véritables enseignements de Jésus.

— Comme l'a ressenti Matilda, dit Maureen.

— Oui, évidemment. Elle était encore une enfant, elle était pure, elle pouvait entendre la voix de l'artiste, aussi clairement que les enfants de Fátima ont entendu Notre-Dame. Mais si l'Église affirme qu'il s'agit d'une copie, que le véritable Volto Santo a été perdu sans qu'on retrouve jamais sa trace, et si elle l'enferme dans une cage de verre, personne n'essaiera d'entendre ce qu'il dit en vérité. Il en va de même du tableau de saint Luc en haut des Saintes-Marches, à Rome. Enfermé derrière des grilles et des vitres, pour que rien ne filtre de son pouvoir. En outre, l'Église prétend que c'est un faux, pour que nul ne le regarde de trop près. Cette conception de l'art a connu son apogée durant la Renaissance, nous y viendrons. Quand vous serez prête, ma chère enfant, je vous demanderai de me rejoindre à Florence et je vous raconterai l'histoire des hommes et des femmes les plus extraordinaires qui aient jamais vécu sur terre. Ils ont incarné la compréhension de « Le temps revient », et ils s'en sont servis pour créer la seconde naissance de la compréhension humaine. Lorsque vous connaîtrez la vérité sur Laurent de Médicis, sur ses amis Sandro

462

Botticelli et Michelangelo Buonarroti, et sur les femmes sublimes qui les ont inspirés, je vous assure que vous ne regarderez plus jamais une œuvre d'art de la même façon.

Ils parcoururent ensemble les rues de la ville pour rejoindre la cathédrale qu'aimait tant Destino. Ce dernier marchait d'un bon pas, en tapotant de temps à autre la sacoche qui battait contre ses côtes. Il voulait leur montrer un détail à l'extérieur et un autre à l'intérieur, avant la fin de la journée. Car on était le 22 du mois et, comme il le fit observer à Maureen avec un clin d'œil malicieux, il se passait ces jours-là des choses qui ne se produisaient pas d'ordinaire. Maureen lui sourit, songeant que, malgré son âge, ses rides et sa cicatrice, cet homme était d'une stupéfiante beauté.

Et d'une grande sainteté.

Ils dépassèrent l'entrée ouest et les flèches et parvinrent bientôt devant la statue de Modesta.

— Vous connaissez son histoire ? demanda Destino.

— Modesta ? Oui, elle fut martyrisée par son père, un Romain, répondit Bérenger.

— Pas exactement. Tout ce qui concerne Modesta est symbolique. C'était une fille de la prophétie, une Élue de l'époque où le Livre de l'Amour se trouvait à Chartres. Constantin et ses conciles voulaient éliminer tout ce qui menaçait le pouvoir croissant de l'Église. Et Modesta, comme chaque femme de la prophétie, représentait un grave danger. À votre avis, que symbolise son père romain ?

— Le pape, l'Église, répondit Maureen. Modesta a donc été exécutée pour l'exemple, pour adresser un signal à toute femme qui oserait mettre au défi les nouvelles doctrines.

— C'est en partie vrai. Mais son véritable crime, le voici, dit Destino en désignant une autre sculpture. Potentian, son mari. Ils ont été mis à mort ensemble, car ils symbolisaient ces couples de prêcheurs héritiers de Jésus et de Marie Madeleine. Deux bien-aimés qui enseignent selon le Livre de l'Amour sont infiniment dangereux. Il en sera toujours ainsi.

Maureen saisit la main de Bérenger et la serra. Ils rendirent un dernier hommage à Modesta, puis Destino les entraîna vers un autre pilier.

— Regardez bien. C'est très abîmé, mais c'est important. La plupart des gens n'y prêtent aucune attention, même ceux qui seraient capables de comprendre ce que cela signifie.

Le pilier était sculpté d'un chariot à roues sur lequel était posée une caissette.

— C'est une arche, dit Bérenger.

— L'Arche de la nouvelle alliance, celle de Matilda..., ajouta Maureen.

— Oui, c'est bien cela, dit Destino avec un grand sourire. Et lisez cette inscription, qui explique aux artisans et aux architectes comment reconstruire le portail des Initiés. *Hic amititur, archa cederis*. C'est du latin de cuisine, que l'on traduit approximativement par : « Ici les choses commencent, vous devez suivre l'arche. » Et c'est ce qu'ils firent. Ils ont suivi le Libro Rosso, la nouvelle alliance, et traduit le Livre tout entier dans les pierres et les vitraux qui figurent ce testament d'amour et de vérité depuis huit siècles.

Les merveilles se répètent à l'infini, se disait Maureen tout en lisant le même étonnement dans les yeux de Bérenger tandis qu'ils suivaient Destino à l'intérieur de la cathédrale. Ce dernier s'arrêta et désigna la rosace de la fenêtre ouest, puis le sol, où le labyrinthe était à nouveau recouvert de chaises.

— Vous n'allez pas croire ce que vous allez voir, les prévint-il. Le diamètre de la fenêtre à la rosace et celui du labyrinthe sont absolument identiques.

Il disait vrai. En la contemplant depuis le sol, il était impossible de concevoir que le diamètre de la fenêtre était de quatorze mètres. C'était encore un des mystères de l'architecture des lieux, dont Destino ne cessait de vanter les mérites.

— Géométriquement, c'est parfait. Si on posait la rosace sur le labyrinthe, elle le couvrirait parfaitement. Inimaginable, n'est-ce pas ? Tant de précision !

Il n'attendit pas leur réponse pour les entraîner vers la gauche du transept, devant la majesté de la Madone bleue, Notre-Dame de la Belle Verrière.

— Maintenant, murmura-t-il, écoutez bien, car ceci est destiné à ceux qui ont des oreilles pour entendre. Je me réjouis de cette occasion, trop rare, de partager ce secret. Vous avez vu juste, lorsque vous l'avez identifiée. Mais il y a quelque chose que vous ignorez : elle a été réalisée à partir d'un modèle humain. Le modèle le plus approprié qui soit dans l'histoire de notre Ordre.

Destino fouilla dans sa sacoche et en retira un fragment de peinture fanée, sur parchemin. Maureen et Bérenger reconnurent immédiatement le portrait d'une femme du Moyen Âge, vêtue de somptueuses soies bleues, coiffée d'un voile et de la couronne de la lignée de Charlemagne surmontée de fleurs de lys et de cinq pierres précieuses. Un petit garçon aux cheveux foncés reposait sur ses genoux. Destino leur montra la forteresse peinte au-dessus de la madone et de l'enfant, et prononça un seul mot :

— Canossa.

Maureen s'en souviendrait comme de l'aspect le plus poétique, le plus bouleversant, du lieu extraordinaire où elle se trouvait. Notre-Dame de la Belle Verrière, le vitrail le plus célèbre du monde, représentait le principe divin féminin sous les traits de Matilda de Canossa, comtesse de Toscane.

Maureen remarqua que les yeux du vieil homme, tournés vers elle, brillaient de larmes.

— Vous lui ressemblez… Vous lui ressemblez tellement, murmura-t-il en un souffle.

— Merci, Maître, chuchota Maureen, qui n'arrivait pas à contenir son émotion.

— Et, tout comme elle, vous êtes un cadeau de Dieu.

Chapitre 22

Chartres

De nos jours

Maureen avait déjà vécu cette scène, une fois en rêve et une fois au cours d'une vision, à Notre-Dame de Paris. C'est ce qui avait permis à Sinclair et ses amis d'être sûrs qu'elle était bien l'Élue de son époque, et ensuite ce qui l'avait guidée jusqu'à l'Évangile de Marie Madeleine.

Mais cette nuit-là, le rêve prit un tour inattendu. Cette nuit-là, elle entrevit une vérité à laquelle rien de ses épreuves récentes ne l'avait préparée.

Il commençait à pleuvoir. Maureen s'était écartée de la foule, mais elle voyait Marie Madeleine, devant elle. Des éclairs surnaturels zébraient le ciel tandis que cette dernière gravissait la colline suivie de Maureen, envahie de l'étrange sensation d'être à la fois spectatrice et protagoniste, ignorant si ses sentiments étaient les siens ou ceux de Marie Madeleine.

Indifférente aux égratignures et aux coupures, les siennes ou celles de Marie Madeleine, elle n'avait qu'un objectif : atteindre Easa.

Les bruits sinistres de coups de marteau sur des clous, métal contre métal, fendaient l'air. Lorsqu'elle – ou elles

466

deux – parvint au pied de la croix, l'averse se transforma en déluge. Elle leva les yeux sur lui et des gouttes de son sang divin coulèrent sur son visage, où elles se mélangèrent à celles de la pluie battante.

Désormais séparée de Marie Madeleine, spectatrice seulement, Maureen voyait celle-ci au pied de la croix, soutenant la mère du Seigneur effondrée de chagrin. D'autres femmes au voile rouge les entouraient. Une autre, coiffée d'un voile blanc, retint l'attention de Maureen. Elle reconnut Véronique. Un centurion romain se tenait près du groupe de femmes, dans une attitude plus protectrice que menaçante. Son regard bleu était empreint d'une grande douceur et d'une souffrance semblable à celle des femmes. Elle n'eut aucun mal à identifier le personnage qui aurait pu l'intriguer avant qu'elle n'ait connu l'Évangile d'Arques. C'était Prétorius; Véronique et lui s'uniraient dans le mariage sacré des bien-aimés et prêcheraient ensemble le Chemin de l'Amour.

Un autre Romain tournait le dos à la famille éplorée, et aboyait des ordres à ses soldats. Bien qu'elle ne distingue pas ses paroles, Maureen ressentait son arrogance, et le danger qu'il représentait. Elle savait ce qui allait arriver, car ce ne pouvait être que Longinus Gaius, le centurion qui s'apprêtait à sceller son douloureux destin : errer à jamais sur cette terre, en quête de la mort et de la rédemption.

Un hurlement de désespoir absolu déchira le silence. Marie Madeleine venait de voir Longinus Gaius percer le flanc d'Easa de sa lance; un flot de sang coulait de la blessure.

L'écho du chagrin de Marie Madeleine se mêla au rire sauvage du Romain, qui se retourna et regarda Maureen dans les yeux. Elle n'eut que le temps d'apercevoir la cicatrice livide qui barrait le visage de l'homme qui brandissait triomphalement son javelot. L'arme que l'histoire appellerait la lance du destin.

Que les Italiens nommeraient il giavellotto di destino.

Ainsi, les mots destinée et destination avaient bien la même racine, et cette racine était Destino.

Et Maureen comprit en un éclair qu'en plein xxie siècle elle avait rencontré l'éternel errant.

Destino s'éveilla en sursaut et se redressa sur son lit, le souffle coupé. Ce n'était pas le cauchemar qui le tourmentait, mais plutôt l'absence du cauchemar. Pour la première fois de sa mémoire presque éternelle, l'homme qui se faisait appeler Destino, le mot qui signifiait à la fois destinée et destination, avait passé une nuit paisible.

Était-ce possible ? Était-ce... terminé ?

Il fit la seule chose à laquelle il pensa. Il s'agenouilla et récita le *Notre-Père* en grec, la langue dans laquelle il l'avait appris au commencement. Dans laquelle elle le lui avait appris, dans sa miséricorde infinie, tant de siècles auparavant.

Le visage de l'homme qui avait été connu sous de si nombreux noms à travers l'Histoire ruisselait de larmes. Il se releva lentement et se dirigea vers le miroir ancien qui ornait sa chambre depuis que sa bien-aimée le lui avait offert en cadeau de mariage, bien des années plus tôt.

Car la pire malédiction de l'immortalité est de voir disparaître ceux que l'on aime, époque après époque.

Il se contempla. Il était Destino, le réceptacle de la plus grande histoire du monde, l'homme qui devait relever l'ultime défi : assurer la pérennité des enseignements du Libro Rosso grâce à un nouveau conteur, afin que la véritable histoire ne se perde jamais. Il pensait désormais avoir accompli sa mission.

Il était aussi l'architecte du chef-d'œuvre de Chartres, et, plus avant encore, il se souvenait de l'époque où il avait eu le grand bonheur d'instruire son élève préférée, Matilda de Canossa, digne de la lignée, entre toutes les femmes. Aujourd'hui encore, évoquer Matilda lui donnait le sourire, surtout lorsqu'il songeait à elle et à Maureen. Elles se ressemblaient tellement, en dépit du millénaire qui les séparait ! Elles étaient la vivante incarnation de la prophétie : Le temps revient.

À travers ses larmes, il observait son reflet dans le miroir et y voyait les divers personnages qu'il avait incarnés, personnages qui avaient travaillé d'arrache-pied, en quête de l'impossible rédemption. De la main, il toucha l'élément éternel, cette cicatrice qui lui barrait la joue gauche, l'élément constant malgré ses différentes apparences. Chaque fois, il portait cette cicatrice, car c'était la même cicatrice, sur le même visage du même homme.

Il se souvint de l'époque où tout avait commencé, lorsqu'il avait été blessé à la face, au service de Ponce Pilate. Ce n'était pas le souvenir de la douleur éprouvée qui le torturait, mais celui des mauvaises actions qui l'avaient conduit jusqu'à cet esclavage, jusqu'à ces deux mille années d'enfer sur terre. Chaque nuit, elles le hantaient : son rire cruel en perçant le flanc du fils de Dieu résonnait dans sa tête ; chaque nuit, il était submergé par l'horreur de son geste.

Il ferma les yeux, et évoqua la malédiction – et la bénédiction – qui lui avait été infligée par le Seigneur :

Longinus Gaius, en ce jour, tes mauvaises actions M'ont offensé, comme elles ont offensé tous les humains au cœur tendre. Ton châtiment sera la damnation éternelle, la damnation sur terre. Tu erreras pour toujours, sans que te soit accordé le bénéfice de la mort, et chaque nuit tu seras tourmenté par des rêves et par les souffrances que tu as provoquées. Ce châtiment se poursuivra jusqu'à la fin des temps, ou jusqu'à ce que tu accomplisses une pénitence digne de rédimer ton âme souillée, au nom de Mon fils Jésus-Christ.

Cette sentence l'avait en vérité mené presque au bord de la démence, jusqu'au jour où il était allé supplier Marie Madeleine de lui accorder son pardon. Elle partagea avec lui la gloire de Dieu issue du Chemin de l'Amour, et le jour où, considéré comme un membre de la famille, il assista à ses funérailles aux côtés de ses enfants en deuil, de son compagnon et protecteur Maximinus et de Prétorius et de Véronique, il fit le vœu de consacrer chaque instant de sa vie éternelle à transmettre les leçons du Livre de l'Amour. Il dispenserait la beauté du Chemin, telle que l'avaient enseignée et vécue le Seigneur et son épouse bien-aimée, Marie Madeleine, puis leurs enfants.

Aucun homme au monde ne comprenait mieux le pouvoir sur l'âme humaine de l'amour et du pardon que le centurion Longinus Gaius.

Il n'aurait pu, à cette époque, imaginer les épreuves qu'il aurait à subir pour respecter son vœu, car, en ce temps-là, tous croyaient encore que la nouvelle alliance serait aisément entendue et adoptée par les enfants du monde entier. La tâche avait mis au défi ses forces physiques et mentales pendant deux millénaires. Il avait assisté, horrifié, au spectacle du martyre des plus belles âmes, aux atroces supplices que leur infligeaient les lois d'hommes de pouvoir, d'hommes qui, au nom de Jésus-Christ, violaient la loi de celui qu'ils prétendaient vénérer. Il avait subi les atrocités de l'Inquisition ; il avait vu les enseignements les plus sacrés dévoyés au-delà de l'imaginable par d'impitoyables menteurs ; et il avait été témoin, impuissant, de la désacralisation systématique et délibérée de Marie Madeleine.

Comment aurait-il pu deviner, à cette époque, que deux mille ans plus tard le monde n'aurait toujours pas accès aux enseignements du Livre de l'Amour, et que ces leçons d'amour, de foi et de fraternité seraient aujourd'hui considérées comme plus dangereuses encore que par le passé ? En prendre conscience fut sans doute la plus pénible de toutes les souffrances qu'il eut à endurer.

Il s'imposa le devoir de transmettre à la postérité la gloire de ceux qui avaient donné leur vie et leur mort pour les véritables enseignements du Chemin. Qui aurait pu s'acquitter mieux de cette tâche sacrée qu'un homme immortel, et qui avait vécu tout ce qui était arrivé ? Ainsi le Libro Rosso trouva-t-il un premier refuge en Calabre. Aujourd'hui, apparemment, il était possible de le ressusciter, et à l'aube de ce nouveau millénaire, les enfants étaient prêts à le lire et à l'accepter.

On entrait dans une nouvelle ère, pour ceux qui ont des oreilles pour entendre.

— Je vous en supplie, mon Dieu, faites qu'ils entendent, murmura-t-il avant de se relever. Il savait que le temps lui était compté, que le moment était venu, et il ressentait une étrange tristesse à l'idée de quitter enfin ce monde qui recelait les grandes beautés créées par Dieu en sa dualité, et par l'homme façonné à cette image. La mort tant attendue apporterait sa part d'amertume.

Tandis que Destino se préparait à une fin qu'il supposait prochaine, il eut une vision d'Easa, qui le regardait de ses yeux empreints de douceur et lui murmurait, de loin :

— Tu es mon fils, dont je suis satisfait. Mais ton travail n'est pas achevé.

Destino sourit. La mort ne viendrait pas le réclamer tout de suite, et c'était bien ainsi. Il avait encore tant d'histoires à raconter à Maureen. Dès qu'elle en aurait terminé avec le Livre, il lui faudrait instruire le monde sur la façon de le lire tel qu'il était préservé dans la cathédrale de Chartres.

Maureen n'allait pas chômer. Il y avait plus de mille œuvres d'art dans la cathédrale de Chartres. Les interpréter à travers le Livre de l'Amour et le Libro Rosso était une tâche gigantesque, qui prendrait des années. Mais elle ne serait pas seule à l'accomplir, car ceux qu'elle aimait l'entoureraient et la soutiendraient. Ceux, nombreux parmi ses plus proches, qui avaient des oreilles pour entendre et des yeux pour voir... Telle était la grande bénédiction que Dieu lui avait accordée : des amis magnifiques, une famille d'esprit, le mentor le plus remarquable de l'histoire humaine et un bien-aimé avec qui partager l'union sacrée.

Ensemble, ils prouveraient la vérité de la prophétie du temps qui revient. Ils créeraient une œuvre aussi considérable que celles des hommes et des femmes qui les avaient précédés dans la même mission. Ils feraient comprendre au monde entier que les hommes et les femmes qui souhaitent participer de la prophétie lui appartiennent déjà. Car il s'agissait de créer le paradis sur la terre, ce qui exigerait la collaboration de l'espèce humaine tout entière, car chacun est un prophète, chacun est uni à Dieu, chaque homme et chaque femme sont les fruits du même amour.

Sur terre comme au ciel.

Oui, une tâche gigantesque en vérité, et peut-être une utopie, mais Maureen avait appris à croire aux miracles.

D'abord, elle remplirait son rôle d'Élue et poursuivrait l'écriture du Libro Rosso. À l'instar de Matilda, elle créerait ses monuments personnels dédiés aux enseignements du Chemin et aux hommes et aux femmes qui avaient vécu et qui étaient morts pour cette noble cause. Son monument serait d'encre et de papier plutôt que de pierre ou de verre, et il serait diffusé partout dans le monde, en plusieurs langues. Elle raconterait la vie et les amours de Matilda et Brando, ainsi que celles de leurs compagnons. Ils le méritaient plus que quiconque. Puis il y en aurait d'autres. Destino lui avait appris tant de choses ! Elle se réjouissait d'avance d'explorer les arcanes de la vie des êtres extraordinaires du passé, et peut-être de l'avenir.

Maureen projetait de se rendre à Florence, où Destino lui dispenserait l'enseignement sacré qu'il avait offert à Matilda. Bérenger la rejoindrait, car il avait sa prophétie personnelle et sa mission à accomplir. Ils travailleraient ensemble à la diffusion du Chemin de l'Amour, sous la direction du plus extraordinaire des professeurs.

Un jour, Destino l'autoriserait peut-être à écrire sa propre histoire, car Maureen désirait que le monde connaisse l'homme tourmenté dont le nom signifiait à la fois destinée et destination. C'était en fait l'histoire de l'espèce humaine ; l'histoire de la rédemption par la foi et le pardon ; et surtout l'histoire de la seconde naissance grâce au pouvoir de l'amour.

À toi, qui as des oreilles pour entendre.

Avant de quitter Chartres, Maureen fit un dernier rêve. Destino l'avait prévenue : comme elle avait touché le Livre de l'Amour, la fréquence de ses rêves et de ses visions s'accélérerait. Elle devrait apprendre à vivre avec eux, et ce ne serait pas sans peine. Mais, depuis cet instant, Maureen se sentait indiciblement différente : une porte vers le divin s'était ouverte, dans son esprit et dans son cœur, et ses rêves étaient plus réalistes que jamais.

Elle était spectatrice. Un chant lent s'élevait autour d'elle, et elle voyait une étrange procession s'avancer dans les rues étroites d'une ville médiévale italienne. Il faisait nuit, les hommes portaient des torches. Elle supposait que c'étaient des hommes, sans en avoir la moindre preuve. Ils étaient revêtus d'une longue robe d'un blanc immaculé, et une capuche dissimulait leur visage. Les manches des robes s'ornaient d'un emblème brodé en rouge : une jarre d'albâtre, qui symbolisait Marie Madeleine et l'Ordre dont ils étaient les dévots.

Au centre de la procession, deux personnages portaient un étendard représentant Marie Madeleine, grandeur nature, en majesté et assise sur un trône divin.

La procession avançait et Maureen pouvait distinguer les deux personnages qui se tenaient sur le bord de la route. Ils ne portaient pas de capuche, ne participaient pas à la parade. L'un était un homme d'un certain âge, grand et fort, à l'allure aristocratique. On eût dit un roi. L'autre, un adolescent aux cheveux noirs et brillants, au regard profond et intelligent. Il semblait empli d'une sagesse précoce.

Comme Maureen, ils étaient spectateurs mais on les sentait très impliqués dans les événements auxquels ils assistaient. Des larmes coulaient sur le visage du jeune garçon, et, les yeux brillants, il s'adressa à l'homme âgé :

— Je n'échouerai pas, grand-père. Rien ne m'arrêtera. Je ne trahirai pas Notre-Seigneur, ni Notre-Dame, et je ne trahirai pas le legs des Médicis.

Maureen réagit avec une intensité inattendue aux déclarations du jeune homme : elle était en proie à un mélange de peur et d'amour devant cette incarnation du destin, d'un destin qui promettait la gloire et la tragédie.

Le vieil homme sourit.

— Je le sais, Lorenzo. Je le sais de toute évidence. Tu n'échoueras pas, car ton destin est de réussir. Tu seras notre sauveur à tous.

Puis il ajouta, et ce furent les dernières paroles qu'entendit Maureen :

— Tu n'échoueras pas, car tu es le Prince Poète.

Lorsque Maureen s'éveilla, Bérenger lui sourit.

— Tu as pleuré dans ton sommeil. As-tu rêvé ?

— Oui.

— De quoi ?

Maureen tendit la main pour caresser du bout des doigts le noble visage de Bérenger.

— Je crois que j'ai rêvé de toi.

— De moi ? Alors, ce devait être un rêve magnifique ! dit-il en riant.

— Magnifique ? Oui, je crois que tu l'étais. Et je crois aussi... que je t'ai aimé hier.

— Et aujourd'hui, tu m'aimes ?

— Je t'aime aujourd'hui. Et je sais que je t'aimerai demain.

Maureen déposa un baiser léger sur les lèvres de Bérenger et se blottit contre lui.

— Bonne nuit, doux prince. Le temps revient.

Il la serra contre lui, en souriant.

— Le temps revient, grâce à Dieu et sa belle épouse.

Les amants des Écritures étaient revenus à la vie. Ils n'étaient plus deux. Ils étaient Un.

À propos du
LIVRE DE L'AMOUR
ET DU LIBRO ROSSO

Le Livre de l'Amour (original)

1er siècle
Jésus le rédige. Après la Crucifixion, Marie Madeleine l'emporte à Alexandrie puis en France.

Elle prêche selon le Livre et le remet à sa fille Sarah-Tamar pour qu'elle lui succède après sa mort. Certaines des traditions concernant Sarah-Tamar et les familles de la lignée subsistent dans la culture française, mais elles ne sont pas aussi bien documentées qu'en Italie. En France, le Livre de l'Amour demeure dans son format original, intact, bien que relié de cuir rouge pour le protéger.

IIe-XIIIe siècle
Le Livre de l'Amour est protégé par les familles de la lignée, qui prêchent à partir de ce texte. C'est l'origine de l'« hérésie » cathare.

XIIIe siècle
La Pascalina, ancêtre de Maureen, sauve le Livre de l'Amour des croisés de Montségur et le confie aux sympathisants cathares du monastère de Montserrat, le 22 mars 1244.

XIIIe-XVIe siècle
Le Livre de l'Amour est caché par des familles de la lignée catalane.

Milieu du XVIᵉ siècle

Ignace de Loyola découvre le secret du Livre de l'Amour et le révèle au pape. Le Livre est apporté à Rome, où l'Église en dissimule l'existence. Il n'en est jamais fait publiquement mention, et les documents historiques qui s'y réfèrent sont détruits.

XVIIᵉ siècle

Le pape Urbain VIII reconstruit Saint-Pierre en l'honneur de la tradition secrète du Livre de l'Amour, sur le modèle de la cathédrale de Chartres.

Le Libro Rosso (copie)

Iᵉʳ siècle

L'apôtre Philippe exécute une copie du Livre de l'Amour à la demande de Marie Madeleine, réfugiée à Alexandrie. Cette copie est envoyée à Jérusalem, aux bons soins de l'ordre du Saint-Sépulcre, une société secrète fondée le jour des premières pâques par saint Luc, Nicodème et Joseph d'Arimathie.

Luc l'emporte en Calabre, dans un monastère. Les scribes calabrais entreprennent le récit de la vie et de la mort des membres de la Sainte Famille et de leurs descendants. Les Calabrais ajoutent les prophéties de Sarah-Tamar à leur exemplaire du Livre de l'Amour, que l'on appellera désormais le Libro Rosso après l'avoir relié de cuir rouge.

IIᵉ-XIᵉ siècle

Le Libro Rosso est conservé en Toscane, où s'installe l'ordre du Saint-Sépulcre.

XIᵉ siècle

Matilda fait envoyer le Libro Rosso à Chartres, où l'on s'en inspire pour reconstruire la cathédrale, chef-d'œuvre de l'art gothique, et y inscrire un énigmatique labyrinthe créé par Jésus.

xiiᵉ-xvᵉ siècle

Le Libro Rosso est entre les mains de la famille royale française jusqu'à ce que le roi Louis XI l'offre à la famille des Médicis.

Milieu du xviᵉ siècle

Le Libro Rosso appartient aux papes de la famille des Médicis, Léon X et Clément VII, et demeure au Vatican jusqu'à ce que la famille Barberini le subtilise à la mort d'Urbain VIII. Dès lors, on n'en trouve plus trace.

xviiᵉ siècle

Le pape Urbain VIII installe la dépouille de Matilda dans la basilique Saint-Pierre et, avec le Bernin, rend également hommage à Longinus et à Véronique, qui ont protégé les saints enseignements de Jésus.

Postface de l'auteur

À ma connaissance, aucune publication dans le monde n'a été consacrée au même sujet que ce livre. Mes recherches en ont été d'autant plus longues et ardues. Je les ai menées conjointement avec celles concernant Marie Madeleine, transcrites dans le premier roman de cette série, *Le Livre de l'Élue*.

Le premier jet de ce livre comportait mille quatre cents pages, une gageure tant pour moi que pour ses futurs lecteurs ; avec l'aide d'une équipe talentueuse constituée notamment de mon agent et de mon éditeur, j'ai consenti au sacrifice le plus redouté de tout auteur : j'ai éliminé des épisodes et des personnages et coupé des centaines de pages de détails historiques. Les notes de l'auteur, si je les avais intégrées, auraient représenté un ajout de près de la moitié de ce livre. Afin d'épargner le lecteur et de sauver des arbres, elles ne figurent donc que sur mon site Web, www.kathleenmcgowan.com, à la disposition de ceux que ces notes, anecdotes et ajouts intéresseront.

L'histoire n'est que conjectures. Seuls les idiots et les arrogants peuvent se targuer de certitudes quant aux événements du passé. Nous les assemblons de notre mieux, à l'aide des preuves qui existent. Quand nous avons de la chance, les pièces s'assemblent et constituent un collage cohérent et satisfaisant. La différence entre la mosaïque créée par un romancier et celle que construit un historien réside entre les appréciations divergentes de ces preuves. Le romancier, à mon sens, préfère travailler en Technicolor, alors que l'universitaire se limite au champ du noir et blanc. Le romancier et l'universitaire ont tous deux le mérite de participer à l'éducation et au divertissement, et j'espère que le jour viendra où ils apprendront à s'épauler afin de glorifier les héros de l'histoire humaine.

Au sujet du Livre de l'Amour

J'ai entendu parler pour la première fois du Livre de l'Amour en visitant le Languedoc. Les nombreuses allusions à un mystérieux Évangile possédé par les cathares me fascinèrent. Mes premières tentatives de comprendre de quoi il s'agissait exactement furent totalement infructueuses. On me donnait des réponses allusives, si l'on voulait bien me répondre. On m'affirmait souvent que le Livre de l'Amour était une version légèrement différente de l'Évangile de Jean. J'eus le sentiment que l'on me trompait délibérément. Les années passant, je compris que c'était un écran de fumée destiné à protéger la vérité.

Les lecteurs du *Livre de l'Élue* auront compris que ma quête personnelle reflète celle de Maureen. Comme mon héroïne imaginaire, mon immersion dans la tradition du folklore français puis italien a modifié ma pensée, ma foi et ma vie. J'eus la chance de côtoyer d'extraordinaires initiateurs, de parfaits hérétiques, qui me racontèrent une version différente des véritables contenus et de l'origine du Livre de l'Amour. Je me suis efforcée de les présenter dans les pages de ce livre. Les extraits du Livre de l'Amour cités dans mon ouvrage sont de moi, mais je crois qu'ils sont une interprétation fidèle des traditions et des puissants enseignements transmis depuis deux mille ans.

À l'époque où j'entendis parler du Livre de l'Amour, je n'avais pas étudié les Évangiles gnostiques. Quelle ne fut pas ma surprise en m'apercevant que l'Évangile de Philippe reflétait très souvent les enseignements « hérétiques » que l'on m'avait transmis. De même les Évangiles de Thomas et de Marie Madeleine.

La nature passionnée et érotique du texte de Philippe fut une révélation, et m'apporta la certitude de la féminitude du Saint-Esprit. Je suis persuadée, comme Peter dans les pages qui précèdent, que l'Évangile de Philippe fut, pour le moins, une tentative de reproduire le Livre de l'Amour, pour ceux qui ont des oreilles pour entendre.

Je conseille absolument à ceux qui désirent ouvrir leurs oreilles et étudier le sujet à fond de s'intéresser à Philippe. Il existe sur lui de nombreux commentaires et publications. Personnellement, j'ai choisi les écrits de Jean-Yves Leloup. *Les Évangiles gnostiques* d'Elaine Pagels constituent également une excellente initiation.

Sur Matilda de Toscane

J'ai découvert son existence en visitant la basilique Saint-Pierre avec mon mari, au printemps 2001. Je venais d'admirer la *Pietà*, le chef-d'œuvre de Michel-Ange, lorsque je me heurtai presque à son gigantesque tombeau de marbre. La présence d'une femme au Vatican m'étonna, et que cette femme porte la tiare papale et les clés de saint Pierre me stupéfia. Qui était-elle ? Que faisait-elle là ? Pourquoi n'obtenais-je aucune réponse lorsque je posais des questions à son sujet ? Il fallait que je le sache.

Entreprendre des recherches sur une femme morte depuis mille ans, et ayant vécu à une période où les moines historiens faisaient peu de cas de la gent féminine, relevait du défi. Ajoutez ma certitude des liens de Matilda avec l'hérésie cathare en Toscane, par nature secrète, et vous êtes devant ce que j'appelle un black-out historique.

En ce qui concerne les cathares, justement, les universitaires ne manqueront pas de me jeter la pierre, car je disperse ces hérésies dans toute l'Europe alors que, selon l'histoire officielle, le catharisme serait limité à un lieu et une époque spécifiques. Pourtant, cette tradition de « chrétienté pure », l'essence même du mot cathare, remonte à deux mille ans. Je n'ai donc aucun remords à appeler cathares tous ces « parfaits hérétiques ».

Comme en France, les « purs » d'Italie menaient une existence tranquille et n'étaient absolument pas considérés comme une menace pour les catholiques. On ne commencerait à les persécuter qu'au XIIIᵉ siècle, sous l'Inquisition. Italiens comme Français, leur histoire fut dès lors présentée sous un faux jour par l'Église et donc par les historiens. Ils n'étaient pas les descendants de sectes plus tardives qui auraient émigré depuis d'autres régions d'Europe pour s'opposer à la foi catholique, comme le prétendirent les historiens qui s'appuyaient sur des sources issues de l'Inquisition. Les cathares d'Ombrie et de Toscane, comme les cathares du Languedoc, vivaient là depuis les débuts du christianisme, en préservant paisiblement leur foi et leurs traditions. Pour les persécuter, l'Église dut recourir à une fausse interprétation de leur histoire.

En tant qu'écrivain, je me suis juré de mettre en lumière les femmes extraordinaires qui ont osé vouloir changer le monde mais que l'histoire officielle néglige ou ignore. Après Marie Madeleine, Matilda de Canossa en est le plus parfait exemple. J'ai beaucoup appris, grâce à elle. On sait d'ordinaire que les traditions hérétiques s'épanouirent dans le sud de la France, mais on ignore en général qu'il en alla de même en Italie. Pourtant, elles étaient cachées en pleine lumière, comme on peut le constater dans l'histoire de Matilda. J'ai visité la Toscane avec ma famille, et nous sommes allés voir le ponte della Magdalena, le pont dessiné par Matilda dans les environs de Lucques. Il est d'une beauté à couper le souffle et les cercles parfaits que les reflets de ses arches créent dans l'eau sont parfaitement visibles, surtout de nuit. Nous y sommes restés des heures, car il y a réellement quelque chose de magique dans ce lieu. Les intentions de son concepteur étaient manifestement aussi spirituelles que pratiques. Il porte le nom de Marie Madeleine, et il y avait dans le temps une statue et une chapelle qui lui étaient consacrées, au pied du pont. Cela prouve, me semble-t-il, la dévotion de Matilda. Il a été question à maintes reprises de changer le nom du pont afin de dissimuler son origine. Mais on ne peut pas effacer Marie et Matilda, et le nom du pont est désormais reconnu officiellement.

On trouve fort peu de documentation d'époque sur Matilda, une énigme de l'histoire. Le manuscrit de Donizone, conservé au Vatican, est la seule source d'informations à son sujet. Je crois sincèrement qu'elle en a souhaité l'existence, avec l'aide de l'Église, afin qu'il protège ses biens et sa réputation. Ce que Donizone omet est souvent aussi important que ce qu'il écrit. Quant au manuscrit qui est donné à Maureen, certaines rumeurs affirment qu'il existe, mais je ne peux en apporter aucune preuve. En ce qui nous concerne, il s'agit d'une fiction. Le sarcophage de Matilda a été ouvert plusieurs fois avant le règne d'Urbain VIII, et, à mon sens, des membres de la famille des Médicis ont découvert le manuscrit écrit de sa main. Mais les Médicis, leurs méthodes et la façon dont ils ont transformé le monde feront l'objet de mon prochain livre, *Le Prince Poète*.

Je tiens à rendre hommage à Michele K. Spike, auteur de l'excellent livre *Tuscan Countess*, indispensable à tous ceux qui désirent connaître le contexte historique complexe de Matilda. Son travail m'a considérablement aidée et elle écrit avec une passion que l'on trouve rarement chez les universitaires. Bien que j'aie tiré des conclusions différentes des siennes au sujet des motivations de Matilda (les motivations sont parmi les éléments de la nature humaine sur lesquels on ne peut que conjecturer), je lui dois beaucoup.

Grâce à elle, j'ai mieux compris les raisons qu'avait Michel-Ange de se prétendre le descendant de Matilda. Tout en explorant des sources selon lesquelles cette filiation était envisageable si la petite Béatrice n'était pas morte, j'étais persuadée qu'il y avait une autre explication. Je soupçonnais depuis longtemps l'existence d'un autre enfant, et Michele Spike m'a guidée vers lui grâce à sa découverte de trois documents qui font état de Guidone et Guido Guerra, dont le décret d'adoption de Vallambrosa. Je précise que Michele Spike ne prétend absolument pas qu'il était le fils de Matilda et de Grégoire. C'est une opinion purement personnelle, fondée sur ce que je considère comme des preuves dans ce contexte. Ils sont les fils et petit-fils de Matilda, et les ancêtres de Michel-Ange. J'y reviendrai dans *Le Prince Poète*.

J'espère que les médiévistes et les spécialistes me feront le crédit d'avoir essayé de rendre compréhensible l'histoire si compliquée de cette époque. Des mois durant, tant il était difficile de démêler l'écheveau des intrigues politiques et religieuses, je désespérai de finir les chapitres consacrés à Matilda. J'ai tenté de rester aussi fidèle que possible à la vérité historique tout en la simplifiant, au nom de la licence poétique. En vérité, j'ai sacrifié plus de dix papes sur l'autel de ce roman. Ceux qui voudront en savoir plus pourront se rendre sur mon site.

On ignore le lieu de naissance exact de Matilda. Plusieurs spécialistes, dont Michele Spike, privilégient l'hypothèse de Mantoue, la première ville où l'on trouve trace de son enfance, et celle où elle choisit d'être inhumée. En chemin, j'ai croisé des sources qui préfèrent Lucques, et avec tout le respect que je dois à mes amis de Mantoue, ce choix m'a paru être juste, en raison du dévouement jamais démenti de Matilda pour cette ville et ses habitants, même lorsque Henri IV fait de son mieux pour lui aliéner la population. Et les événements que je décris, son engagement pour San Martino, le décret de 1099 protégeant Lucques et le grand pont bâti en l'honneur de Marie Madeleine sont historiquement fondés.

D'après des guides que je possède, publiés et achetés à Lucques, la présence de Matilda à Lucques lors de la consécration de San Martino est attestée. Mais le lieu date de 1070, or nous savons avec certitude qu'à cette époque Matilda était en Lorraine, mariée au Bossu, et construisait Orval. Selon certains experts, c'était Béatrice qui était présente lors de la cérémonie, et non Matilda. Je récuse cette théorie; il me semble hautement improbable que quiconque ait confondu les deux femmes, et je suis certaine que Matilda n'aurait pas accepté de manquer la cérémonie. Il est plus probable que la date soit erronée.

J'ai choisi la version italienne du nom de Brando, Ildebrando, qui est souvent cité sous son nom germanisé de

Hildebrand, pour souligner l'importance de Rome dans ce contexte. Et Brando m'est apparu comme un prénom plus séduisant pour cet homme paradoxal, qui n'hésita pas à renforcer les lois sur le célibat des prêtres. Rappelons que les prêtres célibataires n'ont pas de descendance, et que Rome est leur seule héritière. La décision d'interdire le mariage aux membres du clergé est donc plus économique que morale.

Le pape Grégoire, Brando, a laissé une importante correspondance, sur laquelle je me suis fondée pour définir son personnage. En la lisant, on constate que c'était un homme intelligent, ambitieux, téméraire et animé d'une immense passion pour Matilda. À mon avis, Brando était un homme bon et juste, certain de la nécessité des réformes, et qui croyait sincèrement que la fin justifie les moyens. Il était également impitoyable lorsque nécessaire, comme l'exigeait l'époque si l'on ne voulait pas passer pour un faible, et choisissait avec soin le champ de la bataille qu'il livrerait. Je crois qu'il a tout appris à Matilda en ce domaine.

Historiquement, on s'interroge encore sur la nature des relations entre Grégoire et Matilda. Personnellement, je n'ai aucun doute, et je m'appuie sur une lettre du pape à sa bien-aimée, dans laquelle il exprime son souhait de s'enfuir avec elle en Terre sainte, à l'abri de la curiosité du monde, afin d'y poursuivre leur œuvre au service de Dieu. Cette lettre exprime un tel désir qu'on ne saurait mettre en doute la passion charnelle qui les unissait.

Knock et les saintes apparitions

Je suis allée à Knock peu avant d'achever ce livre. Je n'y étais pas retournée depuis l'âge de vingt ans. Mon point de vue d'aujourd'hui est bien différent de celui d'hier. De tout mon cœur d'Irlandaise, je suis convaincue que Knock est un lieu sacré, le seul peut-être où la Sainte-Trinité est apparue à des mortels. À mon sens, saint Patrick eut une vision similaire lorsqu'il annonça l'avenir sacré de Knock.

Je prie de me pardonner tous ceux que mon point de vue sur les saintes apparitions a pu offenser. Je sais que c'est un domaine sacro-saint. Je sais que tous ces enfants ont vu des choses extraordinaires, et que nombre d'entre eux étaient des mystiques. Je suis persuadée que c'est vrai en ce qui concerne Lucia dos Santos. Comme Maureen, j'ai pleuré en lisant l'histoire de son confinement. J'aurais seulement souhaité qu'on ait pu l'entendre de sa propre voix et avec ses propres mots. Il n'est pas dans mon intention de dénigrer le miracle de Fátima, mais d'inciter les gens à y réfléchir à partir d'un autre point de vue.

Le précieux document prophétique du père Girolamo DiPazzi, attribué à Nostradamus, existe et a en effet été offert au pape Urbain VIII. Un journaliste italien l'a découvert dans une bibliothèque de Rome au cours des années 1990. Un livre et un documentaire ont été consacrés à ce qu'on a appelé « le livre perdu de Nostradamus ». Mais on n'a pas épuisé les richesses ni les énigmes de cet ouvrage. J'y travaille, et j'espère publier un jour mes conclusions.

Sur Chartres et le labyrinthe

En écrivant ceci, je suis assise sur les marches de la cathédrale de Chartres, sous la délicieuse statue de Modesta. Rien de ce que j'ai visité ne m'a émue autant que Chartres, ce sublime monument à la gloire de Dieu.

Aucun lieu n'a suscité tant de légendes. Aucun historien n'a découvert comment avait été financée sa construction, mais, selon la tradition qui a cours ici, il est vain de chercher des livres de comptes. Chartres est l'œuvre d'hommes de foi, et, à mon sens, le travail a été accompli sans rétribution. On dit aussi que la cathédrale a été reconstruite par les « objecteurs de conscience » de l'époque, qui étaient opposés aux croisades. Les parents vouaient leurs fils à la construction de l'édifice plutôt que de les enrôler dans l'armée : ils choisissaient Dieu plutôt que la guerre.

On parle aussi de prières rituelles de purification pour quiconque venait y travailler, et on raconte que si un ouvrier était dans un mauvais jour on le renvoyait chez lui et on lui demandait simplement de revenir quand il se sentirait mieux. Car on ne pouvait y travailler que par amour.

Ces légendes ont-elles une part de vérité ? Avons-nous des preuves ? Elles perdurent depuis huit siècles entre les murs de pierre, et pour moi, c'est une preuve suffisante. Il suffit d'apercevoir de loin les flèches de la cathédrale pour savoir que ce lieu possède un pouvoir particulier, et qu'il n'a pu être réalisé que grâce à des hommes formant une communauté d'amour et de foi, unis par la prière. Chartres, pour moi, est un monument dédié au Livre de l'Amour.

Et le labyrinthe qui y est inscrit est le lieu le plus sacré au monde. Comme Maureen, j'ai pleuré en le voyant recouvert de chaises. À l'époque où j'ai visité Chartres pour la première fois, on ne le découvrait jamais et nul ne pouvait imaginer que la splendeur du sol était digne de celle des vitraux qu'on admirait tant.

Aujourd'hui, on y accède plus facilement. Je viens d'y passer un après-midi béni. Il est ouvert au public tous les vendredis, d'avril à septembre. Je prie, au vrai sens du mot, pour que les esprits s'ouvrent de la même façon, et que l'on puisse un jour accéder à tout moment à ce monument de la spiritualité conçu par Salomon, la reine de Saba et Jésus-Christ. Et je vous invite à prier avec moi pour qu'en soit reconnue la sainteté, et qu'on cesse une fois pour toutes de l'endommager avec des chaises inutiles.

Dans le monde entier, on s'intéresse de plus en plus au thème du labyrinthe, tandis que l'humanité redécouvre la magnifique possibilité de prier en marchant et d'accéder à Dieu. Si, en dépit de recherches sur Internet, vous n'en trouvez pas un dans les environs de chez vous, alors créez-le !

Tandis que j'écris, un gardien de la cathédrale s'approche pour sa prière du matin. Il apporte des fleurs à Notre-Dame, et m'en offre une. L'esprit de ces lieux et les âmes qui ont su le créer sont un rayon de lumière pour ceux qui ont des yeux pour voir et des oreilles pour entendre, et peut-être aussi pour ceux qui n'ont pas encore cette chance. Je viens ici chaque année, pour me ressourcer, et dans l'espoir d'en être un dépositaire qui partagera avec le monde cette merveille accomplie par l'homme. Je viens, car ma promesse personnelle fut de révéler des récits égarés au cours de l'Histoire, des vérités longtemps dissimulées et enfouies, qui attendent le moment de leur renaissance.

Ce moment, c'est aujourd'hui. Et je ne connais aucun endroit au monde qui ait plus à révéler que la cathédrale de Chartres. Ce livre est mon propre hommage à ceux qui l'ont conçue et édifiée. Suivons leur exemple, à notre façon. J'espère leur avoir rendu justice dans cet ouvrage et que d'autres s'en inspireront pour trouver leur propre chemin.

Chartres

17 mai 2008

Remerciements

Écrire est un exercice solitaire, mais publier est un travail collectif. Je ne pourrai, faute de temps et de place, citer tous ceux qui m'ont aidée et soutenue en cours de route. J'espère qu'ils savent tous à quel point je les aime et je les apprécie.

Le temps revient, de cela je suis certaine, et les gens que je citerai m'ont prouvé, grâce à leur présence puissante, qu'ils sont membres de ma famille d'esprit. J'espère qu'ils me feront le même crédit. Comme il est écrit dans le Livre de l'Amour, *ceux qui se souviennent et se reconnaissent sont bénis*. Ma gratitude leur est acquise à jamais.

Ma vie privée est centrée sur ma famille, qui m'offre la possibilité de me donner ainsi à mon travail. En premier lieu, mon mari, Peter, qui a été et sera toujours le premier : mon premier amour, mon premier lecteur et critique (ce dont je ne sais peut-être pas assez le remercier), et mon premier soutien. Nos trois merveilleux fils sont la preuve incarnée du pouvoir de l'amour. À mes parents, toujours présents, chaque jour de ma vie, vont toute ma gratitude et tout mon amour, ainsi qu'à mes frères, Kelly et Kevin, et à leurs familles, que j'aime autant que la mienne.

Ce livre n'aurait pas pu exister sans :

Larry Kirshbaum, si inconditionnel, si patient, je me demande ce que j'ai fait pour mériter que cet ange se penche sur moi.

Trish Todd, éditrice talentueuse, qui s'assure que j'emploie toujours le meilleur mot, et qui m'a offert le refuge qui me permet d'être entièrement moi-même.

Patrick Ruffino, qui se souvient, qui croit et qui vit en la vérité sans crainte ; il a instillé son esprit dans ce livre, il n'a jamais renâclé. Mon amour aussi pour sa ravissante épouse, Julia, qui a eu la générosité de le partager avec moi.

Ampy Dawn, qui m'a fait comprendre que si Dieu ne m'avait pas donné de sœurs c'était pour que je puisse choisir la mienne : elle.

Olivia Peyton, car tandis que le temps revient, je remercie Dieu et sa splendide épouse qu'elle ait accepté de m'accompagner tout le long du chemin. Son génie dépasse mon entendement.

Mon Issy à moi, Isobel Denham, qui m'a tant appris en si peu de temps, et notamment la magnifique chanson d'amour française. Grâce à elle, et au travail qu'elle accomplit auprès de femmes et d'enfants bosniaques, j'ai compris ce que signifie être un « parfait hérétique ».

Larry Warmberg, pour sa chaleur et sa sagesse.

La jolie Laurence Rabe, qui m'a initiée à la langue française.

Gary Lucchesi, qui devint, contre son gré, une source inattendue d'inspiration en étant le vivant exemple des nobles traditions de Lucques.

La plus récente de mes petites sœurs, Mary Ann Parent, qui est entrée dans le voyage et m'a fait don de ses qualités exceptionnelles.

Sarah Simons, fondatrice du réseau Émancipation, qui se consacre jour après jour à mettre fin au trafic humain. L'engagement de Sarah est une des grandes sources d'inspiration de ma vie. Je ne peux qu'espérer suivre son exemple, et je lui offre un pourcentage de mes droits d'auteur afin de l'aider à mener à bien ses projets et son œuvre. Pour en savoir davantage sur la façon dont nous joignons nos efforts au bénéfice des femmes et des enfants, voir son site Web, www.madebysurvivors.com, ou le mien.

Danke, Tobi et Gerda (ma sœur en équinoxe), pour mes merveilleux séjours à Rennes-le-Château, et plus encore parce qu'ils incarnent, dans leur vie quotidienne, les enseignements du Livre de l'Amour.

À mes amis auteurs, je dédie un grand merci pour leur camaraderie et les conversations dont un écrivain a autant besoin que d'oxygène. J'ai tant appris de vous tous, verbalement ou grâce à vos publications : Jeffrey Butz, Ani Williams, Nancy Safford, Shannon Anderson, Flo Aveia Magdalena, Angelina Heart, Phil Gruber, Victoria Mary Clarke, Henri Lincoln. Alors que j'achevais ce livre, Jean-Luc Robin, l'un des gardiens de l'âme de Rennes-le-Château et l'auteur d'un livre exhaustif sur ce village mystique et hérétique, a quitté ce monde. Je prie pour que Jean-Luc, du ciel où il se trouve désormais, possède enfin la clé de tous ces mystères.

Mon amour et ma gratitude pour ce miracle que fut et qu'est Destino, car destin et destination ont effectivement la même racine. Et bien entendu, pour Easa et Marie Madeleine, dont le legs d'amour a changé le monde dans le passé et le changera encore.

Enfin, et surtout, merci à vous, mes lecteurs, mes frères et sœurs sur le chemin, passé, présent et à venir, pour les milliers de lettres d'encouragement que vous m'avez envoyées du monde entier. Je les ai toutes lues et presque toutes m'ont fait pleurer de la joie du simple fait que vous existiez. J'espère que ce livre animera votre *souvenir*, ce qui est un objectif majeur de notre quête à tous. Rien n'est plus passionnant que de découvrir notre besoin de chercher, cette faim ardente de quelque chose de mystérieux et de divin, et de régler notre vie sur cette quête. Le saint Graal revêt sans doute des formes différentes pour chacun de nous, mais pour moi rien n'égale la vérité de l'histoire de l'humanité. C'est le jeu que nous offre Dieu, et la décision d'y jouer de tout notre cœur est une joie infinie. Easa a dit : « Celui qui cherche doit continuer à chercher jusqu'à ce qu'il trouve. » La quête est la destination, et le sens du destin.

Je finirai par dame Ariane. J'ai tenté de donner un indice à tous ceux d'entre vous qui arpentent le labyrinthe. Ce livre s'apparente à des strates de connaissances : plus vous le lirez, plus les voiles se soulèveront et plus les vérités seront révélées. Donc! reprenez votre lecture, depuis le début...

Quant à moi, une vérité s'impose à jamais :

Je t'ai aimé hier, je t'aime aujourd'hui, je t'aimerai demain.

À toi, qui as des oreilles pour entendre.

Kathleen McGowan.

Au chapitre 2 du Livre de l'Amour, Maggie Cusack chante un hymne irlandais traditionnel. Mon mari, Peter McGowan, est originaire d'un village irlandais où, selon la légende, saint Patrick a prêché le même message.

Je crois sincèrement que Patrick est de la lignée de Jésus et Marie Madeleine, et qu'il prêchait selon les enseignements du Livre de l'Amour. En son honneur, Peter et moi avons donc écrit une chanson en utilisant les mots de Patrick, un Prince Poète de plein droit.

Il est possible d'écouter la chanson dans sa totalité sur mon site Web.

Céad Mile Fàilte Rombat, a Iosa

Je m'éveille aujourd'hui par la force du souffle du ciel
Et de la chaleur d'un rayon de soleil
À la splendeur du feu, à la vitesse de l'éclair,
Et je cours dans la douceur du vent.

En ce jour j'appelle à moi
La main de Dieu pour te soulever,
Et que nous semions la vérité que nul ne peut nier.

Par une force puissante, invocation de la Trinité,
Je soulève, je soulève aujourd'hui,
Par la foi en les Trois,
La confession de l'Un, au Créateur de tout ce qui est.

Je crois, je crois
Aux prédictions des prophètes et au prêche du Chemin,
En la force qui me guide, au pouvoir qui me soutient,
À la sagesse qui m'entraîne, au chemin sous mes yeux.

En ce jour j'appelle à moi
La main de Dieu pour te soulever,
Et que nous semions la vérité que nul ne peut nier.

La main de Dieu pour me protéger,
La sagesse de Dieu pour me guider,
L'oreille de Dieu pour m'écouter.

L'œil de Dieu pour voir devant moi,
Le pouvoir de Dieu pour me dresser,
La parole de Dieu pour parler par ma bouche,
L'amour de Dieu pour me nourrir,
L'abri de Dieu pour me protéger.

Céad Mile Fàilte Romhat, a Iosa

McGowan and McGowan 2008
Avec l'aide de saint Patrick

Cet ouvrage a été composé et imprimé par

C P I
Firmin Didot

Mesnil-sur-l'Estrée

pour le compte de XO Éditions
en mai 2009

Imprimé en France

Dépôt légal : juin 2009

N° d'édition : 1504/01 – N° d'impression : 95212